MICHÉE – SOPHONIE
NAHUM

Nihil Obstat
Paris, le 20 novembre 1986
J. Trinquet, p.s.s.

Imprimatur
Paris, le 21 novembre 1986
E. Berrar, v.é.

ISBN 2-85021-026-9

SOURCES BIBLIQUES

MICHÉE – SOPHONIE NAHUM

PAR

B. RENAUD

PARIS
LIBRAIRIE LECOFFRE
J. GABALDA et Cie Éditeurs
RUE PIERRE ET MARIE CURIE, 18

1987

AVANT-PROPOS

Ce commentaire du livre de Michée a été préparé par une étude préalable, *La formation du Livre de Michée*, parue en 1977, aux éditions Gabalda, Paris. Nous nous y sommes longuement expliqué sur la genèse fort complexe de ce petit corpus. Le présent ouvrage y renvoie fréquemment et l'on pourra s'y référer, si l'on souhaite une plus ample justification des positions retenues. Il ne fait pourtant pas double emploi avec cette publication antérieure. S'il envisage plus sobrement les questions littéraires, il ne s'y limite pas, car il voudrait apporter une documentation historique, géographique, archéologique, et esquisser au moins une interprétation théologique.

Comme tout livre prophétique, celui de Michée se présente d'abord à nous comme un fait littéraire. On ne peut atteindre l'homme et son message qu'en partant de ce donné premier. Le travail n'est pas épuisé pour autant, car ce message a fait l'objet de plusieurs éditions, qui sont en même temps des réinterprétations. L'exégète doit rendre compte de tous ces éléments. D'où le plan retenu : une brève introduction présente les problèmes littéraires d'ensemble ; le commentaire ensuite tente, pour chaque unité, d'analyser sa structure, sa forme littéraire, son environnement sociologique et historique, son message théologique, tout en mettant en lumière les diverses étapes de sa genèse ; un dernier chapitre rassemble ces conclusions et formule une proposition relative à la formation de l'ensemble du livre : il examine la composition de chacune de ces strates, ses procédés d'écriture, son projet théologique et, autant que faire se peut, les milieux responsables de ce travail d'édition.

Plus brefs, les livres de Sophonie et de Nahum n'offrent pas, à notre sens du moins une formation aussi complexe que celle du livre de Michée. Pour des raisons de clarté, il nous a paru préférable de maintenir la présentation traditionnelle : introduction suivie du commentaire.

Puisse cette étude faire découvrir la richesse des personnalités prophétiques à l'origine de ces divers corpus, mais aussi celle de la tradition vivante, réinterprétant et réactualisant sans cesse le message initial.

SIGLES ET ABRÉVIATIONS

Les titres sont abrégés comme dans la « Bible de Jérusalem »

Gn	Genèse	Am	Amos
Ex	Exode	Ab	Abdias
Lv	Lévitique	Jon	Jonas
Nb	Nombres	Mi	Michée
Dt	Deutéronome	Na	Nahum
Jos	Josué	Ha	Habaquq
Jg	Juges	So	Sophonie
Rt	Ruth	Ag	Aggée
1 S, 2 S	Samuel	Za	Zacharie
1 R, 2 R	Rois	Ml	Malachie
1 Ch, 2 Ch	Chroniques	Mt	Matthieu
Esd	Esdras	Mc	Marc
Ne	Néhémie	Lc	Luc
Tb	Tobie	Jn	Jean
Jdt	Judith	Ac	Actes des Apôtres
Est	Esther	Rm	Romains
1 M, 2 M	Maccabées	1 Co, 2 Co	Corinthiens
Jb	Job	Ga	Galates
Ps	Psaumes	Ep	Éphésiens
Pr	Proverbes	Ph	Philippiens
Qo	Ecclésiaste (Qohelet)	Col	Colossiens
Ct	Cantique	1 Th, 2 Th	Thessaloniciens
Sg	Sagesse	1 Tm, 2 Tm	Timothée
Si	Ecclésiastique (Siracide)	Tt	Tite
Is	Isaïe	Phm	Philémon
Jr	Jérémie	He	Hébreux
Lm	Lamentations	Jc	Épître de Jacques
Ba	Baruch	1 P, 2 P	Épître de Pierre
Ez	Ézéchiel	1 Jn, 2 Jn, 3 Jn	Épître de Jean
Dn	Daniel	Jude	Épître de Jude
Os	Osée	Ap	Apocalypse
Jl	Joël		

Critique textuelle

Aq	Aquila	Q	Qeré
BHS	Biblia Hebraica Stuttgartensia	1QpMi	Pesher de Michée trouvé dans la grotte 1 de Qumran
G	Version des Septante	4QpNah	Pesher de Nahum trouvé dans la grotte 4 de Qumran
K	Kethib		
Litt.	Littéralement	Sym	Symmaque
mss	manuscrits	Tg	Targum
Mur 88	Manuscrit du livre de Michée trouvé dans les grottes de Muraba'at.	Theod	Théodotion
		TM	Texte Massorétique
Pesh	Peshitta	Vg	Vulgate

Ouvrages de référence

ANET	*Ancient Near Eastern Texts relating to the Old Testament*, ed. J. B. Pritchard	Cahtcart	K. J. CAHTCART, *Nahum in the Light of the North-West Semitic*, Rome, 1973
BA	The Biblical Archeologist	DBS	Dictionnaire de la Bible. Supplément
Bib	*Biblica*	Delcor	A. DEISSLER, M. DELCOR, *La Sainte Bible*, t. VIII, vol. II, *Michée, Nahum, Habaquq, Sophonie, Aggée, Zacharie, Malachie*, Paris, 1964
Bič	M. BIČ, *Trois prophètes pour un temps de ténèbres : Sophonie, Nahum, Nabaquq*, Paris, 1968		
BK	Biblischer Kommentar	DJD	*Discoveries in the Judaean Desert*

ETL ...... Ephemerides Theologicae Lovanienses
HALAT ... Hebräisches und aramäisches Lexicon zum Alten Testament, ed. W. BAUMGARTNER, J.-J. STAMM, I, 1967; II, 1974; III, 1983
IEJ .... Israel Exploration Journal
Irsigler ... E. IRSIGLER, Gottesgericht und Jahwetag : die Komposition Zef. 1, 1 - 2, 3 untersucht auf Grund der Literarkritik, St Ottilien, 1977
JAOS ...... Journal of American Oriental Society
JBL .... Journal of Biblical Literature
JNES .... Journal of Near Eastern Studies
JNSL ... Journal of Northwest Semitic Languages
Joüon .... P. JOÜON, Grammaire de l'hébreu Biblique, Rome
JTS .... Journal of Theological Studies
KAT .... Kommentar zum Alten Testament
Keller ... R. VUILLEUMIER, C.-A. KELLER, Michée, Nahum, Habacuc, Sophonie, Neuchâtel, 1971
La Formation ..... B. RENAUD, La formation du Livre de Michée, Paris, 1977
Mays .... J.-L. MAYS, Micah, London, 1976
RB .... Revue Biblique
RevScRel .... Revue de Sciences Religieuses
RQ .... Revue de Qumrân
Rudolph .... W. RUDOLPH, Micha, Nahum, Habakuk, Zephanja, Gütersloh, 1975

Sabottka ...... L. SABOTTKA, Zephanja : Versuch einer Neuübersetzung mit philologischen Kommentar, Rome, 1972
Schulz .... H. SCHULZ, Das Buch Nahum. Eine redaktionskritische Untersuchung, Berlin, 1973
Sellin ...... E, SELLIN, Das Zwölfprophetenbuch, Leipzig, 1922
TOB .... Traduction œcuménique de la Bible
TrTZ .... Trier Theologischer Zeitschrift
UF .... Ugarit-Forschungen
VT .... Vetus Testamentum
VTS .... Vetus Testamentum. Supplement
Weiser ...... A. WEISER, K. ELLIGER, Das Buch der zwölf kleinen Propheten, Göttingen, 4ᵉ éd. 1963
WMANT ... Wissenschaftliche Monographien zum Alten und Neuen Testament
Wolff .... H.-W. WOLFF, Micha, Neukirchen-Vluyn, 1982
ZAW .... Zeitschrift für die alttestamentliche Wissenschalt
ZDPV Zeitschrift des Deutschen Palästina Vereins

INTRODUCTION

Le livre de Michée.

A l'instar de la plupart des livres prophétiques, celui de Michée se présente comme un conglomérat d'oracles. Dans son état présent, il se divise en six sections qui font alterner annonces de jugement et perspectives de salut :

1. Après la suscription (Mi **1,** *1*), le prophète prononce un oracle contre Samarie (**1,** *2-7*), qui s'achève sur une lamentation concernant Juda et Jérusalem (**1,** *8-16*). Suivent un oracle de jugement contre les riches qui accaparent les terres (**2,** *1-5*), et l'évocation d'une controverse où sont impliqués les adversaires de l'oracle précédent, les prophètes de mensonges, et Michée lui-même (**2,** *6-11*).

2. Brusquement, sans transition, les versets **2,** *12-13* annoncent le rassemblement et le retour des exilés.

3. Au chapitre **3** reviennent les oracles de jugement qui s'adressent d'une manière plus spécifique aux classes dirigeantes.

4. Les chapitres **4** et **5** développent des promesses de salut : Jérusalem deviendra le centre du monde et la capitale d'un royaume de paix (**4,** *1-5*). YHWH rassemblera les dispersés pour les conduire au bercail de Sion (**4,** *6-8*). Suit une rétrospective sur les épreuves des temps eschatologiques dont la Fille de Sion sera délivrée (**4,** *9-14*). Le chapitre **5** décrit l'avènement du Messie, son gouvernement pacifique et universel (**5,** *1-5*), le rôle du «reste» parmi les nations (**5,** *6-7*), la purification de la terre et l'extermination des nations rebelles (**5,** *8-14*).

5. Avec les chapitres **6** et **7,** *1-6* reviennent les sombres perspectives de l'épreuve et de la condamnation : un procès d'alliance ou réquisitoire prophétique (**6,** *1-8*), un oracle de jugement (**6,** *9-16*), et enfin une lamentation sur le désordre moral et religieux en Sion même (**7,** *1-6*).

6. Le tout s'achève sur une liturgie d'espérance, comprenant une profession de foi en l'intervention salvifique de Dieu (**7,** *7-10*), un oracle de salut (**7,** *11-13*), une supplication pour la restauration d'Israël (**7,** *14-17*), et un appel au pardon divin (**7,** *18-20*).

Ce rapide parcours fait apparaître un déséquilibre réel entre les sections : la seconde (**2,** *12-13*) est d'une extrême brièveté, comparée à la 4ᵉ et même à la 6ᵉ. Insérés de façon très abrupte entre les chapitres **2** et **3**, ces versets donnent l'impression de bloc erratique.

En revanche, les autres sections paraissent étroitement articulées les unes sur les autres. Le mot d'appel « Écoutez », premier terme de la première section (**1,** *2*), réapparaît comme dernier mot de la 4ᵉ section (**5,** *14*) ; il invite à considérer les chapitres **2-5** comme un premier bloc solidement structuré qui s'ouvre sur un appel à l'attention, adressé au monde entier, et s'achève sur l'évocation des nations qui n'ont pas « écouté » (ou « obéi » c'est le même mot). On est alors conduit à voir dans la situation de **2,** *12-13* un remaniement tardif ; ces versets pourraient avoir été originellement situés entre **4,** *7* et **4,** *8* (cf. commentaire et chapitre de conclusion). Dans ces conditions, le livre de Michée serait essentiellement composé de deux grands blocs, faisant alterner, chacun, perspectives de jugement et promesses de salut :

— Mi **1,** *2* - **5,** *14* comprenant lui-même deux parties : **1,** *2* - **3,** *12* jugement, et **4,** *1* - **5,** *14* salut. Le contraste entre la Jérusalem en ruines (**3,** *12*) et la Jérusalem élevée (**4,** *1* ss) assure la transition entre les sections ;

— Mi **6,** *1* - **7,** *20* faisant succéder à de sombres perspectives d'avenir (**6,** - **7,** *6*) une prière pleine d'espérance (**7,** *7-20*).

Bien plus, ces deux blocs sont eux-mêmes soudés l'un à l'autre par le même mot d'appel qui encadrait le premier bloc : « Écoutez », il constitue le dernier mot de la première partie (**5,** *14*) et le premier mot de la seconde (**6,** *1*).

Ces premières considérations font déjà pressentir une genèse complexe du recueil. Le commentaire montrera l'extrême diversité des pièces qui le composent, mais aussi leur organisation dans une structure qui ne peut relever du hasard. Des termes et des versets de transition attestent, en effet, un long travail d'édition.

Le texte.

Le livre contient de nombreuses difficultés textuelles, mais elles sont inégalement réparties. Dans certains passages, l'état du texte est des plus défectueux (**1,** *8-16* en raison sans doute des jeux de mots sur les noms propres de villes ; **2,** *6-11* ; **6,** *9-16*). Mais d'autres sont bien conservés. Toutes ces difficultés ne relèvent pas nécessairement de fautes de copistes, elles proviennent aussi en grande partie du procédé, abondamment utilisé en Michée, des gloses et des relectures (cf. *La formation du livre de Michée,* p. xvi-xviii). Les anomalies sont donc parfois précieuses, en ce qu'elles fonctionnent comme des signes indicateurs d'interventions rédactionnelles. Le texte Massorétique consonantique, souvent appuyé par le texte du pésher de Michée trouvé à Qumrân et par le manuscrit de *Murabaat* (*Mur* 88), doit garder la priorité dans l'établissement du texte. Les Septante, et à leur suite les versions (Vulgate et Peshitta) offrent souvent des leçons interprétatives. On ne peut cependant les négliger, surtout quand elles sont confortées par *Mur* 88. Il arrive même que le Grec contienne une leçon plus ancienne que celle du TM, soumis à des relectures tardives comme les retouches anti-samaritaines (**1,** *5* et **6,** *16*). Les fragments grecs publiés par D. Barthélémy (*Les devanciers d'Aquila,* pp. 171-173) ne sont, en l'occurrence, que d'un maigre secours.

SÉLECTION BIBLIOGRAPHIQUE

Commentaires des XII Petits Prophètes

DEISSLER A., *Zwölf Propheten II. Obadja — Jona — Micha — Nahum — Habakuk*, Die Neue Echter Bible, Würzburg, 1984.

DEISSLER A., DELCOR M., *La Sainte Bible*, t. VIII, vol. II, *Michée, Nahum, Habacuc, Sophonie, Aggée, Zacharie, Malachie*, Paris, 1964.

DUHM B., *Die Zwölf Propheten*, Tübingen, 1910.

GEORGE A., *Michée, Sophonie, Nahum*, Paris, 1952.

HOONACKER (VAN) A., «Les Douze petits Prophètes», *EB*, Paris, 1908.

JEPSEN A., *Das Zwölfprophetenbuch*, Hamburg, 1967.

MARTI K., *Das Dodekapropheton, KHAT*, Tübingen, 1904.

MILOŠ BIČ, *Trois prophètes dans un temps de ténèbres. Sophonie, Nahum, Habaquq*, Paris, 1968.

RINALDI P., LUCIANI F., *I profeti Minori*, vol. III, *Micha, Nahum, Abacuc, Sofonia, Aggea, Zaccaria, Malachia*, Torino, 1969.

ROBINSON T., H., HORST F., *Die Zwölf kleinen Propheten*, Tübingen, 1964.

RUDOLPH W., *Micha, Nahum, Habakuk, Zephanja*, Gütersloh, 1975.

SELLIN E., *Das Zwölfprophetenbuch, KAT*, Leipzig, 1922.

SMITH J. M. P., WARD W. H., BEWER J. A., *A critical and exegetical commentary on Micah, Zephaniah, Nahum ...*, *ICC*, New York, 1911.

VUILLEUMIER R., KELLER C. A., *Michée, Nahum, Habacuc, Sophonie*, Neuchâtel, 1971.

WEISER A., ELLIGER K., *Das Buch der Zwölf kleinen Propheten, ATD*, Göttingen, 4ᵉ éd., Berlin, 1963.

WELLHAUSEN J., *Die kleinen Propheten*, 2ᵉ éd., Berlin 1883.

Commentaires de Michée

MCKEATING H., *Amos, Hosea, Micah, CBSC*, Cambridge, 1971.

MAYS J. L., *Micah*, Old Testament Library, London, 1976.
WOLFF H. W., *Micha*, *BK*, Neukirchen-Vluyn, 1982.
WOUDE (VAN) A. S., «Micha», *De Prediking van het Oude Testament*,
    Nijkerk, 1976.

Texte

Biblia hebraica stuttgartensia..., ed. ELLIGER K. et RUDOLPH W.,
    Liber XII Prophetarum, praeparavit K. ELLIGER, Stuttgart,
    1970.
Discoveries in the Judean Desert, I. *Qumran Cave I*, ed. BARTHÉLE-
    MY D. et MILIK J. T., Oxford, 1955.
Discoveries in the Judean Desert, II. *Les grottes de Murabba'at*, ed.
    BENOIT P., MILIK J. T., DE VAUX R., Oxford.
Discoveries in the Judean Desert, V. *Qumran Cave 4*, ed. ALLEGRO J.,
    Oxford, 1968.
Septuaginta. Vetus Testamentum graecum, auctoritate Academiae
    Litterarum Gottingensis editum, vol. XIII, *Duodecim Prophe-
    tae*, ed. ZIEGLER J., 2° ed., Göttingen, 1967.
CARMIGNAC J., COTHENET E., LIGNÉE H., *Les textes de Qumrân
    traduits et annotés*, Paris, 1963.

Études particulières

AMSLER S., ASURMENDI J., AUNEAU J., MARTIN-ACHARD R., *Les
    Prophètes et les livres prophétiques*, Paris, 1985.
BEYERLIN W., *Die Kulttraditionen Israels in der Verkündigung des
    Propheten Micha*, Göttingen, 1959.
GEORGE A., «Michée (le livre de)», *DBS* V, 1955, c. 1252-1263.
JEREMIAS J., «Die Deutung der Gerichtsworte Michas in der
    Exilzeit», *ZAW* 83 (1971), pp. 330-354.
KAPELRUD A. S., «Eschatology in the Book of Micah», *VT* 11 (1961),
    pp. 392-405.
LESCOW Th., «Redaktionsgeschichtliche Analyse von Micha 1-5»,
    ZAW 84 (1972), pp. 46-85.
— «Redaktionsgeschichtliche Analyse von Micha 6-7», *ZAW* 84
    (1972), pp. 182-212.
LINDBLOM J., *Micha literarisch untersucht*, Helsingfors, Åbo, 1929.
RENAUD B., *Structure et attaches littéraires de Michée IV-V*, Paris,
    1964.
— *La formation du livre de Michée. Tradition et actualisation*, EB,
    Paris, 1977, avec bibliographie détaillée.

WILLI-PLEIN I., *Vorformen der Schriftexegese innerhalb des Allen Testaments*, Berlin, 1971.

WILLIS J. T., «The structure of the Book of Micah», *SvExArs* 34 (1969). pp. 5-42.

WOUDE (VAN DER) A. S., «Micah in Dispute with the Pseudo-Prophets», *VT* 19 (1969), pp. 244-260.

Parole de YHWH qui fut adressée à Michée de Morèshèth[a] aux jours de

1*a*. Par suite d'une confusion graphique, Tg et Syr ont lu, à tort, «de Maréshah» (cf. **1**, *15*). Certains mss grecs ont compris Morèshèth comme le nom du père. Mais Jr **26**, *18* et la mention de Morèshèth-Gat en **1**, *14* confirment la lecture du TM.

TITRE

Ce titre complexe combine plus ou moins adroitement deux formules différentes, que l'on retrouve en suscription des livres prophétiques : «Parole de YHWH qui fut à ...» (Os **1**, *1* ; Jl **1**, *1* ; So **1**, *1* ; cf. Za **1**, *1* et Ag **1**, *1*), et «Visions qu'il vit sur ...» (Is, **1**, *1*). D'où cette formule étonnante : «Parole qu'il vit ...» que l'on retrouve en Am **1**, *1* où elle paraît encore plus étrange : la relative y qualifie les paroles mêmes du prophète «Paroles d'Amos qui fut l'un des bergers de Teqoa, qu'il vit ...» et non plus la parole de YHWH comme en Mi **1**, *1*. Il apparaît donc clairement que cette relative a été rajoutée au texte initial, pour transformer, par le jeu d'une construction prégnante, les paroles d'Amos en Parole de YHWH reçue par lui. On peut en inférer qu'en Mi **1**, *1*, la même relative a été aussi surajoutée ; elle se trouve en fin de phrase, lieu privilégié pour d'éventuelles additions.

Ces deux formulations relèvent d'ailleurs de complexes d'éditions assez bien délimités. La première proposition, reconnue généralement comme de frappe deutéronomiste, est surtout attestée dans les livres de Jérémie et d'Ézéchiel, ainsi que dans un premier groupe de «petits prophètes» : Osée, Joël, Jonas, Sophonie, Aggée, Zacharie **1-8** tandis que l'on relève la seconde dans la littérature isaïenne («Visions qu'il vit ») et dans un second groupe de « petits prophètes » : Amos, Abdias, Nahum, Habaquq, Zacharie **9-14** et Malachie (cf. B. Renaud, *La formation du Livre de Michée*, p. 1-7). On est donc amené à soupçonner, dès ce premier verset, un travail complexe d'édition : une première collection d'oracles, rassemblés dans l'orbite de l'école deutéronomiste, pendant l'exil, et une seconde strate plus tardive au cours de laquelle on aurait ajouté la seconde relative. Sans doute, l'usage de *ḥzh* « voir » et de *ḥôzèh* « le voyant » remonte-t-il loin dans l'histoire de la prophétie, où ils qualifient le phénomène de la voyance ; cependant son emploi dans les titres où il a pour complément des termes aussi divers que « visions » mais aussi *mś'*, « oracle » ou *dbr* « parole », laisse entendre qu'il a perdu son sens primitif et qu'il renvoie simplement à une révélation qui ne s'accompagne pas nécessairement de traits visionnaires. Il peut caractériser l'activité prophétique dans toute son amplitude. D'ailleurs, cette formule n'introduit jamais des oracles particuliers mais des collections, comme celle qui s'ouvre en Is **2,** *1* avec une annonce post-exilique (Is **2,** *2-4*). Or ce même oracle se trouve reproduit, à quelques variantes près, en Mi **4,** *1-4*. Il semble bien que ce soit la même main qui a placé cet oracle aussi bien en Michée qu'en Isaïe (cf. *infra*) et qui a contribué à l'édition, après l'exil, des deux livres d'Isaïe et de Michée.

Ces deux niveaux d'édition reflètent des projets théologiques distincts sur lesquels la formulation des deux éléments du titre peut jeter quelque lumière. La première, « Parole qui fut (adressée) à Michée ... » témoigne d'une théologie de la parole passablement élaborée, qui met l'accent sur l'origine divine de la prédication prophétique — c'est la Parole de YHWH — et sur sa valeur englobante : on ne parle plus de paroles (au pluriel) de tel ou tel prophète comme dans Am **1,** *1*, mais de *la* Parole de YHWH. De ce fait, toute la collection, voire tout le livre, se trouve marquée du sceau de l'autorité divine. Bien plus, en même temps qu'elle évoque l'activité dynamique du verbe divin, la construction *hyh l* « a été vers » oriente nettement vers une certaine personnalisation de la Parole et souligne son irruption soudaine dans la vie du prophète.

De ce point de vue, la seconde formule « parole qu'il vit » paraît un peu en retrait, en tout cas plus neutre. En revanche, son objet « sur Samarie et Jérusalem » pourrait trahir une intention précise, et peut-être même comporte-t-elle une note polémique. Après l'exil, en effet, ces deux villes se regardent comme des sœurs ennemies (cf. Esd **4-6** ; Ne **3-6**, etc.). Samarie, de population mélangée et de religion syncrétiste (cf. 2 R **17,** *24-41*), s'opposa, à maintes reprises, à l'œuvre

Yotam, Akaz et Ézéchias, rois de Juda, (parole) qu'il vit sur Samarie et Jérusalem[b].

1*b*. TM, litt. «Parole de YHWH qui fut vers Michée ... qu'il vit». G «Et survint la parole du Seigneur vers ...».

de restauration en Juda. Du fait qu'y résidaient les autorités provinciales, représentantes du pouvoir impérial perse, elle pouvait imposer aux Judéens une tutelle tâtillonne et souvent hostile. Le commentaire relèvera ici ou là dans le livre quelques retouches antisamaritaines. Les deux villes représentent l'enjeu de ce combat : l'une sera entièrement détruite, Samarie (**1**, *6-7*) ; l'autre, Jérusalem, après une très dure épreuve (**3**, *12*), sera promise à un destin hors pair parmi les nations (**4**, *1-8* ; **5**, *7-8*).

La Bible hébraïque nous offre deux graphies du nom du prophète : *Mîkāh* (Mi **1**, *1*) et *Mîkāyāh* (Jr **26**, *18*, à rapprocher de *Mîkayehû* de 2 Ch **18**, *7.8.13*). La seconde permet de dégager clairement sa signification : «Qui est comme Yah (abréviation de YHWH)?». C'est une exclamation de louange qui chante le caractère incomparable, unique et transcendant de YHWH (cf. **7**, *18*). Ce nom apparaît relativement fréquent, puisqu'il désigne au moins sept personnages différents. Aussi éprouve-t-on ici le besoin de le spécifier en quelque sorte par le nom de son lieu d'origine *Môrèšèt* (**1**, *1* ; Jr **26**, *18*). La chose paraissait d'autant plus nécessaire qu'un éditeur du livre des Rois l'a malencontreusement confondu avec Michée ben Yimla, qui a exercé son ministère au temps d'Achab (875-853 cf. 1 R **22**, *8* ss), en introduisant à la fin de la notice relative à ce prophète le début des oracles de Michée de *Môrèšèt* (Mi **1**, *2* cf. 1 R **22**, *28*).

Môrèšèt, mentionnée nulle part ailleurs, est à identifier très probablement avec *Môrèšèt-Gat* (**1**, *14*). Ce serait donc comme une dépendance, une «filiale» de la célèbre ville de la pentapole philistine, devenue un moment territoire judéen. On localise *Môrèšèt* à *Tell-ed Gudeideh*, situé à quelque 35 km au Sud-Ouest de Jérusalem, dans la Shéphélah, ce pays de collines dominant et contrôlant la plaine côtière. La région semble avoir revêtu une certaine importance stratégique, puisque Roboam sentit le besoin de construire toute une série de villes fortifiées (2 Ch **11**, *5-12*) dont quatre sont mentionnées dans la lamentation de **1**, *8-16* : Adullam ; Gat ; Maresha, Lakish. *Môrèšèt* n'entre pas dans la liste de ces villes. Peut-être servait-elle simplement de lieu de résidence ou de garnison. En tout cas, cette situation entraînait sans doute des relations particulières avec la capitale, Jérusalem.

Le titre du livre fixe donc comme cadre du ministère de Michée les règnes de trois souverains judéens du VIIIᵉ s. Tout en notant les incertitudes concernant la chronologie royale de cette période, on peut, avec quelque vraisemblance, avancer les dates suivantes : Yotam (740-735), Achaz (735-715), Ézéchias (715-687), ce qui donne un espace maximum de 53 ans et minimum de 20 ans, si l'on prend les dates limites. Le petit nombre d'oracles reconnus comme authentiques (Mi **1-3**) suggérerait une activité relativement plus brève. Mais la tradition a-t-elle tout conservé de la prédication du prophète ? C'est peu probable. Il se pourrait d'ailleurs, que cette série de rois représente un schème stéréotypé, puisqu'il se retrouve pour encadrer la prédication d'Osée et d'Isaïe (Os **1,** *1* ; Is, **1,** *1*, qui cependant ajoutent Ozias à la liste des rois). Quoi qu'il en soit, la prédication de Michée sous Ézéchias semble assurée, confirmée qu'elle est par Jr **26,** *18*, et l'on peut raisonnablement associer la lamentation de **1,** *8-16* à la crise de 701. A l'autre bout, l'annonce de la ruine de Samarie suppose que le prophète a prononcé son oracle avant cet événement, donc avant 722.

C'est en effet une période profondément troublée. Depuis le milieu du VIIIᵉ siècle, la menace assyrienne se fait de plus en plus pressante. Après une campagne victorieuse en Syrie, où il conquiert les villes d'Arpad (741) et de Hamat (738), Tiglat-Pileser III impose tribut aux petits roitelets de Palestine. Ces états naguère rivaux, s'organisent en coalition sous la conduite des souverains de Damas et de Samarie. Ces derniers font pression sur Achaz, roi de Juda, pour qu'il s'engage dans la révolte. Devant son refus, ils décident d'installer sur le trône un roi à leur dévotion. Malgré les objurgations d'Isaïe (Is **7**), le roi fait appel à l'Assyrie, toute heureuse de pouvoir intervenir plus avant dans les affaires palestiniennes. En 733, Tiglat-Pileser attaque Samarie et Damas qui doivent capituler. Le royaume du Nord est amputé de ses territoires de Transjordanie et de Galilée. Achaz lui-même doit payer tribut à l'envahisseur. Une main de fer s'abat désormais sur la population palestinienne qui ne se résignera pourtant pas à une soumission totale. Chaque fois qu'en Assyrie, un changement de règne laisse entrevoir un espoir de libération, ces états fomentent complot sur complot pour secouer le joug. Chaque fois aussi, la riposte vient foudroyante. Ainsi, en 724, Salmanazar met le siège devant Samarie ; son successeur prend la ville en 722, déporte le larges couches de la population et installe sur son territoire des colons étrangers. C'est la fin du royaume du Nord.

L'exemple n'a pas porté. En 711, l'Égypte organise un nouveau soulèvement qu'Ézéchias semble avoir regardé d'un œil favorable,

Mi **1**, *2-16*

² Écoutez, peuples, vous tous[a]
Prête attention, terre, et ce qui la remplit[b]
YHWH, le Seigneur[c], sera témoin contre vous[d]
Le Seigneur, depuis son temple saint.

2a. TM « eux tous ». Dans le cadre d'une interpellation, la syntaxe hébraïque permet l'emploi du suffixe de la troisième personne au lieu de la seconde. — G « Écoutez, peuples, les paroles » a fait sans doute glisser « vous tous » au stique suivant où elle lit « tous ceux qui sont en elle » au lieu de TM « ce qui la remplit », et lui a substitué un complément d'objet direct. *b.* Voir note *a.* *c.* En surcharge métrique, le terme « Seigneur », déjà présent dans le second stique du v 2b comme excellent parallèle à YHWH a sans doute été rajouté dans le premier stique comme Q. Le G qui a normalement κύριος comme équivalent de YHWH ne comporte pas l'équivalent de « Seigneur ». *d.* « contre vous ». On peut aussi, avec G, traduire « parmi vous ». Mais l'expression *b ... l'd a*, en hébreu, valeur de témoignage à charge (Ex **20**, *16* ; Dt **31**, *26* ; Jr **42**, *5* ; Pr **24**, *28*).

d'après les annales de Sargon (cf. Is **18**, *1-6* ; **20**, *1-6*). Le roi judéen semble s'être sorti du guêpier au prix d'un lourd tribut. A la mort de Sargon en 705, la Babylonie se soulève, les Palestiniens en profitent et cette fois, Ézéchias s'engage tout entier dans la coalition. Occupé en Babylonie, Sennachérib n'interviendra qu'en 701. Il met en échec une armée égyptienne, conquiert une à une les villes Philistines rebelles puis se retourne contre Juda dont il se vante d'avoir pillé quarante-six bourgades. Jérusalem reste toutefois mystérieusement épargnée. La tradition biblique y verra, par la suite, une intervention miraculeuse de YHWH. En réalité, 2 R **18**, *14-16* laisse soupçonner une capitulation onéreuse (cf. F. GONÇALVES, *L'expédition de Sennachérib dans la littérature hébraïque ancienne*, EB, Paris 1986).

« LE COUP DE YHWH »

1, *2-16*

Plusieurs formes littéraires concourent à la formation de ce chapitre : un appel à l'attention (v 2), une introduction théophanique (v 3-4), un acte d'accusation (v 5), un oracle de condamnation (v 6-7), une lamentation (v 8-16). Sans vouloir identifier chacun des éléments avec une unité indépendante, la critique littéraire récente a mis en évidence un travail rédactionnel complexe : au point de départ un

noyau michéen : un oracle de condamnation dirigé contre Samarie
(v 3-5a.6-7), complété quelques décennies plus tard par une lamentation sur Juda (v 8-13a.14-16). Un éditeur deutéronomiste y ajoutera,
pendant l'exil, les v 5b et 13b. Un rédacteur postexilique fera précéder
le tout d'une ouverture universaliste (v 2) destinée à permettre la
structuration de l'ensemble de l'œuvre (cf. *La Formation du livre de
Michée*, p. 9-59).

L'appel aux nations (v 2).

L'apostrophe «Écoutez» ouvre d'ordinaire un oracle prophétique
(cf. Mi **3**, *1-9*). Mais il s'adresse ici aux nations, citées non pas comme
spectateurs, ou comme témoins à charge, mais comme accusées. Or
la suite du chapitre ne met en cause qu'Israël et Juda. Il faudra
attendre les chapitres 4 et 5 pour que la perspective des nations
réapparaisse. La Septante a tenté de pallier la difficulté en
traduisant : «YHWH se fera témoin parmi vous», et non «contre
vous» comme dans l'hébreu. C'est une échappatoire. En réalité, ce
verset élargit aux nations un jugement primitivement dirigé contre le
peuple de Dieu et répond ainsi à la problématique du rédacteur
postexilique responsable de la synthèse de Mi **4-5** (cf. *infra*).
Précisément ce verset fait inclusion avec Mi **5**, *14* dernier verset de
cette synthèse : tous les deux évoquent la révolte des peuples ; le
même verbe «écouter/obéir», de même facture graphique *šm'w*, bien
que de temps différents, ouvre et ferme ainsi la grande séquence qui
s'étend de **1**, *2* à **5**, *14*. Le vocabulaire du verset favorise aussi une
telle datation : la présentation de YHWH comme témoin accusateur,
réapparaît en Mal **3**, *5* cf. Dt **31**, *26* ; Jer **42**, *5* ; So **3**, *8* (grec). La
mention des «peuples» ne se rencontre que dans les sections
secondaires du livre. Surtout, la similitude étroite avec Is **34**, *1-2* nous
renvoie encore aux temps postexiliques ainsi que l'expression «son
saint temple».

YHWH apparaît comme le «Seigneur de toute la terre» (v 2a cf. **4**,
13) mais c'est de son temple céleste (v 2b) qu'il exerce sa fonction
d'accusateur, tout comme dans le Ps **11**, *4*, il juge tous les hommes
depuis son palais céleste (cf. Is **63**, *15* ; **66**, *1*). Le langage lui-même est
de facture psalmique, puisque l'expression «la terre et ce qui la
remplit» est empruntée à la célébration hymnique de YHWH
créateur et maître du cosmos (Ps **24**, *1* ; **50**, *12* ; **89**, *12* cf. Dt **33**, *16* ;
Is **34**, *1*). Ouverture grandiose qui marque de son sceau tout le
discours prophétique qui suit. Parole de YHWH faisant soudainement irruption dans la vie du prophète (**1**, *1*), ce message se veut aussi
parole pour le monde. Dieu englobe les nations dans le jugement de
son peuple.

³ Car voici que YHWH sort de son lieu
Il descend, il chemine ᵃ, sur les hauts-lieux de la terre ᵇ

⁴ Les montagnes fondent sous lui,
les vallées se fendent,
comme la cire en présence du feu ᵃ
comme de l'eau qui coule sur une pente.

3*a*. Certains mss grecs ne retiennent qu'un verbe, le groupe alexandrin «descendre» et le groupe lucianique «cheminer». Selon J. T. Milik *Discoveries in the Judean Desert*, I. *Qumran Cave 1*, Oxford, 1955, p. 77-80), lQpMi est plus court que TM. Mais son caractère lacunaire ne permet pas de savoir lequel des verbes il conserve. Mais L. A. Sinclair *RQ* 11 (1983) nᵒ 42, p. 257 s. conteste cette affirmation. D'ailleurs, le rythme à 4 temps (4 + 4) favorise la leçon du TM, appuyée par Mur 88 et le texte grec R (retrouvé à Qumran). L'omission de certains mss grecs peut s'expliquer par la ressemblance de καταβήσεται «descendre» et de ἐπιβήσεται «cheminer».   *b*. Lire l'article devant «terre» avec lQpMi et le G.
4*a*. Le G a, semble-t-il, interverti les deux verbes : «Les montagnes seront ébranlées et les creux des vallées fondront comme cire...», pour donner plus de cohérence à l'image. Mais il s'agit d'une leçon facilitante. Le TM s'explique par un procédé poétique : l'auteur bloque deux événements selon une formulation polaire où la mention des extrêmes, ici le haut et le bas, permet d'évoquer la totalité du cosmos ; deux images vont ensuite éclairer respectivement ces événements : pour le sens 4bα est à joindre avec 4aα et 4bβ avec 4aβ.

Une théophanie du jugement (v 3-7).

En ajoutant la particule causale *kî*, «car», le rédacteur final prend bien soin d'enchaîner avec ce qui suit : de son temple céleste Dieu engage une procédure judiciaire (v 2) ; il va descendre pour exécuter la sentence (v 3 s.), ceci en conformité avec la tradition théophanique (Ps **18**, 7 = 2 S **22**, 7).

Mais cet enchaînement est l'œuvre du rédacteur. Le récit théophanique commençait de façon cohérente par «Voici YHWH ...» (Jörg Jeremias, *Theophanie*, p. 130). Rien n'autorise à refuser aux v 3-4 la paternité de Michée (Wolff, *BK*, p. 15 s.), car cette représentation remonte loin dans le passé d'Israël (voir le vieux cantique de Jg **5**, *4* s.) et se retrouve à toutes les époques. Le tableau n'a donc rien de spécifiquement deutéronomique, d'autant que le v 5a se trouve lié de façon organique aux v 3-4 par le *kŏl-z'ot*, «tout cela» qui renvoie à ce qui précède. Or ce v 5a reprend presque à la lettre Mi **3**, *8*, notamment le couple «Jacob/Israël» et la dénonciation de leur révolte et de leur péché. Enfin, séparée des v 3-4, la déclaration divine des v 6-7 se trouverait démunie de toute introduction; il faudrait alors conclure que le texte est tronqué (Wolff, *BK*, p. 22). Mais c'est compliquer considérablement l'histoire du texte sans raison solide : la théophanie des v 3-4 introduit tout naturellement la sentence divine (v 6), tandis que le v 5a formule l'accusation qui justifie la condamnation.

Il n'en va plus de même de l'interrogation du v 5b. Avec son parallélisme rigoureux : «Qui est la révolte de Jacob? N'est-ce pas Samarie? Qui est le péché de la maison de Juda? N'est-ce pas Jérusalem?», la lecture de la version des Septante représente vraisemblablement le texte original. Mais elle introduit une distorsion quant à la portée du terme Israël. En 5a, en parallèle avec Jacob, cette qualification désigne le royaume du Nord, puisque ce verset prend place entre la théophanie et la sentence contre Samarie. Mais le v 5b substitue à «Israël» la «maison de Juda», qui désigne le royaume du Sud (cf. Jérusalem), cette fois en parallèle avec Jacob qui représente le royaume du Nord (cf. Samarie). Les deux formulations de 5a et de 5b ne se recouvrent donc pas (cf. *La Formation du livre de Michée*, p. 49-50); elles attestent la présence de deux niveaux de rédaction. D'ailleurs, l'allure réflexive et méditative des interrogations rhétoriques du v 5b cadre mieux avec les préoccupations de l'éditeur deutéronomiste : tandis que Michée se contente de dénoncer le péché et d'annoncer le châtiment, cet éditeur cherche à provoquer chez ses lecteurs une réflexion salutaire sur les causes morales et religieuses de la catastrophe de l'exil aussi bien que de la ruine de Samarie, pour les amener à se convertir. Comme en Mi **1**, *5b*, l'historien deutéronomiste a entrelacé l'histoire des deux royaumes pour souligner leur commune responsabilité dans les épreuves qui se sont abattues successivement sur les deux composantes de l'unique peuple de Dieu (voir aussi **1**, *13b*).

D'où vient alors, dans le texte hébreu de **1**, *5b*, le terme «hauts-lieux»? On l'explique difficilement comme une faute de copiste, car la formule est vigoureuse et tout à fait inhabituelle. Représente-t-elle le texte primitif, auquel cas la lecture de la version grecque constituerait une leçon facilitante? On pourrait y voir une allusion aux cultes profanateurs, installés à Jérusalem même, transformée scandaleusement en hauts-lieux païens (1 R **11**, *7* ; **14**, *22-24* ; **15**, *14* ; **22**, *44* ; 2 R **14**, *4* ; 2 R **15**, *4.35*). Cependant, au moment où Michée entonnait sa lamentation sur Juda, Ézéchias avait détruit tous les hauts-lieux païens, dans le cadre de sa réforme religieuse (2 R **18**, *4*). Aussi R. Tournay («Quelques relectures bibliques antisamaritaines», *RB*, 71

⁵ A cause de la révolte de Jacob, tout cela,
et des péchés ᵃ de la maison d'Israël.
Qui ᵇ est la révolte de Jacob? N'est-ce pas Samarie?
Qui ᵇ sont les hauts-lieux ᶜ de Juda? N'est-ce pas Jérusalem?

⁶ Je ferai de Samarie une ruine (dans) la campagne ᵃ,
des plantations de vigne.
Je ferai rouler ses pierres à la vallée,
et ses fondations, je les mettrai à nu.

⁷ Toutes ses statues seront brisées,
tous ses salaires ᵃ seront brûlés au feu.
De toutes ses idoles, je ferai une dévastation,
car elle les a amassées ᵇ avec des salaires de prostituées,
à salaires de prostituées elles retourneront.

5a. «des péchés» TM; G et Tg «du péché». Le parallélisme du vers faciliterait la leçon de G mais TM est à retenir comme *lectio difficilior*.   b. La lecture de lQpMi *mh* «quel» rend certainement la formulation plus coulante, mais atténue considérablement la force du TM qui personnifie Samarie et Jérusalem comme des démonstrations vivantes du péché. L.-A. Sinclair (*a.c.* p. 259) juge cette divergence insignifiante puisque cette substitution du *y* et du *h* est attestée dans d'autres mss de Qumran. c. TM : «hauts-lieux» : la lecture de G «péché» qui permet de retrouver l'alternance révolte/péché (cf. v 5a) représente sans doute le texte primitif. Mais le TM pourrait provenir non d'une faute de copiste mais d'une relecture intentionnelle (voir le commentaire).
6a. Litt. «une ruine de champs». Le manque de copule, liant cette expression à la suivante «plantations de vignes», laisserait supposer une insertion postérieure du premier syntagme entre le verbe et son complément original, pour aligner le châtiment de Samarie sur celui de Jérusalem en **3, 12** (Ainsi H.-W. Wolff *BK* p. 11). Plus que d'une faute de copiste, il s'agirait alors d'une retouche à portée théologique.
7a. En 7a, *'tnn*, encadré par «statues» et «idoles» pourrait désigner des représentations liées à la prostitution cultuelle. Il y aurait jeu de mots avec 7b où ce même mot signifie «salaire de prostituée».   b. Syr, Vg et Tg ont lu «ont été rassemblées».

[1964], p. 504-533) a-t-il proposé d'y voir une relecture postexilique tardive, permettant de rendre compte des deux états du texte : la relecture serait intervenue en Palestine, intéressée au premier chef, après la constitution de la traduction grecque. Cette retouche porterait la marque d'une polémique antisamaritaine, dont on retrouverait encore la trace en Mi **6, 16** (cf. Jg **5, 14**; Os **13, 1**). Emprunté à Mi **1, 3**, ce terme permettait de transformer un acte d'accusation en privilège de gloire : Jérusalem représente la ville sainte où Dieu descend, le seul véritable haut-lieu de la terre.

A l'horizon de cette correction, se profilerait la polémique judéo-
samaritaine autour du temple du Garizim ; désormais, Samarie, seule,
endosse tous les torts : en élevant un sanctuaire schismatique et
profanateur, elle a méconnu gravement le privilège de Jérusalem ;
c'est là «son péché», «sa révolte». Cette opération permet en même
temps de neutraliser Mi **3,** *12* : réduite à l'état de *bamôt,* sans doute
haut-lieu païen, Jérusalem avait été profanée. Elle est maintenant
rétablie dans sa situation de sanctuaire unique du monde (cf. **4,** *1-4*),
de lieu privilégié de la théophanie divine.

Le texte original comportait donc les v 3-5*a*.6-7. On a cru parfois
découvrir dans les v 6-7, ou seulement en 7*a*, des insertions tardives.
Mais rien ne permet d'infirmer l'attestation de Mi **1,** *1*, selon laquelle
Michée a exercé son ministère sous les règnes de Yotam et d'Achaz.
Il lui a donc été loisible d'annoncer la chute de Samarie qui survien-
dra en 722. Que l'accusation diffère de celles lancées contre Jérusalem
peut s'expliquer par le caractère spécifique du péché du royaume du
Nord, marqué profondément par le culte idolâtrique, mais aussi par
une éventuelle influence d'Osée (cf. *La Formation du livre de Michée*,
p. 41-45). Il est possible mais non certain que l'expression «une ruine
(dans) les champs», en juxtaposition asyndétique avec «plantations
de vignes» provienne de Mi **3,** *12*. Cette insertion aurait eu pour but
de rapprocher les deux villes dans le châtiment et d'aligner la
condamnation de Samarie sur celle de Jérusalem. Ce pourrait être
l'œuvre de Michée lui-même lorsqu'il prolongea les v 3-7 par la
lamentation sur Juda (v 8-16).

Dans le cadre de la procédure judiciaire qui s'ouvre, les v 3-4
évoquent l'épiphanie du Dieu qui vient, selon le schème classique
(Ps **18,** *8-16* ; **68,** *8-9* ; **77,** *17-20* ; **144,** *5*, etc.) de la description
théophanique de la venue de Dieu (v 3) et du retentissement de cette
apparition sur le cosmos à travers des phénomènes impressionnants
(v 4). Toutefois, le prophète reformule ce motif traditionnel de
manière originale. Le «Voici...» initial introduit solennellement le
personnage central, YHWH, sans le décrire. En revanche, en un
rythme volontairement lent (4 + 4), qui veut rendre la solennité du
moment, la théophanie retrace la démarche du juge se déplaçant vers
son tribunal terrestre : il «sort» de son «lieu» (cf. Is **26,** *21*), c'est-à-
dire de sa demeure céleste. Ce verbe évoque souvent l'engagement
divin dans un combat sans merci (Jg **5,** *4* ; Za **14,** *3* ; Is **26,** *21*). Le
verbe «descendre» suggère qu'il vient du ciel, selon la représentation
traditionnelle qui localise la divinité dans les hauteurs, mais ici
purifiée de tout relent polythéiste. Sa marche le conduit logiquement
à fouler les «sommets de la terre» (cf. Am **4,** *13*).

[8] A cause de cela, je vais me lamenter et hurler,
marcher[a] dépouillé[b] et nu.
Je vais faire une lamentation[c] comme les chacals,
et (prendre) le deuil comme les autruches.

8a. La *scriptio plena* '*ylkh* «je vais marcher», inhabituelle, renforce l'allitération et l'assonance entre ce mot et '*ylylk*, «je vais hurler», tous les deux, d'ailleurs, en position chiastique au centre du verset. Pour rendre ce jeu de mots on pourrait traduire «je vais hululer et aller».   *b.* Le K *šyll* au lieu du Q *šwll* peut avoir été influencé par la graphie des deux mots précédents.   *c.* Il s'agit moins sans doute d'entonner une lamentation que d'accomplir des rites de deuil.

Cette rencontre du ciel et de la terre ne peut se réaliser sans un ébranlement profond du cosmos (v 4) devant l'irruption du «Seigneur de toute la terre» (Ps **97,** *5*), de celui que le monde ne peut contenir. Le prophète exploite les clichés traditionnels de l'éruption volcanique et du tremblement de terre, selon le procédé du parallélisme croisé où les métaphores du second vers (v 4*b*) visualisent de façon expressive les phénomènes cosmiques évoqués dans le premier vers (v 4*a*) : les montagnes (4*aα*), transformés en masse de métal en fusion, fondent comme cire devant le feu (4*bα*), et, ébranlées par des secousses sismiques, les vallées (4*aβ*) se ramifient en une multitude de petits vallons comme l'eau jetée du haut d'une pente s'écoule en rigoles multiples (4*bβ*, cf. Jdt **16,** *15*).

Jusqu'ici, les auditeurs du prophète pouvaient penser qu'à l'instar des théophanies traditionnelles, Dieu allait intervenir contre les ennemis de son peuple. Brutalement (v 5), Michée leur enlève toute illusion : c'est contre eux et en raison de leur péché que cette épiphanie va déployer ses effets foudroyants. Comme Amos avait naguère transformé le «Jour de YHWH», conçu comme un jour de lumière et d'espérance, en un jour de ténèbres et de jugement inexorable (Am **5,** *18-20*), ainsi le prophète Michée retourne-t-il contre Israël lui-même ce qui était perçu comme un signe de confiance et d'espoir. L'acte d'accusation s'énonce impitoyable : dans ce contexte samaritain, Israël-Jacob désigne le royaume du Nord accusé de «révolte et d'infidélité».

Si bref que soit le réquisitoire (v 5*a*), la sentence est sans appel. Elle tombe comme un couperet sur la capitale. La description théophanique qui précède suffit à identifier le personnage qui parle à la première personne, YHWH. Point n'est besoin de supposer un texte tronqué (Wolff, *BK*, p. 26). L'histoire de Samarie restera donc relativement brève : Omri (886-875) achète le terrain qu'il transforme en ville fortifiée (1 R **16,** *24*) ; Akhab en fit sa résidence royale (1 R **16,** *29*).

Elle disparaîtra dans la catastrophe de 722. Construite sur une colline au centre d'une cuvette (propice à la culture de la vigne?), YHWH en fera «couler» les pierres au ravin, comme l'eau qui coule sur une pente (cf. Mi **1**, *4b* c'est le même verbe). Ainsi, ses fondations seront-elles «mises à nu». C'est déjà quelques siècles à l'avance et appliquée à Samarie, la prophétie de Jésus contre Jérusalem «il n'en sera pas laissé pierre sur pierre» (Mt **24**, *2*). La formulation évoque celle des conquérants assyriens *ana tilli u karmin utin* «j'ai changé en tas de ruines et en terre de labour». Saisissant à demi-mot l'allusion, les auditeurs ont dû trembler, car la réputation de cruauté de ces armées n'était pas surfaite (*ANET*, p. 276-278).

En dénonçant l'infidélité religieuse (v 7), Michée paraît rejoindre les accusations d'Osée contre la prostitution sacrée. Les motifs de condamnation renvoient à l'idolâtrie : statues et images taillées sont associées au terme *'èlenan*, biens acquis par salaires mais aussi offrandes votives consacrées aux faux dieux. Il est donc probable que le prophète évoque ici l'institution païenne des prostituées sacrées, les dons qui leur étaient affectés servant à l'enrichissement et à l'embellissement des temples des baalim. Peut-être même jouant sur les mots, pense-t-il non seulement aux dons faits à une prostituée mais aussi à ceux de la prostituée Israël qui par ces pratiques païennes immorales a trahi sa foi en YHWH et brisé le lien unique l'attachant par l'alliance à YHWH (cf. Os **2**, *14*; **3**, *2*). Ces cadeaux redeviendront «salaires de prostitution» sans doute en ce sens que l'argent et l'or, fruits du pillage des sanctuaires païens, serviront aux hordes assyriennes pour payer des prostituées.

Lamentation sur Juda (**1**, *8-16*).

Brusquement, le ton change : d'une sentence de condamnation l'on passe soudain à une lamentation. Mais le propos aussi diffère : en **1**, *3-7* il s'agissait exclusivement de Samarie, maintenant exclusivement de Juda. Toutefois, l'expression «à cause de cela» au début de l'unité renvoie incontestablement à ce qui précède. Sommes-nous en présence de deux unités littéraires artificiellement accrochées l'une à l'autre? Ou les v 8-16 poursuivent-ils le développement de **1**, *3-7*? La question s'éclairera après l'analyse de la péricope.

Le poème se présente comme un morceau régulièrement composé. On relèvera d'abord le parallèle entre le v 9 et le v *12b* : commençant tous les deux par *ki*, les deux vers introduisent ainsi un élément justificatif en des formulations assez semblables. Suit alors dans

⁹ Car incurable est le coup de YHWH[a]
Car il est arrivé jusqu'à Juda.
Il atteint jusqu'à la porte de mon peuple,
jusqu'à Jérusalem.

¹⁰ Dans Gat ne l'annoncez pas[a] ; ne versez pas de pleurs[b].
A Bêt-Le'aphrah, roule-toi dans la poussière[c].

9a. TM «ses coups». Le singulier, «son coup», des versions, s'accorde avec les verbes du TM au singulier. Cette modification a pu intervenir lorsque l'on a compris la finale *yh* de *mkṭyh*, «le coup de Yah (YHWH)» (cf. **1, 12**), non plus comme l'abréviation du tétragramme sacré mais comme le suffixe d'un nom pluriel.

10a. Le texte des v 10-15 est très abîmé : c'est que chaque vers comporte un jeu de mots sur un nom propre de ville, parfois peu connue et difficile à localiser. La version des LXX semble avoir perdu de vue ce procédé très apparent dans le TM, en traitant un certain nombre de noms de villes comme des noms communs. Elle n'est donc que de peu d'utilité pour la reconstitution du texte. Les propositions formulées ici par la suite se réfèrent essentiellement au TM, mais certaines ne vont pas au-delà de simples conjectures. Il n'y a pas lieu de corriger le début du v 10 qui reprend le commencement de l'élégie de David sur la mort de Saül et de Jonatan (2 Sam **1, 20** cf. commentaire). *b.* Le TM «ne pleurez pas de pleurs» peut paraître étrange au début d'une lamentation ! Aussi lit-on parfois *'p*, particule asseverative, au lieu de la négation *'l* : «Ah! oui pleurez». Mais l'évidente allusion à 2 S **1, 20** qui redouble la négation invite à conserver le TM. Cf. commentaire.   *c.* Jeu de mots entre bêt-le' aphrah et *'aphar* «poussière». — «Roule-toi» avec le Q. Mais le K «je me suis roulé» n'est pas dénué de sens, puisque la lamentation est mise dans la bouche de Michée (cf. v 8).

chaque section ainsi délimitée une série de six villes. Ainsi s'esquisse le schéma suivant :

Ouverture (v 8).
    Première strophe (v 9-12*a*).
       . v 9 : première justification introduite par *kî* «car» et développant le thème du «coup de YHWH» qui frappe «jusqu'à la porte de mon peuple... jusqu'à Jérusalem».
       . v 10-12*a* : première série de six villes.
    Seconde strophe (12*b*-15).
       . v 12*b* : seconde justification, introduite par *kî* «car» avec pour thème le «malheur de YHWH» qui descend «jusqu'aux portes de Jérusalem».
       . v 13-15 : seconde série de six villes.
Conclusion (v 16).

Par ailleurs, les deux v 8 et 16 font inclusion, car chacun évoque les rites de deuil, illustrés par des métaphores tirées du monde animal. Le prophète suggère ainsi qu'à sa propre lamentation (v 8) devra un jour faire écho celle du peuple lui-même (v 16). Le texte est malheureusement fort abîmé en maints endroits, mais pour autant que le rythme se laisse deviner, il semble que le poème utilise de préférence celui de la qinah, particulièrement fréquente dans les supplications et les lamentations. Sous les altérations transparaît de temps à autre l'art du compositeur : on notera ainsi au v 10 la progression saisissante selon laquelle le pays est invité à garder le silence, à pleurer, à se rouler dans la poussière. Notons enfin que chacune des strophes comprend sept vers, une fois dégagées les gloses.

En effet, la plupart des commentateurs discernent au v 13*b* une addition deutéronomiste (cf. *La Formation du livre de Michée*, p. 55 s.). C'est le seul vers dans la série des villes où fait défaut le jeu de mots sur le nom d'une cité, ainsi d'ailleurs que le nom lui-même. Son allure prosaïque détonne dans ce contexte aux formules incisives et bien frappées. Son caractère réflexif et méditatif rappelle l'addition de **1,** *5b*.

Le poète exploite ici le genre littéraire du chant funèbre qui prenait place dans la série des rites de deuil. L'invitation à se lamenter est ici lancée au peuple de Dieu personnifié sous les traits d'une mère pleurant ses enfants (cf. Jer **31,** *15*) : les impératifs en ce verset 16 sont au féminin singulier. Le procédé, déjà utilisé par Amos, sera repris plus tard (Jer **9,** *10-11.17-22* ; Ez **19,** *1-14* ; Is **14**). Le vocabulaire du deuil revient à plusieurs reprises (v 8*b* ; 11*c* ; 15*a* conjecture cf. critique textuelle) et, au v 10, l'allusion au début de l'élégie de David sur la mort de Saül et de Jonatan (2 S **1,** *20*) confirme bien l'intention du poète ... De même, la lamentation mentionne notamment le rite de la tonsure et du rasage (v 16), coutumes funèbres traditionnelles dans l'Ancien Israël (Am **8,** *10* ; Jb **1,** *20*), mais les risques de contamination polythéiste entraîneront son abolition, cf. Dt **11,** *1*). Michée, touché par le malheur de son peuple, laisse éclater sa douleur : les assonances et les allitérations du v 8*a* (cf. critique textuelle) traduisent de façon suggestive l'émotion du prophète. Toutefois, Wolff (*BK*, p. 27) fait remarquer à juste titre que la nudité ne constitue pas un rite de deuil : à la rigueur cela pourrait convenir à la marche «pieds nus» (Ez **24,** *17.23* ; 2 S **15,** *30*), mais non à la nudité totale. Si l'on en croit le parallèle d'Is **20,** *2-4*, il faut supposer que le prophète a discrètement introduit dans son chant funèbre un élément d'action symbolique. A la lumière de ce texte d'Isaïe, on peut comprendre que prenant la tenue de prisonnier de guerre, il mime la déportation (v 8*a* cf. v 16).

Un certain nombre des villes mentionnées sont faciles à identifier et à localiser : la célèbre Lakish avec tell-ed-Duweir dans la Shephelah ;

[11] Passe, va, habitante de Shaphir, en nudité honteuse[a].
Elle ne sortira plus, l'habitante de Ṣa'anan[b].
Deuil à Bêt-ha'éṣèl ; ton appui t'est enlevé[c].

[12] Peut-elle espérer le bonheur, l'habitante de Marôt[a]?
Car il est descendu le malheur, d'auprès de YHWH,
aux portes de Jérusalem[b].

11a. TM «passe pour vous». On propose de corriger *lkm* «pour vous» en *lkh* «va», et de rattacher ici le début du vers suivant «en nudité honteuse». Ce qui permet un double jeu de mots : le premier par assonance : *yôšèbèt* (habitante) / *bošèt* (honte), le second sur le sens : beauté (Shaphir) / nudité.   *b.* Jeu de mots par assonance entre Ṣa'anan et *yaṣe'â* «sortira».   *c.* Nous lisons *bbyth'ṣl* «à Bêt-ha'eṣel». Le premier *b* serait tombé par haplographie. — «Ton appui» (*'mdtk*) en rattachant la première lettre du mot suivant *ky* (premier mot du v 12) : celle qui est à côté (pour aider) perd elle-même tout appui. Nous supposons aussi une métathèse *mmk* (loin de toi) au lieu de *mkm* (loin de vous).
12a. Le *y* restant du mot *ky* est à rattacher à *ḥlh* qui suit, d'où *yḥlh* «elle espérera». Jeu de mots par contraste entre «bonheur» et *Marôt* dont la racine signifie «amertume». *b.* «les portes» avec G ; TM singulier. Le yod est sans doute tombé par haplographie devant *yrwšlm* «Jérusalem». Il peut aussi y avoir influence de **1,**9b : «la parole de mon peuple ... Jérusalem».

Maréshah (Jos **15,** *44* cf. 2 Ch **11,** *8*) avec tell Sandaḥanna entre Lakish et Beit-Gibrin ; Adullam au Nord-Est de Mareshah ; Morèshèt-Gat patrie de Michée avec tell-ed-Gudeideh au Nord de Beit-Gibrin. Gat elle-même, à l'Ouest de Maréshah, est la ville la plus orientale de la Pentapole philistine ; elle fut occupée par les Israélites au début de la royauté (1 Ch **18,** *1*), puis perdue et reprise à nouveau sous Ozias (2 Ch **26,** *6*) ou sous Ézéchias (2 R **18,** *8*). Aucune raison ne contraint donc de transformer Gat en Giloh, d'autant que Morèshèt est présentée comme une possession de Gat. A la suite des travaux d'Elliger, l'identification d'Akzîb (Jos **15,** *42*) avec tell el-Beida, entre Lakish et Bethléem a longtemps prévalu. Mais, récemment, A. Lemaire (*Inscriptions hébraïques*, t. I, *Les ostraca*, Paris, 1977, p. 124-126) a proposé de revenir à la vieille localisation de Ayin El-Kezbeh, dans la vallée du Térébinthe. Ṣa'anan se confond sans doute avec le Ṣenan de Jos **15,** *37*, non loin de Gat ; elle appartient au district de Lakish, sans que l'on puisse donner une localisation plus précise. Marot serait à identifier avec Ma'arat de Jos **15,** *59*, située dans le district de Bethsur. Il est par contre douteux qu'il faille dans Bêt-Le'aphrah reconnaître Ophra localisée trop au Nord dans la tribu de Benjamin. Shaphir nous reste inconnue ainsi que Bêt-ha'eṣèl.

Toutes les villes identifiées avec certitude ou quelque probabilité sont situées au Sud-Ouest de Jérusalem dans un rayon de trois à quinze kilomètres autour de Moréshét. Il est raisonnable de penser qu'il en va de même des autres cités. Pour autant que la topographie permet de le préciser, la plupart des villes sont localisées dans le pays des collines, la Shephelah : Gat, Lakish, Ṣa'anan, Marèshah, Morèshèt-Gat, Akzib, Adullam, ou au flanc des monts de Juda comme Marot ; mais aucune ne se trouve au-delà de la crête des montagnes à l'Est. La disposition des cités ne permettant pas de tracer une ligne continue, il ne semble donc pas que le prophète veuille, comme en Is **10**, *26-32*, évoquer la marche d'une armée d'invasion. Bien plutôt, de sa petite patrie, Michée contemplerait d'un regard attristé et douloureux les cités anéanties ou sur le point de l'être.

La plupart de ces villes font l'objet de jeux de mots impossibles à rendre en français. Les uns, les plus nombreux, font jouer les assonances et les allitérations, d'autres portent sur le sens (voir notes de critique textuelle). Nous sommes étonnés de tels procédés, mais là où nous ne verrions que subtilité d'esprit et artifice, les sémites, croyant à la puissance quasi magique du verbe, voient, dans les termes eux-mêmes, la nature, le destin des êtres ou des choses. Cependant, pour le prophète de YHWH, ce destin mystérieux ne relève pas de forces anonymes et incontrôlables, il est l'œuvre de la colère divine, le fruit d'une décision du Dieu de l'histoire.

Plus subtilement encore, Michée paraît avoir perçu le lien unique, mystérieux lui aussi, qui enchaîne les événements l'un à l'autre, et s'est efforcé de l'exprimer dans sa complainte. En filigrane de ce chant funèbre, on relève une discrète évocation de quelques souvenirs douloureux et humiliants de l'époque royale. Ce ne peut être le fruit du seul hasard que les deux villes qui ouvrent et ferment la lamentation font référence à des faits de la vie de David, plus précisément à quelques-uns de ses échecs. On a depuis longtemps remarqué que Mi **1**, *10* «A Gat ne l'annoncez pas...» cite textuellement l'élégie de David sur la mort de Saül et de Jonathan (2 S **1**, *20*), un chant funèbre lui aussi, allusion donc au premier échec de la royauté israélite. C'est à Adullam que se réfugie le David fugitif (1 S **22**, *1* ; cf. 2 S **23**, *13*). Dès lors cette mention ne voudrait-elle pas sous-entendre une menace d'exil pour le roi contemporain du prophète ? Notons que dans l'élégie de 2 S **1**, *1a* «Gloire d'Israël» (mais en Mi **1**, *15* le terme hébreu est différent) désigne le prestige de la royauté. Ainsi, la disparition de Saül, l'exil de David apparaîtraient comme autant de prophéties en acte. De même, Lakish, où les fouilles archéologiques ont mis à jour des écuries, pourrait être à ranger parmi les villes de char construites ou fortifiées par Salomon (1 R **9**, *19* ;

¹³ Attelle le char au coursier, habitante de Lakish[a]
   [b] ce fut le commencement du péché pour la Fille de Sion,
qu'en toi se soient trouvées les révoltes d'Israël[b].

¹⁴ C'est pourquoi[a], tu donneras des cadeaux d'adieu
en ce qui concerne Morèshèt-Gat[b].
Les ateliers d''Akzib seront une déception pour les rois d'Israël[c].

13a. Jeu de mots entre Lakish et *larèkèš* « au coursier », car Lakish était une « ville de chevaux ». On attendrait plutôt « attelle le coursier au char » mais la préposition *l* devant *rkš* facilitait l'assonance avec Lakish.   *b.* Glose deutéronomiste. Cf. commentaire.
14a. Le « c'est pourquoi » fait partie de la glose du v précédent et sert de formule de transition.   *b.* « Tu donneras » TM appuyé par quelques mss grecs. On ignore à qui la phrase s'adresse, mais le « elle donnera » d'autres mss n'améliore pas la compréhension. Rudolph propose une légère correction « vous donnerez » (p. 36). Le jeu de mots porte sans doute sur l'assonance entre *me'oraśah* la fiancée et Morèshèt, car *šlwhym* désigne le cadeau d'adieu du père à sa fille lors de son mariage (cf. 1 R **9**, *16*).   *c.* Le jeu de mots par assonance entre 'akzib et 'akzab « déception » repose sur le fait que cette ville entre dans la liste des corporations au service du roi (1 Chr **4**, *21-23*) qui perdra tout le bénéfice qu'il en retirait.

2 Ch **8,** *6*). Or précisément, le jeu de mots porte ici sur les chevaux qui représentent le « péché » d'Israël. On rejoint ainsi la vigoureuse polémique prophétique contre ce signe de puissance militaire : le péché c'est de mettre sa confiance en des moyens purement humains plutôt que de se confier en YHWH (Os **14,** *4* ; Ps **20,** *7-10* ; **33,** *17* s. ; Dt **17,** *16*). On interprète habituellement la paronomase sur la ville de Lakish comme une invitation à la fuite. On pourrait aussi y voir une allusion à l'assassinat d'Amasias précisément à Lakish (2 R **14,** *19-20*). Le texte poursuit : « on le transporta avec des *chevaux* et on l'enterra à Jérusalem ». Si ce rapprochement est exact le prophète inviterait la population à atteler le char funèbre, comme elle le fit naguère lors de l'assassinat d'un roi judéen. Enfin la ville d'Akzib entre sous le nom de *kzb'* dans la liste des corporations au service des rois de Juda (1 Ch **4,** *22*). Le nom *byt* pourrait désigner les ateliers royaux, sources de revenus, qui deviennent comme « un ruisseau trompeur » (cf. Jer **15,** *18*). Sans doute faut-il comprendre qu'avec la conquête assyrienne les Rois de Juda en ont été dépossédés (cf. A. Demsky, *IEJ*, 16 [1966], p. 211-215).

Peut-être, d'autres réminiscences nous échappent-elles, tant de traditions ont été perdues. A travers les allusions relevées, peut-on du moins percevoir une discrète condamnation des autorités judéennes, pour leur responsabilité dans la catastrophe qui survient. Si Michée procède par allusion, c'est sans doute moins par opportunisme politique que par respect pour le pieux roi Ézéchias dont l'alliance avec l'Égypte ne fut vraisemblablement qu'une faute de faiblesse chèrement payée. En tout cas, les chapitres suivants ne cesseront de dénoncer la culpabilité des classes dirigeantes (Mi **2-3**).

La forme littéraire de ce chapitre reste une question débattue. K. Elliger (*ZDPV* 57, 1934, pp. 81-152) y voit une lamentation sur des événements récents, probablement l'invasion assyrienne de 701. G. Fohrer (*Studien zu alttestamentlichen Texten und Themen*, pp. 53-68) pense plutôt à l'équivalent d'un oracle de jugement portant sur des faits à venir. Mais d'ordinaire, une lamentation renvoie à des événements passés. Ainsi David entonne-t-il son élégie après la mort de Saül et de Jonatan (2 S **1,**17-27). Le rapprochement n'est pas arbitraire, puisque Mi **1,**10a « Dans Gat ne l'annoncez pas ... » cite explicitement le début de ce chant funèbre. On peut s'étonner de cette interdiction qui semble en opposition avec le reste du poème. Mais ici encore la solution nous est fournie par 2 S **1,**19 « Dans Gat, ne l'annoncez pas, ne le publiez pas dans les rues d'Ashqelon, *de peur que les filles des Philistins ne se réjouissent, que les filles des incirconcis ne sautent de joie*». Gat est alors une ville ennemie, retournée à la possession assyrienne d'Ashdod en 712/711 (cf. *ANET* p. 286). Il faut lui enlever toute occasion de se gausser de Jérusalem. En revanche, les villes de Juda sont invitées à se lamenter, comme, en 2 S **1,**24, les Filles (= les villes ?) d'Israël sont conviées à pleurer la mort de leurs rois. Du même coup, tombe le seul argument de poids avancé par Rudolph (*KAT* pp. 50 s.) et par Wolff (*BK* p. 18 ; 22-23) pour contester le rattachement de Mi **1,**8-16 aux événements de 701. Ces auteurs rappellent que la ville de Gat n'appartient plus à Juda depuis la campagne de Sargon II en 712/711. La remarque est juste. Mais précisément, cette cantilène formule une opposition entre Gat, cité ennemie où il n'est pas décent de pleurer, et les villes de Juda qui doivent accomplir les rites de deuil.

La lamentation de Mi **1,**8-16 se rapporte donc bien à la campagne judéenne de Sennachérib en 701 av. J.-C. D'ailleurs ne décrit-elle pas l'avènement d'un malheur qui s'arrête aux portes de Jérusalem, ce qui correspond aux données fournies par la chronique royale d'Is **36-37** (= 2 R **18-19**). Face à la révolte de leur vassal Ézéchias, qui, prenant appui sur l'Égypte, tentait de secouer le joug (Is **36,**6), les Assyriens menèrent contre le roi de Juda une campagne rapide et efficace. Les Annales de Sennachérib (cf. *ANET* p. 282 s.) rapportent que celui-ci a mis le siège devant Lakish (2 R **18,**17) et attaqué Juda à partir de l'Ouest, ce qui correspond parfaitement à la situation des villes citées dans la lamentation de Mi **1,**8-16. Sennachérib commence

[15] De nouveau, le conquérant te fera porter le deuil[a]
habitante de Maréshah[b].
Jusqu'à Adullam s'en ira la Gloire d'Israël[c].

[16] Fais-toi une tonsure, rase-toi (Fille de Sion)[a]
pour les fils qui faisaient ta joie[b].
Élargis ta tonsure comme le vautour,
car ils sont exilés loin de toi.

15a. TM et G « Je ferai venir », mais dans la bouche de YHWH, ce qui détonne dans une lamentation où la première personne renvoie au prophète lui-même. En conservant les consonnes du TM et en ajoutant seulement un *y* préformante, nous proposons de lire *y'bylk*, au hiphil « il te fera porter le deuil ».   *b.* Consonance entre *yrš* conquérant et *mršh*, Marèshah.   *c.* Il n'y a aucune raison de corriger *'d-'adullan* « jusqu'à Adullam » en *'ad-'ôlam* « pour toujours », qui ferait disparaître le nom de ville pourtant nécessaire selon le principe même de cette composition. On notera la répétition de *'d … 'd* au début de chacune des strophes.

16a. G « Fille d'Israël » atteste la présence d'un *bat* « fille ». On serait tenté de rajouter « Fille de Sion » (cf. **1**, *13* ; **4**, *10.13*), ce qui permettrait de régulariser le rythme du verset 2 fois 3 + 2 (rythme de la qinah). Mais l'expression ne réapparaît pas dans les passages authentiques du livre.   *b.* Litt. « pour les fils de tes délices ».

par investir Lakish et de nombreuses autres villes, 46 selon ses dires, et enferma Ézéchias dans Jérusalem « comme un oiseau dans une cage ». Toutefois, la capitale fut épargnée en payant un lourd tribut (2 R **18**, *13-16*). Ainsi, Michée aurait prononcé sa complainte au cours de cette campagne alors que s'approchaient les troupes ennemies.

L'unité du chapitre 1.

Si le premier oracle de **1**, *3-7* date de 722 et la lamentation de **1**, *8-16* de 701, comment expliquer que ces deux pièces aient été non seulement rapprochées mais étroitement articulées par le « à cause de cela » de **1**, *8* qui renvoie à ce qui précède (cf. *La Formation* p. 38-41). Comment la ruine de Juda peut-elle constituer le prolongement de celle de Samarie ?

Il n'y a pas lieu, comme le fait Wolff, de ramener l'ensemble des oracles de Mi **1-3** dans un espace restreint de temps : entre 733 et 722. Car, Jer **26**, *18* place la sentence de Mi **3**, *12* à l'époque d'Ézéchias. Le petit nombre des oracles retenus n'y fait rien : il est probable que la tradition a opéré une sélection en fonction de ses préoccupations théologiques. Rien ne permet de douter de la valeur du titre (**1**, *1*) qui étend l'activité du prophète depuis le règne de Yotam jusqu'à celui d'Ézéchias.

Il reste à rendre compte de cette articulation. La formule *'al-zo'l* «à cause de cela» (**1,***8*) n'a rien d'une suture rédactionnelle puisqu'elle fait partie intégrante du rythme très régulier (3+3) qui caractérise ces versets 8-9. La conclusion s'impose : **1,***8-16* a été composée *pour* constituer la suite de **1,***3-7*. Le fait qu'une vingtaine d'années sépare les deux événements ne représente pas un obstacle majeur. Bien au contraire, selon sa vision théologique de l'histoire et sa conception unitaire du peuple de Dieu, le prophète rapproche les deux grands malheurs et voit dans le second la continuation du premier.

Mais pourquoi a-t-il donné à ce complément la forme d'une lamentation et non plus celle d'un oracle de jugement? Il faut sans doute faire appel ici à l'engagement personnel du prophète : Michée est un Judéen. Il est significatif que son horizon se limite à sa petite patrie de Morésèt et à son environnement immédiat. Il n'en sort que pour regarder Jérusalem. Il ne peut assister à l'épreuve d'un œil désintéressé, car c'est tout son univers familier qui s'écroule. On comprend dès lors qu'il traduise son émotion sous la forme d'une complainte.

Ainsi toute la vision prophétique de Michée est commandée par ce regard de foi qu'il porte sur Israël peuple de Dieu, un Israël profondément unifié par-delà les composantes politiques qui le divisent. Sous cet angle, le malheur qui frappe successivement les deux royaumes à vingt ans de distance représente un événement unique : c'est «le coup de YHWH» à travers lequel celui-ci se révèle accusateur et juge. Dans le déroulement de l'histoire profane, le prophète lit le tracé de l'histoire sainte : la catastrophe politique et nationale signe le jugement de Dieu. Dans ce cadre s'explique le glissement de sens qui affecte le couple Israël/Jacob. Initialement dans l'oracle contre Samarie, les qualifications désignent d'abord une entité politico-religieuse, le royaume du Nord. Or il semble bien qu'à l'époque de David ce terme Israël bénéficiait d'une plus large extension. Il représentait la totalité du peuple élu, celle qui proclamait sa foi en YHWH et se reconnaissait dans les traditions de la sortie d'Égypte, du Sinaï, de la marche au désert, de la conquête et de l'assemblée de Sichem (Jos **24**). Après la chute de Samarie, Juda devient le seul support de cette entité religieuse et peut de plein droit revendiquer ce titre d'Israël. La théophanie de YHWH. une théophanie du jugement, survient toujours à cause du péché d'Israël/Jacob, mais c'est le péché aussi bien du royaume du Nord (**1,***6-7*) que du royaume du Sud (**1,***8-16*). A cet égard la relecture deutéronomiste de 1,*5b* ne fera qu'exploiter ce qui sous-tendait le prolongement, par Michée lui-même, de l'oracle sur Samarie en une lamentation sur Juda.

Mi **2,** *1-5*

[1] Malheureux[a] ceux qui projettent le méfait
et manigancent[b] le mal sur leurs lits
au point du jour, ils l'exécutent,
car c'est au pouvoir[c] de leurs mains.

1*a*. Le *hwy* du TM, traduit ici par «malheureux...» provient sans doute du genre littéraire du chant funèbre. Mais le contenu de l'oracle confère à ce terme une nuance de menace. On pourrait donc traduire «Malheur à ceux qui...» (*La Formation* p. 61-64). Le grec a lu par erreur *hyw* «ils ont été (il y a des gens qui)...» au lieu de *hwy*. *b.* Il n'y a aucune raison de retirer l'expression «ceux qui font le mal», sous prétexte d'une surcharge prosaïque, ni de corriger le participe *poʿălê* «manigançant» en un nom *pŏʿŏlê* «les œuvres (mauvaises)». Toutes les versions appuient l'hébreu. *c.* TM *yš lʾl ydm*. G et Vg n'ont pas compris le sens de *ʾl* «pouvoir» du reste rare dans l'Ancien Testament (outre Mi **2,***1* cf. Gen **31,***19*; Dt **28,***32*; Pr **3,***27*; Ne **5,***5*) et ont traduit «Dieu».

«Malheur aux riches»
2, *1-5*

Après la lamentation sur Juda, étroitement articulée sur l'oracle contre Samarie, le début du chapitre second marque une césure importante. Le prophète ne s'adresse plus au peuple dans son ensemble mais à un groupe particulier, celui des riches avides et cruels; il développe des thèmes différents de ceux de Mi **1,** et met en œuvre une forme littéraire nouvelle : l'oracle de jugement, habillé en oracle de malheur, procédé connu aussi d'Amos (**5,** *7.18*; **6,** *1.13*) et d'Isaïe (**1,** *4*; **5,** *8* ss ...).

La structure se présente comme tout à fait classique :

. En tête, l'interjection «malheureux (malheur à)...».

. L'identification des destinataires, sous la forme, en hébreu, d'une double proposition participiale (v 1*a*), suivie de façon très régulière de deux propositions comportant des verbes à mode personnel (v 1*b*-2). Le tout constitue, sur le rythme de la qinah (3 + 2), l'élément de l'accusation.

. La formule de liaison, qui articule étroitement cette accusation sur la condamnation qui suit, se compose du «c'est pourquoi» et de la formule de messager (v 3*a*).

. Vient enfin la sentence avec ses deux temps habituels : l'annonce de l'intervention directe de Dieu : «Me voici...» (v 3*b*) et ensuite la description de ses conséquences objectives (3*c*-5).

L'auteur a particulièrement soigné cette articulation de l'accusation et de la sentence : aux *projets* des accusés (v 1), répond le *projet* de Dieu (v 3). Au *mal (r')* commis par les riches (v 1) correspond le malheur *(r'h)* décidé par Dieu (v 3). En **2,***2*, ces exploiteurs s'emparent des *champs* ; en guise de châtiment on leur retirera leurs *champs*. On peut formaliser ces correspondances selon le schéma a (v 1) b (v 2) a' (v 3) c' (v 4-5). Cette structure littéraire vérifie en somme la loi du talion. Dieu punit les pécheurs à la mesure de leurs crimes.

Si claire qu'apparaisse la forme de cet oracle, celui-ci n'est pourtant pas exempt de retouches. La critique textuelle nous a déjà mis sur la voie : ainsi l'expression « sur cette race» (v 3) ne comporte pas de soi de connotation péjorative. Pour ce faire, elle a besoin d'être qualifiée. Elle semble l'être ici par le mot «malheur». Ainsi s'explique la place étrange de la formule entre le verbe et son complément d'objet direct : le mot «malheur» complément du verbe «projeter» sert en même temps à qualifier cette race, comme le suggère le parallèle de Jr **8,***3* hmšphḥ hr'h hz't «cette engeance mauvaise (lit. de malheur)». On pourrait presque traduire Mi **2,***3* «je vais projeter sur cette engeance de malheur un malheur...». A vrai dire, le procédé semble relever d'un artifice de relecture, d'autant que cette expression étend à l'ensemble du peuple une condamnation qui visait primitivement une catégorie sociale plus restreinte et qu'elle donne au stique une allure prosaïque.

La conclusion du v 3 «car c'est un temps de malheur» pourrait provenir de la même main. En Am **5,***13* il s'agit d'une addition et en Mi **2,***3* elle perturbe quelque peu la régularité du mètre (*La Formation* p. 74). Sans doute l'emploi de *r'h* «malheur» pourrait faire écho à celui du v 3*a* et au *r'* «mal» du v 1. Mais il marquerait alors comme un point d'orgue, en soulignant la fin de l'oracle. Or celui-ci se poursuit au v 4.

La préoccupation temporelle que trahit l'ajout précédant a sans doute commandé aussi l'insertion, au v 4, de la formule «En ce jour-là», qui permet de repousser dans un avenir plus lointain l'accomplissement de l'annonce prophétique et de lui donner une certaine valeur eschatologique. Sa situation en plein milieu d'un développement

² Convoitent-ils des champs, ils les volent[a]
des maisons, ils s'en emparent.
Ils exploitent[b] le maître et sa maisonnée,
l'homme et son héritage.

2a. G ajoute «orphelins».   b. G a inversé les deux verbes «s'emparer» et
«exploiter».

correspond bien à la manière du rédacteur (voir *supra*). De même,
l'étrange *nhyh*, dittographie intentionnelle, pourrait jouer sur les
mots ; on peut en effet aussi bien le traduire «gémissement» que «c'est
arrivé» : le jour du gémissement est arrivé. Comment ne pas penser à
la catastrophe de 587 ? Ainsi nous serait fourni un précieux point de
repère pour la datation de ce type de relecture.

La fin du v 4 a aussi reçu quelques modifications, comme le suggère
le passage du «nous» au «je». Dans l'oracle initial, le «nous»
représente les riches : ces riches rapaces et accapareurs sont dépouillés
de leurs biens, sanction légitime qui s'inscrit clairement dans la
thématique de cet oracle construit sur la loi du talion. Or la relecture
a obscurci un procédé cher à Michée, celui de la paronomase entre
šādôd nᵉšaddunû (nous avons été dévastés) et *śadênû* (champs). La
retouche a brisé cette correspondance en insérant entre les deux mots
des propositions à la première personne du singulier : «la part de mon
peuple, on l'aliène, comment peut-on me la retirer, au rebelle...». Le
glissement thématique est tout à fait significatif : du groupe des
riches exploiteurs, on passe au peuple lui-même. Nous avons relevé
semblable déplacement dans l'addition du v 3a. Ainsi apparaît la
cohérence de ces retouches qui proviennent sans doute de la même
main.

Cette perspective collective d'ensemble se retrouve encore au v 5.
N'y évoque-t-on pas «l'assemblée de YHWH», la communauté
liturgique, mais cette fois pour envisager à son propos un avenir
sombre : le partage des lots sur la terre de YHWH (la redistribution
des terres prévue l'année du Jubilé ? cf. Lv **25,11.13**) ne peut avoir
lieu. Pourquoi ? Israël se situe sans doute en exil. L'analyse du
vocabulaire, la reprise du «c'est pourquoi» en début de verset, le
caractère prosaïque de la formulation confirment l'hypothèse d'un
complément probablement deutéronomiste (*La Formation* p. 70-79).

L'oracle initial devait s'énoncer comme suit :

1 Malheureux ceux qui projettent le méfait
et manigancent le mal sur leurs lits ;

au point du jour ils l'exécutent,
car c'est au pouvoir de leurs mains

2 Convoitent-ils des champs, ils les volent
des maisons, ils s'en emparent.
Ils exploitent le maître et sa maisonnée
l'homme et son héritage.

C'est pourquoi, ainsi parle YHWH
3 Voici que je projette un malheur,
que vous ne pourrez pas retirer de votre cou
Vous ne pourrez marcher la tête haute.

4 On composera sur vous un proverbe
On poussera un gémissement et l'on dira :
«Nous avons été dévastés, dévastés ;
on partage nos champs».

Il apparaît clairement que malgré ses multiples interventions, le rédacteur n'a pas modifié la structure de l'oracle primitif. Le poème se compose de quatre strophes comportant chacune deux distiques et se répartissant de façon égale entre l'accusation (les deux premières) et la sentence (les deux dernières). Sans être uniforme, le mètre se présente comme assez régulier : le rythme 3+3 caractérise la première (v 1) et la troisième strophe (v 3). Si l'on considère le 'mr, «et l'on dira», du v 4 comme une addition, le v 2 et le v 4 (seconde et quatrième strophe) utilisent le rythme de la qinah (3+2), qui trahit l'émotion et la tristesse du prophète face au péché qu'il dénonce. Le tout s'achève sur une lamentation qui n'est pas sans rappeler **1**, *8-16*.

L'accusation (**2**, *1-2*).

Michée dénonce avec vigueur les conséquences désastreuses au plan moral, de la révolution sociale qui a accompagné la mutation politique, lors de l'avènement de la royauté. Jusqu'à la fin de la période des Juges, les valeurs traditionnelles, liées à la structure nomade primitive, telles l'intégration étroite des familles au sein du groupe, la défense des petits et des pauvres (voir le Code de l'alliance Ex **21-23**) s'étaient trouvées vaille que vaille sauvegardées. Avec l'apparition de la monarchie et l'établissement d'une organisation proprement étatique, l'ancienne structure se trouve démantelée ; de nouveaux besoins se font jour : centralisation urbaine, fondation d'une cour royale, émergence de classes sociales privilégiées, telles que fonctionnaires, diplomates, soldats, préfets, etc. Cette classe nouvelle

³ C'est pourquoi, ainsi parle YHWH :
Voici que je projette contre cette race un malheur[a],
tel que vous ne pourrez en retirer vos cous ;
et vous ne pourrez marcher la tête haute[b],
car c'est un temps de malheur.

3a. La place de « contre (sur) cette race » entre le verbe et son complément est un peu étrange. Elle empêche par ailleurs de couper ce long vers de 5 accents en 3 + 2. Il s'agit sans doute d'une intervention rédactionnelle. Mais confirmée par toutes les versions, cette retouche est à conserver textuellement.   b. Littéralement « avec hauteur ». G comporte un inattendu « tout à coup ».

qui disposait du pouvoir s'en sert malheureusement pour le mettre au service de ses intérêts égoïstes. La cupidité aidant, ces nouveaux cadres vont rapidement se constituer d'immenses propriétés, en dépossédant injustement les petits paysans de leurs terres. Jérusalem en vient à ressembler aux capitales des monarchies urbaines qui l'entourent, tirant un profit de plus en plus grand d'un arrière-pays considéré comme une simple dépendance de la ville.

Cette révolution économique et sociale se fit aux dépens des petits et des pauvres. Pour accroître leurs biens, les riches, gens sans scrupules, ne reculent devant aucun moyen fût-il des plus malhonnêtes : pots-de-vin, expropriations, jugements iniques, voire assassinats. Ainsi naît une discrimination entre deux groupes d'hommes dont la littérature biblique, notamment les Psaumes, se fera l'écho tout au long de son histoire. La situation est particulièrement critique au VIIIᵉ siècle. C'est pourquoi, au nom des valeurs de l'Alliance compromises, les prophètes vont se dresser pour dénoncer injustices et exactions (Is. **1,** *10-23* ; **3,** *16-24* ; **5,** *8-24* ; Am **4,** *1-5* ; **6,** *1-14*). Michée n'est pas en reste : pour lui (**2,** *1*) ce ne sont pas fautes de faiblesses. Bien au contraire, ce mal, on le prépare, on le médite, on y travaille dans l'ombre (cf. Ps **36,** *5* ; Pr **14,** *22* ; **6,** *14-18*) au lieu de songer à Dieu (Ps **63,** *7*). Il n'y a pas lieu de corriger le début de l'oracle, comme on le propose souvent, sous prétexte que les riches ne peuvent réaliser leur projet qu'au matin. En réalité, après le participe « projetant le méfait », le parallélisme appelle tout à fait légitimement le second « manigançant le mal ». Le terme très fort de po'ălê « forger » traduit admirablement cette détermination du coupable bien décidé à passer à l'acte : en méditant le mal, les méchants sont déjà au travail. Toute l'activité de leur esprit est comme mobilisée par ce projet. Ils ne tardent pas d'ailleurs à l'exécuter : aussitôt dit aussitôt fait (v 2). Le rythme rapide du vers semble vouloir rendre la hâte mise dans la réalisation de leurs sinistres desseins. Ce faisant, ils portent préjudice à tous les descendants de leurs victimes. On pourrait illustrer l'accusation avec l'épisode de 1 R **21** où Nabot souligne le caractère inaliénable de la propriété, don de Dieu, et fruit du partage de la terre Promise (cf. 1 R **21,** *3* «ce serait un sacrilège»).

Ainsi, ce comportement ne se contente pas de s'attaquer au fondement même de la vie sociale, il compromet jusqu'à la nature même de la vie religieuse. Ce n'est pas seulement la dignité de l'homme qui est menacée, mais l'emprise totale de YHWH sur le peuple de l'Alliance. Le prophète se réfère au droit antique de la ligue sacrale. Le terme «convoiter» renvoie au dixième commandement (Ex **20,** *17* ; Dt **5,** *21*) voir aussi la vieille série des malédictions de l'Alliance de Sichem (Dt **27,** *17*) ou la loi de Sainteté (Lv **19,** *13*) : «Tu n'exploiteras pas (*'sq* cf. Mi **2,** *2b*) ton prochain ; tu ne voleras pas (*gzl* cf. Mi **2,** *2a*). L'ordre sacral, institué par Dieu lui-même, dans le cadre de l'alliance se trouve donc profondément perturbé. Aussi le prophète prend-il vigoureusement la défense des intérêts de Dieu. En agissant ainsi, ces riches indignes s'installent du reste dans le domaine de la mort. Aussi peut-on déjà entonner sur eux le chant funèbre : «Malheureux...» (Mi **2,** *1*). Cependant, parole prophétique, cette lamentation ne se contente pas d'annoncer le malheur, elle le déclenche. Elle est toute chargée de la catastrophe qu'elle prédit : la sentence de condamnation ne fait donc qu'expliciter la grave menace contenue dans le premier mot de l'oracle «malheur», ce «malheur» qui sort du «mal» lui-même.

Le jugement (**2,** *3-4*)

Le «c'est pourquoi» marque d'emblée le lien logique entre accusation et condamnation. Celle-ci n'a rien d'arbitraire et Michée souligne avec force l'enchaînement des deux temps de l'oracle. Littérairement, les deux sections se répondent point par point (cf. *supra*). Le châtiment apparaîtra d'autant plus redoutable que Dieu en personne l'exercera. Au v 3, celui-ci prend soudain la parole, car en vertu de cette «signature divine» que constitue la formule de messager «Ainsi parle YHWH», les paroles du prophète deviennent paroles de Dieu : «Me voici» déclare YHWH, introduction solennelle qui souligne l'importance de la déclaration et de l'intervention qui vont suivre. Les instances régulatrices n'ont pas fonctionné : les responsables ont manqué à leur devoir en tolérant de tels désordres. Dieu se présente alors comme l'ultime recours. Mais quelle menace fait peser sur les coupables cette présence dangereuse !

⁴ En ce jour-là, on composera sur vous un proverbe,
on poussera un gémissement — c'est arrivé ᵃ —, et l'on dira ᵇ :
Nous avons été dévastés, dévastés ;
la part de mon peuple, on l'aliène ᶜ,
comment peut-on me la retirer ᵈ ?
Au profit de l'infidèle, on partage nos champs.

⁵ C'est pourquoi, il n'y aura pour toi personne
qui jette ᵃ le cordeau sur un lot
dans l'assemblée de YHWH.

4a. On tente ici de rendre littéralement le TM *wnhh nhy nhyh*. Ce dernier verbe traduit par «c'est arrivé» (cf. 1 R **12**,*24* ; Jl **2**,*2*) peut provenir d'une dittographie, interprétée ultérieurement comme l'accomplissement d'une prédiction.   *b*. TM *'āmar*. Il manque une particule de liaison que l'on pourrait restituer : *w'mr* traduit par «et l'on dira». Il est aussi possible de ponctuer *'omér* «disant».   *c*. G «la part de mon peuple a été mesurée au cordeau» a lu *ymd* «mesurer» au lieu de *ymr* «aliéner, échanger»; le terme «cordeau» viendrait du v 5. L'assonance *yāmîr* (aliéner)/(retirer) favorise la leçon du TM.   *d*. G «il n'y a personne l'empêchant de (le) détourner» a lu *'yn* «personne» au lieu de *'yk* (comment). Il a sans doute interprété *lšwbb* «l'infidèle» comme l'infinitif pilpel de *šwb* «retourner, détourner». La rugosité du texte hébreu laisse soupçonner dans le verset une intervention rédactionnelle.
5a. litt. : «il n'y a pas pour toi (quelqu'un) jetant».

Mi **2**,*6-11*

⁶ «Ne bavez pas, bavent-ils ᵃ,
on ne doit pas baver ainsi ᵇ :
'la honte ne s'éloignera pas' ᶜ.

Tout ce passage est fort altéré. Pour une justification plus détaillée des options prises, on se référera à *La Formation* p. 82-102.
6a. «baver» : *nṭp* au qal signifie «tomber goutte à goutte» cf. **2**,*11*.   *b*. «ainsi» : TM «pour de telles choses», se réfère à la citation de Michée qui suit.   *c*. Parole de Michée citée par ses adversaires (dans une citation des adversaires par Michée lui-même). Puisque le verbe est au singulier, vocaliser *kᵉlimût* «la honte» cf. Jer **23**,*40* au lieu du pluriel du TM *kᵉlimôt*.

Point de description précise du châtiment, mais une métaphore combien évocatrice (v *3b*) : le joug n'évoque sans doute pas ici, comme en Jérémie (**27-28**) ou en Ézéchiel, le départ en exil (l'édition deutéronomiste infléchira le texte en ce sens), mais la soumission du vassal, assimilée à un esclavage. Ceux qui marchaient la tête haute (voir la peinture à la fois pittoresque et cinglante des grandes dames de Jérusalem en Is **3,** *16*) s'en iront courber sous le joug.

Le sens du mot *mšl*, rendu ici par «proverbe», comporte une large étendue de significations. En **2,** *4*, l'association avec le mot de «complainte» suggère l'idée de satire. La lamentation entonnée, au verset précédent, par les riches humiliés serait alors empreinte d'une cruelle ironie. Le contenu de ce chant confirmerait cette interprétation : les coupables sont punis par où ils ont péché. Ils ont dépouillé les petits et les pauvres de leurs terres ; à leur tour, ils en seront dépouillés. Le jeu de mots de la fin du verset (cf. *supra*) est à cet égard tout à fait significatif et correspond parfaitement à la dénonciation du v 2.

L'ignorance où nous sommes des conditions de vie de Michée, de son milieu, de sa situation sociale, des lieux précis de sa prédication ne nous permet pas d'identifier les riches condamnés : les responsables locaux de la bourgade de Moréshèt? les classes dirigeantes de la capitale? Quoi qu'il en soit, l'essentiel reste le message religieux, cette parole d'un Dieu qui ne supporte pas l'injustice et qui se déclare concerné par l'établissement d'un ordre juste et équitable. Ainsi se prépare la malédiction de Jésus : «Malheur à vous les riches» (Lc **6,** *24)*.

CONTROVERSE

2, *6-11*

Si, sur plusieurs points de détail la traduction reste conjecturale, l'idée générale ne fait guère difficulté. Par sa dénonciation de l'injustice sociale, cette péricope prolonge d'une certaine manière la précédente. Toutefois, en se faisant l'écho d'une controverse, elle utilise une autre forme littéraire.

Controverse? A vrai dire, d'un bout à l'autre c'est le prophète qui parle et qui aux v 6-7 rapporte le discours de ses interlocuteurs, pour ensuite leur répliquer avec une accusation vigoureuse (v 8-11). Si la traduction de 6*c* est exacte (cf. critique textuelle), ce stique représenterait une citation (d'une parole de Michée par ses adversaires) à l'intérieur d'une citation (par Michée des paroles de ses adversaires).

⁷ (Cela) peut-on le dire ᵃ, maison de Jacob ?

Est-il à court de souffle ᵇ, YHWH ?
Est-ce là sa manière d'agir ?
Ses paroles ᶜ ne sont-elles pas bienveillantes ?
N'accompagnent-elles pas le juste ᵈ ? »

7a. Litt. «Est-il dit ?», participe passif de *'mr* précédé du *h* interrogatif. Dans le contexte on doit l'interpréter comme un jussif ; il renvoie aux paroles de Michée citées par les adversaires (v 6c).   *b.* Litt. «est-il (trop) court *hăqāṣar)* le souffle de YHWH ?». Mais comme le terme *rwḥ,* «souffle» est du féminin et que le verbe est au masculin, il faut sans doute ponctuer *hăqᵉṣar rwḥ* «est-il court de souffle»?   *c.* «ses paroles *(dbryw)* avec G au lieu du TM *dbry* «mes paroles». Cette correction s'impose du fait que le v 7c rentre dans la série des interrogations placées dans la bouche des adversaires depuis le début du v 7.   *d.* Litt. «ne vont-elles pas avec le juste» en lisant *hlkw* «vont-elles» au lieu de *hwlk* «marchant» (au singulier) du TM.

Dans l'état actuel du texte, les v 8-10 contiennent une accusation (v 8-9) suivie d'une condamnation (v 10). Ils constitueraient donc un oracle de jugement. Cependant, la reprise, au v 11, de l'accusation étonne quelque peu. La critique textuelle conduit à soupçonner l'intervention d'un rédacteur en 10*b* ainsi qu'une addition en 10*a*. Initialement, ce verset 10*b* devait s'énoncer comme suit : «Vous saisissez en gage et le gage est écrasant». Dans ces conditions, les v 8-11 ne comporteraient qu'une série de reproches. L'unité s'achève, au v 11, sur une inclusion où de façon cinglante, le prophète renvoie à ses partenaires le qualificatif sarcastique de «baveur» dont ils s'étaient servis pour caractériser son ministère prophétique (v 6).

Cette controverse fait-elle suite à l'oracle qui précède ? On a déjà relevé les liens thématiques qui relient les deux unités : dans les deux cas, le prophète s'adresse à des personnages qui s'emparent par violence des biens des pauvres. Aussi un certain nombre de critiques pensent-ils que Mi **2,***6-11* s'articule sur **2,***1-5* : à Michée qui vient de prononcer la sentence divine (**2,***3-5*), ses adversaires ripostent en l'accusant de dévoyer le discours divin : cette déclaration ne contredit-elle pas la théologie traditionnelle de la patience et de la bienveillance de YHWH ?

Il n'est pas impossible que les deux péricopes aient été formulées dans un même contexte historique, puisqu'elles énoncent des accusations semblables. Par ailleurs, la controverse suppose une provocation de Michée ; ce pourrait être l'oracle de **2,***1-4*. Toutefois, on ne peut pas affirmer que les deux unités constituent une suite

logique et ceci pour deux raisons : d'une part, l'incise « bavent-ils », au
v 6, suppose que c'est le prophète qui parle, en rapportant les paroles
de ses adversaires. Nous ne saisissons le mouvement du dialogue qu'à
travers le discours de Michée lui-même. D'autre part, est-il sûr que les
adversaires soient identiques dans les deux cas ? Le verbe « baver »
évoque normalement le discours prophétique (**2,** *11*) ; ne suppose-t-il
pas dès lors un autre groupe de partenaires que celui des v 1-5 ?

Comment rendre compte de ces données apparemment contradic-
toires ? Risquons une interprétation : en **2,** *1-4*, le prophète s'adresse
aux riches insatiables qui se seraient asservi, par des pots-de-vin
(cf. **2,** *11*), les prophètes de mensonge. Ceux-ci prennent la défense de
leurs « employeurs » et argumentent contre Michée qui rapporte leurs
propos aux v 6-7. Dans sa réplique, celui-ci distingue les deux
groupes : il interpelle les riches en parlant des prophètes à la troisième
personne (cf. les « bavent-ils » du v 6). A partir du v 8, prenant appui
sur une de leurs affirmations théologiques incontestables, il en
conteste l'application aux possédants défendus par ces prophètes.
Ceux-ci avaient évoqué la bienveillance de Dieu pour le juste (v 7),
Michée les prend au mot : vous n'êtes pas des justes (v 8) et de
reformuler ses accusations antérieures (v 8-10). La conclusion coule
de source (v 11) : ces gens ont les prophètes qu'ils méritent ; des
« hommes du vent ».

La contestation des prophètes de mensonge (**2,** *6-7*).

Pour la compréhension exacte de cette déclaration des adversaires
du prophète, l'étude précise de la structure revêt une certaine
importance. Elle permet de dégager deux strophes : v 6-7*aα* d'une
part et 7*aβγ.b* d'autre part. La première énonce une triple interdiction
de trois membres commençant chacun par la négation *lo'* ; elle
s'achève sur une interrogation qui appelle une réponse négative. La
seconde développe une argumentation théologique ; formellement elle
enchaîne sur la fin de la première en alignant trois interrogations
introduites par *h, 'm* et *hl'* ; les deux premières appellent une réponse
négative. La dernière, plus ample (elle s'étend sur un vers entier)
demande une réponse positive. Ainsi le v 7*aα* assure la transition
d'une strophe à l'autre ; par sa thématique et son rythme, il fait partie
de la première strophe ; par sa forme interrogative, il annonce déjà la
seconde strophe. Le rythme est parfaitement adapté au contenu :
celui du premier élément, rapide (2 + 2), convient parfaitement à un
refus brutal, voire scandalisé ; celui, plus lent, du second (2 fois 3 + 3)

[8] Mais, vous, contre mon peuple,
en ennemis vous vous dressez[a].
De dessus la tunique, vous enlevez le manteau[b],
à ceux qui passent en sécurité au retour de la guerre[c].

[9] Les femmes de mon peuple, vous les chassez[a] chacune
des maisons qu'elle aimait[b].
A ses nourrissons vous enlevez
ma splendeur[c] pour toujours.

8a. Le moins qu'on puisse dire est que l'hébreu n'est pas clair : «hier mon peuple en ennemi se dressait». Nous lisons *w'attèm 'al 'ammi l'ôyéb taqûmû* «et vous, contre mon peuple, en ennemi vous vous dressez». Cette restitution, ne dépasse guère la valeur d'une simple conjecture.   *b.* En lisant *m'l* «du dessus», au lieu du TM *mmwl* «d'en face». «Le manteau» *'drt*; TM *'dr* : le *t* est tombé par haplographie. *c. bth* «sécurité» est pris adverbialement (Joüon § 102d). «Revenus de la guerre» : un participe à l'état construit avec génitif s'emploie quelquefois en lieu et place d'un complément avec préposition (Joüon § 121n).

9a. *Mur 88* confirme le TM contre G dont le texte n'est guère intelligible : « Les chefs (*nśy'* au lieu de *nśy'*) de mon peuple seront expulsés de leurs maisons de délices ; à cause de leurs actions mauvaises ils ont été chassés. Approchez-vous des montagnes éternelles».   *b.* Le passage au singulier s'explique sans doute par la perspective distributive, d'où le mot «chacune» cf. Mi **2,**2.   *c.* On a aussi proposé de lire *hdr(w)*, «chambre à coucher» au lieu de *hdry* «ma splendeur» du TM.

s'accorde avec une argumentation théologique qui exige un développement de plus grande ampleur.

Les v 6 et 7 font donc état de la protestation scandalisée des ennemis de Michée. Ils ne peuvent reconnaître dans sa parole un authentique message de Dieu, ce qui explique l'emploi du titre péjoratif de «baveur». Le verbe, qui signifie «tomber goutte à goutte» (Jg **5,**4 ; Ps **68,**9 ; Jl **4,**18 ; Am **9,**13), est associé métaphoriquement à la proclamation de la parole en Ct **4,**11 et Pr **5,**3. En Ez **21,**27 et Am **7,**16, il est, comme ici, appliqué à la prophétie. Ce dernier texte offre un intérêt particulier pour l'interprétation de **2,**6.11, car il se trouve dans une collection d'un prophète du VIIIe siècle, de peu antérieur à Michée, et dans un contexte identique d'affrontement prophétique ; il est mis dans la bouche d'un adversaire d'Amos avec une connotation nettement péjorative. Celle-ci peut provenir d'une certaine dépréciation du prophétisme extatique qui, à la période pré-classique, caractérisait les groupes de «voyants». Le verbe feráit écho au comportement étrange, voire délirant, de ces personnages dont les transes présentaient en certains cas les signes d'un comportement épileptique (cf. 1 S **10,**5 ss ; **19,**18 ss ; 1 R **18,**26 ss), Aussi les qualifiait-on parfois de «dément» (2 R **9,**11 cf. Os **9,**7.9). En Ez **21,**27, le verbe *nṭp*, dans la bouche de YHWH, semble avoir perdu cette nuance péjorative.

Il la garde en tout cas en **2,**6.11. D'ailleurs, le rejet de la prophétie authentique par les responsables du peuple et l'affrontement entre prophètes inspirés et faux-prophètes se retrouvent tout au long du VIIIe siècle (Am **7,**10-17 ; Os **9,**7) et du VIIe siècle (par exemple Jr **27-28**). Les deux groupes s'excommunient et nous voyons Michée retourner contre ses adversaires le compliment, en le complétant au v 11 d'une peinture sarcastique de leur comportement.

Pourtant, ces adversaires développent une argumentation serrée et fondée sur des vérités de foi incontestables, qui, toutes, renvoient à l'élection d'Israël par YHWH. Celle-ci ne suppose-t-elle pas, de la part de Dieu, une attitude fondamentalement bienveillante, qui s'est traduite en une « manière d'agir » spécifique, dans les actes sauveurs, fondateurs, tels la libération d'Égypte et le don de la Terre Promise (Ps **77,**12 ; **78,**7), dans une révélation de sa parole. Ce passé n'évoque-t-il pas la patience inaltérable de YHWH ? N'est-il pas « long de souffle », lent à la colère (cf. Pr **14,**29) ? Ce motif provient en droite ligne de la confession de foi d'Israël et revient comme un refrain dans la proclamation du mystère de Dieu, notamment dans la grande révélation sinaïtique, Ex **34,**6 (voir encore Nb **14,**8 ; Ps **86,**5 ; **103,**8 ; **145,**8 ; Jl **2,**13 ; Na **1,**3 ; Jon **4,**2 ; Ne **9,**17). Tout cela ne contredit-il pas le message michéen : « la honte ne s'éloignera pas » ?

La réplique de Michée (**2,**8-11).

Le prophète ne conteste pas ces vérités de foi. Mais il replace le débat sur le terrain d'où ses adversaires l'avaient retiré. Il y a comme un malentendu tragique dans ce dialogue de sourds : le prophète parlait morale ; ses interlocuteurs répondent religion, mais une religion insidieusement séparée de la vie. Le prophète, ou plus exactement YHWH par son prophète, prend ses adversaires au mot. En récitant leur catéchisme comme des perroquets, ils viennent de laisser échapper un mot qui subtilement les condamne : « le juste » (v 7b). Et Michée de leur rétorquer « précisément, vous ne vous comportez pas en juste », de reformuler à frais nouveaux (v 8-11) les accusations de **2,**1-2.

Car ils ont brisé l'alliance en violant les préceptes du droit sacral. Les promesses étaient conditionnelles et requéraient l'obéissance aux conditions de vie imposées par YHWH. L'appartenance au peuple de Dieu n'a rien d'une garantie magique de sécurité. Michée entre dans le détail : « Vous extorquez au pauvre son manteau ». Ce vêtement

¹⁰ Levez-vous, allez,
car ce n'est plus (le temps) du repos[a].
Pour cause d'impureté[b] vous serez ruinés
et votre ruine sera cuisante.

¹¹ S'il y avait un homme marchant dans le vent[a]
et débitant[b] des mensonges :
« je vais baver[c] pour toi moyennant vin et boisson forte »,
il serait le baveur de ce peuple-là.

10a. Litt. « car ceci n'est pas le repos ». On peut aussi comprendre : « ce n'est plus le
lieu du repos ».   b. Le texte primitif pouvait porter « pour un rien (m'mh à la place
de ṭm'h), vous saisissez en gage et le gage est écrasant ». ḥbl peut signifier « ruiner » mais
aussi « saisir en gage ». On vocaliserait alors taḥabʿlû « vous saisissez en gage » et ḥăbol
« gage ». Mais le texte actuel du TM, ne serait pas le fait d'une altération de copiste. Ce
serait plutôt une modification intentionnelle. Le terme « impureté » a surtout une
connotation religieuse et non morale (Jr 2,7 ; 3,10 ; 19,13 ; 32,34. Cf. Os 5,3 ; 6,10 ;
9,3 s.). De reproche, la phrase se transforme alors en annonce de châtiment. Le v 10a
serait aussi le fruit d'une addition en lien avec cette modification (La Formation p. 97-
100).
     11a. lw suivi d'un participe a valeur d'éventuel. « Dans le vent » : après hôlèk
« marchant », le mot rûaḥ « vent, esprit » est à l'accusatif précisant la sphère de l'action
(cf. Jb 29,3 ; Pr 6,12). b. Dans l'hébreu, verbe à mode personnel, car « un participe
prédicatif ou non prédicatif est assez rarement continué par un autre participe.
Généralement on continue par un temps fini » (Joüon § 121j). c. Le verbe nṭp
« baver » est construit avec deux l prépositionnels : le premier lʿka « à toi » introduit les
destinataires de la prophétie, le second « pour vin … » ses conditions d'exercice.

Mi 2, 12-13

¹² Je te rassemblerai, Jacob, tout entier[a].

12a. G « Jacob sera rassemblé » a sans doute tenté d'harmoniser le premier stique
avec le second formulé non plus à la deuxième mais à la troisième personne. Beaucoup
de critiques (ainsi BHS) ont voulu corriger klk en klw, pour la même raison. Mais cette
correction ne s'impose pas : Syr., Vg et Tg suivent le TM. D'ailleurs, ce changement de
personne est fréquent dans les pièces tardives du livre de Michée (voir en particulier
4,6-7 si proche de 2,12-13).

constitue en Orient un important objet de possession (Dt 22,3). Il
peut servir de couverture pour la nuit, aussi doit-on le rendre avant la
fin du jour (Ex 22,26 ; Dt 24,13 cf. 24,17). Curieusement, on retrouve
les mêmes dispositions à l'arrière-plan d'un ostracon du VIIᵉ siècle,
découvert à Yavne-Yam (Biblica, 1960, p. 183 s.). Ces directives
veulent garantir aux pauvres un minimum de vie décente, contre les

empiètements et les exactions des puissants. Dieu lui-même se trouve engagé dans l'observance de ce droit (Ex **22,** *25* s.). Violer le droit des faibles, c'est donc attenter à Dieu même, car ceux-ci constituent «son peuple». Le stique suivant (v 8*b*) est plus difficile à interpréter. Sans doute s'agit-il de gens, qui revenus de la guerre, aspirent à la tranquillité. Par leurs exigences, les riches leur refusent ce droit. Peut-être est-ce la guerre elle-même qui a fait de ces pauvres les débiteurs des possédants.

Suit, au v 9, une accusation de même nature : les expropriations scandaleuses imposées à des femmes sans défense, peut-être des veuves (cf. Mi **2,** *2*), et ceci toujours en contradiction flagrante avec le droit fondé sur l'alliance (Ex **20,** *17* cf. Dt **27,** *19* ; **24,** *17* s. ; Ex **22,** *21-23*). Cette injustice entraîne de graves conséquences pour les enfants, car elle leur retire «l'honneur de YHWH», c'est-à-dire sans doute le droit à l'héritage, au partage du patrimoine national (cf. *supra*). Une dernière accusation (v 10*b* ; le v 10*a* est un ajout) vient prolonger celle du v 9 : «pour un rien vous prenez un gage et ce gage est écrasant». Amos avait naguère dénoncé cette propension à s'assurer des gages énormes (Am **2,** *6* ; **8,** *6*), alors que la loi plaçait des limites précises à cette procédure (Dt **24,** *6*).

Le discours s'achève sur une conclusion d'une ironie cruelle. Il faut à cette génération des prophètes à leur dévotion, des prophètes ivrognes qui «courent après le vent». Peut-être y a-t-il ici allusion aux banquets religieux qui s'achevaient parfois en des scènes orgiastiques (Is **28,** *7*), ou aux festins indécents des classes possédantes, insultes à la misère des pauvres (Is **5,** *22* cf. **22,** *13* ; **56,** *12* ; Am **4,** *1*). Le terme *rûaḥ* pourrait garder ici une certaine ambiguïté : le prophète «homme de l'*esprit*» (Os **9,** *7* cf. 1 S **10,** *6* ; 1 R **18,** *12* ; **22,** *21*) court après le «*vent*» c'est-à-dire l'illusion et l'inconsistance. Relevons l'assonance entre *šèqèr*, mensonge et *šèkar*, boisson forte : des prophètes qui les soûlent de paroles trompeuses, de promesses illusoires, aussi trompeuses, aussi illusoires que le vin et la boisson qu'ils exigent pour salaire, tels sont les prophètes, les «baveurs» que mérite ce peuple-là (cf. Is **28,** *7-13* ; **29,** *9-10* ; Os **4,** *11*).

Le rassemblement du reste d'Israël

2, *12-13*

Situation du passage.

L'énoncé de cette péricope introduit une solution de continuité dans la trame du livret de Mi **1-3**. D'une part, le ton change

Je réunirai le reste d'Israël.

Ensemble je les mettrai, comme les brebis[b] de Bosrah[c],

comme un troupeau au milieu de son pâturage[d].

Elles montrent un grand trouble à cause des hommes[e].

b. G ajoute τὴν ἀποστροφὴν αὐτῶν (la communauté des exilés?). Il s'agit sans doute d'un essai d'interprétation de la métaphore.   *c.* Bosrah, ville d'Édom (Gn **36**,*33*; Am **1**,*12*) plutôt que son homonyme de Moab (Jr **48**,*24*) cf. note e. — La Septante a lu *b*ᵉ*ṣarah* «dans la détresse». S'appuyant sur la Vg «in ovili» et le Tg, et en vocalisant différemment le texte hébreu supposé par la LXX, beaucoup de critiques lisent *b*ᵉ*ṣirah* «dans l'enclos», ce qui donnerait un bon parallèle au stique suivant «au milieu de son pâturage». Mais ce terme, restitué à partir d'une forme arabisante de *ṭirah*, ne se retrouve pas ailleurs dans la Bible et *ṭirah* signifie «campement pour des hommes», plutôt que «enclos de moutons» (*La Formation* p. 104 s.).   *d.* *hdbrw* est un solécisme : un nom suffixé ne porte pas l'article. Il faut rattacher le *w* au mot suivant.   *e.* «Elles montrent du trouble», hiphil de *hwm*. Phrase difficile qui s'explique plus par une relecture que par une faute de copiste. En surcharge rythmique, elle perturbe le mètre très régulier (4+4) de cette strophe. Il manque donc un mot dans le dernier stique de 12*b*. On est tenté de le restituer à partir du *mé'ādām* de 12*b* en lisant *mè'èdôm*, d'Édom, ce qui donne un excellent parallèle à Bosrah. Le texte original devrait porter *k'dr blk dbr m'dm* «comme un troupeau au milieu des pâturages d'Édom» (*La Formation* p. 105 s., 108 s., 417-419). La relecture serait le fait du rédacteur qui a inséré **2**,*12-13* à sa place actuelle.

brusquement : d'une série d'accusations et de condamnations on passe soudain à un oracle de salut. D'autre part, en s'adressant à la communauté, celui-ci brise la séquence des chapitres **1-3** parfaitement ordonnés : le chapitre **1** concerne le peuple, Mi **2** un groupe complexe où se mêlent riches propriétaires et faux-prophètes, Mi **3** des catégories bien définies de responsables.

La tentative désespérée de A. van Hoonacker pour voir ici un oracle de châtiment a fait long feu. Celle de A. S. van der Woude (*VT* 19 [1969], p. 256) qui croit ici reconnaître les paroles des faux-prophètes vaut comme expédient habile mais peu convaincant (*La Formation* p. 405; H.-W. Wolff *BK* p. 46). En fait, nous sommes en présence d'une intervention rédactionnelle assez complexe.

A la suite de Duhm, A. Condamin (*RB* 11 [1902], p. 379-387) a proposé de déplacer ces versets entre **4**,*7* et **4**,*8* et de voir en **4**,*6-7* ; **2**,*12-13* une séquence remarquablement ordonnée, marquée notamment par la répétition symétrique de 6 mots : rassembler, réunir, mettre, reste, YHWH, régner. Le tout se distribue en 4 strophes parallèles. Dans les deux cas, on passe de la première personne (c'est YHWH qui parle) à la troisième. Ce parallélisme de la forme comporte en même temps une progression de la pensée : les v **4**,*6-7* insistent sur le regroupement des brebis dispersées, **2**,*12-13* sur la sortie du pâturage avec YHWH à leur tête. Ces deux péricopes ont largement puisé dans la symbolique pastorale d'Ez **34**. A titre de *confirmatur*, on notera que l'insertion de **2,** *12-13* après Mi **4,** *7* donne à la synthèse de Mi **4-5**, composée selon le procédé de l'enveloppement concentrique, un équilibre remarquable : la section B (Mi **4,** *6-7* ; **2,** *12-13*) constitue la réplique exacte de la section B' (Mi **5,** *6-7*), puisqu'elles présentent chacune deux strophes symétriques et qu'elles concernent le thème du reste avec double reprise du terme correspondant *š'ryt* (**4,** *7* ; **2,** *12* ; **5,** *6* ; **5,** *7*) (cf. *infra*).

Telle serait, semble-t-il, la place originelle de ces versets. Leur situation actuelle proviendrait d'une intervention tardive, postérieure à la structuration d'ensemble du livre. Le terme *ro'š*, tête, chef a pu servir de mot-crochet pour rattacher le dernier mot de **2,** *13* « YHWH à leur tête (comme leur chef)» au début de **3,** *1* «Écoutez donc, chefs (têtes) de Jacob». Le rapprochement voudrait opposer le Bon Pasteur, YHWH, aux mauvais pasteurs (Jr **23,** *1-6* ; Ez **34**) qui dévorent leurs propres brebis (Mi **3,** *2-3*).

Structure et Forme.

Selon la teneur primitive, telle que l'analyse précédente a permis de le restituer, ce morceau se présente avec une remarquable régularité, puisqu'il se compose de 4 vers de deux stiques parallèles. Cette régularité n'exclut pas une certaine diversité. Ainsi au rythme très ample du v 12 (4+4) succède, au v 13, un rythme beaucoup plus rapide (2+2, 2+2) qui traduit bien le mouvement du morceau : le sapeur monte (au rempart?), il ouvre la brèche, la troupe (le troupeau) s'y engouffre et sort (v 13*a*). Avec le mètre de 3+2, le v 13*b*, qui dépeint YHWH à la tête du troupeau, retrouve une certaine solennité.

Ces deux versets constituent un oracle de salut. Si l'on adopte la terminologie de C. Westermann qui distingue trois catégories : la promesse, l'annonce et la description du salut, cette péricope se range dans le second groupe : il s'agit en effet d'un événement précis, le rassemblement d'Israël dispersé au milieu des peuples et sa sortie du pays de la captivité.

Commentaire.

Dieu prend donc la parole pour adresser à Jacob-Israël une parole de réconfort. Au v 12*a*, l'emploi de l'infinitif préposé souligne avec force la décision divine : «je veux te rassembler». L'image du

¹³ Il est monté, celui qui ouvre la brèche ᵃ ;
devant eux il a ouvert la brèche ᵇ.
Ils ont passé la porte,
ils sont sortis par elle.
Il est passé, leur roi, devant eux,
YHWH à leur tête.

> 13*a*. G « à travers la brèche » a sans doute lu *'al happèrèṣ* avec haplographie du *h*.
> Mais *Mur 88* appuie le TM. Contre la Vg « ascendet » qui a voulu aligner le temps du
> v 13 sur le futur du v 12, il faut garder le passé. Ce changement de temps est un effet de
> style dans les oracles de salut.   *b*. « Il a ouvert » avec Vg et Syr. Le TM « ils ont
> ouvert » provient sans doute d'une dittographie et de l'influence du mot suivant « ils ont
> passé » au pluriel. En réalité, le v 13*aα* décrit l'œuvre du sapeur, le v 13*aβ* le
> mouvement de la troupe qui suit.

troupeau dispersé que YHWH rassemble revient fréquemment dans
les oracles relatifs à la libération de la captivité babylonienne
(Ez **34,**5-6.11-16 ; Is **40,**11). L'usage du terme « reste d'Israël » oriente
vers la même époque : en Jérémie et en Sophonie (**3,**13) il désigne ce
qui a survécu à l'épreuve de l'exil. YHWH veut ainsi redonner à son
peuple cohésion et unité. Les énormes troupeaux du plateau édomite
offraient une comparaison tout à fait adaptée à la promesse d'un
puissant renouveau, d'autant qu'en mentionnant un peuple étranger,
l'image s'appliquait parfaitement au peuple dispersé en exil mais
s'apprêtant à rejoindre son pâturage traditionnel. L'oracle comporte-
t-il une pointe polémique contre les pasteurs infidèles ? La solennité
du v 12*a* pourrait le laisser entendre. Le dernier rédacteur semble en
tout cas avoir exploité cette piste (cf. *supra*) : en rapprochant **2,**12-13
de **3,**2-3, il fait songer à Ez **34,**11 « J'arracherai (c'est YHWH qui
parle) mon troupeau de leur bouche, il ne leur servira plus de
nourriture ».
  Le v 13 donne la parole au prophète. Ce n'est pas la seule différence : au futur succède une série de verbes au passé et l'image du
troupeau fait place à celle d'une troupe qui s'engouffre par la brèche
ouverte grâce à un travail de sape. A vrai dire, l'image du sapeur
qui ouvre la brèche vient se superposer à celle du bélier de tête (cf.
Jr **50,**8). Dans l'état actuel du texte, ce glissement du futur au passé
exprime la foi du prophète, tellement certain de sa réalisation qu'il
la perçoit comme déjà advenue (parfait prophétique Joüon § 112*h*).
Le mouvement du verset laisse planer un certain suspense quant à
l'identité du personnage qui prend la tête du troupeau ; il faut
attendre les derniers mots de la péricope pour apprendre qu'il s'agit
de YHWH, placé, de ce fait, en un relief saisissant.

Ici encore, l'imagerie nous oriente vers les textes prophétiques de
l'exil qui apportent la meilleure illustration de cette symbolique
(Jr **31,** *7-9* ; Ez **34,** *13* s.). Le Deutéro-Isaïe surtout fournit les clés
d'interprétation, puisqu'on retrouve chez lui les diverses représentations qui sont ici habilement fusionnées : Is **52,** *11* fait résonner
l'invitation à « sortir » de Babylone ; Is **49,** *9-12* évoque la longue
marche du peuple qui sort de la prison pour s'engager dans un désert
transformé en pâturage ; en Is **52,** *12* YHWH lui-même prend la tête
de la longue procession (cf. **49,** *9* ss.) et YHWH n'est-il pas le « roi de
Jacob » (Is **41,** *11*) ? On le sait, derrière ces images se profile le
symbolique du Nouvel Exode. Or la marche de YHWH en tête du
troupeau fait penser à la colonne de nuée et de feu qui précédait les
Israélites lors du premier Exode.

Cependant, le prophète ne se contente pas d'exploiter un fond
commun de représentations, il les marque du sceau de sa personnalité.
Ainsi les combine-t-il avec la thématique et l'imagerie de la guerre
sainte. Quand le Seigneur « ouvre une brèche », c'est souvent, il est
vrai, au détriment de son peuple (Ps **60,** *3* ; **80,** *13* ; **89,** *41* cf. Is **5,** *4* ;
2S **6,** *8*) mais en 2S **5,** *20*, David déclare : « YHWH a ouvert devant
moi une brèche dans nos ennemis ». Alors s'éclaire la cohérence de la
représentation d'ensemble : le troupeau de Jacob-Israël, dispersé, se
trouve rassemblé, de par la volonté de YHWH dans un même enclos
(v 12). A la suite de son chef qui prend la tête du troupeau, il monte à
l'assaut du rempart, du mur qui fermait l'enclos, et sort libre dans
une marche triomphale. Par là, Dieu manifeste sa « royauté » et sa
souveraineté sur le « reste d'Israël ».

Le Targum donnera de la péricope une interprétation messianique
même s'il ne nomme pas explicitement le Messie : « Les rachetés
remonteront comme autrefois, un roi aussi marchant à leur tête pour
les guider ; il brisera les ennemis qui les oppriment et soumettra leurs
villes fortes, leur roi les conduira et la Parole de YHWH sera leur
soutien ». Ainsi pose-t-il un jalon pour la réinterprétation christo-
logique de la symbolique en Jn **10.**

Le vocabulaire de la péricope, les réminiscences des oracles
exiliques, la manière dont la symbolique pastorale est exploitée, la
fusion des thèmes et des représentations, autant d'éléments qui
plaident pour une composition tardive, soit vers la fin de la captivité
babylonienne soit au début du retour d'exil (*La Formation* p. 112-
114). Jr **23,** *1-6* par exemple est le premier à lier les trois concepts de
rassemblement, de troupeau et de reste : « Je rassemblerai le reste de
mes brebis » (cf. encore Ez **34,** *13* ss ; **37,** *21*). L'expression « reste
d'Israël » se retrouve associé à cette thématique en Jr **31,** *7-10*).

Mi 3

[1] Et je dis[a] :

1a. «Et je dis» TM, Tg, Vg : «Et il dira» G. «Et il a dit» Syr.

MISE EN CAUSE DES DIRIGEANTS DU PEUPLE

3

Ce chapitre se compose de trois oracles de jugement. Il se démarque ainsi clairement de l'environnement immédiat **2,** *12-13* et **4,** *1-5* qui développent des perspectives de salut.

Ces pièces présentent par ailleurs des similitudes remarquables : une longueur sensiblement égale, l'exploitation d'une même forme littéraire, la récurrence de formules (**3,** *1a* et **3,** *9a*) et de particules de liaison («c'est pourquoi» v 6.12) identiques. Plus spécifique peut-être de l'écriture michéenne, le passage de la seconde à la troisième personne ou inversement, qui suppose un jeu de scène extrêmement vivant. Enfin, toutes les trois s'attaquent aux dirigeants et à la manière dont ils exercent leur responsabilité au sein de la communauté.

Leur disposition même ne peut être le fait du hasard, car elle laisse transparaître un mouvement très étudié dont la progression peut être analysée sous différents angles ; d'abord celui des personnages concernés : le premier oracle vise uniquement les responsables politiques, le second les prophètes ; le troisième réunit ces deux catégories en y joignant les prêtres, de sorte que les trois grandes institutions de l'époque royale se trouvent ici mises en question.

De même, l'accusation dénonce d'abord l'exploitation éhontée des pauvres, puis les pots-de-vin exigés par les prophètes. Le troisième morceau reprend ces deux motifs en les élargissant à tous les responsables ; il leur ajoute un élément aggravant, une tentative de justification théologique (v 11c) qui les empêche d'entendre l'appel à la conversion.

Comment s'étonner dès lors que le v 12 apparaisse comme le sommet d'une progression dramatique dans l'annonce du châtiment ?

Dieu se tait et détourne sa face (v 4), les ténèbres tombent sur les prophètes (v 7), mais le châtiment suprême survient quand les trois classes de dirigeants sont englobés dans une même réprobation (v 12) : Dieu détruit son propre temple, centre religieux qui assure à la communauté sa véritable cohésion.

On peut, avec quelque vraisemblance, localiser à Jérusalem la proclamation de ces oracles, puisqu'ils s'en prennent aux responsables de plus haut niveau et à l'ensemble de la classe dirigeante. L'annonce de la ruine du Temple et de la ville sainte va dans le même sens. Au temps de Jérémie, le débat, où précisément les Anciens citeront Mi **3,** *12* (Jr **26,** *18*), se déroule dans la cour même du Temple, lieu privilégié pour la parole publique. Il est plus difficile de préciser la date et de savoir si ces oracles ont été prononcés dans les mêmes circonstances. Le fait que les termes Jacob-Israël qualifient les instances judéennes, et elles seules, favoriserait une date postérieure à la chute de Samarie.

En début de chapitre, la présence d'un « et je dis » que l'on ne peut sans arbitraire corriger avec le grec en « et il dit », pourrait constituer l'indice d'un travail rédactionnel. En effet, l'hypothèse, qui voit ici les restes de feuillets autobiographiques dont le contenu aurait disparu, est invraisemblable ; comment admettre qu'on n'ait conservé de cet ensemble qu'un seul mot et encore un mot d'introduction. Il s'agit donc d'une trace rédactionnelle. Mais à quel stade du développement du corpus ? A. S. van der Woude voit ici un passage des paroles de faux prophètes (**2,** *12-13*) à une réponse de Michée. Cette théorie se heurte au fait que rien n'indique que **2,** *12-13* constitue une diatribe des faux-prophètes (cf. *supra*) et au fait que **3,** *1-12* ne répond en rien aux thèmes de cet oracle de salut. On peut plutôt suggérer une intervention rédactionnelle de Michée lui-même : avant l'insertion tardive de **2,** *12-13* et avant la retouche deutéronomiste qui transforma **2,** *11* en une sentence de condamnation, la controverse de **2,** *6-11* s'achevait sur une peinture sarcastique des prophètes de mensonge qui profèrent des oracles à la demande, moyennant espèces sonnantes et trébuchantes. Le « et je dis » qui ouvre une série d'oracles de malheur opposerait à ces ministres cupides la propre intégrité de Michée : quelles qu'en soient les conséquences, il proclame la parole de Dieu (cf. précisément **3,** *8*). En même temps, cette introduction confère une certaine solennité à ce discours qui débouche sur l'annonce de la catastrophe la plus effroyable qui soit pour des Judéens croyants : la ruine du Temple. Dans ce cas, il faudrait attribuer au prophète lui-même l'organisation du chapitre **3** et le mouvement de progression qui le caractérise.

Écoutez donc, chefs de Jacob[b]
et dirigeants[c] de la maison d'Israël.
N'est-ce pas à vous de connaître le droit?

[2] Vous qui haïssez le bien et aimez[a] le mal[b],
qui leur arrachez[c] la peau de dessus eux[d]
et la viande de dessus leurs[d] os.

[3] Ils[a] mangent la viande de mon peuple.
Ils râclent la peau de dessus eux,
et leurs os, ils les brisent[b].

b. «Chefs de Jacob» TM confirmé par *Mur* **88**. G et Syr : «chefs de la maison de Jacob» adopté par certains commentateurs qui invoquent le parallélisme du stique suivant «dirigeants de la maison d'Israël» et aussi **3,**9*a*. Mais cette uniformisation *(lectio facilior)* s'impose d'autant moins que la régularité du rythme (3 + 3) favorise plutôt le TM.   c. On traduit souvent «juges» ou «magistrats». Mais voir R. de Vaux, *Histoire Ancienne d'Israël* (II, Paris, 1973, p. 75 s. et n. 32). La leçon de G «les restants» demeure difficile à expliquer.

2*a*. TM, Syr, Vg, Tg et sans doute *Mur* **88** «aimant»; G «cherchant».   b. Le Q *r'* «mal» (cf. **2,**1) est préférable au K *r'h* «malheur», en raison du parallélisme contrasté avec *ṭb* «bien».   c. «arrachez». L'hébreu *gzl* signifie à la fois «dévaliser» (avec nuances juridiques et morales cf. Lv **9,**13; Jg **9,**25; Ps **35,**10; **69,**5) et «enlever la peau». Cette ambivalence facilite le passage de l'image à sa signification réelle. d. A moins qu'ils ne renvoient aux victimes de **2,**1-11 (au cas où les chapitres **2** et **3** ont un même Sitz im Leben, ce qui reste à prouver), les suffixes peuvent être pris comme des indéfinis.

3*a*. TM, Vg, Syr «ceux qui» *('šr)*. Le G a lu sans doute *k'šr* «selon que» (influence du *k'šr* de **3,**3*b*?). En surcharge rythmique et se rattachant mal, d'un point de vue grammatical, aux participes qui précèdent, ce mot pourrait provenir d'une dittographie de *š'r*, «viande» qui suit, avec métathèse du aleph et du shin.   b. *pšḥ* au sens de «mettre en pièces» est un hapax. Mais G, Syr et Vg «ils broyèrent» confirment ce sens.

Contre les gouvernants : Dieu détourne sa face (**3,***1-4*).

L'application à l'état judéen des qualificatifs traditionnels Jacob-Israël fait de celui-ci l'héritier des traditions sacrales. Dans le même sens, la désignation des responsables comme «têtes» (*r'š*) et «dirigeants» (*qṣn*), association d'ailleurs unique dans la Bible, renvoie, pour le premier terme, aux chefs de clans et de familles (Ex **18,**25; Dt **1,**15) dotés de certains pouvoirs judiciaires, et, pour le second, à une vieille terminologie militaire (Jos **10,**24; Jg **11,**6). Mais des textes comme Jg **11,***8.9.11* montrent que ces deux termes pouvaient être

synonymes. Il en va sans doute de même en Michée, qui cependant
réserve ces titres à des personnages occupant des charges civiles (cf.
Pr **6,** *7*) et non plus militaires et qui, d'autre part, y inclut très
vraisemblablement non seulement le corps traditionnel des Anciens
mais aussi la nouvelle classe dirigeante, associée de près à l'institution
royale. Le prophète s'adresse clairement aux plus hauts dignitaires de
l'état, à ceux qui ont pour fonction de «connaître le droit».

Le prophète considère donc leur responsabilité sous l'angle de leurs
fonctions judiciaires. Il n'y a pas lieu, en effet, de penser à des
catégories différentes, car l'hébreu ignore notre distinction des
pouvoirs : le chef reçoit mission de juger. Sous sa forme de question
rhétorique, l'attaque est directe et incisive. Le changement de
personne au v 3 laisse soupçonner un jeu de scène : Michée s'adresse
d'abord et directement aux dirigeants coupables en **3,** *1b-2* : ceux qui
ont à connaître le droit haïssent le bien et aiment le mal! L'emploi de
la forme participiale, qui souligne la durée, traduit à sa façon
l'endurcissement dans le mal : «vous qui ne cessez de haïr le bien». A
l'aide d'une métaphore réaliste, le v *2b* précise l'objet même de
l'accusation. Soudain, le prophète se tourne vers le cercle des
assistants comme pour les prendre à témoin des crimes abominables
commis par leurs responsables. Il le fait au v 3 en reprenant la
métaphore des bêtes carnivores. Point n'est besoin de transposer le
v *2b* après le v *3b* comme on l'a souvent proposé ; le texte y gagne
peut-être en cohérence logique mais y perd en force d'expression et en
vivacité (*La Formation*, p. 126 s.). Sans doute y a-t-il redondance,
mais celle-ci relève du style parlé et donne à l'image déjà très réaliste
une force nouvelle : le v 3 reprend, en s'adressant aux auditeurs, la
même accusation dont Michée accablait directement, au v 2, les
dirigeants du peuple. Il y a même progression dans la description
réaliste de la souffrance à la limite du supportable : «ils mangent la
viande de mon peuple» et pour ce faire, ils vont jusqu'à «racler leurs
os et les dépouiller de leur peau». «Mon peuple» : certes c'est Dieu qui
parle, mais on ne peut manquer de percevoir l'émotion du prophète
lui-même, messager engagé du juge divin. Le prophète se veut
solidaire de son peuple ; il est bouleversé autant par la souffrance des
victimes que par le péché des bourreaux (cf. **1,** *8-16* ; **2,** *8-9*).

D'une ironie cinglante, le v *2a* semble reprendre, en l'inversant,
l'invitation d'Am **5,** *15* «haïssez le mal et aimez le bien». Ce couple
haïr/aimer pourrait provenir du monde sapientiel (Pr **1,** *22* ; **9,** *8* ; **12,** *1* ;
13, *24* ; cf. Ps **34,** *14* ; **37,** *27*). Les images sont crues, bien dans le style
d'Amos (**4,** *1* ; **2,** *6*) et d'Isaïe (**3,** *15* «ils broient le visage des pauvres»).
Mais, par son luxe de détails, Michée accentue le réalisme du tableau

Ils les découpent^c comme viande^d en la marmite,
comme chair à l'intérieur du pot.

⁴ Alors^a ils crieront vers YHWH
mais il ne leur répondra pas.
Il leur cachera sa face en ce temps-là^b,
à la mesure des mauvaises actions qu'ils ont commises^c.

⁵ Ainsi parle YHWH
contre les prophètes qui égarent mon peuple.
Ont-ils quelque chose à se mettre sous la dent^a,

c. «découper», en adoptant la variante graphique *prs* au lieu de *prś*.   d. Le TM
k'śr «selon que» n'a guère de sens, malgré l'appui de Vg et de Syr. Avec le G il
convient de lire *kś'r* «comme viande» avec encore ici métathèse du aleph et du shin.
Le parallélisme des vers appuie cette lecture.

4*a*. On pourrait aussi traduire «lorsqu'(ils crieront)».   *b*. «En ce temps-là» se
trouve en surcharge rythmique. Il s'agit d'une relecture plutôt que d'une glose
marginale explicitant le «alors», car elle infléchit le vers dans un sens eschatologique
(cf. les additions de **2,***3-4*).   *c*. Lit. «Selon qu'ils ont commis de mauvaises actions».
Le G «sur eux» *('lyhm)* provient sans doute d'une dittographie des dernières consonnes
de *m'llyhm* «actions».

5*a*. Lit. «mordant de leurs dents». Le parallélisme de 5*b* et de 5*c* impose de voir,
avec le Tg, une subordonnée conditionnelle. On ne peut, avec G, Syr, Vg, rattacher ce
stique à ce qui précède et lire «contre les prophètes qui égarent mon peuple, qui
mordent de leurs dents, qui prêchent la paix».

et présente les dirigeants de la communauté comme de véritables
bêtes sauvages : la loi de la jungle prévaut désormais au sein de la
communauté. Il se peut qu'Ézéchiel (**34,***8.10-19*) ait puisé là une de
ses sources.

Faut-il en conclure, avec un certain nombre de critiques, que
Michée faisait partie du clan des opprimés et que ses oracles rendaient
un son quelque peu revanchard? ou au contraire, avec H.-W. Wolff
et non sans quelque vraisemblance, qu'il se situait parmi les Anciens
chargés de rendre la justice? Il est difficile de trancher. En tout cas, le
prophète ne se contente pas de relever les symptômes extérieurs d'une
crise morale et sociale, il veut aller jusqu'à la racine du mal. Il se fait
une haute idée des responsabilités de la classe dirigeante et de la
dignité de leur fonction. Il ne peut supporter que ceux qui sont
chargés de faire respecter le droit et de défendre les pauvres violent le
droit et trahissent leur mission. D'entrée de jeu, la question se trouve
placée sur on véritable terrain : «N'est-ce pas à vous de connaître le
droit?» (**3,***1* cf. Os. **5,***1* : «le droit c'est votre affaire»). La connaissan-

ce du droit ne se réduit pas à une information exacte et précise des règles juridiques, elle implique un pouvoir de discernement et de jugement, en vue de faire régner à l'intérieur de la communauté le climat de justice, d'amour et de fraternité que requiert l'institution de l'alliance.

Car le droit selon lequel les magistrats doivent rendre leurs sentences ne correspond en rien à un code de lois profanes, c'est l'ensemble des dispositions imposées par YHWH à son peuple. En conséquence, la prédication de Michée n'a pas, au premier chef, un but éthique : le bien et le mal ne sont pas chez lui des notions philosophiques, pas même exclusivement morales. Ce droit est déterminé par la Sainteté de Dieu, il se présente comme l'expression du vouloir divin.

On comprend dès lors que, par la médiation de son prophète, YHWH intervienne en personne, puisqu'il se trouve directement concerné par cette violation du droit. Il ne peut plus jeter un regard de bienveillance sur ces responsables ; il ne peut exaucer la prière de ceux qui le bafouent (v 4). Le vocabulaire utilisé «prier, répondre» vient en droite ligne du genre littéraire de la supplication (Ps **22,**6 ; **107,**13.19 ; **142,**6) et suppose une situation de détresse ; à ce titre il résonne déjà comme une menace. La réponse attendue est peut-être celle d'un oracle cultuel, en tout cas une intervention salvifique de Dieu (Ps **3,**5 ; **4,**2 ; **20,**2). Comme l'affirment les derniers mots de l'oracle, la sanction découle en droite ligne de la faute elle-même : «Qui se bouche les oreilles au cri du faible appellera lui aussi sans obtenir de réponse» (Pr **21,**13). Au silence de Dieu vient s'ajouter son absence puisqu'il «cachera sa face». L'expression «en ce temps-là» semble repousser dans un avenir lointain la réalisation de la prophétie. Il s'agit sans doute d'une glose deutéronomiste qui veut donner au mot «alors» (v 4) une certaine distance temporelle, pour faire coïncider l'accomplissement de la prophétie avec la chute de Jérusalem. Ce temps-là n'est-il pas «le temps du malheur» (**2,**3 addition elle aussi deutéronomiste) (*La Formation*, p. 128) ?

Contre les prophètes infidèles à leur mission (**3,**5-8).

Les prophètes ont pour mission de transmettre la parole de Dieu et donc parfois la réponse de Dieu. Cette thématique sert-elle de lien avec la péricope précédente dans laquelle Dieu annonce son refus de répondre ?

Cette pièce présente toutes les caractéristiques d'un oracle de jugement, mais, cette fois, elle inclut, comme Mi **2,**3, la formule de messager, mais ici placée en tête de l'oracle : la totalité de la péricope

ils annoncent la paix[b];
mais celui qui ne leur met rien dans la bouche
ils lui déclarent la guerre.

[6] C'est pourquoi, ce sera pour vous la nuit : point de vision[a].
Ce sera pour vous ténèbres[b] : point de divination[a].
Le soleil se couchera sur les prophètes,
le jour sur eux s'assombrira.

b. G ajoute «sur lui» qui renvoie au peuple du v 5*a.* Dittographie provenant de 5*c*?
6a. On peut comprendre : «la nuit sera pour vous sans vision, les ténèbres sans
divination», en donnant à la préposition *min* une valeur privative; ou bien «la nuit
au lieu de vision; les ténèbres au lieu de divination», en donnant à cette préposition
une valeur substitutive. G et Syr ont lu un *min* d'origine : «la nuit viendra de la
vision».   *b.* «les ténèbres» avec G et Vg, en fonction du parallélisme avec le stique
précédent. Le TM a une forme verbale.

se veut donc parole de Dieu. Sur cette formule vient se greffer la
mention des destinataires : «les prophètes qui égarent mon peuple».
Cette qualification contient déjà le motif central de l'accusation,
précisée ensuite et concrétisée, au v 5*bc*, sous la forme d'un
parallélisme antithétique. La sentence de condamnation s'articule sur
l'accusation par le biais de la particule de liaison «c'est pourquoi» et
se développe en deux temps bien balancés : le v 6 annonce le silence
de Dieu et le v 7 la conséquence qui en découle : la confusion des
devins. Cependant, à ce développement tout à fait classique vient
s'ajouter un élément contrastant, tout à fait original (v 8) qui se situe,
toutefois, dans la droite ligne de la thématique du morceau.

La présence, soit-disant inhabituelle dans les oracles authentiques
de Michée (cf. cependant Mi **2,3**!), de la formule de messager a
souvent été attribuée à une intervention rédactionnelle. Mais on n'a
jamais résolu alors de façon satisfaisante le problème posé par le
début de la péricope : lorsqu'on retire «Ainsi parle YHWH», la phrase
reste sans verbe, ce qui est pour le moins étonnant en début de
morceau, et la restitution d'un hypothétique «Malheur à» reste tout à
fait conjecturale. Surtout, on ne semble pas avoir remarqué que cette
formule convient parfaitement à la thématique même de l'oracle
adressé aux prophètes. Dès le début de sa diatribe, Michée revendique
avec force pour lui l'autorité d'une mission prophétique : il est, lui,
l'authentique messager de Dieu face à des prophètes infidèles à leur
mission. Il parle tandis que ses adversaires n'auront qu'à se taire. A
l'autre extrême de la péricope (v 8), il reviendra sur cette autorité
prophétique fondée sur une véritable communication de Dieu.

Dans ces conditions, il n'y a pas lieu de se demander si l'expression «mon peuple» renvoie à YHWH comme en **2,***4* ou au prophète lui-même comme en **2,***9*, ou bien encore de corriger «mon peuple» en «peuple de YHWH», en interprétant le yod de *'ammi* «mon peuple» comme le début du tétragramme sacré abrégé. Car, en fonction de cette théologie du prophète messager de Dieu, la distinction entre parole divine et parole du prophète tend à s'atténuer sinon à disparaître. La conception hébraïque du messager connote un réalisme beaucoup plus accentué que ne le laisse entendre le langage occidental. Dans l'acte de la prophétie, Dieu investit la personnalité de son envoyé, sans que pour autant celle-ci disparaisse dans une fusion dépersonnalisante : l'expression «mon peuple» traduit aussi bien l'ébranlement de la sensibilité de Michée touché dans ses solidarités humaines que l'émotion de YHWH lié à Israël par l'alliance. Le message divin traverse l'expérience humaine et la sensibilité du prophète. Celle-ci, autant que la parole, est révélatrice du mystère divin.

L'accusation «ils égarent mon peuple» (v 5*a*) se trouve précisée aussitôt en regard de la mission des prophètes : par vénalité et corruption (cf. déjà **2,***11*), ils altèrent la vérité et le message de Dieu. Il ne semble pas que leur soit dénié le droit de toucher un salaire (cf. 1 S **9,***7-8*) mais il leur est reproché de faire dépendre le contenu de leurs oracles de ce salaire lui-même : à ceux qui ne leur donnent rien «ils déclarent la guerre». Non pas qu'ils engagent un combat personnel avec le fidèle impécunieux. L'expression est à interpréter à la lumière de l'alternative du v 5 : à ceux qui les rétribuent ils annoncent la paix le *šalôm* qui évoque tout à la fois plénitude, bien-être, épanouissement, salut, justice. A l'opposé, la guerre suggère souffrance, indigence, humiliation, bref le «malheur». Pour saisir la gravité d'un tel oracle, il faut se rappeler que la parole du prophète messager de Dieu et d'une certaine manière son chargé de pouvoir, est tout enveloppée de l'efficacité de la parole divine : elle ne se contente pas d'annoncer le malheur, elle le provoque en le proclamant. Dans ces conditions, annoncer la guerre «c'est la déclarer». Le prophète détourne ainsi à son profit et de façon injuste le pouvoir qu'il détient de sa fonction. Il y a bien cohérence avec les accusations déjà portées (**2,***1-4* ; **2,***6* ss ; **3,***1-4*) : l'argent est roi. Mais ce qui est grave dans le cas des prophètes, c'est que leur comportement méconnaît la totale liberté de Dieu dans la communication de sa parole : les prophètes prennent leurs critères de jugement du côté des hommes et non pas du côté de Dieu.

Après cette grave accusation et par un jeu de scène désormais

⁷ Ils auront honte, les voyants[a] ;
ils seront pleins de confusion, les devins.
Ils se couvriront tous la moustache[b],
car point de réponse de Dieu[c].

7a. Les versions ont éprouvé le besoin d'expliciter le sens prégnant de *ḥzym* : «ceux qui voient des songes» (G) «ceux qui voient des visions» (Syr et Vg).   *b.* G «ils les railleront tous».   *c.* G «car personne ne les écoute» a sans doute lu *'yn m'nh* (participe hiphil de *'nh* «répondre» au lieu du nom «réponse») *'lyhm* (au lieu de *'lhym*, Élohim, Dieu) cf. Rudolph 67.

familier mais inverse de celui de l'oracle précédent, Michée se tourne soudain vers les prophètes eux-mêmes (v 6) et leur fulmine la sentence de YHWH. Le «c'est pourquoi» souligne la correspondance entre la faute et le châtiment, car celui-ci les atteindra au cœur même de leurs fonctions et de leurs pouvoirs.

Le terme de «devins» qui qualifie les prophètes ne semble pas, en l'occurrence revêtir la même signification péjorative qu'il comporte en d'autres passages. Sans doute représente-t-il des consultations sur l'avenir, dont certaines modalités frisent la magie (Ez **21,** *26*) : secouer les flèches, consulter les téraphim, observer le foie, y ajouter sans doute la consultation des morts (1 S **28,** *8*) et l'interprétation des rêves (Za **10,** *2*). Ce ne sont pas ces modes apparemment inférieurs de l'activité prophétique, qui font ici l'objet de l'accusation, mais la cupidité de ceux qui les pratiquent. En Mi **3,** *11*, la divination est placée sur le même plan que «l'enseignement» du prêtre. Il en va de même du terme «vision», qui, honorable au départ (1 S **9,** *19*), finit par être chargé de mépris (Am **7,** *12*). Michée se réfère donc à la vieille conception de la prophétie, à la différence par exemple de Dt **18,** *10-14* ; Nb **23,** *23* ; 1 S **15,** *23* ; 2 R **17,** *17*, sans pour autant se l'appliquer à lui-même. Il se contente, lui, de proclamer la parole de YHWH (**3,** *8*).

Avec un sens aigu de la progression dramatique, le v 7 élargit à l'ensemble de la profession la condamnation du v 6. Est-ce la fin de la prophétie? Les guides du peuple s'enfoncent dans les ténèbres ; les «voyants», «au regard perçant» (Nb **24,** *3.15*), deviennent aveugles. La nuit (au sens littéral), pendant laquelle ils rendent leurs oracles, se transformera pour eux en véritable nuit (au sens figuré), ténèbres épaisses. Aussi doivent-ils, en signe de honte, reprendre le rite de deuil «se couvrir la moustache», c'est-à-dire les lèvres, sans plus parler. Ce geste a perdu ici la résonance magique qu'il avait comportée à l'origine (il fallait s'envelopper la face pour se rendre méconnaissable aux mauvais esprits). Rite de deuil, il annonce la fin de la prophétie comme la nuit et la ténèbre peuvent signifier la mort.

La source de cette confusion? Le silence de Dieu : le «point de réponse de Dieu» qui clôt la sentence fait ainsi inclusion avec le «point de vision, point de divination» du début (v 6a). C'était déjà la terrible sanction qui s'abattait sur les dirigeants du peuple (v 4) (dans les deux cas le silence constitue la pointe de la condamnation); mais cette fois-ci il est adapté à la mission du prophète et il touche au plus profond de l'expérience prophétique. La liaison avec l'oracle précédent n'est pas fortuite. Dans leur détresse, les responsables politiques n'auront même pas la possibilité de chercher une réponse à leur supplication par l'intermédiaire des délégués patentés naguère à leur solde (2,6-11). Ce sera la nuit totale pour les uns comme pour les autres.

L'oracle a ainsi atteint son sommet. Soudain, le discours repart au v 8, en une puissante déclaration contrastée dans laquelle, à travers sa propre expérience, Michée définit les modalités de la véritable prophétie. Le contraste est particulièrement accusé avec le *weʾûlam* et l'emploi du pronom emphatique : «Moi au contraire». La mission du prophète est de mettre en lumière la révolte de Jacob-Israël; ses adversaires annoncent ce que Dieu va faire, lui dénonce ce que son peuple a fait. On retrouve ici les qualificatifs de la communauté, familiers à Michée, indices d'une incontestable authenticité. D'ailleurs le contenu de Mi 1-3 ne correspond-il pas à cette déclaration? Sans vouloir en forcer la portée, on ne peut s'empêcher de penser qu'elle ne favorise guère la présence d'oracles de salut, dans la prédication du prophète.

Sans aucun doute, H.-W. Wolff (*Congress Volume Göttingen*, 1978, *VTS* XXIX, p. 401-408) a raison de rappeler que cette affirmation ne contient pas la moindre allusion à un récit de vocation. Il n'en reste pas moins que Michée nous livre ici quelque chose de son expérience prophétique. Confidence précieuse qu'il faut recueillir avec gratitude, car il n'est pas fréquent, mis à part Jérémie, qu'un prophète lève le voile qui recouvre sa vie personnelle (cf. Os 9,7ss ; Am 3,3-8 ; Is 8,11.16-18). Le contexte même de cette déclaration éclaire les motivations profondes des récits prophétiques autobiographiques : non pas tant le besoin de s'épancher que de justifier l'autorité avec laquelle le prophète proclame un message de malheur (cf. Am 7, 14-19).

Comme Jérémie était «rempli de la colère de Dieu» (6,11 ; 15,17) qu'il ne pouvait contenir (Jr 20,9), comme Elihu est «plein de mots, pressé par un souffle intérieur» (Jb 32,18), ainsi Michée est-il plein de

[8] Moi, au contraire[a], je suis rempli de force
— à savoir de l'esprit de YHWH —[b]
de jugement et de vaillance,
pour annoncer à Jacob sa révolte
et à Israël son péché.

[9] Écoutez donc ceci, chefs de la maison de Jacob,
dirigeants de la maison d'Israël,
qui exécrez la justice.
Ils rendent tortueux ce qui est droit,

8a. «Au contraire» TM. Le G «à moins que» suppose w'wly au lieu de w'wlm.
b. Cette expression, en surcharge rythmique, brise la séquence des trois compléments; mais attestée par toutes les versions et comportant une haute valeur
théologique, elle représente une relecture plutôt qu'une faute de copiste.

force, de jugement et de courage (v 8). Ces parallèles permettent
d'éclairer la portée de cette confidence : la source de ce courage vient
d'au-delà de lui-même et cette force l'empêche de se taire. Trois traits
qualifient cette contrainte intérieure : d'abord la force *(kôaḥ)*, cette
capacité de persévérer dans l'action face à l'hostilité des opposants
(Is **40,**29.31 ; **49,**4 cf. Ps **31,**11). Ensuite le *mišpaṭ*, terme difficile à
traduire, désigne le «droit», l'ordre social lui-même qui doit régir la
vie de la communauté (cf. Mi **3,**1). Ce droit, dont les leaders étaient
responsables mais qu'ils ont «tordu» et perverti, habite en quelque
sorte le prophète. En l'occurrence, le terme «jugement» paraît le
moins inadéquat, puisqu'il indique à la fois la décision qui régule cet
ordre et le discernement qui la prépare. Quand les chefs de la
communauté ont trahi le droit, alors se lève le prophète pour
dénoncer cette perversion. Aussi a-t-il besoin de *gᵉburâ* de courage
pour s'opposer à ceux qui détiennent le pouvoir et qui voudraient
contrecarrer l'exercice de sa mission. Le terme a des résonances
guerrières, des connotations de bravoure et de vaillance. Mais n'est-ce
pas un véritable combat que Michée doit mener seul contre tous? Il
participe à la force de celui qui se présente comme le *gibbôr*, le héros,
le vaillant des combats (Ex **15,**3 ; Is **42,**13 ; Ps **24,**8), YHWH.
    Au cœur de cette triade, un rédacteur a inséré une mention de
l'esprit. En surcharge rythmique et étrangement placée entre la
«force» et le «jugement», cette expression perturbe la séquence des
trois vertus revendiquées par le prophète. Grammaticalement, il est
difficile d'expliquer le *'ēl* qui l'introduit ; sans doute avec le sens de «à
savoir» cette particule veut-elle expliciter l'origine mystérieuse de

cette force qu'Is **40,** *26* attribue à YHWH lui-même. Par ailleurs, la
prophétie du VIIIᵉ siècle semble vouloir éviter cette évocation de
«l'esprit de YHWH» et prendre ses distances à l'égard du nebiisme
professionnel des siècles antérieurs. Celui-ci se réclamait de l'irruption
de l'esprit divin et le comportement de ses adhérents s'apparentait
trop à celui des devins païens. Le Deutéronomiste, probablement
responsable de la glose n'a pas les mêmes scrupules que les prophètes
qu'il édite (Ézéchiel atteste aussi la reprise de ce langage relatif à
l'esprit) et l'utilise pour mettre en valeur la source mystérieuse de ce
dynamisme prophétique : la situation de l'expression après la
mention de la «force» paraît à cet égard tout à fait significative.

Contre l'ensemble des responsables (**3,** *9-12*).

La facture classique de cet oracle de jugement recoupe pratiquement celle des pièces précédentes. L'invitation à «écouter» (**3,** *9a*) est
identique à celle de **3,** *1a*. A la mention des destinataires fait suite une
accusation de portée générale *(9b-10)* sous forme de propositions
participiales réparties en 2 vers de 2 stiques parallèles. Au v 11*abα*,
cette accusation se spécifie selon les trois groupes de responsables :
chefs, prêtres et prophètes en 3 stiques parallèles. Ensuite, en un
développement comportant également trois stiques parallèles, Michée
conteste l'argumentation théologique qui sert de justification à
l'ensemble de ces trois catégories. La particule de liaison «c'est
pourquoi», doublée d'un «à cause de vous» qui reprend succinctement
l'accusation, enchaîne sur la sentence (v 12), elle aussi formulée en
trois stiques parallèles.
Il manque la formule de messager «Ainsi parle YHWH», présente
en revanche dans la citation de Jr **26,** *18*, au début de la sentence. Il
n'y a pas lieu de la restituer en Mi **3,** *12*, car dans le texte de Jérémie,
les Anciens ne citent que la dernière partie de l'oracle, la sentence.
Celle-ci avait besoin d'une introduction. En l'absence de toute
motivation, le «c'est pourquoi» était tout à fait inadéquat. On lui
substitue cette formule de messager, à l'époque ouverture convention-
nelle des oracles de jugement (cf. Mi **2,** *3* ; **3,** *5*). On montrait ainsi que
YHWH lui-même s'exprimait à travers la parole du prophète, ce qui
lui conférait une autorité incontestable. Or, précisément la controverse portait sur ce point : «c'est au nom de YHWH qu'il (Jérémie)
a parlé» (Jr **26,** *16* cf. v 12).
L'accusation naguère formulée à l'encontre des dirigeants politiques (**3,** *1-4*) s'adresse maintenant à l'ensemble des responsables : au

[10] bâtissant[a] Sion dans le sang,
et Jérusalem dans le crime.

[11] Ses chefs jugent pour un présent,
ses prêtres enseignent[a] pour un salaire,
ses prophètes pratiquent la divination pour de l'argent.
Et ils s'appuient sur YHWH en disant :
«Est-ce que YHWH n'est pas au milieu de nous?
Il ne peut venir sur nous le malheur.»

10a. Le TM porte le singulier qui ne s'accorde pas avec le nom pluriel que ce participe qualifie. Lire donc le pluriel avec les versions. Le singulier pourrait provenir d'un copiste qui aurait perçu le lien entre Ha **2**, *12* et Mi **3**, *10* (cf. Jr **22**, *13*).

11a. «enseignent» TM ; G : «répondent», interprétation un peu libre quant à la forme mais exacte quant au fond, puisque entre autres fonctions le prêtre doit donner des directives sur tel point précis du droit.

lieu de faire respecter le droit, ils l'ont eux-mêmes en dégoût. Les métaphores s'accumulent pour dépeindre concrètement les crimes dont ils se sont rendus coupables : «ils tordent ce qui est droit (cf. Pr **8**, *8* ; **10**, *9*)» ; «ils bâtissent Sion dans le sang et Jérusalem dans le crime», formulation si expressive qu'Ha **2**, *12* la reprendra pour l'appliquer à une cité étrangère et oppressive (cf. Is **1**, *15.21*). Le VIIIe siècle semble avoir été une période florissante pour la construction (2 Ch **32**, *27-29*). A propos de Samarie, Amos parle de bâtiments en pierres de taille (**5**, *11*), de maisons d'ivoire (**3**, *15* cf. 1 R **22**, *39*), décorées avec luxe (**3**, *12* ; **6**, *4*). Selon Michée, l'accusation vaudrait pour Jérusalem bâtie avec le «sang» des pauvres. Pense-t-il aux ouvriers sacrifiés sur des chantiers dangereux? à des expropriations injustes (cf. Mi **2**, *1-4.8-9*)? Celles-ci pouvaient éventuellement s'accompagner de véritables assassinats (1 R **21**). Le terme 'wlh «crime» peut désigner le meurtre comme l'esclavage (2 S **7**, *10* ; **3**, *34*).

Le v 11 englobe et détaille les trois classes de dirigeants. Dans les trois cas la formulation s'énonce sous forme de phrase brève, construite sur un même schème : le sujet en tête précise la catégorie visée ; le complément qui suit formule l'accusation ; enfin le verbe évoque la fonction. Mais par-delà des expressions différentes, une accusation identique est portée : la racine de tout le mal vient de cette cupidité insatiable et de cette vénalité qui a corrompu tour à tour les responsables : gouverneurs chargés de veiller sur l'ordre public et de rendre la justice, prêtres gardiens du droit sacral (cf. Dt **33**, *10*), prophètes messagers du jugement divin. A la même époque, Isaïe dénonce les mêmes compromissions (**1,** *23* ; **5,** *23*). C'est la seule fois que Michée s'adresse aux prêtres. A la différence d'Osée, il ne s'intéresse guère au culte. Le clergé du Sud demeurait-il plus fidèle que celui du Nord et faut-il voir en Mi **3,** *11aβ* une généralisation rhétorique sans portée réelle ? En fait, pour caractériser leur fonction, Michée reprend la phraséologie traditionnelle ; que l'on compare son accusation avec Dt **33,** *10* qui semble lui fournir son vocabulaire : « Ils *enseignent* tes coutumes à *Jacob* et à *Israël* ». Sans doute ces directives visaient-elles au premier chef le domaine liturgique, mais ces gardiens de la tradition avaient aussi pour mission une éducation d'ordre moral, comme le suggèrent les liturgies d'entrée au sanctuaire par exemple (Ps **15,** *1-4* ; **24,** *3-6*). Ce serait sous cet angle de responsabilité éthique que le prophète leur reprocherait d'avoir trahi leur mission. Enfin, il réitère les accusations déjà portées à plusieurs reprises (**2,** *6-11* ; **3,** *5-7*) contre les prophètes. Le risque de corruption ne datait pas de son temps (cf. 1 R **13,** *7* ss ; 2 R **5,** *15*). Mais Michée semble y attacher une importance particulière. Il apparaît donc clairement, ce que déjà le chapitre 2 laissait entendre, qu'une solidarité ou plutôt une complicité dans le mal soude les dirigeants, si diverses soient leurs fonctions.

Malgré sa virulence et sa généralisation, l'accusation ne s'achève pas sur ces dénonciations. Il reste au prophète à mettre en lumière ce qui paraît à ses yeux le plus scandaleux : la justification religieuse de leur comportement (v 11*bβc*) : « et ils s'appuient sur YHWH en disant : YHWH n'est-il pas au milieu de nous ? ». On devine qu'ici comme en **2,** *6-7*, les adversaires de Michée cherchent une parade théologique à ses mises en question, car ils ajoutent : « le malheur ne peut venir sur nous », ce que précisément le prophète avait annoncé en **2,** *1-4*. Nous sommes ici devant un nouveau thème de la théologie populaire : en **2,** *6-7*, ces adversaires avaient invoqué la patience de Dieu ; ils apportent maintenant un motif complémentaire, la présence de YHWH à Sion. Voilà des hommes vraiment « religieux » ! Michée ne leur refuse pas une certaine religiosité, une certaine foi même, puisque « s'appuyer sur YHWH » définit parfaitement l'adhésion à la personne de YHWH (Is **10,** *20* ; **31,** *1* ; **50,** *10* ; 2 Ch **13,** *18* ; **14,** *20* ; **16,** *7-8* cf. Pr **3,** *5*). Plus précisément, ces dirigeants de toute obédience se fondent sur la présence divine au cœur du peuple élu, présence dont le Temple de Jérusalem est le signe le plus sensible (Is **8,** *18* ; **10,** *32-35* ; **18,** *7* ; **31,** *4-6* ; **37,** *22-29*) : « YHWH est au milieu de nous ». Cette formulation remonte aux vieux credo israélite (Ex **33,** *3-5* ; **34,** *9* ; Nb **11,** *20* ; **14,** *14* cf. Dt **6,** *15*). Elle sera équivalemment reprise dans les Psaumes de Sion (Ps **46,** *6*), mais cette fois, comme en Michée,

¹² C'est pourquoi, à cause de vous,
Sion sera labourée (comme) un champ[a],
Jérusalem deviendra une ruine[b],
la montagne du temple[c] des hauteurs boisées[d].

12a. On attendrait *kśdh* «comme un champ» ou *lśdh* «en champ». Mais le lamed prédicatif manque aussi dans le stique suivant; l'auteur veut souligner le scandale en juxtaposant brutalement les termes : «Sion, un champ, Jérusalem, une ruine...». b. *'yyn* forme araméenne du pluriel. Mais Jr **26,**18 qui cite Mi **3,**12 retrouve le pluriel normal *'yym*. Comme en **1,**6, G rend *'y* par ὀπωρωφυλάκιον. Manifeste-t-il la volonté d'atténuer l'effet catastrophique de la sentence? Jérusalem reste au moins une hutte (cf. Is **1,**8 où le terme grec traduit l'hébreu *mlwnh*).   c. Lit. «de la maison» (TM, G, Syr). En fait il s'agit du *byt YHWH*, du temple, comme l'ont compris la Vg et le Tg.   d. Lit. «des hauteurs (des hauts-lieux?) de forêt», mais la construction grammaticale est fautive (de même en Jr **26,**18) : on attendrait le yod du cas construit *lbmty* tombé par haplographie. G a le singulier «bois sacré» (*lbml* en hébreu). Les recenseurs de la Septante se sont efforcés de supprimer cette nuance cultuelle païenne : Symmaque «hauteur»; Théodotion «colline». La proposition de Ehrlich *lbhmwt* «(la montagne du temple) sera pour les bêtes sauvages» (cf. Mi **5,**7 *bbhmwl y'r* bêtes de la forêt) rallie l'accord de nombreux commentateurs. Mais elle a contre elle de donner au lamed une valeur d'attribution et non plus prédicative. Ce faisant, elle détruit le parallèle avec le stique précédent. Notons qu'en Mi **1,**3, *bmwl* signifie «hauteurs».

attachée à la localisation du sanctuaire à Jérusalem. La formule comporte normalement une signification favorable (Ex **17,**7 ; **34,**9 ; Jos **3,**10 ; Is **12,**6). L'affirmation est sans réplique et représente une des données fondamentales de la foi d'Israël.

Mais la conséquence qu'on en tire s'avère désastreuse : «Le malheur ne viendra pas sur nous». Cela, Michée ne peut l'admettre, car c'est faire de YHWH le simple garant d'une sécurité humaine, le mettre au service de l'homme, transformer la religion en assurance sur la vie. Par le fait même, Israël rabaisse YHWH au niveau d'un baal, niant ainsi sa liberté et sa Sainteté. Il ne choisit dans la révélation, que Dieu a faite de lui-même, qu'un aspect des choses, en éliminant les prescriptions et les souvenirs où cette sainteté de caractère moral s'est manifestée comme une présence dangereuse.

Aussi devant cette perversion de la foi, le prophète ne peut-il se contenir, et la sentence tombe terrible, impitoyable : le Temple lieu de cette présence sera réduit à un morceau de décombres. Devant le péché qui s'étale sans pudeur dans les rues de Jérusalem, la Sainteté redoutable va devoir exercer ses effets purificateurs et éprouvants.

Puisque cette conception magique et matérialisante de la Présence divine dans son Temple se trouve à la racine du mal, elle va s'en prendre à ce temple lui-même. Relevons ici un authentique témoignage de démythologisation. La sainteté du lieu consacré ne lui est pas attachée de façon naturelle. Elle dépend du Dieu qui «vient» et implique des exigences morales à l'égard de ceux qui fréquentent ce sanctuaire. Michée ne peut guère pousser le contraste plus loin : le terme *bamôt* comporte comme un relent de paganisme : s'il fallait lui donner le sens de «hauts-lieux», la ville de YHWH deviendrait un sanctuaire païen. Le contenu de l'oracle rappelle celui sur la ruine de Samarie (Mi **1,***6-7*). C'est d'ailleurs dans la logique du chapitre premier qui englobe dans une même accusation et une même réprobation les deux capitales corrompues. C'est la première fois qu'à Jérusalem résonne une menace aussi radicale. Isaïe lui-même n'osera pas aller si loin (Is **1,***21-26* ; **5,***14* ; **22,***1-14*). Cette prophétie fit une telle impression qu'un siècle plus tard, on s'en souvenait encore (Jr **26,***18*). Dans l'état actuel du texte, elle représente comme le point d'orgue du livret contenant les oracles authentiques de Michée de Morèshèt. L'éditeur final en fera à bon droit le climax de sa première partie. L'annonce prélude à celles de Jérémie (Jr **7**) et de Jésus lui-même (Mt **23,***38* ; Jn **2,***19-21*).

PERSPECTIVES ESCHATOLOGIQUES
4-5

Les chapitres **4** et **5** contiennent seulement des promesses de salut.
Ils sont composés de pièces diverses, intégrées dans une structure
d'ensemble, que sous-tend un ambitieux projet théologique.

1. — Mi **4,** *1-5* : *Jérusalem, montagne de Dieu et centre du monde*

Soudain le ton change : aux menaces succèdent sans transition des
promesses. Manifestement le contraste est voulu : à la Jérusalem
misérable de **3,** *12* s'oppose la Jérusalem pleine de gloire (Mi **4,** *1-4*).
Nous sommes au point d'articulation des deux livrets, car si Mi **3,** *12*
constitue la pointe de l'ensemble de Mi **1-3**, Mi **4,** *1* ss ouvre la
description d'un tableau eschatologico-messianique qui englobe les
chapitres **4** et **5** (cf. Conclusion).

Une des particularités de ce texte consiste en ce qu'il a un doublet
en Is **2,** *2-4*. Les divergences sont si minimes, qu'il est exclu que les
deux pièces puissent provenir d'auteurs différents. La teneur du
morceau est mieux conservée en Michée qu'en Isaïe, comme l'a
montré la critique textuelle et comme l'analyse de la structure le
confirmera. Néanmoins, ces deux recensions ont fait l'objet de
processus de transmissions différents et, de ce fait, ont subi des
modifications et des altérations particulières.

Les retouches apportées à Mi **4,** *1-5*.

Pour donner à la souveraineté de YHWH une extension aussi
grande qu'au gouvernement du Messie qui doit s'étendre «jusqu'aux
extrémités de la terre» (**5,** *3*), le rédacteur du livret de Mi **4-5** a ajouté
«jusque dans le lointain» (**4,** *3a*), absent d'Is **2,** *3* et en surcharge
rythmique.

La similitude des deux textes d'Is et de 'Mi s'arrête à la fin de

Mi **4,**3. Ainsi Mi **4,**4a qui reflète l'expérience salomonienne (cf.
1 R **5,**5) et qui développe une perspective plus distributive, donne à
ce texte universaliste une coloration plus «israélite». Le rédacteur
entendait ainsi articuler cette vision théocentrique avec le tableau
messianique de Mi **5** (cf. la reprise en **5,**3b de «ils demeureront, ils
s'établiront», là aussi une addition).

De même, le v 4b «Car la bouche de YHWH a parlé» manque dans
la recension isaïenne; elle ne paraît pas, du reste, en situation,
puisque les v 1-3 ne se présentent pas comme une parole explicite de
YHWH mentionné à la troisième personne. Cette formule a donc sans
doute été ajoutée au cours de la transmission du texte mais avant son
insertion dans la synthèse de Mi **4-5**.

Quoique différent d'Is **2,**5, Mi **4,**5 n'est pourtant pas sans analogie
avec ce dernier texte, car il ramène l'attention vers le présent et met
l'accent sur le peuple de Dieu confronté, voire opposé aux peuples
païens.

La structure de Mi **4,**1-3.

Dégagé de toutes les surcharges rédactionnelles, au demeurant
riches de sens (cf. *infra*), ce morceau présente une structure
remarquablement équilibrée. Il se compose de trois strophes comprenant chacune trois distiques. Dans la première (v 1.2aα), le prophète
voit Sion surélevée au-dessus des montagnes et devenue centre
d'attraction pour les peuples (3 vers de 3+3). Dans la seconde (fin du
v 2), il *entend* les nations s'exhorter à se rendre à la montagne de
YHWH pour y recevoir la loi et la parole divines (3+3 / 2+2 / 4+2).
Introduite par «elles diront» situé en anacrouse, cette strophe porte
sans doute le thème central : la phrase «il nous instruira de ses voies
et nous marcherons sur ses sentiers», placée au centre de la strophe et
donc de tout le poème, représente une idée importante sinon l'idée
centrale de cet oracle. La troisième strophe (v 3) détaille en trois vers
de 3+3 l'annonce d'un monde converti et pacifié.

L. Alonso-Shökel (*Estudios de poetica hebrea*, Barcelone, 1969,
p. 299) a remarquablement dégagé le mouvement de ce texte à partir
d'une analyse esthétique précise; la montagne de Sion apparaît
comme le centre d'un vaste monde, évoqué à l'aide de couples de
mots, qui en hébreu expriment la totalité : montagnes et collines,
peuples et nations, voies et sentiers, épées et lances. Cette montagne
est l'aboutissement d'un mouvement centripète suggéré par un
véritable jeu d'assonances et d'associations verbales : «C'est la

Mi 4-5

¹ Il[a] arrivera[b] à la fin des jours[c]

1*a*. Isaïe **2,**2-4 représente un doublet de Mi **4,**1-5, mais avec un certain nombre de
divergences. Pour faciliter la comparaison en voici la version parallèle :

² Il arrivera à la fin des jours
qu'elle sera établie, la montagne de la maison de YHWH
au sommet des montagnes et sera plus élevée que les collines.
Toutes les nations afflueront vers elle
³ et des peuples nombreux s'y rendront.
Elles diront :
«Allez! Montons à la montagne de YHWH,
à la maison du Dieu de Jacob.
Il nous instruira de ses voies
et nous marcherons sur ses sentiers.
car de Sion sortira la loi
et la parole de YHWH de Jérusalem.
⁴ Il jugera entre les nations
et se fera l'arbitre de peuples nombreux.
Ils martèleront leurs épées pour (en faire) des socs
et leurs lances pour (en faire) des serpes.
On ne lèvera plus l'épée nation contre nation
et ils n'apprendront plus (à faire) la guerre.
⁵ Maison de Jacob, allez et marchons à la lumière du Seigneur.

b. Étant donné le contraste entre Mi **4,**1ss. et ce qui précède (**3,**12) on pourrait
donner au *waw* de *whyh* une valeur adversative : « Mais il arrivera».   *c.* Littéralement on peut traduire aussi bien «dans la suite des jours» qu'«à la fin des jours»,
selon le contexte. Cette expression stéréotypée n'a pas toujours un sens eschatologique.
Mais ici G et Vg «dans les derniers jours» lui reconnaissent ce sens, ainsi que le Tg.

montagne *(har)* où affluent *(nahar)* les peuples. Elle est solidement
fondée *(nakon)* et sert de point d'attraction pour les mouvements de
masse *(nelka)*. Elle est le centre de beaucoup de chemins *(d'rakaw)* et
de sentiers *(orḥotaw)*. Mais c'est aussi le point de départ d'un
mouvement centrifuge, celui de la *torah* qui est comparée à un sentier
(oraḥ), celui de la Parole *(dabar)* qui est comparée à un chemin
(derek). D'elle partent aussi la souveraineté et la justice, une
puissance efficace créatrice de paix». Ces deux directions du
mouvement sont aussi reconnaissables aux sons : l'afflux vers la

montagne «est décrit en des vers particulièrement coulants qui sont étonnamment riches de sons NHRL, par contre sans sifflantes et pauvres en explosives. Le mouvement contrasté vers l'extérieur est introduit par un demi-vers : *kî miṣṣiyôn têṣê torah* clairement marqué par deux *s* et deux *l*. Il s'étend ensuite à un vers dans lequel le nombre des sons explosifs s'accroît, pour finalement déboucher dans un troisième vers qui avec sept *l* et deux *h* crée une onomatopée».

Commentaire.

Par-delà sa beauté plastique, ce morceau, un des sommets de l'Ancien Testament, a largement nourri l'espérance des Juifs et des Chrétiens, voire tout simplement des hommes, tant il répond à la profonde aspiration de l'humanité vers le bonheur et la paix. Placé immédiatement après **3,** *12*, sans doute en vue de neutraliser la terrible menace qui pèse sur Jérusalem, il nous projette d'un seul élan au terme de l'épreuve eschatologique «à la fin des jours» (Wolff *BK* p. 90 ; *La Formation...* p. 175-177). L'expression n'a pas de soi ni toujours un sens eschatologique. La majorité des attestations se trouve dans les textes exiliques ou postexiliques. Elle est associée soit à une certaine fin de l'histoire (Dt **31,** *29* ; Jr **23,** *20* = Jr **30,** *24* ; Ez **38,** *18*) soit à un nouveau commencement (Dt **4,** *30* ; Jr **48,** *47* ; **49,** *39* ; Os **3,** *5*). Un certain nombre de ces occurrences prennent place dans des ajouts rédactionnels. L'expression est donc familière aux éditeurs des livres prophétiques. Elle n'est jamais liée à un futur vague sans contour précis, mais à des textes qui, messianiques ou non à l'origine, seront exploités dans un sens eschatologique à une certaine époque, telle la relecture messianique de Nb **24,** *14*. Située ici à l'ouverture de la péricope et donc de la synthèse de Mi **4-5**, alors que d'ordinaire elle prend place en fin de phrase, elle représente une introduction solennelle et, dans le contexte, certainement eschatologique,

Le projecteur se trouve braqué «sur la montagne de la maison de YHWH». Mi **3,** *12* parlait seulement de «la montagne de la maison», comme si YHWH avait abandonné son sanctuaire, de ce fait désacralisé et transformé en monceau de décombres. Sion a désormais retrouvé sa dignité de «maison de YHWH», proclamation liminaire d'où tout le reste découlera, car elle reçoit du «Dieu de Jacob» qui réside en elle, gloire et puissance. L'élévation de Sion au sommet des montagnes (cf. les psaumes de Sion **46,** *4* ; **48,** *2* ; **87,** *1, 4-6*) traduit cette affirmation en termes imagés. A vrai dire, l'auteur ne décrit pas le bouleversement cosmique qui accompagne d'ordinaire les théopha-

que la montagne de la maison de YHWH[d]
sera établie au sommet des montagnes[e]
et dépassera les collines[f].
Des peuples[g] afflueront[h] sur elle[i] ;

² des nations[a] nombreuses s'y rendront,
elles diront :
« Allez ! Montons à la montagne de YHWH,
à la maison du Dieu de Jacob.
Il nous instruira[b] de ses voies
et nous marcherons sur ses sentiers[c].
Car de Sion sortira la loi
et la parole de YHWH de Jérusalem.

d. Ce mot « maison » manque dans le texte grec de Michée, mais il est attesté dans le TM d'Is et de Mi, la Syr, la Vg et même le Tg qui parle de « la montagne du sanctuaire ». D'autre part, la formule se retrouve en 2 Ch **33,** *15*. En dissociant la montagne et la maison, le texte grec d'Is, « la montagne du Seigneur et la maison de Dieu », alourdit le style. Peut-être convient-il d'y voir une influence d'Is **2,** *3* (= Mi **4,** *2*) « Montons à la montagne de YHWH, à la maison du Dieu de Jacob ». *e*. « établie » *nkwn*. Le verbe *yhyh* qui a valeur d'auxiliaire renforce l'aspect duratif de cette action future. On pourrait traduire « sera durablement établie ». Le G d'Is et de Mi remplace *yhyh* par ἐμφανὲς sans doute, simple variation de style (cf. *La Formation du Livre de Michée* p. 151). Enfin *nkwn*, placé en Mi au début du second vers, est situé en Is **2,** *2* au début du second stique du premier vers, devant *yhyh*. La disposition de Mi est plus conforme à la grammaire (l'adjectif verbal se met après l'auxiliaire), au rythme 3 + 3 qui domine dans tout ce morceau et au parallélisme *nkwn/ns'*, établir/élever.   *f*. *hw'* « elle » (= la montagne) manque dans Is, mais le terme est indispensable du point de vue du rythme.   *g*. Mi « peuples », Is « nations » qui ajoute *kŏl* « tous ». Cette formulation ne se retrouve équivalemment que dans l'addition de Mi **4,** *5* « tous les peuples ».   *h*. *wnhrw* au sens « d'affluer » est rare. Le G de Mi « ils se hâteront » a lu *wmhrw*, leçon facilitante adoptée par la Vg de Mi « properabunt ». G d'Is : « ils s'avanceront » ; Syr : « ils se tourneront ». Il convient de garder le TM d'Is et de Mi comme *lectio difficilior*.   *i*. « sur elle ». Cependant quelques mss hébreux de Mi, le TM et le G d'Is ont « vers elle », ce que favoriserait sans doute le « montons vers (à) la montagne de YHWH » de Mi **4,** *2b* (Is **2,** *3b*).

2a. Mi « nations », Is « peuples », à l'inverse du stique précédent.   *b*. Le G de Mi « montreront » a lu, à tort, comme sujet non pas YHWH mais la montagne et la maison.   *c*. Le TM d'Is aussi bien que celui de Mi est mal ponctué *orᵉḥotayw* (de *'ŏreḥah* « caravane »). En raison du parallélisme, il faut lire *'ŏreḥōtayw* (de *'oraḥ* « sentier »).G d'Is : « il nous annoncera sa route (singulier) et nous marcherons sur elle » en omettant « sentiers », leçon isolée.

nies, mais il contemple Jérusalem durablement et solidement établie au-dessus des montagnes, comme il convient à la résidence du Dieu Très-Haut (**6,** *6*). Curieusement le vocabulaire (« maison », « sera », «établi solidement») se retrouve en 2 S **7,** *16* appliqué à la maison de David «devant la Face de YHWH» ou à sa descendance (2 S **7,** *26*). Ce rapprochement veut-il suggérer le caractère royal de cette demeure divine ?

Alors, s'opérerait un glissement significatif des représentations de la royauté davidique et messianique à celles de la royauté divine et eschatologique. Mais, à la différence des théophanies historiques, celle-ci connote l'idée de permanence et de stabilité (cf. Ps **93,** *2*). S'il y a ici quelque allusion au thème mythologique de la montagne, habitation des dieux (Is **14,** *13* ; Ps **48,** *2* s. ; **68,** *16-28*), celui-ci est démythologisé et historicisé, car cette venue de YHWH à Sion se trouve reportée à la fin des temps. Sans nier une influence possible de la symbolique cananéenne, il semble qu'il faille voir ici une réminiscence des vues apocalyptiques d'Ézéchiel : Sion deviendra la «haute montagne d'Israël» où YHWH replantera les jeunes pousses du nouvel Israël (Ez **17,** *22-23*; **20,** *40*) et reconstruira la nouvelle Jérusalem (Ez **40,** *1* ss). Désormais, la ville qui, par vindicte divine, avait été placée «au milieu des nations» (Ez **5,** *5*) dans une situation de véritable humiliation, deviendra «le nombril du monde» (Ez **38,** *12*). Ainsi s'amorce le thème évangélique de la ville située sur une haute montagne (Mt **5,** *14*).

Sans refuser tout réalisme à cette représentation, au point de n'y voir qu'une description purement symbolique, reconnaissons que le poète ne s'attarde guère sur le merveilleux et préfère en dégager tout de suite la portée théologique. Car cet exhaussement cosmique de la montagne de YHWH, centre du monde, provoque la mise en branle des peuples qui s'exhortent l'un l'autre à se rendre «à la maison du Dieu de Jacob». Au sens d'affluer, le verbe *nahar* ne se rencontre qu'en Jr **31,** *12* et **51,** *44*. Il se pourrait donc que cet emploi en Mi **4,** *2* véhicule une réflexion théologique à résonance polémique, en ce qu'elle susbstitue Jérusalem à Babylone comme centre du monde : les nations se détournent de Babylone dépossédée de son privilège de capitale mondiale pour se rendre à Sion. Or derrière la Babylone oppressive du vi⁰ siècle, se profile l'antique Babel de Gn **11,** *1-9* (cf. Jr **51,** *33*). Les nations s'excitaient les unes les autres à construire la tour (Gn **11,** *4*) de la même manière qu'elles se convient maintenant à monter à Jérusalem (Mi **4,** *2a*). Aussi, l'élévation de la montagne de Sion apparaît-elle comme la contrepartie symbolique de la construction de la Tour de Babel. Là où les hommes de la «préhistoire» avaient échoué, les nations réussissent, mais parce que le mouvement s'est inversé. Ce ne sont plus les hommes qui cherchent à atteindre Dieu en se rapprochant de lui, c'est Dieu qui attire les nations en se rapprochant d'elles.

³ Il jugera entre des peuples nombreux,
il se fera l'arbitre de nations puissantes[a]
— jusque dans le lointain —[b].
Ils martèleront leurs épées pour (en faire) des socs
et leurs lances pour (en faire) des serpes.
Ils ne lèveront[c] plus l'épée nation contre nation.
Ils n'apprendront plus (à faire) la guerre.

3a. Is inverse : «il jugera entre les nations (sans l'adjectif 'toutes') et se fera l'arbitre de peuples nombreux».   b. En surcharge rythmique, cette expression manque dans Is. Glose qui insiste sur l'universalisme.   c. Is et G de Mi lisent «une nation ne lèvera plus l'épée...». Mais la séquence des verbes à la troisième personne du pluriel en **4**,*3bc* favorise la leçon du TM de Mi.

Celles-ci prennent ainsi le relais de l'Israël eschatologique qui «monte sur les hauteurs de Sion» (Jr **31**,*12*). Les Israélites «affluent vers les bénédictions du Seigneur» (comparer Mi **4**,*2* et Jr **31**,*6* cf. *La Formation...* p. 165-170). La montée des peuples à Jérusalem est un thème bien connu des prophètes postexiliques (Is **56**,*6-7* ; **66**,*18-21*). Za **8**,*20-21* offre le parallèle le plus proche : «Il viendra encore (à Sion) des peuples et des habitants des grandes villes. Les habitants d'une ville iront de l'une vers l'autre en disant 'Allons implorer la face de YHWH et chercher YHWH Sabaot '», c'est-à-dire participer à la liturgie du temple et consulter l'oracle divin, tout comme, en Mi **4**,*2* les nations vont chercher à Jérusalem la Parole de Dieu. Il s'agit donc d'un véritable pèlerinage des peuples, comme le confirme l'emploi du terme technique *'lh* «monter» (cf. les Psaumes des «montées» spécialement le Ps **122**,*1-4*). On notera que l'expression «Dieu de Jacob» revient surtout dans les psaumes et les cantiques liturgiques.

Toutefois, en Mi **4**,*1-4*, cette montée des nations présente des traits originaux, notamment un remarquable universalisme. Il ne s'agit plus pour elles de ramener à Jérusalem les Israélites déportés (Is **49**,*22* ; **60**,*4b*) ou d'y faire affluer les richesses des nations (Is **60**,*5-9.11-13* ; Ag **2**,*7-9*). Il n'est plus question d'un asservissement des peuples. Israël, comme communauté semble même s'effacer. Jérusalem remplit la fonction de métropole religieuse, lieu de la présence divine, source de lumière pour le monde. L'intention affichée des nations est de chercher «les chemins» de YHWH (cf. Ps **25**,*4* ; **18**,*22* ; Os **14**,*10*). Elles attendent moins de nouvelles révélations que la manière concrète de le rencontrer et de se soumettre à sa volonté. Dans ce but, elles trouveront à Sion sa *torah* et son *dabar*. Le premier mot évoque le ministère sacerdotal chargé de communiquer les directives divines aussi bien liturgiques que morales. Le second renvoie à l'exercice du ministère prophétique. Mais les nuances tendent à s'effacer, car ces deux mots, mis en parallélisme strict, sont rattachés directement à YHWH lui-même. La colline de Sion, sommet et centre du monde se pare ainsi quelque peu des traits d'un nouveau Sinaï. Cette conviction que ce haut-lieu de la terre pourra répondre aux aspirations des hommes pourrait prendre sa source dans la déclaration divine d'Is **51,***4* «de moi (YHWH) sortira la loi, et mon jugement sera la lumière des peuples». Le chant du Serviteur (Is **42,***1* ss) présente des affirmations analogues. Cette démarche des nations correspond en tout cas à une véritable conversion.

De cette rencontre entre YHWH et les peuples, de ce double mouvement de la montée des nations à Sion et de la sortie de la Parole de Dieu, à partir de Sion, vers les peuples, naît enfin un monde équilibré. Siégeant au sanctuaire, YHWH gouverne les peuples en remplissant la fonction de juge universel, souveraineté qui s'étend jusqu'aux extrémités du monde, comme le souligne l'addition au v *3a* «jusque dans le lointain». Ainsi s'approprie-t-il les prérogatives du Messie (Is **11,***3-9*) qui doit «juger» et «arbitrer». En reprenant ces thèmes, le Ps **72,***2.4-7.12-14* donnait déjà à cette souveraineté une extension universelle. Mais en Mi **4,***3* il n'est plus question de faire des nations des esclaves ou des vassaux d'Israël (cf. Ps **72,***9-11*). Le texte fait entièrement silence sur la médiation du peuple élu et Dieu exerce directement son arbitrage entre les nations, sans que celles-ci perdent leur identité.

Ce gouvernement juste et impartial conduit à l'instauration de la paix qui prend ainsi sa source dans la Parole divine communiquée au monde. Mi **4,***3* paraît s'inspirer d'Is **9,***3* (cf. Is **11,***6-9* et Ez **39,***9-10*). Les Psaumes de Sion connaissent aussi ce motif de la destruction des armes de guerre (Ps **46,***9-11*; **76,***3-7*) : de Sion Dieu «brise le bouclier, l'épée la guerre». En Mi **4**, les nations prennent l'initiative d'un désarmement universel, en transformant les armes en instruments agricoles. On peut, à bon droit, y voir l'effet de cette conversion des cœurs, fruit de cet accueil de la Parole de Dieu (**4,***2*) montrant ainsi le chemin de la paix.

L'addition du v 4 provient vraisemblablement du rédacteur, fort préoccupé par ce thème de la paix (cf. **5,***3-4.5*). Après les envolées lyriques des versets précédents, ce rêve du paysan oriental peut paraître prosaïque et passablement terre à terre. En réalité, il paraît répondre à des préoccupations messianiques, car cette formule reflète

⁴ Ils demeureront chacun sous sa vigne et son figuier
et personne pour les troubler.
Car la bouche de YHWH a parlé[a].

⁵ Tous les peuples en effet marchent chacun au nom de son dieu[a].
Quant à nous, nous marchons au nom de YHWH notre Dieu
à jamais et toujours[b].

⁶ En ce jour-là, oracle de YHWH,

4a. Tout ce verset est absent d'Is **2**,**2**.
5a. Choqué sans doute par l'allure apparemment polythéiste du texte, G a corrigé
«car tous les peuples marchent chacun sur sa route...».   b. Is offre un texte tout à
fait différent, de théologie plus orthodoxe, mais de facture assez semblable.

l'expérience historique de la paix salomonienne, telle qu'elle est
présentée en 1 R **5**,**5** (cf. aussi Za **3**,**10**). Or, comme celui de David, le
règne de Salomon a servi de prototype à la peinture de l'ère
messianique. Nous retrouvons ici le souci de synthèse qui caractérise
le projet du rédacteur, tenté d'unifier en un tableau unique les
différents courants de l'espérance eschatologique. Par ailleurs, ce
verset donne une note beaucoup plus personnelle aux grandes
perspectives mondiales de l'oracle initial. Et la promesse «personne
pour les troubler» renvoie aux vieilles bénédictions de Lv **26**,**6**.
L'auteur envisage-t-il comme modèle la société israélite antérieure à
la création d'un état? On peut en tout cas soupçonner à travers cette
promesse une critique d'un présent chargé d'insécurité et de violence.
Le lien entre le v 3 et le v 4 n'est donc pas entièrement artificiel. Il
faut détruire les instruments de la violence pour établir un monde
harmonieux et pacifié où chacun pourra profiter du bien-être
commun.

La dernière phrase du v 4 «Car la bouche de YHWH a parlé», qui
se retrouve normalement dans les textes postexiliques (Is **1**,**20**; **40**,**5**;
58,**14**), vient mettre le sceau de l'authenticité divine sur cet oracle
qui, au premier abord, apparaissait comme une parole du prophète.
Le rédacteur rappelle ainsi que le prophète, messager de Dieu, est la
bouche de YHWH (Is **30**,**2**; Os **6**,**5**).

En dehors du mouvement de la composition, le v 5 apporte une
note de réalisme qui semble atténuer et relativiser l'enthousiasme
universaliste des versets précédents. Le glossateur prend en compte le
fait que cette conversion des cœurs est encore attendue. Il semble
prémunir son lecteur contre toute espérance prématurée et contre

tout échange trop précoce avec les peuples païens : Israël doit prendre ses distances à l'égard des nations. Celles-ci ne marchent pas encore à la recherche de la parole divine mais «au nom», c'est-à-dire dans la foi, de leurs dieux. Pour l'instant, l'important pour Israël c'est d'adorer le vrai Dieu qu'il est seul à connaître et à servir. Rattaché au verset précédent par le procédé du mot-crochet (reprise du mot «marcher» cf. **4,**2c) et du mot «peuples» (cf. **4,**1c.3), ce verset constituait sans doute initialement un répons liturgique ancien, comme le suggèrent l'expression «à jamais et toujours» et l'usage du cohortatif. Son antiquité expliquerait la formulation apparemment polythéiste, mais son réemploi après l'exil où la foi monothéiste ne faisait plus guère en Israël l'objet de contestation permettait de donner à cette antique formule un contenu nouveau.

Date de Mi **4,**1-4.

L'analyse précédente a montré que chacun des trois motifs fondamentaux de cet oracle : la montagne de YHWH, le pèlerinage des peuples à Sion et l'instauration de la paix eschatologique s'inséraient dans la longue tradition sioniste. L'auteur cependant les exploite de façon originale en fonction de la théologie prophétique de l'époque du retour d'exil. L'étude du vocabulaire le confirme : l'expression «à la fin des jours» n'apparaît pas avant Jérémie et se retrouve avec une fréquence particulière dans le travail d'édition des livres prophétiques. La formule «la montagne de la maison de YHWH» ne revient qu'en 2 Ch **33,**15. Au sens d'affluer, *nhr* ne réapparaît qu'en Mi **4,**2; Jr **31,**12 et **51,**44. L'association «peuples nombreux, nations puissantes» est seulement attestée en Mi **4,**2 et Za **8,**22. La phrase «ils apprendront la guerre» est uniquement postexilique (Ps **18,**35; **144,**1 et une glose de Jg **3,**2); associée avec «lever l'épée», elle ne revient qu'en 1 Ch **5,**18. L'oracle n'a donc pu être composé qu'après la reconstruction du Temple, mais avant Joël, puisque, selon un procédé familier de ce prophète, Joël **4,**10 reprend Mi **4,**3 mais en en renversant intentionnellement les termes.

2. — Mi **4,**6-7 : *le rassemblement des éclopées à la montagne de Sion*

A la différence de l'oracle précédent, Dieu entre en scène. Par ailleurs, le regard se déplace vers la communauté des exilés. L'analyse

Je veux rassembler les boiteuses[a],
je veux réunir les égarées,
celles que j'ai maltraitées[a].

[7] Je ferai des boiteuses un reste
et des épuisées[a] une nation puissante.
YHWH régnera sur eux,
à la montagne de Sion[b],
dès maintenant et à jamais.

6a. Litt. «la boiteuse» singulier à valeur collective. Ce terme rare ne se retrouve qu'en Gn **32,**32; So **3,**19. Les versions ont hésité : G «la brisée», Syr «les éloignées». «Les égarées», litt. «l'égarée», G «l'expulsée», Syr «les dispersées». Ensuite la Syr interprète ce singulier féminin collectif avec des pluriels masculins, passant ainsi de l'image (les brebis) au signifié (les Israélites en exil cf. TM **4,**7 «sur eux»). G profite de l'ambiguïté du pronom relatif, indéclinable en hébreu, pour introduire aussi un masculin pluriel οὔς «ceux que». «J'ai maltraité» avec TM appuyé par Syr et Vg. G «j'ai repoussé».

7a. «épuisée» : la forme *hannahălā'āh* est un hapax. Le contraste voulu par l'auteur et le parallélisme avec «la boiteuse» invitent à faire dériver ce mot de *l'h* et à lire *hannile'āh* cf. Vg «eam quae laboraverat». Le second *ha* du TM pourrait provenir d'une dittographie. On peut aussi voir dans ce mot hébreu un participe niphal de *hl'* : «l'éloignée».   *b.* Syr ajoute «et à Jérusalem» qui vient sans doute d'Is **24,**23, peut-être lui-même citation de Mi **4,**7.

---

de la structure confirme que ce morceau constituait primitivement une pièce indépendante. Il s'ouvre par la formule classique «En ce jour-là oracle de YHWH» et s'achève sur l'expression «dès maintenant et à jamais» qui ferme souvent un oracle (Is **9,**6) ou plus habituellement un psaume, ou à tout le moins une unité strophique (Ps **115,**18; **121,**8; **131,**3). L'ensemble constitue une promesse de salut. Il n'est pas sûr qu'il faille considérer le v 7 comme un complément prosaïque (Mays, Wolff), car le même changement de personne se retrouve à l'intérieur du développement parallèle de **2,** 12-13. Le passage du singulier féminin collectif au pluriel masculin s'explique fort bien comme un glissement du signifiant métaphorique au signifié, les exilés eux-mêmes. En retirant cette phrase, l'oracle resterait comme en suspens, sans conclusion adéquate.

On relèvera la progression thématique tout à fait logique : Dieu rassemble les éclopées (v 6), les transforme en nation puissante (v 7a) et les conduit à la montagne de Sion où il régnera sur eux (v 7b). La formulation du premier thème peut paraître étonnante au premier abord : comment rassembler une «éclopée» (singulier). Il faut donner à ce terme une portée collective mais laquelle ? La parenté étroite avec **2,** *12-13* (cf. *supra*) nous oriente vers l'image d'un troupeau rassemblé par son pasteur. Ez **34** fournit alors la clé d'interprétation. Car cette symbolique, qui remonte sans doute aux origines nomades d'Israël s'est épanouie avec Jérémie (**23,** *1-8* ; **31,** *10*) et surtout Ézéchiel. Précisément le grand texte de référence, Ez **34**, offre des affinités étroites avec Mi **4,** *6-7* : on y retrouve le même constat de misère (Ez **34,** *1-4*), l'évocation de la dispersion (Ez **34,** *5-6*), la promesse d'intervention divine (Ez **34,** *10*), le rassemblement (Ez **34,** *12-15*). Surtout, comme notre péricope, Ézéchiel parle de brebis chétives, malades, blessées, en utilisant un vocabulaire parfois identique («rassemble» Ez **34,** *13* ; «l'égarée» Ez **34,** *4*). Or cette forme féminine avec l'article s'explique fort bien dans la perspective distributive qui est celle d'Ézéchiel : face à l'insouciance coupable des mauvais pasteurs, YHWH, le vrai berger, prend soin de chacune des brebis égarées et malades. Mi **4,** *6* se réfère donc à ce texte source, en donnant seulement à chacun de ces termes une valeur collective.

Cette identification de la boiteuse et de l'égarée avec la communauté d'Israël permet de rendre compte d'une particularité étonnante de ce passage : l'emploi extrêmement rare du terme ṣlʿ pour désigner la boiteuse. Dans la Bible, il n'apparaît qu'ici en Mi **4,** *6*, dans un texte de la même école éditrice et très proche de Mi **4,** *6* : So **3,** *19*, et surtout en Gn **32,** *32* où Jacob sort «boiteux» de sa lutte avec Dieu. Il semble donc que l'auteur de Mi **4,** *6* (et de So **3,** *19*?) ait reconnu une communauté de destin entre l'Israël de l'exil et son illustre ancêtre. Dans certains textes qui qualifient le peuple élu du nom de Jacob/Israël, cette désignation n'a pas qu'une portée collective. Les deux valeurs, collective et personnelle ne s'opposent pas ; dans le cadre de la personnalité corporative, le patriarche incarne le peuple. On peut dès lors se demander si en employant ce terme rarissime, l'auteur de Mi **4,** *6-7* n'a pas voulu voir dans l'épisode de Penuel comme une lointaine prophétie de l'exil, d'autant que de l'épreuve, Jacob sort boiteux mais béni. Relevons encore que le texte si proche de **2,** *12-13*, de la même école sinon du même auteur que Mi **4,** *6-7*, joint à la formule classique «reste d'Israël» celle beaucoup plus étrange de «reste de *Jacob*» véritable *hapax legomenon*.

La seconde promesse (**4,** *7a*) qui annonce la transformation de la boiteuse et de l'éprouvée en une nation puissante, évoque le renversement de situation si caractéristique de l'œuvre salvifique de Dieu. Is **60,** *22* commente parfaitement ce verset : «le plus petit deviendra un millier, et le plus chétif une nation puissante». L'emploi absolu du mot «reste», en parallèle avec «nation puissante» apparaît

⁸ Et toi, tour du Troupeau,
Ophel ᵃ de la Fille de Sion.
A toi viendra — et entrera — ᵇ
la souveraineté première,
la royauté pour la Fille de Jérusalem ᶜ.

8a. Les versions ont sans doute lu *'pl*, «ténèbres» au lieu de *'pl* (Ophel). Dans ce contexte davidique, le nom de l'ancienne Sion convient parfaitement.   *b*. En surcharge rythmique (tout le verset est de 2+2) et de caractère pléonastique, l'un des deux verbes représente une glose. Mais pourquoi cet ajout?   *c*. Forme grammaticale inhabituelle (état construit avec *l*). On peut comprendre : la royauté qui convient à la Fille de Jérusalem. G, toujours interprétatif, a précisé le point de départ du retour : «de Babylone».

plus étonnant. A l'origine en effet, le terme comporte une connotation purement négative : il n'y aura qu'un reste (Am **1**, *8* ; **5**, *15* ; **9**, *12*). Le mot *š'ryt* qui n'émerge qu'avec Sophonie et Jérémie implique certes l'idée de châtiment mais fait aussi l'objet d'un salut de Dieu. Ce «reste» devient le point de départ d'un nouveau commencement. Mi **4**, *7a* va encore plus loin : ce terme ne désigne plus seulement le bénéficiaire de la promesse, il représente une grandeur en soi, le titre même du peuple des sauvés.

Cette grandeur n'est pas considérée ici sous un angle politique ; la promesse ne parle pas du rétablissement de l'état mais de l'instauration du règne de Dieu à Sion. Le thème est bien connu de la tradition israélite, en particulier des Psaumes du Règne (Ps **47** ; **96-99**) mais aussi du Second-Isaïe (Is **41**, *21* ; **43**, *15* ; **44**, *6*). Comme en Is **52**, *7* ; Abd **1** ; Is **24**, *23* ; So **3**, *15*, il est associé à la montagne de Sion. Le Ps **146** présente des affinités particulières avec Mi **4**, *6-7* : YHWH y est célébré comme le roi qui fait droit aux opprimés... libère les prisonniers... redresse ceux qui fléchissent... défend les pauvres. La finale de Mi **4**, *7* qui donne à cette royauté une extension indéfinie porte l'empreinte liturgique, puisqu'elle se retrouve de préférence dans les Psaumes (Ps **113**, *2* ; **115**, *18* ; **121**, *8* ; **125**, *2* ; **131**, *3*).

Comme l'analyse précédente le suggère, le vocabulaire, les sources exploitées, la thématique, une certaine tendance anthologique suggèrent une date exilique (*La Formation* ... p. 185-190). Dépendant d'Ez **34**, le morceau lui est postérieur. Sa proximité avec le Second Isaïe oriente vers la fin de l'exil. Mais comment rendre compte de sa place actuelle ? En fait, cette pièce s'insère de multiples façons dans la synthèse eschatologico-messianique de Mi **4-5** : elle partage avec les v 1-5 la foi en la souveraineté de YHWH à Sion. Comme les nations, la communauté des exilés se rend à la montagne de Sion. Il n'est pas jusqu'à l'expression «nation puissante» qui ne fasse écho aux «nations puissantes» de **4,***3*. Par certains côtés, le tableau idyllique et universaliste des v 1-5 appelait des précisions sur le sort de la communauté israélite. Dieu ne l'a pas oublié dans l'établissement de son règne eschatologique. La juxtaposition semble donner au peuple élu une place à part dans cette description de l'avenir, sans que pour autant soit précisée sa fonction à l'égard des peuples païens. Il faudra attendre pour cela Mi **5,***6-7*. Mi **4,***6-7* appelle donc un complément qui sera donné en Mi **5**. Cette articulation serait encore plus étroite, si l'oracle de **2,***12-13* s'insérait initialement entre **4,***7* et **4,***8*, comme un certain nombre d'arguments le laissent supposer (*La Formation*... p. 406-409). Alors les deux promesses sur le reste Mi **4,***6-7* ; **2,***12-13* et Mi **5,***6-7* se correspondraient parfaitement dans la structure par enveloppement concentrique, dégagée pour cet ensemble des chapitres **4-5** (cf. *infra*, p. 115-119).

3. — Mi **4,***8* : *Sion, bercail du troupeau*

La critique a longuement débattu de la place de ce verset : convient-il de le rattacher à l'oracle qui précède, ou à celui qui suit? Faut-il en faire une unité indépendante? Si des arguments peuvent être avancés avec quelque vraisemblance pour la première comme pour la seconde hypothèse, c'est que ce verset constitue une habile transition entre Mi **4,***6-7* et **4,***9-14*. Il relève donc plutôt d'une opération rédactionnelle et représente un élément structurel important dans la synthèse par inclusion de Mi **4-5**.

Dans le prolongement du v 7, le regard reste fixé sur Sion qualifiée de Migdal-Eder et d'Ophel. Dans ce contexte sioniste, ce dernier terme évoque sans aucun doute la ville de David, le noyau primitif de la capitale judéenne qui s'étendait sur la colline au Sud du Temple. Le mot signifie une «bosse», une «enflure» (il y a aussi un Ophel à Samarie 2 R **5,***24*). En Is **32,***14*, il est associé à une tour de guet. Migdal-Eder, «Tour du troupeau», pourrait jouer ce rôle. Neh **3,***25-27* connaît dans les environs de l'Ophel «une grande tour». On pourrait la situer non loin de la piscine et de la porte «Probatique» (des troupeaux). Mais quelle que soit la localisation précise, il est clair que l'auteur s'intéresse ici à sa portée symbolique : comme le montre le parallélisme synonymique, à ce niveau Ophel et Tour du Troupeau

⁹ Maintenant pourquoi cries-tu si fort[a]?
N'y a-t-il pas de roi chez toi?
Ton conseiller[b] a-t-il péri
que la douleur t'ait saisie comme celle qui enfante?

9a. Litt. «cries-tu un cri», avec accusatif d'objet interne, figure étymologique destinée à renforcer le verbe. G «as-tu connu de mauvaises choses» a lu *td'y r'* au lieu de *try'y r'* : confusion classique du daleth et du rech. *b.* Au lieu de «conseiller», G a lu «ton conseil» même modification en Is **9**,*5* et Pr **11**,*14*.

sont identifiés pour désigner la cité dans son ensemble : c'est l'Ophel de la «Fille de Sion», maintes fois utilisée dans ce contexte comme personnification de la communauté. Dès lors, Sion se présente comme le terme du mouvement qui conduit Israël, troupeau de Dieu, de l'exil à Jérusalem (cf. v 6-7). L'articulation avec ce qui précède serait encore plus nette, si, comme nous l'avons suggéré, **2**,*12-13* prenait initialement place entre **4**,*7* et **4**,*8*, puisque cet oracle développe clairement la thématique du troupeau et la marche triomphale d'Israël à la suite de YHWH, pasteur et roi de son peuple.

Ce thème du règne revient précisément en **4**,*8*, mais avec un glissement significatif, car la souveraineté d'antan ici évoquée, c'est celle de David. Le v 8 envisage donc un rétablissement de la royauté davidique, tout en apportant des nuances significatives : le parallélisme et la parenté de situation avec **5**,*1* (cf. *infra*) permettent de les mettre en lumière : si le terme de *mmlkt*, royaume, est une addition explicative, celui de *mmšlh* renvoie au *môšel*, gouverneur davidique de **5**,*1*. Le Messie est «gouverneur»; il n'est pas roi. Seul, YHWH exerce la royauté. En rapprochant la «souveraineté» davidique de **4**,*8* de la «royauté» de YHWH de **4**,*7*, le rédacteur ne voudrait-il pas suggérer que la première s'exerce au nom et en dépendance de la seconde (cf. **5**,*3*)?

En même temps, Mi **4**,*8* amorce ce qui suit en empruntant à Mi **4**,*9-14* la représentation figurée de la Fille de Sion. Il s'agit là d'un procédé éminemment prophétique qui consiste à représenter une collectivité, une ville, un peuple sous les traits d'une femme : on parlera de la Fille de Babylone (Is **47**,*1*; Za **2**,*11*; Ps **134**,*8*), de la Fille de Sidon (Is **23**,*12*), de la Fille de l'Égypte (Jr **46**,*11*). L'expression «Fille de Sion (de Jérusalem)» est fréquemment utilisée (Is **1**,*8*; Jr **4**,*31*; Lm **1**,*6*; Is **37**,*22*; So **3**,*14*, etc.). Mais Mi **4**,*8* s'écarte de **4**,*9-14* dans sa manière d'envisager le futur; il élimine toute perspective de détresse, pourtant si insistante en **4**,*9-14*.

En revanche, Mi **4,**_8_ représente un élément structurel important dans la synthèse de Mi **4-5**, car il se trouve en correspondance étroite avec Mi **5,**_1_, sur le modèle duquel le rédacteur l'a manifestement composé. Il lui emprunte sa forme littéraire, vraisemblablement celle d'un vieil oracle tribal, son vocabulaire («et toi» en tête du morceau, «souveraineté», le motif des «jours d'autrefois»), sa thématique pastorale (Tour du troupeau cf. **5,**_3_ «il fera paître»), et finalement sa structure : l'adresse rhétorique «et toi», le nom de la ville (Bethléem/Ophel) interpellée comme une personne vivante, la promesse de la souveraineté à venir, l'évocation du passé qui, dans les deux cas, se trouve être celui des temps davidiques (cf. _infra_).

Cette correspondance de **4,**_8_ et **5,**_1_ sert à encadrer la séquence intermédiaire (**4,**_9-14_), grâce à un jeu de mots par assonance et allitération : les deux «et toi _(wᵉ'attā)_» font écho aux trois «et maintenant _(wᵉ'attā)_», termes tous situés en début de vers et même d'unités strophiques. Ainsi s'esquisse un tableau volontairement contrasté : au combat eschatologique (**4,**_9-14_) s'oppose le tableau de la paix messianique (**5,**_1-5_) ; face au Juge d'Israël humilié (**4,**_14_) se dresse le Messie triomphant (**5,**_1_). Ce qui confirme bien le caractère davidique de **4,**_8_ : Jérusalem évoque la capitale du premier David (**4,**_8_), Bethléem son lieu d'origine (Mi **5,**_1_ cf. 1 S **16**). L'histoire recommence en plus glorieux, en plus triomphal, mais cette fois avec un caractère absolument définitif.

4. — Mi **4,**_9-14_ : _l'épreuve eschatologique_

Le verset précédent (**4,**_8_) se contentait de mentionner la Fille de Sion. L'oracle qui suit la met au centre de sa représentation. Cette figure disparaît ensuite dès **5,**_1_. Ce fait suggère une existence indépendante des v 9-14.

Structure et forme littéraire.

L'analyse de la composition du morceau confirme cette conclusion. Répété par trois fois en début d'oracle et en début de vers, le terme «et maintenant» introduit chaque fois l'évocation d'une situation de détresse et permet de délimiter trois temps dans le développement de la péricope : le cri de douleur de la Fille de Sion (v 9), le rassemblement des nations (v 11), le siège de la ville et l'humiliation du juge d'Israël (v 14). A chaque fois, le locuteur (YHWH? le

[10] Tords-toi de douleur et sois en travail[a],
Fille de Sion, comme celle qui enfante ;
car maintenant tu vas sortir de la cité
et tu demeureras dans la campagne
et tu iras à Babel :
là tu seras délivrée,
là YHWH[b] te rachètera de la main de tes ennemis.

[11] Et maintenant se sont rassemblées contre toi
des nations nombreuses,
elles qui disent : « qu'elle soit profanée[a],
que nos yeux se repaissent de la vue de Sion »[b].

10a. «sois en travail», *ghy* peut dériver de *gyh* «sortir brusquement, pousser à l'extérieur, tirer dehors», à rapprocher du Ps **22,**10 «tu m'as fait sortir *(ghy)* du ventre de ma mère». G «approche-toi» semble avoir lu *g'y*, impératif de *ng'* toucher, approcher. *b*. G ajoute «ton Dieu».

11a. G : «nous nous réjouissons» (d'une joie maligne).   *b*. TM : sujet au duel et verbe au singulier. Malgré G qui a tout harmonisé au pluriel et Syr, Vg qui ont tout mis au singulier, il faut conserver le TM, car le duel peut avoir une valeur collective (cf. Joüon § 150a). «Se repaître de la vue de» TM : *ḥzh b* qui signifie regarder avec insistance, et, dans ce contexte, avec malveillance.

prophète ?) s'adresse à un personnage féminin qualifié de «Fille de Sion» en 9 et 11, de «Fille de troupe» au v 14. Suivent alors deux impératifs féminins (v 10a ; 13a ; 14a).

Le parallélisme des deux premières sections de cette pièce se trouve particulièrement soigné, puisque à la situation de détresse (v 9 et 11) succède la promesse d'une délivrance (v 10) ou d'une victoire (v 13). A chaque fois, le passage de la détresse à la promesse s'opère grâce à deux impératifs avec afformante féminine en *y*, suivis par la conjonction *kî* «car». A n'en pas douter, ces deux sections forment un oracle de salut redoublé : l'évocation de l'épreuve représente le point de départ obligé d'une situation appelée à un renversement radical.

La troisième section, plus courte (v 14), ne comporte que l'évocation de la détresse. Certes, dans l'état actuel du texte, l'avènement du mystérieux davidide de **5,***1* constitue la contrepartie de l'humiliation du juge d'Israël. Mais en fait, à partir de **5,***1* commence une autre pièce originellement indépendante. Le contraste relève donc d'une intervention rédactionnelle. L'oracle de **4,***9-14* serait-il tronqué ? C'est vraisemblable, mais rien ne permet de reconstituer la partie manquante.

SIGLES ET ABRÉVIATIONS

Les titres sont abrégés comme dans la « Bible de Jérusalem »

Gn	Genèse	Am	Amos
Ex	Exode	Ab	Abdias
Lv	Lévitique	Jon	Jonas
Nb	Nombres	Mi	Michée
Dt	Deutéronome	Na	Nahum
Jos	Josué	Ha	Habaquq
Jg	Juges	So	Sophonie
Rt	Ruth	Ag	Aggée
1 S, 2 S	Samuel	Za	Zacharie
1 R, 2 R	Rois	Ml	Malachie
1 Ch, 2 Ch	Chroniques	Mt	Matthieu
Esd	Esdras	Mc	Marc
Ne	Néhémie	Lc	Luc
Tb	Tobie	Jn	Jean
Jdt	Judith	Ac	Actes des Apôtres
Est	Esther	Rm	Romains
1 M, 2 M	Maccabées	1 Co, 2 Co	Corinthiens
Jb	Job	Ga	Galates
Ps	Psaumes	Ep	Éphésiens
Pr	Proverbes	Ph	Philippiens
Qo	Ecclésiaste (Qohelet)	Col	Colossiens
Ct	Cantique	1 Th, 2 Th	Thessaloniciens
Sg	Sagesse	1 Tm, 2 Tm	Timothée
Si	Ecclésiastique (Siracide)	Tt	Tite
Is	Isaïe	Phm	Philémon
Jr	Jérémie	He	Hébreux
Lm	Lamentations	Jc	Épître de Jacques
Ba	Baruch	1 P, 2 P	Épître de Pierre
Ez	Ézéchiel	1 Jn, 2 Jn, 3 Jn	Épître de Jean
Dn	Daniel	Jude	Épître de Jude
Os	Osée	Ap	Apocalypse
Jl	Joël		

Critique textuelle

Aq	Aquila	Q	Qeré
BHS	Biblia Hebraica Stuttgartensia	1QpMi	Pesher de Michée trouvé dans la grotte 1 de Qumran
G	Version des Septante	4QpNah	Pesher de Nahum trouvé dans la grotte 4 de Qumran
K	Kethib		
Litt.	Littéralement	Sym	Symmaque
mss	manuscrits	Tg	Targum
Mur 88	Manuscrit du livre de Michée trouvé dans les grottes de Muraba'at.	Theod	Théodotion
		TM	Texte Massorétique
Pesh	Peshitta	Vg	Vulgate

Ouvrages de référence

ANET	*Ancient Near Eastern Texts relating to the Old Testament*, ed. J. B. Pritchard	Cahtcart	K. J. CAHTCART, *Nahum in the Light of the North-West Semitic*, Rome, 1973
BA	The Biblical Archeologist	DBS	Dictionnaire de la Bible. Supplément
Bib	*Biblica*	Delcor	A. DEISSLER, M. DELCOR, *La Sainte Bible*, t. VIII, vol. II, *Michée, Nahum, Habaquq, Sophonie, Aggée, Zacharie, Malachie*, Paris, 1964
Bič	M. BIČ, *Trois prophètes pour un temps de ténèbres : Sophonie, Nahum, Nabaquq*, Paris, 1968		
BK	Biblischer Kommentar	DJD	*Discoveries in the Judaean Desert*

ETL....... Ephemerides Theologicae Lovanienses
HALAT ... *Hebräisches und aramäisches Lexicon zum Alten Testament*, ed. W. BAUMGARTNER, J.-J. STAMM, I, 1967; II, 1974; III, 1983
IEJ.................. Israel Exploration Journal
Irsigler ... E. IRSIGLER, *Gottesgericht und Jahwetag : die Komposition Zef. 1, 1 - 2, 3 untersucht auf Grund der Literarkritik*, St Ottilien, 1977
JAOS....... Journal of American Oriental Society
JBL .... Journal of Biblical Literature
JNES........... Journal of Near Eastern Studies
JNSL... Journal of Northwest Semitic Languages
Joüon .... P. JOÜON, *Grammaire de l'hébreu Biblique*, Rome
JTS .... Journal of Theological Studies
KAT.......... Kommentar zum Alten Testament
Keller ... R. VUILLEUMIER, C.-A. KELLER, *Michée, Nahum, Habacuc, Sophonie*, Neuchâtel, 1971
La Formation ...... B. RENAUD, *La formation du Livre de Michée*, Paris, 1977
Mays......... J.-L. MAYS, *Micah*, London, 1976
RB............................ Revue Biblique
RevScRel .... Revue de Sciences Religieuses
RQ....................... Revue de Qumrân
Rudolph........ W. RUDOLPH, *Micha, Nahum, Habakuk, Zephanja*, Gütersloh, 1975

Sabottka...... L. SABOTTKA, *Zephanja : Versuch einer Neuübersetzung mit philologischen Kommentar*, Rome, 1972
Schulz........... H. SCHULZ, *Das Buch Nahum. Eine redaktionskritische Untersuchung*, Berlin, 1973
Sellin...... E, SELLIN, *Das Zwölfprophetenbuch*, Leipzig, 1922
TOB .... Traduction œcuménique de la Bible
TrTZ .... Trier Theologischer Zeitschrift
UF........................ Ugarit-Forschungen
VT........................ Vetus Testamentum
VTS........... Vetus Testamentum. Supplement
Weiser ..... A. WEISER, K. ELLIGER, *Das Buch der zwölf kleinen Propheten*, Göttingen, 4e éd. 1963
WMANT... Wissenschaftliche Monographien zum Alten und Neuen Testament
Wolff........ H.-W. WOLFF, *Micha*, Neukirchen-Vluyn, 1982
ZAW .... Zeitschrift für die alttestamentliche Wissenschalt
ZDPV Zeitschrift des Deutschen Palästina Vereins

L'exil et la délivrance (**4,** *9-10*).

Situé en début d'oracle, le terme «et maintenant» ne peut constituer une articulation logique, comme il arrive souvent dans la Bible. Ce joint verbal donne à tout l'ensemble une forte coloration temporelle. Ouvrant sur la description de la détresse, il renvoie certes à l'épreuve présente, mais comme le point de départ d'un renversement de situation. Il marque donc un moment décisif dans l'histoire du peuple, car loin d'enfermer Israël dans le malheur, il ouvre en même temps sur une perspective de délivrance. Cette double face «du maintenant» constitue le pivot de tout le développement.

Précisément, le prophète reproche à la Fille de Sion sa myopie : «Pourquoi cries-tu si fort?... N'y a-t-il pas de roi chez toi?». La question appelle bien sûr une réponse positive : l'heure n'est plus à la désespérance. Aussi la métaphore de la femme qui enfante vient-elle se superposer à celle de la Fille de Sion. Utilisée de manière assez floue par Os **13,***13*, l'image sera reprise par Jérémie qui l'associe avec la Fille de Sion. Elle traduit alors l'angoisse devant la catastrophe menaçante (Jr **4,***31* ; **6,***24* ; **30,***6*). L'auteur de Mi **4,***9-10* semble donc l'avoir empruntée à Jérémie ou à son école, comme le suggère la reprise de l'expression *hyl kyldh* «tords-toi de douleur, comme la femme qui enfante», fréquente dans la tradition jérémienne (Jr **6,***24* ; **22,***23* ; **30,***6* ; **50,***43*), qui l'associe, comme Mi **4,***10* avec le verbe «saisir». Mais l'auteur de Mi **4,***9-10* infléchit la formule dans un sens positif : parce qu'il s'agit d'un cri d'accouchée, ce cri de souffrance se transforme en cri de délivrance. L'angoisse prélude ainsi, et doit préluder, à la libération et à la victoire. Nous rejoignons ainsi la double face du «maintenant».

Et le prophète de souligner stylistiquement la distinction des deux périodes et d'expliciter le sens de la métaphore : les trois propositions du premier temps (celui de l'épreuve) sont reliés par deux waw conjonctifs : «Tu sortiras... *et* tu demeureras... *et* tu iras...». En revanche les deux propositions du second temps (celui de la délivrance) sont simplement juxtaposées : «*là* tu seras délivrée... *là* YHWH te rachètera...». L'épreuve se compose de trois événements successifs : la sortie de la ville devenue totalement inhospitalière, sortie qui peut évoquer la tentative désespérée de l'armée judéenne pour échapper à l'étau chaldéen lors du siège de 587 (2 R **25,***3-4*), ensuite le campement hors de la ville en rase campagne (cf. Jr **6,***25* ; **14,***18* ; **40,***7.13*), enfin l'arrivée à Babel (pour l'utilisation du verbe *bw'* appliqué à l'exil cf. 2 R **24,***16* ; **25,***7* ; Jr **44,***3*). Cette mention de Babel nous ramène à l'époque de la captivité babylonienne au

[12] C'est qu'elles ne connaissent pas les projets[a] de YHWH,
  elles ne comprennent pas son plan,
  car il les a réunies comme gerbes (sur) l'aire[b].

[13] Lève-toi, piétine(-les), Fille de Sion;
  car tes cornes[a], je les rendrai de fer
  et tes sabots, je les rendrai de bronze.
  Tu broieras des peuples nombreux,
  tu voueras par anathème[b] à YHWH leurs rapines[c]
  et leurs richesses au Seigneur de toute la terre.

12a. G a le singulier, sans doute pour aligner ce mot sur le terme parallèle « plan ».
b. Le *h* final de *grnh* « aire » est sans doute un *h directionis*.
13a. TM et Vg ont le singulier, en donnant sans doute au mot le sens de « puissance »
comme souvent dans l'Ancien Testament. Mais avec G et Syr, il est préférable de lire
le pluriel, en raison du parallélisme avec « sabots ».   b. Lire la seconde personne
avec les versions, au lieu de la première du TM, peut-être influencé par le verbe
précédent.   c. Dans le contexte, le terme *bz'* « gain, profit » paraît retrouver son
sens étymologique de profit obtenu injustement.

---

vi[e] siècle av. J.-C. Mais ce n'est là que la face sombre des événements
qui suscitent le cri de douleur de Sion; selon les vues du prophète, ils
doivent précéder la libération caractérisée ici comme un « rachat ». Ce
verbe évoque le processus de recouvrement d'une possession perdue.
Par cette délivrance, YHWH récupère son droit de propriété sur
Israël aliéné du fait de l'exil : le peuple de l'élection ne résidait plus
alors sur la terre de Dieu, mais sur une terre étrangère « aux mains des
ennemis ». La répétition, en position initiale, de l'adverbe *šām* « là »
souligne avec force que Dieu viendra chercher Israël sur le lieu même
de sa captivité. L'expression renvoie ici encore à Jr **31,** *11* (cf. *La
Formation...* p. 209 s. Voir aussi Ps **106,** *10*).
  Selon cette interprétation, la figure de l'énigmatique roi du v 9
s'éclaire parfaitement : il s'agit bien de YHWH. Juda ne doit en rien
désespérer, car son roi, YHWH réside en elle. Cette présence, signe de
l'alliance, les adversaires de Michée la revendiquaient à tort pour
justifier leurs exactions (**3,** *12*), mais ce lointain disciple du prophète
de Moreshèt qu'est l'auteur de Mi **4,** *9-14* peut à bon droit la reprendre
dans un contexte historique et religieux radicalement différent. Ici
encore, le prophète semble s'inspirer de Jr **8,** *19* : « Voici le *cri* plaintif
de la *Fille de* mon peuple... YHWH n'est-il plus en *Sion*? Son *roi*
n'est-il pas chez elle ? ». Le « conseiller » désigne avant tout celui qui
élabore des plans mais aussi qui les mène à bonne fin. Le « conseil »

s'identifie à l'action qui vise le maintien ou la restauration de la vie et dont les effets s'appellent sécurité, victoire, salut. Définir YHWH comme le «Conseiller d'Israël», c'est donc évoquer son dessein de salut, ce que précisément le v 12 définira comme les «projets» et le «plan de YHWH» (cf. Is **28**, *29*; **5**, *19*; **23**, *8-9*; **19**, *17*; **25**, *1*; Jr **32**, *19*; **49**, *20*; **50**, *45*; cf. Ps **33**, *10*).

L'écrasement des nations aux portes de Jérusalem (v 11-13).

La seconde section envisage l'épreuve sous un autre angle de vue, celui des ennemis. Le développement combine deux thèmes initialement indépendants : le combat des nations contre Jérusalem (Mi **4**, *11*) déjà bien attesté à l'époque préexilique (Is **8**, *9* s. ; **17**, *12-14*), et le combat de YHWH contre les peuples (Mi **4**, *12* s.), reprise exilique et postexilique du motif de la guerre sainte (Ez **38** s. ; Is **34**, *2-8*; Joël **4** ; Za **14**, *13-14*). L'originalité de Mi **4**, *9-13* consiste dans l'articulation étroite de ces deux thèmes grâce au motif théologique du plan de YHWH (**4**, *12*) : les nations croient prendre l'initiative ; en réalité, elles ne sont que des marionnettes dans les mains du Seigneur pour leur propre défaite. Comme le «maintenant» du v 9, celui du v 11 comporte une double face : le temps de la menace que les nations font peser sur la cité sainte, le temps de l'écrasement de ces mêmes nations au moyen de la Jérusalem méprisée et humiliée.

Formulé au parfait («se sont rassemblés») suivi d'un participe, le rassemblement vise des faits constatables, des actions déjà posées. On pense immédiatement au siège de Jérusalem en 588-587 : d'après 2 R **24**, *2*, lors du premier siège de la ville de 597, des bandes d'Araméens, d'Ammonites, de Moabites s'étaient associées aux troupes babyloniennes. Mais dans une perspective déjà marquée au coin de l'apocalyptique, le prophète élargit sa vision aux dimensions de l'univers : dans l'expression «nations nombreuses», l'adjectif a une valeur inclusive : elle est plus proche de «tous» que de «quelques-uns» (Mays 109). On croit déjà entendre Ez **38** s. En quoi consiste le projet de ces nations? «Profaner» la cité sainte (**4**, *11*). Comment? En répandant le sang qui souille la terre (Nb **35**, *33*; Ps **106**, *38*)? En détruisant le Temple lieu de la présence divine (**4**, *9*; cf. **3**, *12*; 2 R **25**, *9*; Ps **74**, *7*)? Le texte ne le dit pas. Quoi qu'il en soit, cette haine s'accompagne d'un mépris insolent, d'une joie sadique : «que nos yeux se repaissent de la vue de Sion». La formule *r'h b*, litt. «regarder dans» traduit cette délectation maligne qui s'empare des vainqueurs à la vue de la cité saccagée et humiliée (cf. Mi **7**, *10*;

¹⁴ Maintenant rassemble-toi en troupe, Fille de troupe[a].
On a mis le siège[b] contre nous.

14a. Texte difficile qui repose sur un jeu de mots par allitération *htgddy bt gdwd* : on traduit souvent par «fais-toi des incisions fille de troupe». Pour garder ce jeu de mots, nous préférons : «rassemble-toi en troupe, Fille de troupe», même si ce sens du verbe est rare, car il est ici appuyé par Syr et Tg. On comparera *bt gdwd* avec *bny qdwd* «gens (fils) de troupe» (bande). Ici, l'auteur a choisi *bt* au lieu de *bn*, par allusion à la Fille *(bt)* de Sion des v 10 et 13. G : «la fille s'est entourée d'une clôture» suppose *ttgdr* (confusion du daleth et du resh).   b. Le singulier du TM et de G est à préférer comme *lectio difficilior*. Syr et Vg ont aligné le verbe sur le pluriel qui suit.

Lm **1**,*21* ; **2**,*15-17*). Les textes qui évoquent la chute de Jérusalem dénoncent fréquemment pareille attitude (Abd **12** ; Lm **1**,*7* ; Ez **35**,*12-15* ; Ps **137**,*7*).

Mais il y a plus, le verbe «profaner», dans la bouche des attaquants, n'est pas un terme neutre. Il renvoie au caractère saint de la ville de Dieu. A travers Jérusalem, YHWH se trouve lui-même concerné. Nous ne sommes pas loin du Ps **2**,*2* où les nations s'affrontent directement à YHWH et à son Oint et la dérision du Seigneur n'est pas sans rappeler en **4**,*12* s. le «rire» et les sarcasmes divins du Ps **2**,*4-5* : le plan audacieux et démesuré des nations s'avère bien futile et se retourne contre ses auteurs eux-mêmes, car il se trouve débordé par un plan plus vaste, celui de YHWH. A leur insu, les peuples sont manœuvrés par le Dieu sage et tout-puissant. Utilisés au départ pour châtier Israël (Is **10**), ils sont maintenant rassemblés pour leur propre perte (cf. Is **14**,*24-27*). Dieu mène l'histoire au gré de sa volonté. Ce thème du plan de YHWH rejoint les larges perspectives d'Isaïe (Is **5**,*19* ; **19**,*12.17* ; **23**,*8-9* ; **28**,*29*), mais l'association de *'sh* «plan» et de *mhshbwt* «projets» rapproche plutôt Mi **4**,*12* de Jérémie (Jr **11**,*19* ; **18**,*11* ; **49**,*20* ; **50**,*45*). Et c'est encore à Jérémie que le prophète semble avoir emprunté la métaphore de l'aire où sont entassés les épis moissonnés (Jr **9**,*21* et surtout **51**,*33*). Ce rassemblement des peuples prendra bientôt une résonance eschatologique (Joël **4**,*2* ; So **3**,*8* ; Za **14**,*2*).

Soudain le ton se fait plus véhément : de la réflexion théologique (v 12) on passe sans transition à la vigoureuse interpellation de la Fille de Sion pour une action décisive (v 13). Aux paroles et aux projets des nations (v 11) répondent les paroles et les projets de Dieu (v 13). Celui-ci réalisera son plan précisément par cette Jérusalem humiliée : «*Je* ferai *tes* cornes de fer... et *tu* broieras...». Changement radical de perspective : paradoxe! Sion menacée devient un instrument de Dieu pour anéantir les nations rassemblées contre elle! La métaphore du battage du blé, commencée au v 12, se poursuit au v 13 : la Fille de Sion doit fouler aux pieds les épis répandus sur l'aire, c'est-à-dire les nations. Selon R. Bach (*WMANT* 9, 1962, p. 61 ss), avec ce double impératif par lequel débute le v 13, le prophète exploiterait un vieux motif de la guerre sainte, l'invitation au combat, qui, dans le contexte, prend une résonance eschatologique. Les images se bousculent quelque peu : Israël est comparé à un animal auquel Dieu fait des sabots de bronze pour mieux broyer les peuples (Is **28**,*28*) et les réduire en poussière (2 S **22**,*43* = Ps **18**,*43*). Avec la métaphore des «cornes» on s'écarte de la représentation du battage du blé pour glisser vers celle du combat. Cette métaphore des «cornes» vient sans doute des vieilles traditions israélites : déjà Dt **33**,*17* (cf. Nb **24**,*8*) attribuait à la maison de Joseph des «cornes» de buffle avec lesquelles il devait «frapper les peuples». En Mi.**4**,*13* la Fille de Sion hérite donc de ce privilège, mais cette fois les cornes sont devenues de fer, signes d'une puissance invincible. Si la représentation accumule les images sans grand souci de cohérence, indice d'un style quelque peu apocalyptique, le message lui reste clair et parfaitement unifié : par la médiation d'Israël, YHWH réalisera son projet de détruire les nations arrogantes et cyniques qui se mettent en travers de ses plans.

Mais que ce soit là essentiellement l'œuvre de YHWH, la fin du v 13 le confirme sans ambage. Reprenant encore ici le langage de la guerre sainte, YHWH exige qu'on lui consacre tout le butin par anathème. Le «Ḥérem» consiste en une sorte d'immense holocauste (cf. Ez **39**,*9-10.17-20*) : YHWH a combattu et remporté la victoire, c'est donc à lui que doivent revenir toutes les richesses des peuples. Ainsi seront reconnues sa maîtrise totale sur le monde, sa qualité de «Seigneur de toute la terre». La formule attestée à Ugarit, puis reprise par Israël pour qualifier YHWH comme Seigneur de la terre sainte (Jos **3**,*13*), reçoit de nouveau ici une portée universelle et cosmique, comme dans les textes postexiliques (Za **4**,*14* ; **6**,*5* et surtout Ps **97**,*5*) où se combinent les thèmes de la seigneurie universelle de Dieu et du rassemblement des nations. La victoire de Sion doit servir la manifestation de la seigneurie de YHWH sur le monde.

L'humiliation du Juge d'Israël (**4**,*14*).

Troisième évocation de l'épreuve, troisième composante de ce «maintenant» décisif, ce v 14 n'a cessé d'embarrasser la critique :

A coups de bâtons, ils frapperont sur la joue
le Juge d'Israël[c].

---

c. Noter le jeu de mots par assonance et allitération entre *šébèṭ* «bâton» et *šophéṭ*
«juge», ce qui a peut-être entraîné G à remplacer «juge» par «tribus» sens second de
šébèṭ.

---

quelle est sa teneur exacte? Que représente le Juge d'Israël? A quels
événements se réfère-t-il? Ne serait-il pas tronqué?

Selon l'interprétation retenue (cf. Critique textuelle) le prophète
tente de galvaniser encore une fois son auditoire. Certes, la ville est
assiégée. Il s'agit sans doute de la capitale judéenne; la description du
siège de Jérusalem par Nabuchodonosor utilise le même verbe
(2 R **24,** *10*; **25,** *2*; Jr **52,** *5*; Ez **4,** *3.7*; **5,** *2*). Le titre de «Juge d'Israël»
désigne donc le roi de Juda. Le jeu de mot par assonance *šébèṭ*
(bâton)/*šopéṭ* (juge) souligne le scandale de son humiliation: on
frappe à la joue, outrage des plus ignominieux (cf. Ps **3,** *8*; Jo **16,** *10*;
Lm **3,** *30*), avec le *šébèṭ* (le bâton), le porteur du *šèbèṭ* (le sceptre).
Comment mieux traduire l'effondrement de l'institution royale? Il est
possible aussi qu'ici encore le prophète ait voulu réserver à YHWH le
titre de roi, que ne méritait guère ce souverain versatile qu'était
Sédécias. Pour le désigner, le titre de Juge n'a rien d'étrange (cf. au
Ps **148,** *11*, le parallèle «rois de la terre... juges de la terre; Ps **2,** *10*).
Malgré les développements érudits de M. Noth («Das Amt des
'Richters Israël'», *Festschrift Bertholet*, Tübingen, 1950 pp. 404-417),
il faut renoncer à voir ici les restes de la vieille institution de la
judicature.

Cette constatation n'entame en rien l'espérance du prophète.
Comme en Mi **4,** *13*, il invite la Fille de Sion à se ressaisir, à se
préparer à la contre-attaque. Le qualificatif de «Fille de troupe»
donné à la communauté signifierait, selon certains, «petite troupe» et
désignerait implicitement le «petit reste». Quoi qu'il en soit, une
particularité, peu remarquée de la critique, et la plupart du temps
estompée dans les traductions, peut aider à préciser la date de ce
morceau. En effet, tandis que le v 14*a* met le verbe au passé («on a
mis le siège»), le v 14*b* est au futur («ils frapperont»). Qu'il faille
donner ici aux temps hébreux une valeur temporelle précise découle
du caractère temporel fortement accusé des quatre «maintenant» de
la péricope. Ce jeu des temps se retrouve ailleurs dans la péricope
(v 11, passé; v 10 et v 13 futur). Ce ne peut être le fait du hasard. On

est donc amené à voir dans les événements racontés au passé des faits déjà survenus au moment où parle le locuteur : le rassemblement des nations (v 10) et le siège de Jérusalem (v 14). Les futurs évoqueraient les épreuves à venir (et la délivrance) : la sortie de la cité, le séjour en rase campagne, l'arrivée à Babel (**4,** *10*) mais aussi l'humiliation du Juge d'Israël (v 14*b*).

Comment expliquer que le prophète invite Israël à se ressaisir et à envisager la victoire alors que l'épreuve n'a pas atteint son sommet ? L'exemple de Jérémie peut valoir ici comme analogie. N'a-t-il pas au moment le plus désespéré du siège, acheté un champ à Anatot, geste symbolique qui se voulait présage de jours meilleurs (Jr **32**) ? Tandis que la menace de Mi **3,** *12* est sur le point de se réaliser, plusieurs siècles après son annonce, le prophète, anticipant sur l'avenir, perçoit la délivrance comme assurée. Le télescopage des temps est souvent lié à la vision prophétique de l'histoire. On notera cependant que la succession des événements formulés au futur (v 10) laisse à penser qu'un délai s'intercalera entre l'annonce de la délivrance et sa réalisation. On peut donc inférer qu'en ce qui concerne la seconde section un délai analogue séparera le rassemblement des nations déjà commencé et l'annonce de la victoire d'une part, et l'accomplissement de cette promesse d'autre part. L'auteur ne se préoccupe guère de donner des dates précises ; ce qu'il veut, c'est réveiller l'espérance.

De quels événements s'agit-t-il ? A quel drame rattacher le «maintenant» de l'épreuve ? La mention explicite de Babel nous oriente vers l'époque de la captivité babylonienne. Les essais soit de considérer cette mention comme une addition, soit d'y voir une allusion à l'alliance entre Juda et Babylone alors vassal de l'Assyrie, au temps d'Isaïe (2 R **20,** *12-19* = Is **39,** *1-8*) se sont avérés infructueux (cf. *La Formation* ... I p. 206-209). L'explication la plus simple, la plus obvie, qui n'exige aucune contorsion dans l'effort d'interprétation, nous envoie à la catastrophe de 587. Le commentaire a montré les affinités de vocabulaire, de représentations, de thématiques théologiques avec ceux de Jérémie, et plus lointainement avec ceux du Second et du Troisième Isaïe (cf. *La Formation* ...p. 202-217). On peut donc, avec quelque vraisemblance, situer la proclamation de l'oracle dans les dernières heures du siège de Jérusalem, peu avant la tentative infructueuse d'une sortie de l'armée judéenne.

La troisième section de l'oracle (v 14) ne comporte pas de contre-partie positive, à la différence des deux précédentes. Le fait reste étrange, en raison de la composition strictement parallèle des trois éléments de la péricope (cf. *supra*) : un oracle de salut débouche alors ... sur une perspective de catastrophe. Il semble donc que la

Chapitre 5.

¹ Et toi, Bethléem-Ephrata[a],

1*a*. G ajoute «maison» avant Ephrata. D'où la leçon «Bethléem beyt-Ephrata». Certains ont conclu que Bethléem était une glose. Voir la réfutation de cette hypothèse dans *La Formation du livre de Michée* p. 220 s. Notons seulement que le parallèle étroit entre **4,** *8* et **5,** *1* favorise le maintien de Bethléem. D'ailleurs, TM, Syr et Vg appuient le TM et Mt, **2,** *6* comporte bien sûr Bethléem.

dernière section a été amputée de ses perspectives de délivrance et de salut. La responsabilité en revient sans doute à l'éditeur final, auteur de la structuration des chapitres **4** et **5**. Ses préoccupations messianiques le conduisent à opposer à l'abaissement et à l'humiliation du Juge d'Israël (**4,** *14*) l'avènement triomphal du souverain eschatologique, chargé de paître le troupeau d'Israël, sous la direction de YHWH lui-même (**5,** *1-3*). L'addition du v **5,** *2* renforcera encore le lien entre les deux péricopes (cf. *infra*).

Ainsi Mi **4,** *9-14* prend habilement place dans la synthèse rédactionnelle des chapitres **4** et **5**. Ce morceau s'articule non seulement avec ce qui suit mais aussi avec ce qui précède. La mention du «roi» YHWH (**4,** *9*) fait écho au règne de YHWH (**4,** *7* cf. **2,** *13*). L'insertion de **4,** *8* permet au rédacteur d'introduire la figure de la Fille de Sion, qui deviendra la figure centrale de **4,** *9-14*, et d'amorcer le thème de la souveraineté davidique développée en **5,** *1-3*. Située à l'intérieur de Mi **4-5**, cette péricope instaure une opposition dialectique entre le *whyh* «et il arrivera, et il sera» futur d'espérance des v **4,** *1*; **5,** *4.6.7.9* et les *'th* «maintenant» de détresse, opposition dont il faudra rendre compte dans le chapitre final de ce commentaire.

5. — *Perspectives messianiques* (**5,** *1-5*)

Si la haute figure du souverain, issu de Bethléem, domine l'ensemble de cette péricope, celle-ci présente cependant un certain nombre de heurts et de solutions de continuité qui laissent deviner un important travail rédactionnel.

Ainsi, le v 2 interrompt-il de façon abrupte le portrait du Messie, esquissé de façon continue aux v 1 et 3. Et l'on ne voit pas comment ce v 2, introduit pourtant par «c'est pourquoi», tire la conséquence du v 1. D'ailleurs, les v 1 et 3 envisagent un avenir prochain, le v 2 un futur beaucoup plus lointain. D'allure prosaïque en un contexte poétique, ce v 2 met en scène un nouveau sujet anonyme, mais qui ne peut être que YHWH et non point le Messie, dont la naissance est précisément attendue au v 2a. Que vient faire alors, au sein d'une promesse de salut, ce retour sur l'abandon d'Israël par YHWH? Qui sont les frères qui «rejoindront les fils d'Israël»? Enfin, la *yôlédāh* «la femme qui enfante» resurgit de façon inattendue. Mais cette dernière remarque ouvre la voie à une explication. Car cette *yôlédāh* fait écho à celle de **4**,*9-10*, et ces deux usages de la métaphore associent étroitement l'une comme l'autre épreuve et délivrance. L'opération a sans doute pour but d'articuler l'un sur l'autre les deux morceaux initialement indépendants, **4**,*9-14* et **5**,*1.3*, et d'introduire un temps intermédiaire, celui de l'apparent abandon de YHWH, entre l'annonce de la délivrance et sa réalisation. On devine déjà à quelle problématique théologique répond cette insertion du v 2 : rendre compte du retard sans cesse prolongé de l'accomplissement des promesses divines.

De même, le premier mot du v 3a «ils s'établiront (demeureront)» provient-il sans doute du rédacteur. Le pluriel du verbe s'insère mal dans le mouvement de 3a et de 3b qui, formulés au singulier, traitent du personnage mis en scène en **5**,*1*. Il renvoie plutôt au pluriel immédiatement précédent, «les fils d'Israël» du v 2, et se trouve donc lié à cette glose rédactionnelle. L'hypothèse se confirme, si l'on relève que ce même verbe se retrouve en **4**,*4* et, là encore, en début de vers. Or l'analyse a permis de reconnaître dans ce verset la main du rédacteur (cf. *supra*), qui nous livre ainsi l'une de ses préoccupations majeures.

Enfin, les tensions particulièrement fortes entre les v 4-5 et le reste du poème ont conduit nombre de critiques à les écarter du texte original. En effet, aux v 1-3, le salut est dû à la seule initiative de Dieu, instaurateur de la paix, aux v 4-5 à la victoire des armes. En **5**,*1.3*, YHWH suscite le gouvernant messianique; en **5**,*4-5*, le peuple désigne ses propres chefs. En **5**,*1.3*, il est question d'un seul pasteur, en **5**,*4-5* de 7 ou 8 pasteurs. Et que vient faire l'Assyrie après l'élargissement des perspectives de **5**,*1.3* aux dimensions du monde?

Du reste, à l'intérieur même des v 4-5 on relève des heurts significatifs : en 4bc et 5a, c'est le groupe qui prend l'initiative ; en 4a et 5b, celle-ci est réservée au Messie. Ainsi l'oracle primitif se composait-il de 4bc.5 (moins le «il délivrera de»), avec une inclusion qui lui donnait un tour achevé. En le faisant précéder de 4a «Et il sera la paix» et suivre du «et il délivrera d'(Assur)», le rédacteur intégrait cette péricope au portrait du souverain messianique qui assumait ainsi la démarche et l'initiative du groupe mis en scène aux v 4-5.

tu es petite[b] parmi les clans de Juda.
C'est de toi qu'il[c] sortira pour moi[d],

b. TM et G comportent ou supposent *lhywt* «pour être», construction difficile qu'on a interprété à tort comme un comparatif «trop petite pour être» (cf. *La Formation du livre de Michée* p. 221 s.). En réalité, de **5,** *1b* où il est bien en situation, cet infinitif est passé en **5,** *1a* par faute de copiste. Mt **2,** *6* pourrait avoir lu *l' hyyt ṣ'yr* «tu n'es pas la moindre...».   *c.* Le sujet reste indéterminé. On pourrait le préciser en voyant ici une allusion à la prophétie de Natan 2 S **7,** *8* «C'est moi qui t'ai pris en pâturage pour être *(lhyt)* chef sur mon peuple, sur Israël». Ce serait donc le descendant de David.   *d.* Le «pour moi» est difficile, mais G et Vg appuient le TM. Il convient de l'interpréter en fonction de la tradition messianique, plus précisément en fonction de Is **11,** *1* et 2 S **7,** *12.* Puisque c'est Dieu qui parle, on peut comprendre le *ly* «pour moi» comme «à mon bénéfice» c'est-à-dire «comme instrument de mon dessein». Sur ce débat voir *La Formation...* p. 223-225.

La phrase «et il sera la paix» faisait-elle déjà partie de l'oracle primitif de **5,** *1.3*? Il n'est pas impossible qu'elle soit une création du rédacteur, à l'instar du «et il délivrera» de 5*b*. Le fait qu'elle comporte en début de vers un *whyh* «et il sera, et il arrivera» plaiderait en ce sens, car ce joint verbal scande tout le développement du chapitre **5** (cf. v 4.6.7.9 toujours en début de vers ou d'unité). D'ailleurs, par rapport au parallélisme du v 3, cette phrase du début de 4*a* paraît en surcharge, et le «jusqu'aux extrémités de la terre» constitue une bonne fin d'oracle.

Ainsi, l'oracle messianique primitif comprend-il deux strophes : la première (v 1) met en scène un mystérieux personnage dont les origines remontent à un passé lointain ; la seconde (v 3) trace son programme de gouvernement. La forme littéraire est sans doute empruntée à celle de l'ancien oracle tribal, tel qu'il apparaît par exemple en Gn **49** et Dt **33.** (cf. C. Westermann «Predigtmeditation zu Mi **5,** *1-3*» dans G. Eichholz *Herr tue meinen Lippen auf*, 1966, p. 54 s.). Elle se compose d'une interpellation lancée à une tribu ou à un clan, souvent personnifié sous les traits de l'ancêtre, suivie d'une promesse de salut pour l'avenir. En **5,** *1.3*, la collectivité, qualifiée de «clan» *('lp)* et désignée sous le nom de Bethléem (et dans le parallèle de **4,** *8* de Jérusalem), est ici personnalisée sous les traits d'une femme.

L'avènement du prince messianique (**5,** *1*).

La formulation sybilline de cette pièce, qui ne dévoile pas clairement l'identité du gouvernant, donne à l'ensemble une tonalité un peu mystérieuse, qui convient bien à un oracle portant sur l'avenir. Elle peut aussi s'expliquer à partir de son caractère anthologique, car ce morceau contient un certain nombre d'allusions à des textes messianiques connus de ses auditeurs.

D'emblée, l'adresse à Bethléem oriente vers la figure de David, ce petit pâtre élu pour être «chef en Israël» (2 S **5,** *2* ; 1 S **16,** *1* ss). La mention d'Ephrata permet de la distinguer d'une Bethléem galiléenne, située dans le domaine de la tribu de Zabulon (Jos **19,** *5*), mais renvoie surtout aux origines même de la dynastie de David «fils d'un Éphratéen de Bethléem» (1 S **17,** *12*). Dans ce texte lourd de théologie, il n'est pas exclu que le terme Ephrata revête une signification symbolique : dérivé de *parah* «produire, jaillir», ce mot suggérerait de qualifier la cité de David de «Bethléem la féconde». Le même verbe se lit en Is **11,** *1* à propos du Messie qui doit «sortir» (*yṣ'* cf. aussi **5,** *1a*) de la souche de Jessé et «jaillir» *(pārāh)* de ses racines.

La référence aux origines de la royauté davidique se profile encore derrière le motif de la petitesse et de l'insignifiance (**5,** *1a*). Sans doute, est-ce là une loi de l'élection divine qu'illustre l'histoire des premières tentatives de l'instauration d'une royauté (Gédéon Jg **6,** *15* ; Saül 1 S **9,** *21*). Mais dans ce contexte proprement davidique, ce thème évoque surtout 1 S **16,** *1* ss, le choix de David comme roi par Samuel : c'est le dernier-né, quasiment laissé pour compte et oublié dans sa garde du troupeau (1 S **16,** *11*), que Dieu choisit comme l'instrument de son dessein. Certes, en Mi **5,** *1*, le motif se déplace du personnage sur la bourgade dont il est issu, mais le thème théologique reste fondamentalement le même : Dieu poursuit son œuvre messianique non point dans l'éclat de la gloire humaine, mais dans l'humilité des moyens pauvres. L'intention paraît encore plus claire, si l'on songe que pour situer le roi à venir, l'auteur préfère à l'évocation de la fastueuse résidence de David, Jérusalem, celle de l'humble cité de ses origines. En donnant à la phrase une formulation négative «tu n'es pas la moindre des clans de Juda», Mt **2,** *6* ne trahit certes pas la tonalité fondamentale du texte, mais estompe passablement ce paradoxe de la pauvreté des moyens divins. En combinant Mi **5,** *1* avec une allusion à Mi **4,** *6-7*, Is **60,** *22* explicite clairement cette loi de l'action divine : «Le plus petit chez toi deviendra un millier (*'lp* qui signifie aussi «clan»), et le plus insignifiant (*hṣ'yr* même adjectif en **5,** *1*) une puissante nation».

Le terme «sortir» comporte une certaine ambiguïté : il peut signifier «naître» (Jb **1,** *21*) ou «descendre de» (Gen **17,** *6* ; **35,** *11*), mais dans le cadre des représentations eschatologiques, il désigne l'apparition du prince messianique (Is **11,** *1*). Deux références encore plus

pour être gouvernant en Israël.
Ses origines remontent aux temps anciens,
aux jours d'autrefois.

² C'est pourquoi, il les livrera ᵃ jusqu'au temps
où enfantera celle qui (doit) enfanter.
Alors ce qui subsiste de ses frères
réintégrera ᵇ les fils d'Israël.

2a. Tg : «ils seront livrés», *lectio facilior*. Le sujet reste indéterminé. Les aspérités du morceau suggèrent la présence d'une glose.   *b.* L'expression *yšbwn 'l* traduit l'idée de retour à l'intégrité première du peuple divisé.

significatives favorisent ici une telle interprétation : 2 S **7,** *12,* la prophétie de Natan et surtout Jr **30,** *21* dont Mi **5,** *1* semble dépendre : «Son gouvernant *(mwšl)* sortira *(yṣ')* de lui».

L'identification des sources de ce morceau d'anthologie permet encore de rendre compte de l'énigmatique «pour moi» et de dévoiler le visage du locuteur. Il s'agit de YHWH lui-même qui, dans le texte de référence que constitue le récit de l'élection de David, déclare «J'ai vu *pour moi* un roi parmi ses fils (de Jessé père de David)...» 1 S **16,** *1.* La prophétie de Natan, «c'est moi (YHWH) qui t'ai pris...», soulignait déjà l'initiative divine, mais elle précisait en même temps la finalité de cette élection «... pour être *(lih'yôt)* chef *(nagîd)* de mon peuple, d'Israël» (2 S **7,** *8).* De façon analogue, Mi **5,** *1* précise : «pour être *(lih'yôt)* gouvernant *(môšél)* en Israël». Sans doute le titre donné au Messie est-il ici différent, mais nous savons d'où il vient, de Jr **30,** *21.* Ainsi la combinaison de plusieurs textes-sources qui explique la formulation lourde et embarrassée de ce début d'oracle, donne en même temps au portrait du Messie une profondeur et une richesse toutes particulières. Originaire de Bethléem comme David, choisi par Dieu dans son mystère de pauvreté, il accomplit en sa personne la prophétie de Natan qui a lancé l'espérance messianique et l'a nourrie tout au long de son histoire. Il est frappant, que, à l'instar de Jr **30,** *21* d'ailleurs, ce texte fasse silence sur les notions de roi et de royauté. L'omission semble voulue : l'expression «il sortira pour moi» donne à la figure du prince messianique une note de soumission, de subordination. Le véritable roi c'est YHWH et le nouveau David son mandataire qui monte sur le trône de YHWH lui-même, en qualité de gouvernant (cf. 1 Ch **28,** *5* ; **29,** *23* ; 2 Ch **9,** *8).* Cette perspective rejoint la modification significative de la prophétie de Natan par le Chroniste : celle-ci annonçait primitivement à David «Devant toi, *la* maison et *la* royauté seront stables à jamais» (2 S **7,** *16*). Le chroniste corrige : «Je le ferai subsister à jamais dans *ma* maison et dans *mon* Royaume»» (2 Ch **17,** *14*).

Dans ces conditions, les origines du messie évoquées à la fin du verset n'ont rien à voir avec sa préexistence. La traduction de *mymy* '*wlm* par «jours d'éternité» (déjà le Tg mais aussi la tradition chrétienne) force le sens. Le terme, du reste inhabituel, de *mwṣ'lyw* «origines» au lieu de *twldwt* «généalogies», renvoie à *yṣ'* de la proposition précédente qui évoquait les origines locales du nouveau David. On parle maintenant de ses origines temporelles qui, elles aussi, remontent à David. La même formule «les jours d'autrefois» réapparaît en Am **9,** *11* (texte messianique) qui envisage le rétablissement de la hutte de David, et Neh **12,** *46* considère l'époque davidique comme des «temps anciens». La rupture de l'exil accentua cette projection des premiers temps de la monarchie dans un lointain passé. Du reste, l'expression «les jours d'autrefois» ne revient que dans des textes tardifs (Is **63,** *9-11* ; Mi **7,** *14* ; Ml **3,** *4* ; Am **9,** *11*). Le terme *mwṣ'lyw* évoque-t-il le lever *(mws')* du soleil, qui servait à caractériser l'origine surnaturelle, quasi divine, des rois païens? En tout cas la résonance mythologique est soigneusement évacuée et le motif judaïsé, voire «davidisé» (cf. Nb **24,** *17* «l'astre issu de Jacob» et Ps **89,** *37* où la lignée davidique est comparée à un «soleil devant YHWH»).

Ainsi David joue-t-il, dans cette représentation, le rôle de modèle de référence. YHWH semble reprendre à ses origines mêmes l'aventure davidique. «L'arbre est tombé, mais de sa souche surgit une nouvelle pousse (Is **11,** *1*)» (Wolff p. 116). Il s'agit donc d'un nouveau commencement. Sans doute cette formulation laisse-t-elle supposer un jugement défavorable sur les Davidides, dont toutefois David lui-même est exclu, puisque le prince messianique revêt les traits du fondateur de la lignée. Mais dès lors qu'on parle de recommencement, il est normal que l'auteur s'attarde sur les origines, d'où cette préférence accordée à Bethléem par rapport à Jérusalem.

L'épreuve préalable (**5,** *2*).

Comme nous l'avons vu, cette notation rédactionnelle qui interrompt brutalement la présentation du Messie, a pour fonction d'intégrer ces perspectives messianiques dans le cadre de la grande synthèse de Mi **4-5**. La *yôlédāh* s'identifie donc avec la Fille de Sion qui enfante dans la douleur mais qui est promise à la délivrance

³ Il se tiendra debout ᵃ et il fera paître ᵇ par la force de YHWH ᶜ,
par la magnificence du nom de YHWH son Dieu.
Ils s'établiront ᵈ. Oui, alors, il sera grand ᵉ
jusqu'aux extrémités de la terre.

3a. G ajoute «et il verra» qui provient peut-être d'une variante graphique r'h «voir»
de r'h «paître». G a sans doute voulu conserver les deux leçons.   b. G précise en
ajoutant «son troupeau».   c. En ajoutant un «et» après le premier complément et
en omettant de traduire le waw de wyšbw, G fait dépendre ce second complément
du verbe suivant «ils existeront dans la gloire du nom du Seigneur leur Dieu», mais
en même temps il détruit le parallélisme de 5,3a.   d. On ne doit pas corriger
weyāšābû «ils s'établiront» en weyāšubû «ils se convertiront» avec R, Syr, Vg, Tg et
quelques mss du TM, influencés sans doute par 5,2b. Il reste que le pluriel de ce verbe
étonne dans cette séquence qui traite de la personne du Messie. Il s'agit d'une glose
rédactionnelle.   e. La plupart des témoins de G : «ils grandiront» avec sans doute
la volonté d'harmoniser ce verbe avec «ils s'établiront».

(Mi **4**,*9-10*). En contrepartie de l'humiliation du Juge d'Israël (**4**,*14*),
elle enfantera le prince messianique (**5**,*2*). A l'idée d'épreuve, la
métaphore de l'accouchée ajoute ici celle de la fécondité. Les douleurs
de la Fille de Sion qui personnifie la communauté d'alliance,
apparaissent comme le prélude nécessaire à l'apparition des temps
messianiques et du Messie lui-même, et l'enfantement comme une
délivrance (cf. Is **66**,*6-7* où l'enfantement de Sion coïncide avec la
fin de la grande crise. Voir *La Formation...* p. 284 s.). Ces
douleurs correspondent en Mi **5**,*2* «au temps où Dieu les livrera».
Sans doute convient-il ici de suppléer, à l'analogie de 2 S **5**,*19* et de
1 R **22**,*6.12*, «dans la main de leurs ennemis». Le rédacteur introduit
par là un délai dans la réalisation de cette promesse messianique, celui
de la nécessaire épreuve eschatologique.

   A-t-il perçu la portée symbolique d'Ephrata «la Féconde» (cf.
supra)? Il est difficile de répondre. Il semble en tout cas avoir relevé
les attaches littéraires de **5**,*1.3* avec des textes messianiques, puisqu'il
prolonge, à sa manière, la référence aux sources davidiques et
messianiques. En effet, Mi **5**,*2* s'inspire d'Is **7**,*1* ss dont le début du
vers est repris à la lettre au début de Mi **5**,*2* «c'est pourquoi il
donnera, *lkn ytn*», en donnant, il est vrai, un sens plus négatif «il
livrera» (mais cf. Is **7**,*16*!). Cette identification de la source isaïenne
permet de lever l'anonymat du sujet du verbe : comme dans l'oracle
de l'Emmanuel, il s'agit de YHWH. Bien plus, le terme *yôlédâh*
évoque la *yoledèt*, la femme qui enfante d'Is **7**,*14*, c'est-à-dire la mère
du mystérieux enfant à naître, en qui le rédacteur reconnaît le Messie.
La fille de Sion, la femme qui enfante, de Mi **4**,*9-10*, qui désigne le

peuple de Dieu, s'identifie avec la *yolédèt* d'Isaïe, la mère individuelle
du Messie, selon le procédé sémitique de la personnalité corporative :
à travers la mère de l'Emmanuel, toute la communauté enfante le
héros attendu. Aussi Mi **5**, *2* met-il l'accent moins sur la souffrance de
la femme qui enfante que sur sa fécondité. Cette place accordée à la
femme dans l'œuvre du salut se situe dans la ligne des naissances
miraculeuses (1 S **1**, *2-20* : Samuel ; *Gn* **25**, *21* s. : Jacob ; *Gn* **21**, *3* :
Isaac, etc.), œuvres de Dieu qui rend fécondes les femmes stériles. La
communauté de Bethléem, et par elle, plus largement la communauté
judéenne enfante son Sauveur. Cette fusion en Mi **5**, *2* de la *yôlédāh* de
Mi **4**, *9-10* et de la *yolédèt* d'Is **7**, *14* prépare lointainement la théologie
lucanienne de Marie mère du Christ et Fille de Sion eschatologique.

Cette fin de l'épreuve finale coïncide avec le retour à l'unité (sur le
sens du verbe cf. critique textuelle). Mais l'identité de «ce qui subsiste
de ses frères» reste discuté. A la différence de *š'r* ou de *š'ryt*, termes
techniques du «reste», le terme *ytr* reste neutre. Les «Fils d'Israël»
désignent sans doute ceux qui ont traversé l'épreuve de l'exil et qui
constituent à nouveau le noyau du peuple réinstallé sur la terre de
Palestine. Par «ce qui subsiste», il faudrait entendre les «autres
frères» ceux qui sont dispersés à travers le monde et dont on attend le
retour pour les temps messianiques. Ainsi, par rapport aux oracles de
l'exil (cf. **4**, *6-7*), la perspective s'est déplacée : l'espoir ne repose plus
sur le groupe des captifs, mais sur la communauté judéenne, purifiée
par l'exil et transformée par l'initiative divine.

Le gouvernement du Messie (**5**, *3*).

Par-delà la glose de Mi **5**, *2*, ce v 3 renoue le fil avec la présentation
du Messie, inaugurée au v 1, en décrivant sobrement son activité de
gouvernement. «Il se tient debout», vigilant dans l'exercice de ses
fonctions, présentées ici sous l'image du berger. La métaphore est
traditionnelle dans l'Ancien Orient pour caractériser la fonction
royale. Mais la tradition davidique l'a naturellement exploitée : le
petit pâtre n'était-il pas devenu «pasteur d'Israël» (2 S **5**, *2* ; **7**, *8*
cf. Ps **78**, *70-72*). L'évocation de Bethléem au v 1 suggérait déjà cette
représentation, puisque David y faisait paître son troupeau, lorsque
l'élection divine vint l'y rejoindre (1 S **16**, *11* cf. 2 S **7**, *8*). A cette
époque, l'image n'a rien de bucolique. Le pastorat représente un
métier dur et dangereux, qui exige courage et sens des responsabilités.
Le berger assure la conduite du troupeau, le protège contre toutes les
menaces (pillards, bêtes sauvages) et en prend soin.

⁴ Et il sera la paix ᵃ.

Assur, pour le cas où il entrerait sur notre terre,
où il foulerait notre sol ᵇ,
nous ᶜ avons suscité ᵈ contre lui sept pasteurs,
huit chefs d'hommes.

4*a*. Le texte est ambigu : on peut traduire «ce sera la paix» (cf. G) ou «celui-ci sera la paix» (cf. Vg). En se référant à l'arabe ou à l'ougaritique, les commentateurs récents optent de préférence pour la seconde hypothèse. Le *zh šlwm*, «le possesseur (le Seigneur?) de la paix» correspondrait alors au *sr shlwm* «le prince de la paix» d'Is **9,**5. *b*. «notre sol», en lisant *b'dmtnw* au lieu de *b'rmtynw* «dans nos palais» (confusion du *d* et du *r*). Cette lecture appuyée par G a pour elle le parallélisme avec «terre». Par ailleurs le verbe *drk* «fouler aux pieds» convient mieux dans cette hypothèse.   *c*. G a lu *whqmw* «ils ont dressé», leçon isolée. On ne peut pas, sur cette base très fragile, restituer un hypothétique *whqym* (*BIIS* et Weiser) «il dressera» qui renverrait au pasteur messianique. Effort d'harmonisation qui tente d'effacer les aspérités du texte, précieuses pourtant en ce qu'elles suggèrent la trace d'un remaniement.   *d*. Les versions ont le futur, mais le TM le parfait, que nous conservons, cf. E. Lipiński «Nemrod et Assur» *RB* 73 (1966), p. 84-93.

Encore une fois, avec quelle insistance, le prophète ne souligne-t-il pas que la figure du Messie s'efface derrière celle de YHWH. Car c'est au nom de Dieu, c'est-à-dire avec sa puissance qu'il exerce sa fonction de gouvernant, et non point en vertu de sa propre autorité. Son autorité et son pouvoir sont autorité et pouvoir délégués, comme le suggérait déjà le «pour moi» du v 1. En revanche, il est comme revêtu de la majesté de Dieu lui-même, dont il se veut le lieutenant. Cette conception rapproche Mi **5,**3 d'Ez **34** qui subordonne étroitement les fonctions du nouveau David au pastorat de YHWH, le vrai, l'Unique pasteur : «Je (moi, YHWH) le (mon troupeau Israël) fera paître... Je mettrai à la tête de mon troupeau un berger unique, lui le fera paître ; ce sera mon *serviteur* David... Moi YHWH je serai leur Dieu et mon serviteur David sera *prince* au milieu d'eux» (Ez **34,**24). En toute hypothèse, l'aspect politique disparaît derrière l'initiative du Dieu maître de l'histoire. La souveraineté messianique apparaît comme le signe concret du règne de Dieu.

Dans ce cadre, au théocentrisme si accusé, le verbe «il sera (deviendra) grand» ne peut que renvoyer ici encore à la prophétie de Natan où Dieu déclare à David «je te ferai grand» (1 Ch **17,**10 ; 2 S **7,**11b après correction cf. BHK). On peut encore évoquer 1 Ch **17,**8 «je rendrai ton nom grand comme le nom des grands de la terre», mais en Mi **5,**3 c'est le Nom de YHWH qui assure au Messie sa dignité et sa puissance. Aussi ne nous étonnons pas de le voir s'étendre «jusqu'aux extrémités de la terre». La formule est

particulièrement fréquente dans les textes eschatologiques et messia-
niques (Is **45,**10 ; **52,**10 ; Ps **22,**28 ; **98,**3 ; **2,**8 ; **72,**8 ; Za **9,**10).
L'horizon se dilate aux dimensions du monde.

Le pluriel «ils s'établiront (demeureront)» sans doute «en sécurité»
apporte encore une note discordante dans ce verset qui traite du
Messie, tout comme le v 2 s'écartait des v 1 et 3. Dans l'un et l'autre
cas, on relève d'ailleurs le même souci d'associer plus étroitement le
peuple au gouvernement du Messie. Le même terme et le même motif
réapparaissent aussi dans l'addition rédactionnelle de **4,**4 (cf. *supra*).
Cet ajout témoigne ainsi de la préoccupation constante du rédacteur
d'articuler le plus étroitement possible les perspectives eschatologiques du chapitre 4 avec celles, messianiques, du chapitre 5.

La paix messianique (**5,**4-5).

L'exercice de ce pastorat délégué a pour effet, sinon pour finalité,
l'établissement de la paix. Le *šalôm* dit beaucoup plus qu'absence de
guerre, il évoque la stabilité, l'harmonie, le bonheur. Ce rêve de paix
n'a cessé de hanter la conscience d'Israël, petit peuple balloté entre
les grands empires, soumis à des occupants parfois féroces. Dès sa
fondation, la monarchie avait pour mission, selon le projet de Dieu,
l'instauration de la paix (2 S **7,**10-11). Ne nous étonnons pas dès lors
de retrouver ce mot dans la plupart des textes messianiques. Selon
Is **9,**6, la naissance du prince davidique ouvrira pour le monde une
ère de paix sans fin. Is **11,**1-9, dominé par la haute figure de Salomon,
au nom prophétique — il dérive de la racine *šalôm* — et le Ps **72**
tracent le programme du gouvernement royal fondé sur la justice et la
défense des pauvres. Mi **5,**4a va plus loin : le messie, en sa personne,
incarne la paix. D'un point de vue purement grammatical, on peut
certes traduire «et ce sera la paix». Mais dans, cet ensemble **5,**1-5,
tous les verbes au singulier, sauf celui de Mi **5,**2, renvoient au messie.
Aussi convient-il plutôt de comprendre «et lui sera la paix», c'est-à-
dire qu'il en est à la fois la source et le garant. Se présenterait-il alors
comme le Salomon eschatologique dont le nom est à lui seul signe de
paix (cf. Za **9,**10)? Le rédacteur se préoccupe d'une façon toute
particulière de ce dessein pacifique. N'a-t-il pas ajouté le verset 4 à
l'oracle initial du pèlerinage des peuples (**4,**1-3)? Or, à l'arrière-plan
de ce verset se profile encore la figure de Salomon, instaurateur d'une
ère de paix (1 R **5,**5 cf. *supra*).

⁵ Ils feront paître la terre ᵃ d'Assur avec l'épée
et la terre de Nimrod avec le poignard ᵇ.

5*a.* G omet «la terre de» ce qui régularise le mètre 3+3. Cette insertion a sans doute
été provoquée par l'analogie avec le stique suivant.   *b.* «le poignard», en lisant
bapplihah (cf. Ps **55**,*22*), en parallèle avec «épée». TM : *biphtahêhā* «dans ses portes»;
G : «dans ses fossés»; Syr «dans sa colère».

Comment expliquer alors le ton guerrier et revanchard de la
suite de l'oracle (**5**,*4b-5*) qui contraste de façon aussi brutale
avec le tableau lumineux de la paix messianique? Nous avons
reconnu là un oracle primitivement indépendant. K. J. Cathcart
(«Micah **5**,*4-5* and semitics Incantations», *Biblica* 59 [1978], 38-48)
a pu éclairer le genre littéraire de ce morceau passablement
énigmatique : nous serions en présence d'une formule incantatoire,
à rapprocher des rites d'exsécration fondés sur une certaine conception magique de la parole. Par ce moyen, celui qui prononce la
formule s'efforce d'avoir prise sur l'événement à venir. La formule
«sept pasteurs / huit chefs d'hommes» rappelle le mashal numérique
d'Am **1**,*3-13* (cf. Jb **5**,*19*; **40**,*5*; Pr **6**,*16*; Sir **23**,*16*; **25**,*1* s.*7*; **26**,*28*;
50,*29*), où cette séquence de chiffres en progression pourrait signifier
un nombre considérable. Mais ce procédé rhétorique se retrouve aussi,
et précisément sous la forme 7/8 dans des textes phéniciens,
araméens, ougaritiques (voir aussi Qoh **11**,*2* qui recommande de se
protéger du malheur en partageant avec 7/8 personnes). Ainsi, par
cette formule incantatoire, en promettant de dresser «7 pasteurs,
8 chefs d'homme qui feront paître l'Assyrie avec l'épée et le
poignard», Israël renvoie sur l'Assyrie elle-même le menace que celle-
ci faisait peser sur son existence. Cette déclaration implique que ce
pays représentait une puissance dangereuse et nous ramène donc au
vIIIᵉ siècle av. J.-C. Selon Gn **10**,*10* (tradition J? cf. 1 Ch **1**,*10*), le
pays de Nimrod coïncide avec le pays de Shinear, la Babylonie, mais
le texte précise que de ce pays sortit Assur. Il semble que l'auteur
biblique voulait signifier par là que l'empire assyrien avait pris la
relève du royaume babylonien. En plaçant Nimrod, personnage
représentant la Babylonie, après Assur, Mi **5**,*4* pourrait insinuer une
subordination du premier par rapport au second, ce qui nous ramène
encore au vIIIᵉ siècle où Babylone était vassal de l'Assyrie. D'ailleurs
le terme «chef» se trouve dans les textes assyriens relatifs à la
campagne de 720 av. J.-C. en Syro-Palestine.
Actuellement, ce morceau est intégré à l'ensemble de l'oracle
messianique (**5**,*1* ss), au moyen de sutures qui ont laissé des traces

repérables (cf. *supra*). Quelles sont donc les raisons qui ont conduit le rédacteur à insérer cet oracle dans sa synthèse, jusqu'à prendre le risque d'une formulation lourde et embarrassée ? Il est clair que, par cette intégration, le Messie couvre de sa haute autorité l'initiative de la collectivité anonyme (Israël ?), qui s'exprime dans cette incantation. Il assume en somme leurs projets. Le contexte politique a sans doute changé par rapport à l'oracle initial. Le peuple de Dieu se sent probablement gravement menacé. En tout cas, nous avons maintes fois relevé le souci constant du rédacteur d'associer d'une manière ou d'une autre la communauté au règne messianique. Ses additions en **4,**4 ; **4,**8 ; **5,**2.4b-5 vont toutes dans ce sens. A-t-il voulu corriger ce qu'avait de trop centré sur le Messie l'oracle primitif de **5,**1.3 ? Jr **23,**4 ss pourrait fournir le moyen de percevoir le cheminement de la réflexion qui a abouti à cette intégration : en opposition aux mauvais pasteurs, infidèles à leur mission, Dieu promet de «susciter» (même terme et même forme verbale qu'en Mi **5,**4) des bergers qui s'emploieront à «faire paître» le reste du troupeau. L'oracle jérémien ajoute aussitôt que YHWH «suscitera» à David un germe juste, le Messie, défenseur du droit et de la justice, source de paix et de sécurité. Cette association — sans doute rédactionnelle en Jérémie aussi — a pu constituer le modèle qui a servi à l'intégration de Mi **5,**4-5. Est-ce l'œuvre d'une même école éditrice ? En tout cas cette association apporte à l'idéal de la paix universelle des nuances significatives, un ton plus combatif. On retrouvera la même dualité de perspectives dans la juxtaposition des versets qui suivent (**5,**6-7).

Peut-on dater ces divers niveaux du texte ? La forme littéraire de l'oracle de **5,**1.3, très ancienne, n'est de nouveau utilisée, après une longue désaffection, semble-t-il, que par le Second-Isaïe (Is **41,**8). De plus, l'oracle ne s'adresse plus à une tribu, mais à une cité, ce qui laisse supposer que la tribu n'existait plus comme élément proprement structurant de la communauté. Surtout, sa formulation elliptique s'explique par son caractère anthologique. Cette dépendance de textes-sources, comme Jr **30,**21 par exemple, suggère une rédaction exilique ou postexilique. On peut penser au contexte de l'histoire de Zorobabel, ce descendant de David qui canalisa un moment l'espérance d'un renouveau de la dynastie davidique à l'époque du retour d'exil.

La composition d'ensemble d'**5,**1-5 lui est donc nécessairement postérieure. On peut, avec quelque vraisemblance envisager le vᵉ siècle. Dans ces conditions, la désignation de l'Assyrie a perdu sa connotation politique, puisque ce royaume et cet empire se sont effondrés au viiᵉ siècle av. J.-C. sous les coups de l'empire néo-

Il délivrera d'Assur,
pour le cas où il entrerait sur notre terre,
où il foulerait notre territoire.

[6] Il sera, le reste de Jacob[a],
au milieu des peuples nombreux,
comme une rosée venant[b] de YHWH,
comme une ondée[c] sur l'herbe,
qui n'attend rien de l'homme
et ne compte pas sur les fils d'homme[d].

6*a*. G et Syr ajoutent «parmi toutes les nations», à l'analogie du v 7*a* (TM). Mais dans les deux cas, il faut l'omettre en raison de son caractère pléonastique et du fait qu'il brise le rythme 3+3 qui caractérise tout ce morceau avec une régularité remarquable.   *b*. G «tombant» explicite la préposition *m'l* (venant de) du TM. *c*. TM : *rbybym*, pluriel : les «gouttes» (de pluie ou de rosée), d'où le verbe au singulier. G a une leçon difficilement explicable : «comme des agneaux sur le chiendent». *d*. Leçon encore discordante de G : «pour que personne ne soit rassemblé et qu'il n'y ait personne à se placer parmi les fils d'homme».

babylonien. Assur est alors devenu un nom de code, une désignation symbolique. Ce conquérant avait laissé le souvenir d'une oppression tellement cruelle qu'on l'appliqua, après l'exil, aux grandes puissances mondiales qui tour à tour contrôlèrent la communauté juive (Esd **6**,*22* ; Za **10**,*10* s. ; Mi **7**,*12* ; Nah **3**,*18* ; Is **10**,*12.24*).

6. — *Le reste de Jacob parmi les nations* (**5**,*6-7*)

Placé en parallèle avec la péricope de **4**,*6-7* dans la structure par enveloppement concentrique des chapitres **4** et **5** (cf. *infra*, p. 115 s.), ce morceau reprend le thème du reste, mais cette fois, pour définir sa mission eschatologique au milieu des peuples.

Il se compose de deux strophes qui se correspondent jusque dans le détail. Chacune d'entre elles comprend trois vers : le premier, identique dans les deux éléments, commence par *whyh* «il sera (il arrivera)» qui indique le début d'une péricope ou l'étape d'un développement ; il se poursuit en situant «le reste de Jacob au milieu des peuples». Le second vers formule un double terme de comparaison. Le troisième, qui s'ouvre par un pronom relatif précise la portée de cette comparaison. On notera l'extrême régularité du mètre (3 + 3) et, dans l'hébreu, la récurrence régulière des mêmes consonnes en début de stique : *w*, *b*, *k*, '.

Comment définir la signification d'un tel parallélisme ? S'agit-il, comme on l'a souvent affirmé, d'un contraste voulu, le reste fonctionnant comme source de bénédiction au v 6 et de malédiction au v 7 ? En fait, le dernier vers de chaque strophe précise la portée de la comparaison. Or celle-ci diffère dans l'un et l'autre cas. Certes, ici comme là, Israël prend-il place «au milieu des peuples nombreux», et il convient de donner à cette expression une portée inclusive (Wolff 128) : au milieu de la foule des peuples, et non pas exclusive : au milieu de nombreux peuples à l'exclusion de certains autres. Toutefois, à la différence de la première, la seconde strophe définit le rôle actif du «reste» par rapport aux nations (v 7c). L'Ancien Testament utilise fréquemment l'image du lion, pour mettre en scène une puissance redoutable et cruelle (Is **31,** *4* ; Os **11,** *10* ...) ; le texte l'applique ici au reste de Jacob, noyau du peuple eschatologique. Renversement significatif par rapport à la tradition qui présentait naguère Israël comme une brebis égarée, pourchassée par des lions aussi féroces qu'Assur (Is **5,** *29*) ou Babel (Jr **50,** *17*). On soupçonne ici une pointe revancharde : cette brebis inoffensive se mue soudain en un lion terrible à ses ennemis, et personne ne pourra lui arracher sa proie. Ainsi se réalisera, aux temps eschatologiques, la promesse jadis formulée à l'intention des «tribus de Jacob» (Nb **23,** *24* ; **24,** *8-9*).

La première strophe, elle, précise plutôt la relation du «reste» à YHWH, plutôt qu'aux nations. Elle présente en effet, ce reste comme «une rosée qui vient de YHWH» (v *6a*) et qui n'a rien à attendre des hommes (v *6c*). Son origine est donc au moins aussi mystérieuse que la rosée qui descend du ciel (Jb **38,** *18*) et toute son existence sera entre les mains du Seigneur en qui il devra mettre toute sa confiance (Jr **14,** *22*).

Si telle est l'interprétation la plus probable de l'oracle primitif, il n'est pas cependant exclu que son insertion dans la synthèse de Mi **4-5** qui se préoccupe fortement de l'action d'Israël à l'égard des peuples aux temps eschatologiques (**4,** *1-4* ; **4,** *9-13* ; **5,** *3-5*) ait quelque peu infléchi la portée initiale de la comparaison. En effet le symbolisme traditionnel de la rosée dans l'Ancien Testament va plutôt dans le sens d'une représentation des bénédictions divines. Sur une terre, aussi peu arrosée de pluie que la Palestine, surtout en été, la rosée permettait la fécondité du sol et la croissance des plantes. Aussi l'estimait-on comme un véritable don de Dieu et elle devint très vite le symbole des grâces divines (Ps **133,** *3* cf. Gn **27,** *27-29* ; Is **26,** *19* ; Ex **16,** *13-14* : elle enveloppe la manne ; Dt **32,** *1-2* : elle symbolise la parole prophétique ; Is **18,** *14* ; **45,** *8* ; Ps **19,** *12*). Or, à l'époque du retour d'exil, Zacharie conçoit le reste comme une bénédiction parmi

⁷ Il sera, le reste de Jacob ᵃ,
  au milieu des peuples nombreux,
  comme un lion parmi les bêtes de la forêt,
  comme un lionceau parmi les troupeaux de moutons,
  qui, s'il passe et piétine,
  alors déchire ᵇ, et personne pour en délivrer.

⁸ Que ta main se lève contre tes adversaires
  et tous tes ennemis seront supprimés ᵃ.

7a. TM et versions ajoutent «parmi les nations» cf. note 6a.   b. Où placer le waw d'apodose? Avant «piétine»? Avant «déchire»? Avant «personne»? Le rythme (3+3) favorise la césure retenue.

8a. Garder le jussif *tārom* «qu'elle s'élève» de préférence au futur des versions «se lèvera» qui, il est vrai, peut se comprendre comme une expression de confiance, dans le prolongement des v 6-7. Mais il s'agit plutôt d'un emprunt liturgique où le jussif est de mise.

les nations (Za **8,**_13_). A vrai dire, Mi **5,**_6_ va plus loin, si l'on fait jouer le contraste avec le v 7 : non seulement, le reste «manifeste» par sa seule présence, la bénédiction divine «parmi» les nations, mais deviendrait source de bénédictions «pour» les nations. Le texte ne serait pas alors sans affinité avec le thème de Sion, médiatrice de la Parole divine au bénéfice «de peuples nombreux» (Mi **4,**_1-4_).

Cette double perspective antithétique d'un Israël, bénédiction (v 6) et malédiction (v 7) pour les peuples, se retrouve en d'autres textes postexiliques (Za **2,**_10-17_ ; Is **25,**_6-11_). D'ailleurs, dans la synthèse de Mi **4-5** elle-même, la correspondance entre la montée des peuples à Jérusalem (Mi **4,**_1-4_), et leur purification ou leur châtiment en **5,**_9-14_ instaurent une opposition analogue. Le v **5,**_14_ donne la clef de l'énigme : s'il accorde aux peuples sa Parole et sa loi (Mi **4,**_1-4_), en revanche YHWH punira les nations «qui n'auront pas obéi».

La désignation un peu étrange, en tout cas tout à fait inhabituelle (elle ne se retrouve dans toute la Bible qu'en Is **10,**_20_), de «reste de *Jacob*» invite à reconnaître ici la poursuite du midrash sur le personnage de Jacob, déjà amorcé en **2,**_12-13_ et **4,**_6-7_, qui, dans la disposition actuelle du texte, se trouve en parallélisme d'inclusion avec **5,**_6-7_. Or ici, le v 7 voit s'accomplir dans le «reste de Jacob» la bénédiction que le patriarche Jacob avait prononcée sur Juda (Gn **49,**_8-12_) : ainsi le reste de Jacob devient-il le jeune *lion* qui *déchire* et à qui obéissent les *peuples*. Si, comme le pensent certains commentateurs, Gn **49,**_10_ se réfère à David, roi judéen qui dominera les nations, on comprend que cet oracle de Mi **5**,*6-7* ait été rattaché à la prophétie messianique de **5**,*1-3* : autour du nouveau David, issu de Bethléem de Juda, se rassemble le reste de Jacob, noyau du peuple messianique.

Des attaches littéraires analogues relient Mi **5**,*6* à la bénédiction accordée à Jacob par Isaac (Gn **27**,*27-29*). Le patriarche y reçoit en partage «la rosée du ciel», et l'assurance que «les peuples se prosterneront devant lui». Interprétant dans un sens spirituel ce don de la rosée, l'auteur de Mi **5**,*6* voit cette bénédiction reposer sur le reste de Jacob, héritier et descendance lointaine de l'illustre ancêtre, et, de là, rejaillir sur les nations qui l'entourent. En parallélisme strict, ces deux versets se réfèrent donc à deux bénédictions de Jacob, l'une qu'il reçoit, l'autre qu'il donne. Cette convergence renforce l'hypothèse d'une exégèse intentionnelle d'oracles anciens, se rattachant à la haute figure du patriarche.

Cette disposition du reste «au milieu des peuples» reflète-t-elle la situation de diaspora? Le contexte général du chapitre inviterait plutôt à l'identifier avec la communauté de Jérusalem centre du monde (cf. **4**,*1-4*). La référence aux promesses, formulées à l'adresse de Juda (cf. *supra*), favorise aussi cette interprétation. Ce caractère anthologique, le vocabulaire du passage (pour le «reste» comme terme technique cf. Ag **1**,*12.14* ; **2**,*2* ; Za **8**,*6.11* s. ; So **3**,*11-13*), l'attention portée sur le thème théologique du reste et les perspectives triomphales d'un écrasement des peuples font situer ce texte à l'époque du retour d'exil. La parenté de ce passage avec des oracles tels que Za **9**,*11-17* ; **10**,*3-12* confirme cette datation.

7. — *La purification eschatologique des nations* (**5**,*8-14*)

La description du châtiment des peuples païens, annoncé en **5**,*7*, se prolonge dans une nouvelle section (**5**,*8-14*). Toutefois, la liaison ne se fait pas sans heurt, car le joint verbal *whyh* «il sera, il arrivera» qui scande la seconde moitié de ce chapitre **5** (v 4.6.7.9 cf. aussi **4**,*1*) et qui introduit normalement une nouvelle étape dans le cheminement de la pensée, se trouve au v 9 et non au v 8. De plus, le style même de ce v 8, supplication adressée à Dieu, ne s'accorde pas pleinement avec les v 9-13, oracle mis dans la bouche de Dieu (cf. v 9*a*). Celui-ci, et non plus Israël, prend, dans ces v 9-13, l'initiative du châtiment. Que faire alors du v 8? Le parallélisme strict des v 6 et 7 dissuade de le rattacher à ce dernier oracle ; au reste, la forme déprécative consonne

⁹ Et il arrivera[a], en ce jour-là, oracle de YHWH,
que je supprimerai les chevaux du milieu de toi
et je ferai disparaître tes chars.

¹⁰ Je supprimerai les villes de ton pays
et je démolirai toutes tes forteresses.

9a. Litt. «et il sera» *whyh* cf. **4,**1; **5,**4.6.7.

mal avec la forme affirmative qui caractérise cette dernière section et
«les peuples nombreux» deviennent au v 8 «des adversaires» ou «des
ennemis». Par ailleurs, le verbe de **5,**8 «ils seront supprimés» apparaît
comme un écho des «je supprimerai», qui reviennent comme un
refrain dans les v 9-12 : il s'agit donc d'un verset rédactionnel de
transition. De son côté le v 14, d'allure beaucoup plus prosaïque que
le développement qui précède, ne s'adresse plus aux nations, puisque
YHWH parle d'elles à la troisième personne. Ces deux v 8 et 14
représentent sans doute les traces d'une relecture encadrant les v 9-
13, pour en modifier le sens.

En effet, si l'on fait abstraction de ces deux notations qui
s'appellent l'une l'autre grâce au thème inclusif des nations, les v 9-13
constituent une unité fortement charpentée et introduite par le joint
verbal *whyh*, «et il arrivera», suivi de la formule classique d'ouverture
«En ce jour-là, oracle de YHWH». Cet oracle se développe ensuite en
une série de distiques rigoureusement parallèles dont chacun
commence par «je supprimerai» et dont la thématique se développe
avec cohérence. Il est fort probable que l'oracle primitif visait le
peuple de Dieu ou Jérusalem, interpellée à la seconde personne du
singulier. De telles séries se retrouvent fréquemment à l'époque de la
prophétie classique préexilique, et rejoignent le thème souvent
exploité de la purification de Sion (Os **3,**4 ; **8,**14 ; **10,**13 ; **14,**4 ;
Is **30,**15-16 ; **31,**1-3). Mais le rapprochement le plus saisissant avec ce
passage de Michée se fait avec la séquence d'Is **2,**6-8, où l'on retrouve
non seulement les mêmes thèmes mais aussi le même vocabulaire :
«Le pays est plein de devins... de magiciens... de chevaux et de chars
sans nombre... d'idoles... et ils se prosternent devant l'ouvrage de
leurs mains». En ce qui concerne la forme : série de phrases brèves
mises en parallèle, les deux textes présentent aussi une analogie
saisissante.

Or, constatation curieuse, Is **2,**6-8 est précédé d'Is **2,**1-4 qui n'est autre que la reproduction de Mi **4,** *1-4*, précisément en parallélisme d'inclusion avec Mi **5,** *8-14*, dans la structure d'ensemble de Mi **4** et **5**. On dirait que ces textes s'appellent nécessairement l'un l'autre. Bien plus, les v 8 et 14 qui sont apparus comme des relectures tardives des v 9-13, s'inspirent du contexte immédiat d'Is **2**, à savoir d'Is **1,** *24-25*. On notera les contacts suivants : le parallélisme «adversaires - ennemis» (Is **1,** *24* ; Mi **5,** *8*) ; le verbe «tirer vengeance» (Is **1,** *24* ; Mi **5,** *14*) ; l'expression «la main levée sur les ennemis» (Is **1,** *25* ; Mi **5,** *8*). Or, il y a tout lieu de croire à l'intervention d'un rédacteur en Is **1,** *24b* (*La Formation*... p. 259, n. 134). Tout cela nous conduit à formuler l'hypothèse d'un travail d'éditeur. On a depuis longtemps relevé la couleur liturgique des deux v 8 et 14. Peut-être faut-il voir ici à l'œuvre l'école des prêtres-scribes de Jérusalem qui auraient édité les livres d'Isaïe et de Michée et qui seraient responsables de la disposition actuelle des chapitres **4** et **5**. Cette école aurait intégré le vieil oracle, sans doute préexilique, de **5,** *9-13*, dans l'ensemble du morceau, comme elle l'a fait pour les v **5,** *4-5*. Encadrant l'oracle primitif par les v 8 et 14, elle détourne sur les nations la menace qui initialement concernait Israël. Ainsi s'expliquerait le passage du singulier au pluriel. On relèvera semblable relecture en So **3,** *8*.

Cette réinterprétation est riche d'enseignement : aux temps eschatologiques, les exigences imposées au peuple de Dieu sont maintenant requises des nations. Elles forment l'exacte contrepartie de l'oracle parallèle (Mi **4,** *1-4*) où les nations, élevées au même rang qu'Israël, participent au rite processionnel du Temple, au culte liturgique, et reçoivent en partage la loi et la parole de YHWH. Mais partager l'intimité de YHWH implique qu'on refuse de faire dépendre sa vie et sa sécurité des moyens humains, de mettre sa confiance dans les «chars, les chevaux et les forteresses». Za **9,** *9* s. et Ag **2,** *22* promettent, pour les derniers temps, semblable purification des nations. Ce qui a facilité l'intégration de cet oracle à la vision de salut des chapitres **4** et **5**, c'est qu'ils annonçaient primitivement non pas l'anéantissement de Sion mais sa purification. Ainsi en va-t-il désormais des peuples. Seuls, ceux qui n'auront pas obéi, qui ne se seront pas soumis à la loi de YHWH seront châtiés inexorablement (**5,** *14*). De même, cette communion avec Dieu exige qu'à l'instar d'Israël (Dt **18,** *10* cf. Ex **22,** *17* ; Lv **19,** *26*), les peuples païens renoncent à s'appuyer sur des réalités ultra-terrestres autres que la Personne de YHWH, qu'il s'agisse de sorcelleries ou de toute autre pratique magique, ou encore de dieux étrangers représentés sous forme d'idoles, tels les pieux sacrés, symboles de la divinité

¹¹ Je supprimerai de ta main ᵃ tes sorcelleries ;
   de magiciens, il n'y en aura plus chez toi.

¹² Je supprimerai tes statues
   et tes stèles ᵃ du milieu de toi
   et tu ne te prosterneras plus devant l'œuvre ᵇ de tes mains.

¹³ J'arracherai tes pieux sacrés du milieu de toi
   et j'exterminerai tes villes ᵃ.

¹⁴ Avec colère, avec fureur, je tirerai vengeance des nations qui n'auront
                                                          pas écouté ᵃ.

11a. G «de tes mains».
12a. Au lieu de «tes stèles» *mṣbwtyk*, Syr a lu *mzbḥwtyk* «tes autels»; leçon
facilitante.   b. G et Vg «les œuvres».
13a. La mention des «villes» pourtant attestée par TM, G et Vg n'est guère en
situation : on les a déjà nommées au v 10 et, d'autre part, elles fournissent un bien
mauvais parallèle à «pieux sacrés». Mais, des nombreuses corrections textuelles
proposées, aucune n'est vraiment satisfaisante.
14a. ou «obéi». Le rédacteur pouvait jouer sur les deux sens du verbe *šm'*, en faisant
inclusion avec Mi **1,2** (cf. aussi Mi **6,1**!).

cananéenne de fécondité. Bien plus, dans cette condamnation
semblent englobées toutes les images et statues représentant YHWH
lui-même (Ex **20,4**). Aux derniers temps, la confiance en la seule
parole de Dieu représente la condition fondamentale d'accès aux
biens messianiques.
   Si les v 9-13 s'adressaient primitivement à Israël, ils reflètent alors
la problématique prophétique du vIIIᵉ siècle. La polémique vigoureuse contre les chevaux, symbole des garanties humaines de sécurité,
qui détournent Israël de mettre sa confiance en Dieu seul, revient
souvent (Is **2,7**; **30,16**; **31,1**; Os **14,4**; Dt **17,26**; **20,1**). La même
contestation concerne aussi les villes fortes (Os **8,14**; **10,14**; Am **5,9**).
Tout comme Mi **5,9-13**, Is **2,6-8** et Os **14,4** dénoncent à la fois la
confiance mise dans les chars et les chevaux et le service des idoles
«œuvres de mains humaines». Dieu ou les chevaux : tel est le dilemme
pour la foi d'Israël. Celui-ci a malheureusement opté pour les
chevaux. Aussi Dieu retranche-t-il avec violence tout ce qui fait écran
entre lui et son peuple. Les v 11-13 s'attaquent à la sorcellerie, à la
magie et à la présence de certains objets cultuels : statues, stèles,
asherah c'est-à-dire sans doute arbres ou poteaux sacrés. Plutôt que
d'une adoption de la religion cananéenne, ces pratiques sont le signe
d'un culte syncrétiste qui s'adresse à YHWH lui-même. A Khirbet-el-
Qom en Juda à 10 km à l'est/sud-est de Lakish, on a retrouvé une

inscription hébraïque, datée du VIIIe s. av. J.-C. et formulée ainsi :
«Béni soit Uryahu par YHWH et par son ʿasherah ʾ» (cf. A. Lemaire,
RB 1977, p. 595-608, qui note du reste le caractère en partie
hypothétique de sa lecture). Au VIIIe s., l'asherah était donc associée
au culte de YHWH. Cette coutume était sans doute en usage dans les
sanctuaires locaux hors Jérusalem, que l'on pourrait identifier avec
les «villes» mentionnées en **5,**13 en parallèle avec les asherah (cf.
K. Jeppesen, *VT* 1984, p. 462-466). L'auteur dénoncerait avec force
ces objets et ces pratiques (cf. Dt **16,**21) ainsi que les sanctuaires qui
en usent, parce que, liés à des usages et des représentations d'origine
païenne, ils menacent la pureté de la foi Yahviste. Dans son ensemble,
le texte s'harmonise donc bien avec la théologie prophétique du
VIIIe s. Cependant, le style n'est pas michéen et les oracles reconnus
comme authentiques (Mi **1-3**) ne se préoccupent jamais de politiques
ou de moyens militaires.

L'encadrement des v 8 et 14 donne à ce morceau une tout autre
portée qui correspond bien aux objectifs théologiques du rédacteur :
la purification d'Israël s'applique aux nations et la suppression des
chars, des chevaux et des places fortes entrent parfaitement dans le
programme de désarmement eschatologique esquissé en Mi **4,**4 et **5,**4.
On retrouve semblable problématique chez les prophètes du retour
d'exil (Ag **2,**22 et Za **9,**9 s.).

Conclusion : la synthèse rédactionnelle de Mi **4-5**

L'analyse précédente a mis en évidence, outre une série de
retouches ponctuelles, la présence de plusieurs versets de transition
(**4,**8 ; **5,**8). Par sa présentation de Jérusalem comme «Tour du
troupeau», Mi **4,**8 se situe dans le sillage des versets **4,**6-7 qui
annoncent le rassemblement des brebis dispersées et leur retour au
bercail de Sion. Mais la mention de «la Fille de Sion» amorce déjà le
développement des v 9-14. Surtout, construit sur le modèle de **5,**1, il
entend bien établir un parallèle entre Jérusalem et Bethléem, deux
cités en rapport avec David. Ainsi s'esquisse une correspondance
thématique et littéraire entre **4,**8 ss et **5,**1 ss.

En prolongeant ce jeu du parallélisme, on s'aperçoit que la
section **4,**6-7 correspond à **5,**6-7 : toutes les deux sont centrées sur le
thème du «reste». La première péricope évoque le rassemblement des
Israélites dispersés, leur transformation en un «reste» qualitatif (**4,**7)
et leur retour à Sion ; la seconde s'intéresse surtout à la mission de ce

«reste» (c'est le premier mot du morceau) à l'égard des peuples. A l'intérieur de cette correspondance thématique et littéraire, il y a donc progression dans la pensée.

Il en va de même pour les deux oracles situés aux extrémités (**4,** *1-5* et **5,** *9-14*), qui commencent tous les deux par *wᵉhāyāh* «Et il sera, et il arrivera». Cette remarque est d'autant plus suggestive que celui de **5,** *9* pourrait être une addition, placée intentionnellement par le rédacteur pour souligner la correspondance des deux oracles. En effet, la formule «Et il arrivera en ce jour-là» est très rare. D'ordinaire, les oracles portant sur l'avenir commencent simplement par «En ce jour-là». Thématiquement, les deux morceaux traitent du sort des nations aux temps eschatologiques, mais sous forme d'antithèse : au tableau de l'adoration universelle du Dieu unique (**4,** *1-2*) s'oppose la destruction des idoles et du culte impur (**5,** *12-13*). A la communication de la Parole et de la Loi (Mi **4,** *2b*) ferait pendant l'élimination des magiciens et des devins, qui rendent de faux oracles. En revanche, les deux passages se rejoignent en ce qu'ils annoncent la transformation des armes de guerre en instruments agricoles (**4,** *3*) ou la disparition des chars, des chevaux et des cités fortifiées (**5,** *10-11*). Bref, le premier trace un tableau idyllique des nations converties et adoratrices de YHWH. Le second prescrit les exigences qu'implique cette conversion des cœurs, et s'achève avec une menace sur les nations qui n'auront pas obéi.

On peut alors tenter de schématiser les résultats de la façon suivante :

A. Aux temps eschatologiques : pèlerinage des *nations* à la montagne de Sion et paix universelle (**4,** *1-5*).

   B. Le rassemblement du *reste* et sa transformation en une nation puissante (**4,** *6-7*).

      C. A la Jérusalem dans l'épreuve sont promis le retour de la souveraineté davidique, la délivrance et la victoire sur les nations (**4,** *8-14*) :

         . Adresse à Jérusalem (**4,** *8*).
         . Déroulement du combat eschatologique (**4,** *9-14*).

      C'. A la Bethléem du nouveau David est annoncée la naissance du Messie et l'établissement de l'ère messianique (**5,** *1-5*) :

         . Adresse à Bethléem (**5,** *1*).
         . Établissement de l'ère messianique (**5,** *2-5*).

   B'. La suprématie et la puissance du *reste* aux temps messianiques (**5,** *6-7* ; **5,** *8* verset de transition).

A'. Aux temps eschatologiques : purification des *nations* ; destruction des armes et des cultes idolâtres. Anéantissement des peuples rebelles (**5,***9-14*).
(Pour plus de détails cf. *La Formation*... p. 276-282.)

Dans ce cadre d'ensemble, des correspondances de détails prennent tout leur sens. La main du rédacteur ne se limite pas à l'établissement d'une structure par enveloppement concentrique. De petites retouches ponctuelles laissent déjà transparaître son propos théologique. L'addition de l'adjectif «nombreux» en **4,***3a* a pour effet d'harmoniser ce verset avec Mi **4,***13* : les «peuples nombreux», engagés dans le combat eschatologique, sont appelés à se convertir et à se rendre à Sion non plus pour l'anéantir mais pour y servir le Dieu unique ! L'ajout «jusque dans le lointain» (**4,***3*) tend à montrer que la royauté eschatologique de YHWH à Sion recouvre celle du Messie qui s'étend jusqu'aux extrémités de la terre (**5,***3*). L'insertion du v **4,***4*, absent lui aussi d'Is **2**, donne à l'oracle une certaine coloration israélite et salomonienne, qui renvoie discrètement à **5,***3* où le même rédacteur a ajouté *wyšbw* «ils s'établiront» emprunté à **4,***4* «ils demeureront». Dans un développement tout entier consacré au règne de YHWH à Sion (cf. notamment **4,***7*), le v **4,***8* fait allusion de façon voilée à la *souveraineté* davidique qui doit revenir à la Fille de Jérusalem ; il prépare ainsi la prophétie messianique relative au *souverain* de **5,***1* ss, nouveau David ... En même temps, par ce thème de la Fille de Sion, mentionnée encore dans les v **4,***9-14*, ce même v **4,***8* situe l'épreuve à l'intérieur du dessein de Dieu : on sait que cette Fille de Sion qui doit souffrir (**4,***9-14*) retrouvera son intégrité première. Ainsi le rédacteur nous livre-t-il là une clé de lecture qui pourrait être décisive : c'est à la lumière de l'avenir glorieux qu'il convient de regarder la détresse présente. La même idée se dégage encore du contraste voulu entre le Juge humilié (**4,***14*) et le Messie triomphant (**5,***1* ss). De même encore, en insérant le v 2 au sein même de la prophétie relative au Messie (**5,***1.3*), au risque d'en perturber la cohérence, il entend bien articuler étroitement les deux temps de la crise eschatologique inévitable et de l'avènement du prince messianique : la Fille de Sion, la *yôlédah*, là «femme qui enfante» (**4,***9-10* ; **5,***2*) engendrera le Messie attendu et ses épreuves ne sont rien d'autre que les douleurs de l'enfantement.

Par petites touches discrètes, le rédacteur nous dévoile ainsi peu à peu son propos théologique. En fait, il tente de brosser une vaste synthèse eschatologico-messianique qui articule étroitement les deux lignes de l'espérance d'Israël : la ligne «descendante» du Dieu qui vient établir son règne (**4,***7*), et la ligne «ascendante» du messianisme individuel (**5,***1* ss). On notera que les oracles du chapitre **4** ne

contiennent pas de références explicites au Messie : YHWH règne
sans intermédiaire ; seules quelques allusions discrètes, qui relèvent
toutes de la main du rédacteur, amorcent les perspectives messianiques. En revanche, celles-ci dominent le chapitre **5,** *1-5*, et les versets
qui suivent (**5,** *6-14*) restent encore dans leur rayonnement. Cet effort
de synthèse est rare dans la Bible ; malgré ses limites et son caractère
quelque peu artificiel, il valait d'être souligné.

Il ne s'agit pas là d'ailleurs d'une œuvre de théologien en chambre.
Cette composition se veut parole de Dieu, parole prophétique, au
même titre que les oracles d'origines diverses qu'il intègre. Elle se
veut parole pour temps d'épreuve, une épreuve qui prend sens à la
lumière de cette vision grandiose. Nous avons relevé, au cours du
commentaire, une sorte de dialectique temporelle. D'emblée, le regard
se porte sur l'avenir : «Et il sera...», tel est le premier mot du
développement (**4,** *1*). Cet avenir sera glorieux aussi bien pour les
nations que pour Jérusalem, lieu de présence divine et centre du
monde (**4,** *1-4*), où les Israélites dispersés ont été ramenés par le
Seigneur lui-même (**4,** *6-7*). Ainsi YHWH établira-t-il définitivement
son règne universel (**4,** *7-8*). En contraste violent, surgit soudain une
série de «maintenant» (**4,** *9.11.14*) qui pourraient bien coïncider avec le
maintenant du rédacteur lui-même. C'est le «maintenant» de la Fille
de Sion, condamnée à l'exil, en butte à l'hostilité des nations,
humiliée en son chef. Et pourtant, au sein même de l'épreuve retentit
l'annonce de la délivrance et du triomphe qui culmine dans cette
opposition saisissante entre l'humiliation du «Juge» souffleté (**4,** *14*) et
l'avènement d'un Messie triomphant (**5,** *1*), point de départ d'un
monde nouveau. Car à partir de ce face-à-face, le regard se porte de
nouveau vers les perspectives d'un avenir glorieux (**5,** *1-14*). Ce
contraste constitue donc le pivot de toute la synthèse.

Ainsi resituée au cœur d'une vision de gloire, la détresse présente
prend sens. A sa lumière, cette épreuve apparaît comme le signe
avant-coureur des temps eschatologiques. Avec la dure réalité vécue
présentement, le grand combat eschatologique est déjà commencé. Le
temps n'est plus au désespoir mais à l'espérance. «Quand vous verrez
ces choses sachez que le règne de Dieu est proche...» (Lc **21,** *31*).

Puisque cette composition intègre des éléments qui datent du début
du retour d'exil (ainsi **4,** *1-4*), elle doit être postérieure à cet
événement. Malheureusement, rien ne permet d'avancer une date
précise. Nous ne savons pas grand-chose des crises qui ont secoué la
communauté judéenne dans les siècles qui ont suivi la captivité
babylonienne. Les préoccupations théologiques, voire la structure de
cette synthèse ne sont pas sans analogie avec Za **14**. Mais la date de ce
texte reste elle-même sujette à discussion. En bref, la composition de
Mi **4-5** pourrait prendre place dans le courant du vᵉ ou du ivᵉ siècle.

6

Le chapitre 6 comprend deux unités originellement distinctes. Le v **6,**_1_ constitue le début d'un oracle qui s'achève au v 8, puisque, au v 9, rebondit une nouvelle interpellation avec une thématique clairement différente. On est ainsi conduit à isoler deux morceaux indépendants : **6,**_1-8_ et **6,**_9-16_.

1. — YHWH ENTRE EN PROCÈS AVEC SON PEUPLE (**6,**_1-8_)

Le v 1, un complément rédactionnel.

Cette première unité s'avère, elle aussi, composite, car elle contient une double introduction : la première (v 1) cite au tribunal de Dieu «les montagnes» et les «collines» comme accusées, la seconde (v 2) les «montagnes» et les «fondements de la terre» comme témoins. Et le jeu des relations est inversé : en **6,**_1_, le locuteur s'adresse au peuple pour lui annoncer qu'il a reçu mission d'ouvrir un procès contre les montagnes ... ; en **6,**_2_, il convoque les montagnes au procès de YHWH contre son peuple. Ce v 2 introduit donc logiquement le débat qui s'ouvre aux v 3-5 (cf. Is **1,**_2_ ; Ps **50**). Le v **6,**_1_ s'apparente à l'élargissement universaliste de Mi **1,**_2_ (cf. aussi So **1,**_2_) : ils font tous les deux partie du cadre rédactionnel du livre.

La structure littéraire.

La section des v 2-5 s'ouvre sur une invitation solennelle du prophète (qui parle de YHWH à la troisième personne) à écouter la parole de Dieu (v 2). Les v 3-5 mettent en scène YHWH lui-même, qui prononce un plaidoyer en deux strophes (v 3-4 et v 5), introduites chacune par le vocatif «mon peuple». La première débute par une question d'allure très générale (v 3), à laquelle le v 4 apporte des précisions concrètes. Le jeu de mots entre *hèle'ètìka* «t'ai-je fatigué» (fin du v 3) et *hè'èlìtìka* «je t'ai fait monter» (début du v 4) soude fortement les deux étapes de la démonstration. La seconde strophe (v 5) poursuit l'énumération des bienfaits divins, en les introduisant par «souviens-toi», terme théologique très dense, qui commande les trois événements rapportés. Elle s'achève sur une proposition finale qui définit ce que devrait être le comportement d'Israël : une reconnaissance de la justice (salvifique) de Dieu.

Israël prend alors la parole (v 6-7), en une série de quatre distiques, qui commencent tous par un pronom interrogatif et s'enchaînent selon un crescendo saisissant. A quoi YHWH répond par une proclamation solennelle : le v 8*a*, au rythme déjà plus ample, rappelle que dans le passé Dieu avait déja formulé ses exigences. Il les reprécise au v 8*b* en un tristique particulièrement bien ciselé, où la tradition exégétique a reconnu une véritable perle de la Bible Hébraïque.

La forme littéraire.

La péricope se présente donc comme un dialogue entre Dieu et son peuple. Il est plus difficile de préciser la nature de cet échange. J. Boecker a bien mis en lumière le caractère de plaidoirie, sous forme de protestation d'innocence, qu'offre le discours de YHWH aux v 3-5. Les questions rhétoriques du v 3 ont toutes l'allure d'une plaidoirie de la défense qui reprend les propres paroles de l'adversaire en sommant celui-ci de justifier ses accusations : «témoigne contre moi». YHWH plaide non coupable et argumente en rappelant tout ce qu'il a fait pour son peuple. Cependant, le v 2 avertit que c'est Dieu qui a pris l'initiative d'intenter un procès. Il se fait donc lui-même accusateur et non pas simplement plaignant. Il s'agit donc d'un discours original qui fait éclater les catégories de la procédure judiciaire habituelle.

Il en va de même des v 6-8 qui présentent d'étroites affinités avec les liturgies d'entrée au sanctuaire, appelées aussi «torah liturgique» (cf. Ps **15** ; **24,** *4-8* ; Is **33,** *14* ss ; Ez **18,** *5* s.). Sans doute, il s'agit bien de «se présenter devant YHWH» (v 6) et le schème questions-réponses reproduit le mouvement même de ces liturgies : le fidèle interroge le prêtre ou le lévite sur les conditions d'accès au temple, et celui-ci répond en rappelant les exigences divines. Cependant, aux v. 6-7, le contenu des questions s'écarte de celles des liturgies d'entrée, en ce qu'elles portent sur la matière et le nombre des sacrifices à offrir. Ainsi, tout en présentant des ressemblances incontestables avec ce genre de torah liturgique, ces v 6-8 s'en démarquent sur des points importants. Du reste, la langue du v 8 n'est pas spécifiquement sacerdotale. Il semble donc qu'ici encore, le prophète ait modifié cette forme littéraire pour la mettre au service de ses propres objectifs.

S'agit-il de deux unités primitivement distinctes, réunies ensuite par un rédacteur (Mays, p. 138) ? En réalité, ces v 6-8 supposent un contexte antécédent : puisqu'il ne s'agit pas à proprement parler

d'une liturgie d'entrée, ils impliquent que l'on connaît le mécontente-
ment de Dieu. Or celui-ci n'est-il pas précisément exprimé aux v 3-5 ?
Inversement, le plaidoyer de YHWH, qui interpelle directement
Israël, appelle lui aussi une réaction de ce dernier, ce qu'offrent les
v 6-8. Les deux morceaux se complètent donc l'un l'autre et
constituent les deux composantes d'une unité originelle.

A quel modèle ce discours se réfère-t-il alors ? Selon Harvey, au *rib*
ou réquisitoire d'alliance, genre littéraire prophétique (Dt **32,** *1-25* ;
Is **1,** *2-3.10-20* ; Jr **2,** *4-13.29* ; Ps **50,** *4-23*) qui s'inspire du droit international, à l'instar du formulaire d'alliance qu'utilise par exemple le
Deutéronome et dont il constitue le pendant. Ce réquisitoire se
déploie selon le schéma suivant :

. Un prologue contenant notamment un appel à l'attention,
adressé au «ciel et à la terre».

. Un interrogatoire.

. Un réquisitoire, généralement historique rappelant les bienfaits
de la partie lésée à l'égard du partenaire d'alliance et incluant parfois
un refus explicite des compensations rituelles.

. La déclaration officielle de culpabilité.

. Un décret de condamnation ou un avertissement solennel.

Mi **6,** *1-8* contient la plupart des éléments de ce formulaire. Ainsi
s'expliquerait la présence, à première vue étrange, de l'appel à
témoins lancé au ciel et à la terre, divinisés dans les traités
internationaux, mais ici réduits à l'état de simples créatures. La
mention de ces éléments cosmiques tend à devenir alors une simple
formule de rhétorique. Par ailleurs, ce rapprochement rend compte du
fait que Dieu joue à la fois le rôle de plaignant, d'accusateur et de
juge. En effet, le suzerain lésé et rejeté par son vassal ne pouvait en
appeler à des instances supérieures qui n'existaient pas ; il engageait
la procédure convenable, et le réquisitoire prenait parfois l'allure
d'une véritable justification, rappelant en particulier les bienfaits du
suzerain trahi à l'égard de son partenaire d'alliance. Ainsi Mi **6,** *2-5*
représente-t-il une véritable plaidoirie de la défense. Enfin le dialogue
des v 6-8 soulignerait la vanité des compensations rituelles et le
formulaire s'achève sur un solennel avertissement.

Cependant, Mi **6,** *1-8* prend certaines libertés par rapport à ce
formulaire. Il manque, dans la bouche de Dieu, la déclaration
solennelle de culpabilité. Seul, l'aveu d'Israël au v 7 y fait
indirectement allusion «pour prix de ma révolte... pour mon propre
péché». De plus, nous n'avons plus affaire à un document d'une pièce,
où seul le suzerain trahi prend la parole, mais à un véritable dialogue.

Mi 6

¹ Écoutez, je vous prie, ce que dit YHWH[a] :
Lève-toi, entre en procès avec[b] les montagnes,
et que les collines entendent ta voix.

² Écoutez, montagnes[a], le procès de YHWH,
et (vous) fondements inébranlables de la terre[b],
car YHWH est en procès avec son peuple ;
contre Israël, il argumente :

1a. G[a] «Écoutez la parole du Seigneur, ce que dit le Seigneur». Sans doute, double traduction, l'une plus littérale, l'autre plus libre, de l'original hébreu. *Mur* et les autres versions appuient le TM.   *b*. Il n'y a pas lieu de corriger «devant» les montagnes, sur la base de G «auprès des montagnes», sous prétexte que le v 2 fait de celles-ci de simples témoins. En effet l'expression *rib-'ét* signifie toujours «entreprendre un réquisitoire contre quelqu'un» (cf. aussi Vulg.). Le v 1 et le v 2 constituent deux introductions d'origines différentes, qui ne se recouvrent pas pleinement.
2a. G : «peuples», lecture interprétative de «montagnes», cf. 1,2.   *b*. Le parallélisme des vers, la situation étrange de l'adjectif *wh'lnym* «inébranlables, immuables» situé devant le nom, et la présence de l'article qui manque dans le parallèle du premier stique, conduisent nombre de critiques à lire *wh'zynw* «prêtez l'oreille». C'est sans doute le texte primitif, mais le glissement d'un terme fréquent à un autre peu usité s'explique non pas comme une faute de copiste mais comme une relecture intentionnelle (voir commentaire).

Les questions du réquisitoire ont généralement un simple caractère rhétorique. Ici elles appellent une réplique qu'Israël formule aux v 6-7. Le prophète exploite donc de façon libre et souple un formulaire facilement reconnaissable certes, mais auquel il ne se conforme pas rigoureusement.

D'ailleurs, sur ce modèle de réquisitoire d'alliance vient s'en superposer un autre, plus spécifiquement israélite (on le retrouve essentiellement dans le Deutéronome et dans quelques textes prophétiques comme Jr **26**,*7-19* ; 1 S **24**,*10-23* ; Dt **32**), plus théologique aussi : le schéma de démonstration. La forme complète qui n'apparaît qu'en Dt **8**,*2-6* et **9**,*4-7* se compose de trois membres,

introduits respectivement par les trois verbes : «se souvenir...
connaître (ou reconnaître)... garder...». Le premier membre évoque
les faits de l'histoire du salut, le second en tire les conclusions pour la
foi, et le troisième les conséquences pour l'action et le comportement
éthique. Or ces trois verbes jalonnent ici le développement de la
pensée. Sans doute le premier d'entre eux «se souvenir» n'apparaît
explicitement qu'au v 5, mais les v 3-4 ne constituent-ils pas un appel
à «faire mémoire»? Il manque le verbe «garder» (comme en Dt **9** du
reste), mais le v 8 en offre l'équivalent. Ainsi, YHWH qui rappelle à
Israël ses bienfaits et ses actes sauveurs (v 3-5 «souviens-toi»), l'invite
à en tirer les conséquences au plan de l'expérience religieuse («pour
que tu reconnaisses les justices de YHWH») et finalement définit le
comportement véritable qui découle de cet acte d'élection (v 8).

Ainsi, la forme littéraire (*rib* d'alliance) et le mouvement théologique qui le sous-tend (schéma de démonstration) confirment l'unité
profonde de ce dialogue. Son auteur utilise des formes littéraires
diverses, mais il en use avec une souveraine liberté. A en juger par la
profondeur théologique du message et la délicatesse des sentiments
qu'il exprime, on peut dire que la réussite littéraire est à la mesure de
la profondeur de la pensée. On peut parler de génie créateur.

Commentaire.

Écoutez... (v 1-2).

Le v 1, rédactionnel, donne au procès de YHWH une ampleur
cosmique. Initialement, c'est à Israël seul que Dieu intentait un
procès (cf. Os **4,***1*; **12,***3*; voir Os **2,***4*ss) et la convocation des
«montagnes et des fondements de la terre» visait à donner de la
solennité à la procédure engagée (v 2). Adaptation libre d'un cliché
fréquent «le ciel et la terre», ces éléments cosmiques symbolisent la
totalité de l'univers, en joignant hauteur et profondeur. Dans les
traités internationaux, ils étaient invoqués au titre de divinités
garantes des engagements pris par chacun des partenaires. Dans le *rib*
biblique (Mi **1,***2*; Is **1,***2*; Dt **32,***1*; Ps **50,***1.4-5*), démythologisés, ils
jouent le rôle de forum, de public invité au débat. La correction d'un
probable «prêtez l'oreille» primitif en un «immuables (fondements de
la terre)» leur confère une fonction plus spécifique de témoins : posés
depuis l'origine du monde, n'ont-ils pas assisté à toute l'histoire de
Dieu et de son peuple?

³ Mon peuple, que t'ai-je fait?
En quoi t'ai-je fatigué^a? Témoigne contre moi^b!

⁴ Oui, je t'ai fait monter de la terre d'Égypte,
et de la maison de servitude, je t'ai racheté.
J'ai envoyé devant toi Moïse, Aaron et Myriam^a.

⁵ Mon peuple, souviens-toi, je te prie,
de ce qu'avait projeté^a Balaq, roi de Moab,

3a. Ici encore, G dédouble la seconde interrogation : « En quoi t'ai-je contristé? En quoi t'ai-je tourmenté? ». Leçon isolée.   b. La traduction fréquente « réponds-moi » est inadéquate. Accompagné de la préposition b et inséré dans un contexte judiciaire, le verbe 'nh signifie « témoigner contre quelqu'un ».

4a. La modification de 'my « mon peuple » du début du v 5a en 'immô rattaché à la fin du v 4 (E. Sellim ; A. Weiser ; J. L. Mays) est sans appui textuel. Elle détruit la correspondance pourtant saisissante entre le « mon peuple » de 3a et celui de 5a.

5a. G et Syr précisent en ajoutant « contre toi ».

Cette évocation a pour effet de mettre en lumière l'élection qui confère à Israël son identité propre au milieu et au centre de l'univers. Élection qui en fait aussi un partenaire de Dieu, actif et dialoguant. Le verbe ykḥ qui, au qal, signifie « réprimander », est employé ici à l'hitpael (seul cas dans la Bible). Le niphal d'Is **1**, *18* « Venez et discutons » (dit le Seigneur à Israël) permet de reconnaître à cet hapax la valeur d'un véritable débat. Ainsi se trouve annoncé, dès l'introduction, le dialogue qui va suivre.

La plaidoirie de YHWH (v 3-5).

Dans la bouche de Dieu, le vocatif « mon peuple » placé en tête de la plaidoirie, résonne déjà comme un reproche douloureux : car la plainte qui commence s'adresse au peuple choisi et aimé. Mais en même temps, cette interpellation est grosse de toute l'argumentation qui va suivre, car cette élection d'Israël s'est vérifiée dans les actes sauveurs que YHWH a accomplis en sa faveur.

Et pourtant, celui-ci se présente comme un accusé, contraint de se défendre. A la différence de l'accusateur « qu'as-tu fait? » (Jg **8**, *1* ; 2 S **12**, *21* ; Ne **2**, *19*), l'interrogation « que t'ai-je fait? » vaut protestation d'innocence. Elle suppose donc, de la part d'Israël, des reproches préalables, notamment celui d'avoir été « fatigué » par son Dieu (Jb **16**, *7*). Il n'est guère possible de déterminer à quelles circonstances

précises fait allusion cette accusation portée contre YHWH. Mais si le
nom de *ll'h*, «fatigue, charges» désigne en Nb **20,** *14* les dures
épreuves de l'Égypte ou en Ex **18,** *8* celles du désert dont YHWH
a «délivré» les siens, il y a quelque ironie amère, pour celui-ci, de
se voir mis en question de la sorte. On comprend qu'il somme son
adversaire de justifier ses accusations, comme l'exige la mise en
demeure : «témoigne contre moi». D'accusé, Dieu tend à devenir
accusateur.

Aussi la plaidoirie prend-elle peu à peu l'allure d'un réquisitoire. Le
kî «oui», emphatique, introduit le versant positif du discours. Dieu ne
se contente pas de réfuter les accusations. Il entreprend une véritable
démonstration de sa sollicitude active à travers l'histoire. Bien loin
d'avoir témoigné à l'égard de son peuple impuissance ou indifférence,
tout le passé d'alliance atteste sa Toute-Puissance et sa tendresse
aussi ingénieuse que secourable. Bien loin d'avoir «fatigué» son
peuple, c'est lui qui s'est «fatigué» pour son peuple, comme le suggère
le jeu de mots par assonance, intraduisible en français, entre *hèle'élika*
«je t'ai fatigué» et le *hé'ēlitika* «je t'ai fait monter (du pays d'Égypte)»
(jeu de mots analogue en Is **43,** *22-24* dans un contexte théologique
apparenté). Et d'évoquer, à travers quelques événements marquants
toute la geste de l'Exode, et d'abord la sortie d'Égypte, présentée
comme un «rachat». Le verbe utilisé *pdh* signifie libérer quelqu'un des
obligations légales liées à sa situation d'esclave, en versant une
compensation financière. Dans son application à la libération
d'Égypte, cette «maison de servitude», Dieu ne paie pas d'autre prix
que son intervention elle-même. L'envoi de Moïse, Aaron et Myriam
«devant toi», c'est-à-dire comme guides au désert et donc comme
signes concrets de la bienveillance divine, ne se retrouve nulle part
ailleurs dans les livres prophétiques. Cette mention renvoie sans doute
à des traditions sous-jacentes à Ex **4,** *14.27-30* où Aaron, qualifié de
«frère de Moïse», est officiellement désigné comme son prophète, à
Ex **15,** *20* qui met en scène la prophétesse Myriam, présentée comme
«sœur d'Aaron» (et non de Moïse! mais logiquement 1 Ch **5,** *29* fera de
ces personnages des frères et sœurs). Nb **12** les réunira encore mais
cette fois dans une atmosphère de contestation.

Au v 5, la reprise de l'interpellation «mon peuple» a quelque chose
de poignant ; ce n'est pas la colère qui tonne, mais l'amour bafoué qui
se plaint. Ce droit de qualifier Israël de ce titre, YHWH ne l'a-t-il pas
acquis par cette succession d'actes sauveurs dont la série se poursuit
au v 5 par le rappel de l'histoire de Balaam, autre signe incontestable
de l'amour efficace de YHWH? La formulation le souligne avec force

de ce que lui répondit Balaam fils de Béor,
(du passage)[b] depuis Sittim jusqu'à Gilgal[c],
pour que tu reconnaisses les droites œuvres de YHWH[d].

[6] Avec quoi me présenterai-je devant YHWH,
m'inclinerai-je devant le Dieu d'en Haut[a]?
Me présenterai-je devant lui avec des holocaustes,
avec des veaux d'un an?

b. Il manque sans doute un nom ou un verbe comme troisième complément de
«souviens-toi» (*La Formation* ... p. 294-296). On soupçonne la présence d'une forme
apparentée à la racine *'br* «passer», tombée par haplographie après *bn-b'wr*, «fils
de Béor». Sa restitution donnerait au v 5*b* un mètre régulier (3+3).   *c*. G : «Des
joncs jusqu'à Gilgal». Veut-il faire allusion à la «mer des Joncs (mer Rouge)» et
englober toute la geste de l'Exode?   *d*. Litt. «Les justices de YHWH», c'est-à-dire
les œuvres par lesquelles YHWH manifeste sa justice (salvifique)».
     6*a*. G : «Devant mon Dieu Très-Haut».

en mettant en parallèle contrasté «ce que projetait Balaq», la
malédiction d'Israël, et «ce que lui répondit Balaam», sa bénédiction,
et ceci de par la seule volonté du Seigneur (cf. Nb **22-24**).
L'énumération s'achève tout à fait logiquement avec la traversée du
Jourdain évoquée ici à travers son point de départ, Shittim, ultime
étape du désert (Jos **3,***1*), et son point d'arrivée, le campement de
Gilgal (Jos **4,***19-20*).
     Ce rappel sobre et discret des événements fondateurs semble tiré
d'une confession de foi, condensé des vieilles traditions, consignées
dans le Pentateuque et le livre de Josué. Cette liste des actes
sauveurs, caractéristique du *rib* d'alliance, se rapproche surtout de
Jos **24,***2-13*, en particulier par la mention très rare de «l'envoi de
Moïse et d'Aaron», associé à la sortie d'Égypte. A l'intérieur d'une
liturgie d'alliance, ce prologue fonde les exigences d'un service
exclusif de YHWH (Jos **24,***13-27*). Ce petit credo historique, transformé en argumentation juridique, fonctionne ici de façon analogue.
Israël doit «se souvenir», c'est-à-dire non seulement se rappeler, mais
selon la densité théologique de ce verbe, lié de très près à l'action
liturgique, rendre actuel un événement passé pour se l'approprier
dans l'aujourd'hui du culte. Celui-ci donne au passé de se prolonger
efficacement dans le présent. Se souvenir, c'est donc saisir la

continuité de la situation présente et de celle d'hier, mais en même temps c'est adhérer au vouloir divin manifesté dans cet événement fondateur. Heureux bénéficiaire d'une libération opérée naguère par YHWH, et par lui seul, dans la «montée hors du pays d'Égypte, cette maison de servitude», Israël doit continuer à vivre en racheté, c'est-à-dire en respectant les clauses de l'alliance.

La première, la plus fondamentale, celle qui se trouve à la base de toutes les autres, c'est la «connaissance de YHWH». Se souvenir pour «reconnaître», telle est l'attitude théologale requise d'Israël et qui le situe en vérité devant son Dieu. Pour Mi **6,** 5 YHWH est «reconnu» à travers ses «justices», ses droites œuvres, c'est-à-dire rencontré à travers les expressions concrètes de cette justice de Dieu, qui n'est rien d'autre que sa fidélité à ses engagements d'alliance, à son attachement amoureux pour son peuple. Justice salvifique qui prend la défense du pauvre et de l'opprimé (voir Jg **5,** 11 où les justices de YHWH désignent ses victoires sur les ennemis de son peuple, et surtout 1 S **12,** 7 qui, dans un réquisitoire analogue à celui-ci, invoque, contre Israël cette fois, les «justices» du Seigneur).

De tels accents dans un discours qui noue de façon aussi étroite les reproches, la souffrance et l'amour de YHWH pour son peuple, expliquent que ce passage s'adapte si naturellement au rituel du Vendredi-Saint, pour lequel il constitue la source même des Impropères.

La réponse d'Israël (v 6-7).

Israël va-t-il entendre l'appel à la foi argumenté de façon aussi émouvante? Il semble que oui, puisqu'il s'interroge sur ce que Dieu attend de lui. Ici encore, la formulation se présente comme très soignée : les quatre vers, de deux stiques parallèles chacun, commencent tous par un adverbe interrogatif : *bmh* («avec quoi») en 6*a*, *h* «est-ce que» au début de 6*b*, 7*a*, 7*b*, tous ponctués par le son «a». Ils s'enchaînent selon un crescendo saisissant. Le premier vers (6*a*) formule la question de manière très générale, en cela il correspond au premier vers de la plaidoirie de YHWH (v 3), ce qui souligne du reste la correspondance des adverbes en début de vers *mah* «que» et *bamah* «avec quoi». Le second vers (6*b*), qui introduit la première série des prestations cultuelles, enchaîne sur 6*a*, en reprenant comme en écho «me présenterai-je» et amorce ainsi les vers 7*a* et 7*b* qui, eux aussi, envisagent toute une série d'actes liturgiques expiatoires. Le tout se développe selon une progression très frappante : holocaustes, veaux

⁷ YHWH agréera-t-il des milliers de béliers ?
et des myriades de torrents d'huile[a] ?
Donnerai-je mon premier-né pour prix de ma révolte
et le fruit de ma chair[b] pour mon propre[c] péché ?

⁸ On t'a fait connaître[a], ô homme, ce qui est bien,
ce que YHWH réclame de toi :

7a. G[B] et Syr ont χιμαρων «chèvres» au lieu de χειμάρρων «torrent» *Lectio facilior*
visant à établir un parallèle avec «béliers».   *b.* Litt. «le fruit de mon ventre».
c. Litt. «pour la faute de ma *npš*». Ce mot, souvent traduit par «âme» a ici valeur
de pronom personnel.
    8a. La troisième personne du singulier est, à bon droit, comprise comme un sujet
indéterminé par G qui traduit : «il t'a été dit».

---

d'un an, des milliers de béliers, des myriades de torrents d'huile, et,
pour finir, le cruel sacrifice d'enfant qui met le sceau final à cette
surenchère. Le peuple se tait alors : il semble n'avoir plus rien d'autre
à offrir. La suite de ces interrogations a quelque chose de haletant,
qui trahit l'angoisse du coupable, désireux d'apaiser la colère de la
divinité. La répétition du son î, dans le texte hébreu résonne de façon
singulière : on ne l'entend pas moins de sept fois dont quatre
correspondent au pronom personnel de la première personne «*mon*
premier-né ... *ma* révolte ... *mes* entrailles ... *mon* âme ...». Le fidèle ne
voudrait-il pas souligner par là son engagement dans le péché mais
aussi l'acte de conversion ?
    Pourtant, s'il se reconnaît pécheur et même gravement coupable
(cf. v 7), le peuple ne peut se hisser au niveau d'une religion spirituelle
et intériorisée. Certes, il connaît bien les prescriptions de la loi : «Tu
ne te présenteras pas devant moi les mains vides» (Ex **23**,*15* ; **34**,*20*),
mais il ne semble pas avoir assimilé la prédication prophétique qui
appelait à une conversion du cœur se traduisant dans un comportement radicalement nouveau au sein de la vie quotidienne. Dieu
parlait amour, Israël répond pratiques rituelles. Sa conception de
Dieu montre qu'il n'a pas perçu cette volonté de présence intime,
pourtant si manifeste dans le discours divin, YHWH c'est, pour
lui, le «Dieu d'en haut», expression unique dans la Bible, qui
semble vouloir suggérer une présence lointaine et tatillonne, devant
laquelle il convient de «se courber» (cf. Is **58**,*5* ; Ps **145**,*14* ; **146**,*8*).
Divinité exigeante, presque dévorante, qu'on ne peut apaiser qu'avec
des sacrifices exorbitants. Le crescendo des v 6-7, qui envisagent des

pratiques inhabituelles, à la limite de l'impossible, trahissent une certaine angoisse devant la rencontre d'un Dieu aussi redoutable.

A vrai dire, on chercherait vainement, à l'intérieur des textes bibliques, des formules aussi excessives mises dans la bouche d'Israël. Aussi s'est-on interrogé sur l'identité du locuteur. Certains veulent voir ici une réfutation par l'absurde, soulignant l'inanité des accusations divines : de quoi YHWH se plaint-il ? Est-ce qu'Israël n'observe pas scrupuleusement les observances cultuelles ? Que lui faut-il de plus ? Des sacrifices par milliers, des myriades de torrents d'huile et jusqu'au sacrifice abominable du premier-né ? Ces v 6-7 vaudraient donc comme réfutation des plaintes de Dieu. Mais, dans une telle hypothèse, on s'attendrait à ce qu'au v 8, le prophète reproche à son peuple de se fermer aux appels divins et de refuser de se convertir. Or, il n'en est rien. Il se contente seulement de substituer à la religion du rite l'exigence d'un comportement de foi qui s'incarne dans la réalité quotidienne.

Reconnaissons plutôt ici un procédé littéraire, un grossissement caricatural des tendances latentes du peuple. Pour ce faire, le prophète met en scène un individu, et non pas le peuple à proprement parler ; on notera dans ces versets la formulation à la première personne du singulier. Ce personnage des v 6-7 a, en quelque sorte, valeur de «type». A travers ses paroles, le prophète pourrait se faire l'écho de certaines objections entendues, mais il force la note, pour mieux souligner par contraste les véritables exigences de YHWH.

Les exigences divines (v 8).

Celles-ci sont formulées au v 8. De nouveau, Dieu, par la médiation de son prophète, prend la parole, non pour condamner, mais pour lancer un appel à la conversion morale et à la fidélité de toute la vie. A cet égard, le v 8 est en parfaite consonance avec la plaidoirie divine, où YHWH requérait de son peuple une véritable intelligence du cœur.

Ici, le rythme devient plus long et plus solennel : $4+4$ au v. $8a$; il est plus difficile à reconnaître en $8b$, où d'ailleurs disparaît le parallélisme binaire, si caractéristique des vers précédents. En rompant la symétrie, l'auteur met en relief la triple expression des exigences divines en $8b$. Comme l'a noté finement Th. Lescow, le son a domine dans ce vers ($8a$) : *lekā 'ādām mah tôb*, alors que le *higgîd* «On t'a fait connaître» du début prolonge encore le son i de $7b$. Le son a, caractéristique du pronom singulier de la seconde personne, se répercute en chacun des stiques de $8b$: *lekā* «à toi», *mimmkā* «de toi»

rien d'autre que de pratiquer la justice,
d'aimer la fidélité,
et de veiller à marcher avec ton Dieu [b].

b. On traduit souvent «marcher humblement avec ton Dieu», sur la base de Pr **11**, *2*.
Mais les versions orientent plutôt la signification de *hṣn'* vers une attitude d'attention,
de disponibilité : G «être prêt», Vulg «être attentif». En Sir **16**, *25* ; **22**, *8* ; **34**, *22* ; **35**, *3*,
le verbe signifie «être avisé, réfléchi, prudent» ou «pratiquer le discernement»
(*La Formation*... p. 299-301). Selon H.W. Wolff (p. 138), cet infinitif aurait valeur
d'adverbe : «Marcher avec attention avec ton Dieu».

et dans la finale même du discours du prophète (en même temps finale
du morceau) : *'Elohêkā* «ton Dieu». Il constitue alors le pendant du
suffixe de la première personne qui clôt l'interrogation du peuple :
naphšî «mon âme».

Le vocatif «ô homme» s'adresse sans doute au personnage mis en
scène dans le v 6-7 ; en fait, il vise tout membre de la communauté
d'Israël (cf. Dt **5**, *24* ; **8**, *3* ; Lv **1**, *2* ; Nb **19**, *14*). Ainsi à l'interrogation
anxieuse des v 6-7, répond une déclaration dont la sérénité et la calme
certitude se fondent sur la tradition séculaire d'Israël : «On t'a fait
connaître». La formulation impersonnelle ne permet pas de préciser à
quels courants, sacerdotal, prophétique, sapientiel, le texte se réfère.
Cette tradition est prise dans son ensemble sans doute, et le locuteur
s'intéresse plus à son contenu qu'à son expression même (H.-W. Wolff
p. 153).

Elle a donc défini «ce qui est bien». Dans l'Ancien Testament, le
bien n'a rien d'un concept philosophique. Il caractérise l'ensemble des
exigences concrètes de Dieu. Il n'a rien non plus d'un moralisme
impersonnel : c'est une affaire entre Dieu et son fidèle. Le bien c'est
«ce que Dieu réclame de toi».

Le v 8*b* détaille cette requête divine en trois propositions, qui par
leur progression théologique, répondent au crescendo angoissé des
v 6-7 : d'abord «pratiquer la justice (litt. le droit)». Le terme désigne
ici l'ensemble des dispositions du droit qui traduisent et expriment la
volonté de YHWH, Seigneur et Juge suprême (cf. Ps **147**, *19* où il est
mis en parallèle avec la «Parole de Dieu»).

La seconde expression «aimer la fidélité *(hèṣèd)*» s'oriente dans le
même sens que la précédente, mais en mettant l'accent sur le
caractère personnel des relations au sein de la communauté d'alliance,
sur la solidarité active qui doit unir ses membres. Le terme «aimer»
donne à cette solidarité une note d'attachement cordial (cf. Jr **2**, *2* ;

31,*3***)**. Mais le *ḥèsèd* n'est pas, à proprement parler, un sentiment. Il définit plutôt un comportement complexe fait de respect, d'attention, de bienveillance, de générosité, de fidélité.

La série culmine dans la troisième formule «veiller à marcher avec ton Dieu» (cf. critique textuelle). Cette harmonie des relations entre les membres de l'alliance trouve sa source et son fondement dans la relation à Dieu lui-même, instaurateur et garant de cette alliance. Le pronom personnel «*ton* Dieu», dernier mot de la déclaration, souligne avec force l'intimité de cette communion. Là encore, il s'agit bien d'un engagement actif, d'un compagnonnage avec Dieu (cf. Gn **5,***22-24*; Gn **9,***6*) qui requiert une attention de tous les instants. Le croyant se doit de vivre au jour le jour, au cœur des réalités de la vie quotidienne, l'attitude de foi exigée par l'alliance. Il veillera à discerner, dans les événements, l'appel à agir en conformité avec les exigences qui découlent de cette communion avec YHWH. Celle-ci est, en effet, inséparable des relations entre frères. Si les deux premières expressions de 8*b* reçoivent de leur association avec la troisième une connotation proprement religieuse, en retour, cette dernière se profile sur un horizon éthique. «Marcher avec Dieu» se traduira bientôt par «marcher dans la loi de Dieu» (Ps **1,***1*; **119,** etc.).

Au crescendo des pratiques cultuelles (v 6-7), s'oppose donc celui d'un comportement moral fondé sur une attitude théologale. Il serait abusif d'en conclure que le prophète rejette le culte. Il n'a pas une seule parole de condamnation à l'égard de ces pratiques liturgiques. Il rappelle simplement la priorité du respect de l'alliance sur les observances rituelles. L'opposition des v 7-8 relève en grande partie d'un procédé rhétorique qui veut attirer l'attention sur l'essentiel. Cette position n'est pas sans analogie avec Os **6,***1* ss qui, lui aussi, rapporte un dialogue entre YHWH et son peuple, un dialogue plus littéraire qu'historique, œuvre d'une mise en scène du prophète, comme en Mi **6,***1-8*.

Origine et date de la péricope.

La recherche récente tend de plus en plus à souligner les affinités deutéronomiques de ce texte (J. L. Mays p. 130 s.; H.-W. Wolff p. 143-145; cf. la Formation... p. 318-326; à l'opposé, W. Rudolph en défend l'authenticité p. 113 s.). Outre certains traits de vocabulaire: se souvenir, maison de servitude, racheter, etc., il convient de relever les contacts avec certains morceaux de l'historien deutéronomiste, comme 1 S **12** («témoigne contre moi» v 3; «justices de

[9] Voix de YHWH à la ville : il appelle[a]
— ton nom verra le succès —[b].
Écoutez, tribu[c] et assemblée de la ville[d]...

[10] Puis-je supporter un *bat* faussé
— des trésors iniques —[a]
un *épha* réduit et abominable?

9*a*. Ou bien «la voix de YHWH appelle la ville».   *b*. Sans doute glose marginale
dont le sens est loin d'être élucidé. A la suite de G, Syr, Vulg. beaucoup de
commentateurs font dériver *yr'h* non pas de *r'h* «voir» (TM), mais de *yr'* «craindre».Ils
comprennent : «c'est sagesse de craindre ton nom».   *c*. Le terme *mth* signifie soit
«bâton» soit «tribu». A la suite des versions, il convient de retenir la seconde acception.
d. Texte encore fort obscur : *my y'dh 'wd* «Qui l'a déterminé : encore». A la place
de *'wd* «encore», premier mot du v 10, G a lu *'ir* «la ville». Depuis Wellhausen, on
corrige *wmw'd h'yr* «et assemblée de la ville». En ajoutant au *mth* un *m* qui serait
tombé par haplographie et qui serait un élément de *mah* «quel», W. Rudolph (p. 115)
traduit «Écoutez, de quelle nature est le bâton et qui l'a décidé». Le bâton
symboliserait le jugement.
10*a*. TM : «l'homme, la maison du méchant, des trésors de méchant...». Il manque
un verbe. Le parallélisme avec le vers suivant invite à lire *ha'èśśa'* (de *nś'* «porter,
supporter») : «supporterai-je» au lieu *ha'iś, l'homme*. Par ailleurs, le parallélisme avec
le vers suivant où nous lisons *épha* suggère de corriger *byt* «maison» en *bt, bat*. Le *bat* et
l'*épha* sont des mesures de capacité approximativement de même grandeur. «Un *bat* de
méchanceté» c'est un *bat* faussé. L'expression «trésors iniques» aurait été rajoutée après
la transformation de *bat* en *bêt*, peut-être en fonction du v 16 où il est question de la
«maison d'Achab» et de ses injustices (1 R **21**). Voir aussi Am **3**,*10-15* qui dénonce ceux
qui «entassent (même racine que «trésors») violence et rapine» cf. Am **6**,*4* ; **8**,*5-6*.

YHWH» v 7; l'envoi de Moïse et d'Aaron v 8; «monter du pays
d'Égypte» v 6 cf. v 8), ou encore Jos **24** (cf. *supra*), mais aussi avec le
Deutéronome lui-même : on a pu rapprocher Mi **6**,*8* de Dt **10**,*12-
13.18-19* (cf. *La Formation...* p. 319). Nous avons aussi noté l'utilisation du schéma de démonstration (cf. Dt **8**,*2-6* ; **9**,*4-7*).

Néanmoins, Mi **6**,*1-8* présente des différences significatives. Ainsi
parle-t-il de «marcher avec Dieu», là où le Deutéronome précise
«marcher dans les voies de Dieu», de «bien» *(tôb)* là où le
Deutéronome comprend «bonheur». Il dissocie «la terre d'Égypte» de
«la maison de servitude», normalement en apposition dans le
Deutéronome qui, du reste, parle plutôt de «sortir» que de «monter».
Cette étude du vocabulaire, cette recherche des sources et des
attaches littéraires confirment donc ce que l'analyse du genre
littéraire faisait entrevoir : nous sommes en présence d'une pièce tout
à fait originale, au confluent des traditions prophétique et deutérono-

mique. Dans ces conditions, et en l'absence de toute allusion
historique, il est difficile sinon impossible d'avancer une date précise.
Mais l'éventualité d'offrir des sacrifices rituels semble exclure la
période de l'exil et favoriserait plutôt une composition à la fin de la
période préexilique. En toute hypothèse, le langage et la théologie de
la péricope dissuadent de l'attribuer à Michée (J. L. Mays p. 130 s. cf.
La Formation... p. 320-326).

2. — CONDAMNATION DE LA CITÉ INFIDÈLE (**6,***9-16*)

Avec le v 9 commence une nouvelle unité, puisque la précédente a
atteint son point culminant au v 8. D'ailleurs, YHWH s'adresse
maintenant non plus au peuple (**6,***3.5*) mais à la « ville », à la « tribu », à
« l'assemblée de la cité ». Il ne se défend plus, il n'exhorte plus à la
conversion ; cette fois, il condamne sans appel. Cette péricope
s'achève au v 16, car à partir de **7,***1*, ce n'est plus Dieu qui tonne mais
un homme qui se plaint.

Pourtant, si claire qu'en soit la délimitation, elle n'est pas d'une
seule venue. La critique textuelle nous a déjà rendu attentifs à la
présence de certaines retouches et nous a orientés vers l'hypothèse de
relectures intentionnelles. Certaines d'entre elles restent obscures,
comme celle du v 9 « ton nom verra le succès ». D'autres apparaissent
plus cohérentes. Si, comme nous l'avons suggéré dans la critique
textuelle, l'ajout, au v 10, « trésors iniques », qui a par ailleurs
entraîné la transformation de *bat*, mesure de capacité, en *bêt*
« maison », fait allusion aux richesses de la « maison d'Achab », alors
cette retouche rejoint les préoccupations du v 16, lui aussi une
addition. De même, au v 14 convient-il de reconnaître comme gloses
les deux propositions : « Et l'on t'abaissera ... », « ce qui sera épargné
sera livré à l'épée », qui élargissent le champ de la sanction divine : à
la disette viennent s'ajouter les malheurs de la guerre (cf. *La Formation...* p. 336-339).

Structure et genre littéraire.

Ainsi dégagée de ses interventions rédactionelles, cette péricope
offre clairement la structure d'un oracle de jugement, avec ses deux
composantes essentielles : accusation (v 10-12) et sentence de
condamnation (v 13-15).

¹¹ Puis-je tenir quitte ª pour des balances injustes,
pour un sac de poids truqués ?

¹² Ses riches ª sont remplis de violence.
Ses habitants profèrent le mensonge.
Leur langue est tromperie ᵇ dans leur bouche.

11*a.* Le qal *ha'èzkèh* «suis-je innocent ?» est difficilement concevable dans la bouche
de YHWH. On lit le piel *ha'äzakèh*. Cf. Vulg *justificabo.*
12*a.* TM *'äšèr 'äšîrêha* «dont les riches». Le pronom relatif pourrait avoir pour
antécédent le mot «ville» du v 9. Mais les deux termes sont bien éloignés l'un de l'autre,
ce qui ne va pas sans quelque ambiguïté. Quelques critiques suivent la Syr et donnent à
'äšèr une valeur causale. Mais ce sens est plutôt rare. Nous préférons voir dans *'äšèr* une
dittographie de *'ašîrêha.* Les deux premiers stiques présentent alors un parallélisme
rigoureux et tout le vers offre aussi un mètre régulier 3+3+3.   *b.* G : «Leur langue
fut élevée dans leur bouche» a fait dériver par erreur, *rmyh* «tromperie» de *rwm*
«hausser».

Elle s'ouvre par une double introduction : celle du prophète : «Voix
de YHWH à la ville : il appelle», celle de YHWH ensuite : «Écoutez,
tribu et assemblée de la ville».

L'accusation se développe en deux temps : une parole de Dieu,
adressée directement à la cité, composée de questions rhétoriques qui
relèvent du style oral ; elle formule des reproches précis (v 10-12).
Ensuite, au v 12, une parole de YHWH encore, mais comme adressée
à la cantonnade (formulation à la troisième personne) et contenant
des dénonciations d'allure très générale. Avec le début de la sentence,
réapparaît le moi divin (v 13) : «alors moi, j'ai commencé à te
frapper». Celui-ci disparaît de nouveau aux v 14-15 qui se concen-
trent sur le coupable sanctionné. De la sorte, ces deux sections,
reproches et jugement, se correspondent jusque dans la forme.

Commentaire du texte original.

L'interpellation (v 9).

Cette double introduction, qui confère au texte quelque solennité,
semble vouloir souligner la gravité de l'heure devant le danger
imminent (Rudolph p. 118). La première formule n'a pas de parallèle
dans la littérature prophétique. La «Voix de YHWH qui appelle»
pourrait renvoyer à certains développements deutéronomiques

(Dt **4**, *36* ; **5**, *25-28* ; **8**, *20*) qui invitent à «écouter la voix de YHWH». Sans plus de précision, la ville désigne sans doute Jérusalem, comme en Jérémie (Jr **6**, *6* ; **8**, *16* ; **17**, *24* s.) ou Ézéchiel (Ez **5**, *3* ; **5**, *1* ; **7**, *15*) ou encore dans les Lamentations (**1**, *19* ; **2**, *2-13*).

L'oracle s'adresse explicitement à la «tribu», «à l'assemblée de la cité», désignations tout à fait inusitées dans le langage prophétique. En fonction de *9a* (la ville = Jérusalem), on pense à la tribu de Juda. «L'assemblée de la cité» qui semble s'en distinguer, viserait la communauté festive réunie au sanctuaire. Selon H.-W. Wolff (p. 165), cette formulation serait à mettre en parallèle avec l'expression fréquente en Jérémie «hommes de Juda et habitants de Jérusalem» (Jr **4**, *3* s. ; **11**, *2.9* ; **17**, *25* ; **18**, *11* ; etc.). On sait que les fêtes étaient souvent l'occasion de marchés et de tractations commerciales, ce qui expliquerait l'accusation des v 10-12. Les prophètes, de leur côté, profitaient souvent de ces rassemblements aussi bien commerciaux que cultuels pour prononcer leurs oracles.

L'accusation (v 10-12).

Elle dénonce avec force les injustices dans les échanges commerciaux : les unités de mesure, le *bat* pour les liquides, l'*épha* pour les solides, de contenu à peu près identique, sont «réduits», c'est-à-dire diminués pour tromper le client sur la marchandise. La balance à deux bras (d'où le duel *mo'znaïm*) est soumise à des manipulations frauduleuses, tout comme les poids truqués, conservés dans des sacs.

Ces fraudes ne peuvent laisser Dieu insensible, car elles compromettent les valeurs d'égalité et de fraternité, attachées à l'alliance. Aussi leur condamnation se trouve-t-elle inscrite dans les prescriptions de la loi (Dt **25**, *13-16* ; Lv **19**, *35*). Le redoublement de l'interrogation laisse transparaître le courroux divin ; ses auditeurs devraient savoir que YHWH lui-même se trouve concerné par de telles pratiques, qu'il y a incompatibilité totale entre un tel comportement et le partage de son intimité. Des injustices de cette nature lui sont intolérables, d'autant qu'elles conduisent immanquablement à la violence et à l'oppression (v 12). Elles ne peuvent rester impunies. C'est pour cette raison que YHWH lui-même entre en scène (v 9). Cette interrogation rhétorique est déjà grosse du châtiment proclamé dans la sentence qui suit.

Si l'oracle s'adresse à la tribu (de Juda ?) réunie en assemblée festive, les riches sont visés au premier chef. Ils semblent se confondre avec les «habitants de la ville (Jérusalem)» engagés dans les échanges commerciaux, du fait que ceux-ci se pratiquaient de préférence dans la métropole religieuse et commerciale du pays. Faut-il soupçonner ici un sourd antagonisme entre la ville et la campagne ?

[13] Alors moi, j'ai commencé[a] à te frapper
à dévaster à cause de tes péchés.

[14] Toi, tu mangeras, mais tu ne seras pas rassasié
— et l'on t'abaissera —.
Chez toi, tu mettras de côté mais tu ne sauveras rien,
— Et ce que tu aurais sauvé, je le livrerai à l'épée —[a].

[15] Toi, tu sèmeras, mais tu ne moissonneras pas,
Toi, tu presseras l'olive, mais tu ne t'oindras pas d'huile,
et le raisin[a], mais tu ne boiras pas de vin.

[16] Tu as observé[a] les prescriptions d'Omri
et toutes les pratiques de la maison d'Achab.
Vous avez marché selon leurs principes,

13a. Avec les versions, lire «j'ai commencé» *(hḥlwty)* au lieu du TM *hḥlyty* «je t'ai rendu malade».

14a. La difficulté de ce texte provient moins de fautes de copistes que de relectures. On propose de voir dans les mots placés entre tirets des retouches deutéronomistes. Ce qui fait du reste du verset un excellent parallèle avec le v 15 quant à la forme ; stiques de quatre mots construits sur une opposition, et quant au contenu : l'épreuve annoncée concerne la vie quotidienne et envisage une calamité naturelle ; les retouches deutéronomistes infléchissent le sens du texte vers des perspectives de guerre et de ses tristes séquelles parmi lesquelles la disette. «Et l'on t'abaissera», on lit ici l'hiphil de *šḥḥ* (cf. Vulg *humiliatio* et Is *2,9.11.17*). Voir *La Formation...* p. 331-334.

16a. Avec G, Theod, Syr et Vulg, en supposant une métathèse du *š* et du *t*, on lit *wᶜtišmor* «tu as gardé» au lieu de *wᶜyštamèr* «il se gardera», hitpaël de *šmr* qui se construit normalement sans accusatif. Cette correction a l'avantage de donner à tous les verbes du verset la seconde personne. Le passage du singulier au pluriel serait une caractéristique de la phraséologie deutéronomiste. Ce verset serait une addition.

La sentence de condamnation (v 13-15).

Le passage de l'accusation à la sentence s'opère de façon inhabituelle : au lieu du traditionnel «c'est pourquoi», l'emphatique *wᶜgam-'ănî*, «alors moi», souligne d'emblée l'intervention directe de Dieu déjà préparée par les questions rhétoriques de la première partie.

Le péché de la communauté paraît si insupportable à YHWH qu'il a déjà «commencé à frapper». Le texte ne précise pas de quelle façon, mais la suite (v 14-15) laisse entendre qu'une famine s'est abattue sur le pays. Suivent, en effet, après le retrait des gloses rédactionnelles, quatre phrases, brèves, incisives commençant toutes par «toi», suivi dans le second membre par un *waw* adversatif «mais». Comme il est fréquent en fin de série, la dernière se trouve redoublée par le parallélisme huile/raisin. Ces déclarations ont bien l'allure de malédictions, proches par exemple de la série que l'on retrouve en Dt **28**,*30* s.*38-40* (cf. Lv **26,***26*). Leur objet n'est pas sans lien avec l'accusation elle-même. Si les riches habitants de la cité se livraient à de telles fraudes, c'est par appât du gain et par désir d'entasser richesses sur richesses. YHWH leur déclare que tous leurs efforts sont vains; au lieu de l'abondance, ils trouveront la disette; même leurs réserves seront réduites à néant.

La portée des retouches rédactionnelles.

Les gloses du v 14 font glisser le malheur du domaine de la vie quotidienne, la famine, à celui de la vie politique : à la disette viendra s'ajouter la guerre. On perçoit ici les préoccupations de l'éditeur deutéronomiste qui écrit après le désastre de 587.

Cette hypothèse trouve une confirmation dans les additions du v 10 et du v 16 qui proviennent sans doute de la même main. L'insertion, au v 10, de «trésors du méchant» et la transformation de *bat* en *bêt* «maison du méchant» font penser aux pratiques de la «maison d'Achab», dénoncées au v 16. Celle-ci n'a-t-elle pas été jusqu'au déni de justice et jusqu'au meurtre pour apaiser sa soif de richesses (cf. en 1 R **21** la triste histoire de Nabot et de sa vigne)? Or ce v 16 est lui-même un complément ajouté à la teneur initiale de l'oracle (cf. *La Formation...* p. 337-339) : après la sentence incisive des v 14-15, le v 16 revient sur l'accusation, sous une formulation d'ailleurs beaucoup plus ample et d'allure très générale. De plus, comme les additions du v 10, il place le châtiment sur un plan de politique internationale. Surtout, l'évocation d'Omri et de la maison d'Achab rejoint les préoccupations de l'éditeur deutéronomiste qui englobe dans une même réprobation les deux capitales, Samarie et Jérusalem. De même, cet éditeur met-il l'accent sur la responsabilité des rois dans le péché et le malheur du peuple. Enfin Israël en exil ne supporte-t-il pas la honte au milieu des peuples? Dès lors, les «prescriptions d'Omri» et «les pratiques de la maison d'Achab» ne doivent pas se limiter aux injustices sociales mais incluent aussi vraisemblablement l'apostasie religieuse, seul péché d'ailleurs que le livre des Rois (1 R **16,***25-26*) retient pour le personnage d'Omri.

Origine et date du morceau.

Si les remaniements du texte proviennent de l'éditeur deutérono-

si bien que je te livrerai à la dévastation
et tes habitants au persiflage.
Vous supporterez le mépris des peuples[b].

Mi 7

[1] Misère de moi[a] !
Car je suis comme (aux)[b] récoltes d'été,
comme (aux)[b] grappillages de la vendange.
Pas une grappe à manger,
pas[c] de figue précoce que[d] j'aime tant.

b. «des peuples» avec G et en conformité avec Ez **36,** *15*, où se retrouve la même expression. Le TM «mon peuple» pourrait provenir d'une retouche antisamaritaine tardive. Samarie, considérée comme schismatique et hérétique, doit porter le mépris de «mon peuple» c'est-à-dire de Juda. Cette relecture détournerait vers Samarie les accusations et les menaces, originellement dirigées contre la «ville» de Jérusalem. Voir en Mi **1,** *5* une relecture analogue.

1a. Devant cette interjection, le Tg ajoute «le prophète dit».   b. Litt. «J'ai été comme récoltes d'été, comme grappillages de vendange». Construction prégnante cf. Is **17,** *5* ; **24,** *13*. Très souvent, la particule comparative *k* introduit des expressions d'état qu'il convient en français de rendre par une préposition. La comparaison ne porte pas sur la personne, mais sur l'acte de récolter, de grappiller.   c. Style elliptique : l'unique négation placée en début du premier stique porte sur l'ensemble du vers.   d. Style elliptique encore : construction avec une relative asyndétique, sans pronom relatif.

miste et datent donc de l'exil, la péricope elle-même, sous sa forme originelle doit lui être antérieure, c'est-à-dire préexilique. Cette dénonciation de la fraude et de la violence pourrait être michéenne (cf. par exemple **2,** *2.8-9* ; **3,** *2-3*). Cependant, le langage et le style ne le sont guère, témoin l'introduction du v 9 (cf. J. L. Mays, p. 143 et H. W. Wolff, p. 163 s.). Il conviendrait aussi de se demander pourquoi ce morceau se serait trouvé écarté du noyau certainement authentique (Mi **1-3**). Il reste difficile d'apporter plus de précisions concernant un oracle isolé et intégré dans une composition rédactionnelle tardive (cf. *infra*).

7

Ce chapitre se compose de deux unités originellement indépendantes : **7,**1-6 et **7,**8-20, le v 7 faisant fonction de verset de transition. Ces deux pièces présentent en effet des différences significatives. La première exprime une angoisse à la limite du désespoir, celle d'un individu (v 1) vraisemblablement un prophète. Par contre, un grand souffle d'espérance traverse la seconde, où l'on croit entendre les voix de Sion et de Dieu. Mais une série d'interventions rédactionnelles ont tenté de faire de ces deux péricopes une composition unifiée.

1. — *Lamentation prophétique : la corruption morale d'Israël* (**7,**1-6)

Unité et genre littéraire.

Si le sens général de cette pièce se laisse facilement percevoir, le texte en est fort abîmé, voire même parfois désespéré (cf. critique textuelle). Au sein de cette lamentation, le v 4b fait figure de corps étranger. Il brise la cohérence du développement des v 1-4a.5-6 qui dressent un tableau peu flatteur de la communauté israélite, en introduisant, sans préavis, un élément de jugement qui tourne court, puisque les v 5-6 relancent l'accusation implicite des v 1-4a. Le locuteur de 1-4a.5-6 parle de corruption, celui de 4b de châtiment. De style plus ample et plus prosaïque, ce verset 4b trouble le mouvement du poème caractérisé notamment par la vivacité de la phrase et la formulation elliptique. Enfin il doit être rapproché des v 11-13 qui traitent, eux aussi, du «Jour» et qui proviennent d'une intervention rédactionnelle.

Dégagé de cette glose, le morceau retrouve sa cohérence. Le fait que le texte associe peinture descriptive (à l'indicatif : v 1-4a) et mise en garde (à l'impératif : v 5-6) ne doit pas faire conclure à la présence de deux morceaux indépendants, car le texte, par ailleurs si proche de Jr **8,**23 - **9,**6 offre un développement tout à fait analogue. Il s'agit d'une lamentation qui tourne en reproches. Aussi doit-elle être mise dans la bouche du prophète. La formulation elliptique au mouvement saccadé, avec beaucoup de propositions brèves à deux temps, convient particulièrement à ce genre de la plainte. En un certain sens, celle-ci s'avère plus menaçante qu'un oracle de jugement, car elle suppose que la condamnation est sans appel. Il ne reste plus au prophète qu'à entonner une lamentation.

² Il a disparu du pays, le fidèle.
De juste parmi les hommes, il n'y en a plus.
Tous sont à l'affût du sang[a].
Chacun traque[b] son frère (au) filet[c].

³ ... les mains sur le mal, pour être favorable[a],
le prince exige — le juge aussi — une gratification[b],
le grand exprime sa propre cupidité.
... [c]

2a. G «ils sont en procès» a omis le *aleph* de *y'rbw* «ils sont à l'affût» et a lu par erreur *yāribû*.   b. En confondant le *d* et le *r*, G a lu *yaṣûrû* «ils écrasent, ils oppriment».   c. Litt. «Chacun vers son frère ils traquent filet». Il faut sans doute comprendre qu'entre frères ils se traquent l'un l'autre. En surcharge rythmique, le terme «filet» pourrait être une glose explicative. D'autres font dériver le terme *ḥèrèm* (filet) d'une autre racine qui signifie l'acte d'exterminer; ils comprennent «à la mort».

3a. Litt. «Sur le mal, leurs mains, pour faire le bien». Les versions qui se dispersent se sont déjà trouvées devant un texte abîmé. Il manque sans doute un verbe.   b. Nous suivons le TM en faisant appel au style elliptique si caractéristique de ce morceau. Le verbe «exige» a pour sujet aussi bien le juge que le prince. P. D. Miller, *VT* 1980, p. 260 y voit un exemple de parallélisme séquentiel.   c. TM «lui et ils le tordent» n'a guère de sens. L'état du texte paraît désespéré.

Commentaire.

Celle-ci commence par un cri d'angoisse : le prophète s'appesantit sur son propre destin. Placé en anacrouse, cette interjection prend un relief tout particulier et la pause traduit alors comme le soupir de celui qui parle. L'allitération des *lamed* consonnes «mouillées», aptes à traduire le «hélas», est encore renforcée par le jeu de mots entre *'al'lay lî* «misère de moi» et *k^e'olelot* «grappillages» (Rudolph p. 121). Ce procédé se prolonge d'ailleurs au vers suivant par l'association du terme rare *'èškôl* «raisin», choisi à dessein, avec *lè'èkôl* «manger». La suite justifie ce cri : le prophète se place parmi les plus pauvres de son peuple, qui pour assurer leur subsistance, en sont réduits à glaner les restes de la moisson et de la vendange. La loi faisait une obligation aux moissonneurs et aux vendangeurs de laisser quelques épis et quelques grappes dans les champs, quelques fruits dans les vergers, au bénéfice des plus démunis. De même, ne devait-on pas ramasser les fruits tombés; ils étaient comme la propriété du pauvre et de l'émigré (Lv **19,** *9-10* ; **23,** *22* ; Dt **24,** *19-22*). Or ici, il ne reste rien, pas une grappe, pas un fruit que la faim fait désirer avec avidité.

Pourtant, il ne s'agit pas de famine. Dès le départ, le prophète avait prévenu qu'il utilisait le procédé littéraire de la comparaison : «Je suis *comme* aux grappillages ...». Les versets suivants en donnent la signification : une immense détresse religieuse et morale en Israël. On chercherait en vain dans le pays un fidèle ou un juste (cf. Jr **5,** *1*). Le premier terme, en hébreu *ḥāsîd*, vient de la même racine que *ḥèsèd* (cf. Mi **6,** *8*), mais, dans la Bible, l'adjectif, employé surtout dans la littérature psalmique (cf. Ps **12,** *2* ss par exemple), exprime surtout l'attitude de foi, de confiance, d'abandon à l'égard de Dieu. Le second, *yāšār*, «le juste, l'homme droit» est celui qui respecte la justice au sein des relations humaines (Mi **2,** *7*).

Les v 2*b*-3 détaillent l'état de la société. La violence y règne en maître, elle n'épargne même pas les liens les plus forts, puisqu'on s'épie entre frères. Ici encore, le prophète emprunte ses images au monde rural, cette fois à celui de la chasse. Ainsi la corruption est-elle universelle. Malgré l'état délabré du texte, on notera au v 3 une sorte de paradoxe voulu, né du contraste entre «sur le mal» et «pour être favorables (litt. pour faire du bien)» cf. Jr **4,** *22* : «Ils sont habiles à faire le mal ; faire le bien, ils ne le savent pas». Les classes dirigeantes ont une responsabilité particulière dans cette situation lamentable, et de retrouver ici les mêmes dénonciations qu'en Mi **3,** *1-12* : ce goût éhonté du profit qui conduit à l'oppression et à la violence (cf. Is **1,** *23* ; **5,** *23*). Pourtant le langage est différent. Aucun des termes ici employés : prince (sans doute les proches du roi), les juges, les grands (les membres de la cour ou de la haute administration) ne se retrouvent en Michée. Le v 4*a* tire de cette constatation la conclusion amère et généralisante, sous une formulation qui recourt, cette fois encore, à l'imagerie campagnarde : le prophète attendait des épis et des grappes de raisin. Il ne trouve qu'épines et ronces.

Le second temps de la lamentation (v 5-6) s'exprime à l'impératif, ce qui donne au discours une plus grande vivacité. Il développe le thème amorcé au v 2 mais déplace le regard du public au privé. Dans une gradation suggestive, le prophète voit les liens les plus étroits touchés par cette gangrène de la violence, qui atteint les relations de voisinage, d'amitié et jusqu'à celles de la famille. Il faut même prendre garde et se méfier de l'épouse qui partage l'intimité la plus étroite et devrait jouer le rôle de confidente. A l'instar du v 4*a*, qui fermait la première partie de la lamentation, cette mise en garde s'achève sur une conclusion généralisante (fin du v 6). Avec cette désintégration de la cellule familiale, les fondements mêmes de la société sont ébranlés.

⁴ Le meilleur d'entre eux est comme une ronce,
le plus juste d'entre eux, une haie d'épines ᵃ.
Au jour (annoncé par) ᵇ tes guetteurs, ton châtiment est arrivé,
maintenant c'est leur confusion ᶜ.

⁵ Ne vous fiez pas à l'un de vos proches,
ne vous fiez ᵃ pas à un ami.
Loin de celle qui repose sur ton sein,
garde la porte ᵇ de ta bouche.

⁶ Car le fils traite son père de fou,
la fille se dresse contre sa mère,
la belle-fille contre sa belle-mère.
Chacun a pour ennemis les gens de sa maison.

4a. TM «...le plus droit (pire?) qu'une haie d'épines». En rattachant le premier m de mimsûkāh, «haie d'épines», au mot qui précède, le terme yešārām, «le plus juste d'entre eux» fournit un bon parallèle à ṭôbām «le meilleur d'entre eux». Il n'est pas nécessaire de suppléer un k comparatif devant mswkh. La simple juxtaposition «le plus droit d'entre eux, une haie d'épines» donne à la comparaison une force plus grande et renchérit ainsi sur le stique parallèle précédent.   b. Litt. «Jour de tes guetteurs». Le mot «jour» a ici valeur d'accusatif temporel. Les guetteurs sont les prophètes qui ont annoncé le jour du jugement.   c. La teneur textuelle de ce vers ne fait pas difficulté. C'est l'harmonisation avec le contexte antécédent et subséquent qui fait problème : à qui s'adresse soudain le prophète? Il s'agit vraisemblablement d'une insertion rédactionnelle.
5a. Mur 88, appuyé par G, coordonne les deux stiques de 5a, en lisant w'l «et ne (vous fiez) pas». Mais le style elliptique de ce morceau favorise la leçon du TM qui juxtapose.   b. L'hébreu a le pluriel ou plutôt le duel. Il pense sans doute aux lèvres qui forment les deux «battants» de la «porte» qu'est la bouche.

Date de Mi **7,** *1-4a.5-6.*

Le style (elliptique et bref) et le langage (concernant par exemple la qualification des dirigeants cf. *supra*) ne permettent guère de voir dans cette pièce la main de Michée. Beaucoup des commentateurs qui soutiennent l'authenticité du morceau envisagent le règne de Manassé (684-642). Mais la suscription de Mi **1,** *1* ne mentionne pas ce roi. Or la période impartie au ministère de ce prophète, qui va de Yotam à Ézéchias, représente un temps déjà passablement long. La prolonger jusqu'à Manassé serait lui donner une amplitude démesurée.

L'analyse du genre et des attaches littéraires a mis en évidence la parenté du morceau avec certains oracles de Jérémie (cf. Jr **8**,*23-***9**,*6*). Le terme *ḥasîd* « fidèle » n'apparaît pour la première fois qu'avec Jérémie. La comparaison utilisée en Mi **7**,*1*, se retrouve en Jr **8**,*13* mais dans la bouche de YHWH : « Quand je veux récolter chez eux, oracle de YHWH, il n'y a pas de raisin à la vigne, ni de figue au figuier » (cf. Ha **3**,*17*). Plus significatifs que les rapprochements avec le Trito-Isaïe (J. L. Mays, p. 150 et H. W. Wolff, p. 177 s. qui renvoient à Is **57**,*1* et **59**,*4-8*), ces contacts avec Jérémie invitent à situer cette lamentation à la fin de la période monarchique. Cette date la rapproche aussi des deux unités du chapitre **6** qui précèdent.

Le sens de la glose (v 4b).

L'insertion du v *4b* donne à cet oracle une portée eschatologique. Le « jour de tes guetteurs » ne peut que renvoyer au Jour du jugement, annoncé par les prophètes (Am **5**,*18-20* ; Is **2**,*6-22* ; So **1**,*14-18* ; etc.), que la tradition compare à des guetteurs (Ha **2**,*1* ; Is **21**,*6* ; Os **9**,*8* ; Jr **6**,*17* ; Ez **3**,*17* ; **33**,*2-7* ; Is **52**,*8*). Ce jour est arrivé comme une visite punitive de Dieu (c'est le sens du mot hébreu traduit ici par « châtiment ») (cf. Am **3**,*12-14* ; Os **1**,*4* ; **4**,*9* ; Jr **5**,*9.29* ; **6**,*15* ; etc.). Quelles en sont les victimes ? Les rebelles d'Israël qui refusent de se convertir ? Sans doute, mais la parenté de cette glose avec celle des v 11-13 invite à y inclure les ennemis d'Israël. On notera d'ailleurs que la fin du v *4b* emprunte ses trois mots « et maintenant sera leur confusion » au v 10, où la communauté s'adresse à son « ennemie ». H. W. Wolff (p. 181) donne à ce désarroi une nuance de désordre chaotique (cf. Is **22**,*5* où, dans un jeu de mots par allitération, le terme traduit par « affolement » (TOB) est associé à « effarement (panique) » et à « effondrement »).

A la lumière de cette insertion du v *4b*, les v 5-6 prennent une connotation eschatologique et entrent dans le tableau des derniers temps. Ils faisaient primitivement figure de reproches, ils deviennent maintenant éléments de la condamnation. C'est en ce sens d'ailleurs que Jésus reprendra cette déclaration de Mi **7**,*5-6*, pour y voir les signes avant-coureurs du jugement eschatologique (Mt **10**,*35* ; Lc **12**,*53*). L'étude de la structure rédactionnelle apportera sur ce point un éclairage complémentaire.

⁷ Et moi, je guetterai YHWH,
  j'espérerai en Dieu mon sauveur[a].
  Il m'écoutera mon Dieu.

7a. Litt. «le Dieu de mon salut».

2. — *Prières et promesses* (**7**, *7-20*)

a. *La question de l'unité du morceau.*

Un même souffle d'espérance traverse tous ces versets et le langage psalmique, déjà noté par B. Stade et H. Gunkel, renforce cette impression d'unité. Pourtant, à l'examen, il apparaît que cet ensemble présente des solutions de continuité, et le caractère psalmique ou liturgique n'est pas aussi évident pour toutes les sections. Une analyse précise nous a conduit à détecter dans ce morceau un certain nombre d'interventions rédactionnelles (cf. *La Formation*... p. 364-368 et 370-372 dont nous résumons ici les conclusions).

Seul oracle de salut dans un développement d'allure psalmique, les v 11-12 font figure de corps étranger. Sans doute, comme l'a montré H. Gunkel, certains psaumes contiennent des oracles cultuels, mais ils suivent alors la supplication (Ps **60**, *8-11* ; **85**, *9-14* ; Os **14**, *5-9*) au lieu de la précéder comme ici (**7**, *14-15*). D'ailleurs ces versets 11-13 s'insèrent mal dans le développement du morceau : ils commencent de façon très abrupte après l'adresse à l'ennemie des v 8-10, à laquelle rien ne les rattache. La structure ternaire, unique dans cette finale, et un rythme de 4 + 4, qui ne se retrouve plus ailleurs, appuient l'hypothèse d'une insertion. Introduite par le motif du «Jour», placé en début de phrase, et formulée dans une construction grammaticale tout à fait inhabituelle, cette glose rejoint de très près celle de **7**, *4b*, qui, elle aussi, interrompt brutalement la séquence des v 4-5. Ils constituent tous les deux une promesse de salut, sous une forme négative en **7**, *14* (le châtiment des ennemis), sous une forme positive en **7**, *11-12* (le triomphe de Sion).

Le v 13, lui aussi de style et de thématique prophétiques, en revient au châtiment, mais, cette fois, un châtiment d'envergure cosmique. La littérature prophétique connaît semblable contraste ; les chapitres **4** et **5** de Michée offrent une dualité analogue de perspectives.

Le v 15 transforme une prière d'Israël «fais-nous voir», prolongement de la supplication du v 14 (cf. critique textuelle), en une promesse de Dieu («je te ferai voir des merveilles»), apparentée dès lors à l'oracle des v 11-13, insérés dans la trame de la prière. Il faudra rendre compte de la portée de cette retouche dans la composition rédactionnelle du chapitre **7**.

Au v 17, la plupart des critiques reconnaissent une glose dans l'expression «vers YHWH notre Dieu». Il semble plutôt que la fin du verset «elles seront terrifiées, elles auront peur de toi» représente une addition. Initialement, les v 16-17, comme les v 8-10, exprimaient la certitude de l'humiliation des ennemis, qui ne peut être que l'œuvre de Dieu et cette confiance entraîne tout naturellement l'hymne de louange au Dieu qui sauve et qui pardonne. Or l'addition de la fin du v 17 transforme cette méditation de Sion en une promesse de YHWH. Le «toi», dernier mot du verset, ne peut désigner qu'Israël, comme en *4b* et 11-13. On doit donc reconnaître ici la main du rédacteur. Ainsi apparaît clairement la cohérence de ce travail d'édition que l'analyse de l'unité rédactionnelle du chapitre **7** mettra en évidence, et qui nous livrera la clé de cette structure complexe.

A la différence des interventions précédentes, le langage et le style du v 7 présentent des traits typiquement psalmiques qui le démarquent des retouches précédentes. Mais la structure ternaire et le rythme de 3 + 3 + 2, unique dans cet ensemble, la présence d'un *waw* adversatif (et «mais») au début du vers (une telle forme ne se retrouve jamais à l'ouverture d'un psaume de lamentation ou de confiance) empêchent de rattacher ce v 7 à la séquence des v 8 ss. J. L. Mays (p. 156) y voit un verset de transition. Qu'il fonctionne de cette façon dans l'état actuel du texte, la chose est vraisemblable : le «moi je guette» fait écho au «guetteur» du v 4. Par sa tonalité psalmique et l'expression de sa confiance totale en YHWH, il annonce la prière qui suit. Cependant, par son *waw* adversatif, tout en se distinguant des v 1-6, ce v 7 se rapproche davantage de ce qui précède. Nous serions tenté d'y voir un verset rédactionnel, donnant aux chapitres **6** et **7,** *1-6* une conclusion débouchant sur l'espérance, avant l'insertion du psaume **7,** *8-10.14-20,* dont il facilitera l'accrochage, dans une édition ultérieure. Le livre d'Habacuc contient une conclusion tout à fait similaire (**3,** *18*), quant à la forme et quant au fond. Ce v 7 empêche le recueil de s'achever sur une note de désespérance : comme le psalmiste (Ps **5,** *4*) le prophète guette avec attention et espère ardemment (Ps **38,** *16* ; **42,** *6.12* ; **43,** *5*) la venue de son Dieu sauveur (Ps **18,** *47* ; **24,** *5* ; **25,** *5* ; **27,** *9* ; **65,** *6* ; **79,** *9* ; **85,** *5* ; **95,** *1* ; Ha **3,** *18* ; 1 Ch **16,** *33*) ... Il est sûr que son Dieu l'écoutera (Ps **4,** *4* ; **5,** *4* ; **18,** *7* ; etc.). Et l'on sait que dans la Bible, pour Dieu, écouter c'est déjà répondre (Ps **4,** *4* ; **116,** *1* ; Jon **2,** *3*) et sauver (Ps **34,** *7* ; **145,** *19*).

⁸ Ne te réjouis pas à mon sujet, ô mon ennemie[a].
Si je suis tombée[b], je me relève,
si[c] je demeure dans les ténèbres,
YHWH est ma lumière.

⁹ La colère de YHWH[a], je dois la supporter
— car j'ai péché contre lui —,
jusqu'à ce qu'il juge ma cause
et qu'il me fasse droit.
Il me fera sortir à la lumière
et je verrai sa justice.

8a. Ici et au v 10, le Tg applique ce qualificatif à Rome.   b. G et Vg traduisent
ki par «parce que» et rattachent cette proposition au stique précédent «Ne te réjouis
pas ... parce que je suis tombée». Mais le balancement du rythme favorise le texte reçu.
c. G διότι ἐὰν a dédoublé le second *ki*; elle lui donne une double valeur : causale
«parce que», en rattachant toute la phrase qui suit à 8*aα*, et conditionnelle «si», en
faisant de 8*bβα* la condition de 8*bβ* : «Ne te réjouis pas ... parce que si je demeure dans
les ténèbres, YHWH est lumière».
9a. Au début du vers, le Tg ajoute «Jérusalem dit».

b. *Le Psaume* **7**, *8-10.14-20*.

Les retouches rédactionnelles, relevées dans le paragraphe précédent, laissent entendre que le rédacteur a travaillé sur un donné
de base, comportant les v 8-10.14-20. Certains critiques (Mays,
Wolff) voient ici une compilation de plusieurs unités primitivement
indépendantes. La chose est loin d'être sûre, car, une fois dégagées
les interventions rédactionnelles, le texte se développe de façon
cohérente.

La certitude du pardon divin (v 8-10).

Qui parle? un personnage anonyme, interpellé au v 10 sous les
traits d'une femme, comme le montre le suffixe féminin accolé en
hébreu au terme «ton Dieu». Il en va de même d'ailleurs de
«l'ennemie» à laquelle ce personnage s'adresse au v 8. Ce procédé est
usuel dans la Bible : dans les oracles contre les nations, les villes et les
pays sont fréquemment personnifiés sous une figure féminine (ainsi
Is **14**, *29*; Lm **4**, *21*; etc.). Le locuteur s'identifie très probablement
avec la «Fille de Sion», personnification fréquente de la communauté

de Jérusalem (Mi **1,**_13_ ; **4,**_9-13_ ...). Elle s'adresse à son adversaire, mais la suite du texte montrera qu'il s'agit d'un dialogue fictif, de caractère rhétorique, qui tourne très vite à la méditation, puisque le v 10 ne mentionne plus «l'ennemie» qu'à la troisième personne. Sion est «tombée à terre», comme prostrée sous le coup de l'épreuve. Peut-être y a-t-il une allusion à la catastrophe de 587 (Lm **2,**_21_) ; le verbe «tomber» vise souvent une défaite militaire. Mais déjà Amos se lamentait : «elle est tombée à terre, elle ne se relèvera plus, la vierge d'Israël» (Am **5,**_2_). En cette épreuve, elle lit le châtiment divin, car «elle a péché» (**7,**_9_ cf. Ps **41,**_5_ ; **51,**_4_). C'est là sa vision profonde de l'histoire. Les événements ne sont qu'instruments dans la main de Dieu. Coupable, elle doit douloureusement porter le poids de la colère divine : _zā‘āp_, terme rare (2 Ch **26,**_19_ ; Pr **19,**_12_ ; Jon **1,**_15_ ; appliqué à YHWH en Is **30,**_30_) désignerait le courroux divin qui s'exprime à travers l'épreuve elle-même (cf. Is **42,**_24_). Mais, paradoxalement, cette confession des péchés ouvre à Sion la voie de l'espérance. Elle ne se présente plus comme une accusée mais comme une pécheresse repentante, qui sait que son châtiment est temporaire. Certitude sereine et ferme : aucune trace de ce «peut-être» qui accompagnait la perspective du salut en Am **5,**_5_ ; So **2,**_3_ ; Joel **2,**_14_ ; Jon **3,**_9_ ; Lm **3,**_29_ (Rudolph p. 132). Ainsi s'amorce la foi au pardon divin que l'hymne des v 18-20 exaltera.

Cette épreuve, en effet, la place désormais dans la situation d'un pauvre qui clame au juste Juge sa souffrance et sa peine, ce qui lui donne prise sur Dieu, puisque dans le droit hébraïque, le juge est le défenseur des opprimés. Ainsi s'explique ce langage emprunté au monde judiciaire : «il jugera ma cause (_rib_ cf. Mi **6,**_1-8_ mais cette fois Israël est le plaignant et YHWH le juge)», «il me fera droit» (v 9_b_). Cette dernière expression se retrouve en Mi **6,**_8_, traduite «pratiquer la justice», mais comme exigence imposée à l'homme de montrer un comportement fraternel à l'égard des laissés pour compte, à l'image de Dieu qui «fait droit» à la veuve et à l'orphelin (Dt **10,**_18_). Cette formule caractérise maintenant le comportement de YHWH à l'égard de sa communauté souffrante.

Cette assurance est si ferme que Sion se voit déjà redressée. Le verbe au parfait _qāmti_ «je me suis relevée» ferait supposer que c'est déjà fait. En réalité, il s'agit d'une anticipation dans la foi. Car envers et contre tout, en vertu de l'élection, YHWH est «sa lumière» (Ps **27,**_1_ ; Ps **18,**_29_ ; **112,**_4_) au sein même de l'épreuve. Certes, elle demeure encore dans les ténèbres (cf. Is **9,**_1_), c'est-à-dire comme happée par le monde de la mort (Ps **143,**_3_ ; Lm **3,**_6_ ; Jb **10,**_11_). Mais YHWH ne l'abandonnera pas, il la délivrera de ce danger mortel ; il la

[10] Elle verra mon ennemie,
et la honte la couvrira ;
elle qui me disait :
« Où est-il YHWH[a], ton Dieu ? ».
Mes yeux se repaîtront de sa vue.
Maintenant, elle va être piétinée[b]
comme la boue des rues.

[11] Le jour[a] de rebâtir ton enclos[b],
ce jour-là[c], s'éloignera la limite.

[12] le jour[a] où[b] l'on viendra[c] vers toi[d],
depuis Assur jusqu'à[e] l'Égypte,
depuis l'Égypte[f] jusqu'au Fleuve,
et de la mer à la mer, de la montagne à la montagne[g].

[13] La terre deviendra un lieu dévasté,
à cause des ses habitants[a], comme fruit de leurs actions.

10a. Il est probable que le texte primitif omettait YHWH et que l'adverbe interrogatif s'énonçait *'yh*. La finale *yh* a ensuite été perçue comme l'abréviation du tétragramme sacré *yhwh*. Pour éviter la succession de deux *yh*, on aurait écrit *'yw* au lieu de *'yh*. Cette solution présente le double avantage de retrouver la formule la plus courante : « où est-il ton Dieu ? » (d'autant que ce sont les adversaires d'Israël qui parlent), et de régulariser le mètre : 2 + 2 en 10a et 10b.   b. Litt. « elle est pour le (destinée au) piétinement ».

11a. Placé en début de vers, sans préposition ni article, le mot *yôm* « jour » a valeur d'accusatif de détermination temporelle (cf. v 4b).   b. « enclos ». Selon I. Willi-Plein (p. 107 s.), le mot *gdr* n'aurait pas le sens de muraille d'une ville. Il signifie clôture. Mais il pourrait ici acquérir une signification métaphorique.   c. Il manque l'article devant le nom. Est-ce le fait d'une licence poétique ?

12a. Mur 88 introduit ici la formule classique « en ce jour-là ». *Lectio difficilior*, le TM est à conserver.   b. *hw'* comme copule introduit la détermination du « jour ». Elle remplace un pronom relatif.   c. G lit *yb'w* « ils viendront ». Ce pourrait être la bonne leçon. Le TM *ybw'* « il viendra » proviendrait d'une métathèse du ' et du *w*. Peut-être a-t-il pensé au « jour qui vient » (cf. So *1, 14*).   d. Au lieu du masculin, on attendrait le féminin comme en 11a. Mais le v 4b et le v 17, retouches rédactionnelles comme les v 11-13, ont aussi le masculin. Le glissement se fait naturellement de la « ville » au « peuple » qui l'habite.   e. TM *w'ry* « et les villes » a sans doute confondu le *d* et le *r*. Lire *w'd* « jusqu'à » cf. stique suivant.   f. « L'Égypte » avec TM *māṣôr*. G : « depuis Tyr » a ponctué *miṣṣûr*, mais un redoublement de la préposition *m* après *lmny* est peu vraisemblable.   g. TM « vers la mer depuis la mer et la montagne de la montagne ». Avec la Vulg, on lit pour la fin du vers *mhr hhr* « de la montagne à la montagne ». *hhr* « la montagne » et *ym* « la mer » sont pris comme des accusatifs de mouvement. Peut-être le TM s'explique-t-il comme une retouche intentionnelle qui évoquerait la montagne de Sion (« la montagne de la montagne » génitif d'excellence à nuance superlative cf. Mi **4,** *1-4*).

13a. Certains mss grecs dont G[H] ont lu *'m* « avec (ses habitants) ».

«fera sortir à la lumière» (Ps **18**,*29* ; **112**,*4* ; **58**,*10* ; **59**,*9* s.). Le verbe
«sortir», à l'hiphil (au factitif), représente un terme traditionnel de
l'Exode, et Is **42**,*16* l'utilisera pour évoquer le Nouvel Exode, par
lequel YHWH «transformera les ténèbres (de la captivité) en lumière
(de libération)» (cf. Mi **7**,*15*). Dans cette lumière, Sion rachetée saura
«contempler la justice» de Dieu (v 9). Dans le Deutéro-Isaïe, ce
dernier terme est synonyme de salut, de paix, de lumière (Is **45**,*7* s. ;
46,*13* ; **51**,*16* cf. aussi Ps **5**,*9* ; **31**,*2* ; **40**,*11* ; **71**,*2.15.24* ; etc.), il désigne
l'œuvre de délivrance (cf. en Mi **6**,*5* les «œuvres de justice»). Israël ne
se lassera pas de contempler cette merveille. La formule, *rā'āh b*, rare
(elle ne se retrouve qu'en Abd **12-13** et *Lamentations* ; cf. en Mi **4**,*11*
l'expression synonymique de *ḥāzāh b*) dit plus que le simple «voir».
Elle traduit une insistance particulière : «fixer les yeux sur», et
semble comporter une certaine résonance émotionnelle, qu'il s'agisse
de la contemplation du salut de Dieu avec une nuance d'émerveille-
ment, ou, à l'inverse, de la ruine de l'ennemie jetée à terre (**7**,*10*).

Israël ne sera pas seul à contempler les exploits de son Dieu. «Son
ennemie aussi les verra» (v 10), stupéfaite, et cette vision la remplira
de confusion (Abd **10** ; Ps **6**,*11* ; **35**,*4* ; **70**,*3* ; **71**,*13*) ; Sion avait eu
raison de la mettre en garde : «ne te réjouis pas (trop vite) à mon
sujet» (v 8), elle qui avait mis en doute la puissance de YHWH et qui
disait à Sion «Où est-il ton Dieu?», question sarcastique que l'on
retrouve d'ordinaire dans la bouche des nations et des adversaires de
YHWH (Jl **2**,*17* ; Ps **42**,*4.11* ; **79**,*10* ; **115**,*2* cf. Ml **2**,*17*). On assiste
alors à un renversement radical de situation : Sion rétablie dans son
honneur et dans sa gloire, contemplera, avec quelque jouissance
vengeresse (fin du v 10 *rā'āh b*) son ennemie, à son tour tombée à terre
et foulée comme la boue des rues (Ps **18**,*43*).

Mais qui donc est cette ennemie si arrogante et appelée à un si
triste sort? Non sans vraisemblance, on a pensé à Édom que de
nombreux textes exiliques et postexiliques mettent en scène (Abd **10-
15** cf. Ez **25**,*12-15* ; **35** ; Is **34**,*5.8* ; Ps **137**,*7*). N'avait-elle pas profité
de l'effondrement de Juda sous les coups de l'armée babylonienne en
587 pour s'approprier une partie de son territoire? Mais d'autres
peuples voisins ne sont pas exclus de cette représentation féminine-
type (cf. Mi **4**,*11-13*). Il faut laisser à cette figure un certain halo
d'imprécision, d'autant que la suite du poème parlera «des nations»
en général (**7**,*16* s.).

¹⁴ Fais paître ton peuple avec ta houlette,
le troupeau de ton héritage,
qui habite ª, solitaire, dans le maquis,
au milieu d'un verger ᵇ.
Qu'ils paissent en Bashan et en Galaad,
comme aux jours d'autrefois.

¹⁵ Comme au jour où tu sortis d'Égypte ª,
je lui ferai voir ᵇ des merveilles.

14a. TM *šokni* «habitant» avec *yod compaginis* cf. Dt **33**,*16*; Jr **49**,*16*; Ab **3**. *b*. On peut aussi traduire «Carmel», comme l'ont fait les versions. Mais le parallélisme des stiques invite plutôt à lui donner la valeur d'un nom commun.

15a. Avec G, omettre «terre» (d'Égypte), ce qui permet de régulariser le mètre (3 + 2 comme dans les vers précédents et les vers suivants).   *b*. On modifie généralement *'r'nw* «je lui ferai voir» en *hr'nw* «fais-nous voir». Cette correction correspond très probablement au texte originel qui prolonge ainsi la supplication qui précède (v 14). Mais la leçon du TM représente moins une faute de copiste qu'une relecture qui transforme une prière d'Israël «fais nous voir» en une promesse de Dieu «je lui ferai voir». Le glossateur a joué sur l'ambiguïté du suffixe *nw* que l'on peut traduire aussi bien «lui» que «nous». Mais cette correction entraîne une certaine irrégularité grammaticale, en lisant : «Aux jours où *tu* sortis d'Égypte, je *lui* ferai voir». Or «tu» et «lui» désignent le même personnage!

Supplication (v 14-17).

Cette supplication est construite de façon très régulière : cinq vers frappés sur un mètre de 3 + 2, rythme de la qina qui convient parfaitement à la lamentation. On retrouve d'ailleurs ici certaines caractéristiques de ce genre littéraire : imploration, exposé des motifs, description de l'épreuve. Cette prière se déploie en deux temps : demande de la restauration d'Israël d'abord (v 14-15), de l'humiliation des nations ensuite (v 16 s.). C'est encore Sion qui parle, mais cette fois à la première personne du pluriel (v 15.17).

La symbolique du troupeau traverse tout le v 14. Elle reprend un motif traditionnel dans la Bible (Is **63**,*11*; Ps **77**,*21*), qui prend racine dans une métaphore usuelle au Proche-Orient pour désigner la fonction royale (cf. commentaire de Mi **2**,*12-13* et de **4**,*6-8* : voir aussi **5**,*3-5*). La triple répétition du pronom : *ton* peuple, *ta* houlette, *ton* héritage souligne avec force ce lien tout particulier, fondé sur l'élection, qui unit Israël à son Dieu, et qui transparaît à travers toute cette symbolique pastorale. Ce rappel fait éclater le scandale du présent : en pleine détresse, Israël en appelle à la responsabilité de YHWH, qui, en sa qualité de pasteur (Ps **74,***1* ; **80,***1*), doit guider son peuple, le protéger contre tout danger et le mener vers de riches pâturages. Or, présentement, Israël se trouve confiné dans la forêt *(ya'ar)* qui, dans ce contexte, désigne un maquis plein de broussailles et d'arbustes rabougris (cf. Mi **3,***12*), terres impropres à la culture et tout juste bonnes à permettre à un troupeau de brebis de survivre. Il vit, isolé, solitaire, entouré de vergers fertiles qui lui sont interdits et qui, par contraste, rendent encore plus pénible le sort réservé au troupeau de YHWH. En clair, le psalmiste évoque la situation de la communauté juive confinée au minuscule district qui entoure Jérusalem, dépossédée de ses plus riches terres, et entourée d'ennemis. On pense bien sûr à l'époque de l'exil et aux premiers temps du retour de la captivité babylonienne. Aussi Sion se souvient-elle «des jours d'autrefois», des jours où son autorité s'étendait jusqu'au-delà du Jourdain, lors de la première occupation de la Palestine (Nb **32,***1* ; **32,***26.33*). Aussi la prière se fait-elle suppliante : «Qu'ils paissent en Bashan et en Galaad», territoires israélites de la Transjordanie du Nord mais aussi terres fertiles, propices à l'élevage de nombreux troupeaux. Le Bashan était célèbre pour ses gros pâturages où paissaient de puissantes bêtes à cornes (cf. Am **4,***1*). On comprend mieux maintenant ce qualificatif «d'héritage» accolé au troupeau de YHWH. La *nāḥālāh*, c'est la part que Dieu donna à chaque tribu lors de la distribution des terres (cf. commentaire de Mi **2,***4-5*). Ce terme désigne bientôt le peuple de YHWH lui-même, bénéficiaire de ces dons divins (Ps **33,***12* ; **68,***9* s. ; **94,***5.14* ; **78,***68*). Dieu se trouve donc concerné par la détresse actuelle. Peut-il ainsi laisser aliéner la part de son peuple ? N'avait-il pas promis en Jr **50,***19* «Je vais ramener Israël à son pâturage, pour qu'il paisse en Carmel et en Bashan, et que sur la montagne d'Éphraïm et Galaad son appétit soit rassasié»?

Le v 15 enchaîne sur la fin du v 14 en évoquant lui aussi les jours du passé. Cette fois, le psalmiste remonte au-delà de la conquête, au temps de l'Exode. Pense-t-il aux Israélites de la captivité babylonienne et sollicite-t-il, comme le Second Isaïe, un nouvel Exode? Ce n'est pas dit explicitement. En tout cas, il demande à Dieu de renouveler ses merveilles, les *niphlā'ôt* qui désignent les hauts-faits de Dieu, les actes sauveurs à travers lesquels il fait éclater sa puissance (Ex **3,***20* ; Jg **6,***13* ; Ps **78,***11* ; **98,***1* ; **105,***2*). «Fais-nous voir», supplie Sion qui se sait incapable de se sauver elle-même et qui attend avec impatience d'être la spectatrice des promesses divines.

Les merveilles du premier Exode impliquaient l'écrasement de Pharaon et de l'Égypte, celles du second Exode appellent celui des

16 Elles verront, les nations, elles auront honte,
en dépit de toute leur puissance.
Elles se mettront la main sur la bouche.
Leurs oreilles deviendront sourdes.

17 Elles lécheront la poussière comme le serpent,
comme ce qui rampe sur la terre.
Elles trembleront en sortant de leurs forteresses
vers YHWH, notre Dieu[a].
Elles seront terrifiées, elles auront peur de toi.

18 Qui[a] est Dieu comme toi,
pour enlever le péché
pour passer sur la révolte[b],
(comme tu le fais) en faveur du[c] reste de ton héritage.
Il ne maintient pas pour toujours[d] sa colère,
car il se plaît à faire grâce[e].

17a. G, Syr et Vulg rattachent «vers notre Dieu» au verbe suivant : «à cause de notre Dieu, elles seront terrifiées». Ces versions ont lu *'al* «à cause de», à la place de *'èl* «vers».

18a. Tg remplace *mî* «qui» par *'yn* «ne... pas» : «il n'y a pas de dieu». Toutefois, le sens n'en est pas modifié, puisque cette forme d'interrogation appelle une réponse négative.   *b*. Litt. «enlevant le péché, passant sur la révolte».   *c*. Litt. «pour le reste de ton héritage».   *d*. G «pour témoins» a confondu *lā'ad* «pour toujours» avec *lā'éd*.   *e*. Litt. «il aime la grâce, lui».

---

nations, ces persécuteurs des temps nouveaux. Le motif qui s'étale dans les v 16 et 17 ne s'écarte donc pas des intentions profondes de la supplication qui précède. Il n'est pas sûr qu'il faille transformer les futurs des v 16-17 en jussifs (Mays, p. 163). Sion est tellement sûre de son Seigneur, tellement confiante en sa puissance et sa fidélité qu'elle proclame par anticipation l'humiliation des peuples. Présentement, ils regardent Israël abattu avec une joie insolente et maligne (**7,** *8* cf. **4,** *11*). Ils vont bientôt contempler, éberlués et terrifiés, les prodiges que YHWH va déployer en sa faveur (**7,** *10.16-17*). Le langage rejoint ici de très près celui du Ps **18,** *38-49*. Toute une série de propositions décrit l'effet bouleversant que cette vision produira sur eux : la honte, le silence d'abord stupéfait : la main sur la bouche, c'est le geste de l'étonnement et de la peur qui réduit au silence (Jb **21,** *5* ; **29,** *9* ; **40,** *4* ; Pr **30,** *32* ; Jg **18,** *19*) ; la surdité ensuite, provoquée peut-être par la voix de Dieu, au sein de l'orage, compagnon habituel des théo-

phanies ; Jb **26**,*14* parle du «tonnerre de ses exploits». Bien plus, les
nations vaincues lécheront la poussière comme le serpent (Gn **3**,*14*),
«comme ceux qui glissent, qui se faufilent» pour éviter d'être vues et
échapper à la honte. Cette finale du v 17 semble empruntée au rituel
des capitulations, telles que les peintures murales les dépeignent : on
y voit les vaincus à genoux, courbant leurs visages dans la poussière
et se traînant en tremblant devant le vainqueur pour implorer sa
clémence (Is **49**,*23* ; Ps **72**,*9*). Le vocabulaire de ce stique n'est pas
sans rappeler celui du cantique que Moïse entonna lors de l'Exode
(Ex **15**,*14.16* cf. encore Mi **7**,*15* et Os **3**,*5*). On retrouvera d'autres
allusions discrètes à ce cantique en **7**,*18-19*.

Hymne au Dieu qui pardonne (v 18-20).

Cette certitude ferme et sereine de l'intervention divine débouche
sur une célébration de YHWH, comme il arrive souvent dans les
psaumes de supplication. Le psalmiste est tellement sûr de la victoire
et de sa délivrance que, par avance, il entonne un chant de louange.
Le locuteur se fait ici encore le porte-parole de la communauté qui
s'exprime à la première personne du pluriel aux v 19 et 20. Le genre
littéraire de l'hymne se reconnaît ici à divers traits : le style
participial (début du v 18) qui se prolonge dans une série de
propositions à la troisième personne du parfait, et la louange de la
personne de YHWH (v 18) suivie de celle de son action (v 19-20).
L'hymne commence et s'achève sur une adresse directe à YHWH qui
encadre une sorte de méditation du mystère de Dieu, à la troisième
personne. Ce changement de pronom est assez fréquent dans ce type
de prière. Il ne permet pas d'y détecter les traces d'interventions
rédactionnelles.
Le motif théologique de «l'incomparabilité» de YHWH, autre
caractéristique hymnique notamment sous sa forme d'interrogation
rhétorique, souligne avec force son unicité et sa transcendance.
D'ordinaire, il se trouve associé à la Seigneurie de Dieu (Ps **89**,*7-9*), à
ses hauts-faits dans l'histoire (Ex **15**,*11*), à sa sollicitude active pour
les faibles et les pauvres (Ps **113**,*5-7*), à sa présence bienfaisante
(Dt **4**,*7*), à la fidélité à sa parole et à son alliance (1 R **21**,*8.23*). On
attendrait ici après les v 14-17, une proclamation de sa puissance
victorieuse. En fait, il introduit la célébration du Dieu qui pardonne ;
c'est le seul cas dans l'Ancien Testament. C'est dire la profondeur et
la délicatesse des sentiments religieux de cette communauté priante :
ce qui l'accable le plus, c'est la conscience de son péché (**7**,*9*) qui

¹⁹ De nouveau, il aura pitié de nous.
Il foulera aux pieds nos péchés.
Tu jetteras ᵃ au fond de la mer
toutes nos fautes ᵇ.

²⁰ Tu accorderas ta fidélité à Jacob
et ta grâce à Abraham,
comme tu l'as juré à nos pères ᵃ,
depuis les jours anciens ᵇ.

19a. G, Syr, Vulg et Tg ont la troisième personne, pour harmoniser avec ce qui précède. Mais le v 20 qui suit a, lui aussi, la seconde. Ce changement de personnes caractérise toute cette section (v 14-20) ; il s'explique sans doute par le passage de la supplication à la méditation et de celle-ci à l'hymne.   b. Puisque c'est sans doute Sion qui parle ici, il faut lire, avec l'appui des versions, « nos fautes » au lieu de « leurs fautes ». D'un point de vue graphique, la confusion est facile entre le *nw*, suffixe de la première personne du pluriel et le suffixe *m* de la troisième personne du pluriel.

20a. Litt. « que tu as juré ». Le relatif a pour antécédent la fidélité et la grâce.

b. G κατὰ τὰς ἡμέρας « selon les jours » suppose la lecture *kymy*, au lieu de *mymy*. Cette leçon fautive a été probablement influencée par la finale du v 14 et le début du v 15.

transparaît clairement, dans cette hymne, à travers la reprise des trois termes les plus représentatifs pour désigner le péché : iniquité, révolte, manquement. Aussi mesure-t-elle à son prix l'étrange et merveilleux comportement de son Dieu. Plus que la victoire, plus même que sa délivrance, elle préfère chanter ce regard de miséricorde que YHWH pose sur elle.

A l'aide de sept propositions qui occupent tout le champ de l'hymne, le psalmiste médite, avec un étonnement admiratif manifeste, sur les facettes de ce mystère divin de pardon : Dieu « enlève le péché » comme au jour des expiations (Lv **16**, *21* s. cf. Is **53**, *12*), il « passe par-dessus la révolte » (cf. Pr **19**, *11*) pour ne plus la voir. Sa colère n'a pas le dernier mot (Ps **30**, *6* ; **86**, *5-15* ; Is **57**, *16* ; **54**, *7-8* ; Jr **3**, *5.12*). Cette première série d'expressions (v 18) qui définissent le comportement général de YHWH culmine dans l'affirmation qu'il « aime le *ḥèsèd* », cette solidarité dans l'alliance qui prend ici la forme du pardon. Celui-ci a pour effet de restaurer la relation entre Lui et son peuple, rompue par le péché. Aussi, dans ce contexte, convient-il de traduire ce mot par « grâce » (Ps **25**, *6-10* ; **103**, *4* ; **130**, *4-7* ; **86**, *5*).

La seconde série (v 19-20) ne concerne plus l'attitude de YHWH en général mais vise des actes précis, comme le souligne le verbe *yāšûb*, pris ici adverbialement «de nouveau». Elle annonce donc un recommencement de l'histoire, à travers laquelle Dieu manifestera à nouveau sa «tendresse» *(rḥm)* qui équivaut ici à pitié. Sur cette miséricorde de YHWH s'appuie la foi de la communauté. Les deux dernières expressions sont empruntées à l'imagerie guerrière ; «il foulera aux pieds les péchés», personnifiés, dans cette expression et dans la suivante, comme des puissances ennemies définitivement vaincues (pour l'image cf. **7,** *10*). En akkadien, l'expression peut simplement signifier «pardonner les péchés». Mais l'image qui suit («jeter les péchés au fond de la mer») incite à lui donner un sens réaliste. YHWH, ensuite, «les jettera au fond de la mer», de sorte que personne ne pourra plus aller les y chercher. Cette formulation originale semble une réminiscence du Cantique de Moïse (Ex **15,** *1.5.16*) où l'ouverture de la mer Rouge et l'engloutissement du Pharaon et des Égyptiens sont présentés sous les traits du combat primordial (cf. Is **51,** *10*). Dans le cadre de ce Nouvel Exode, l'ennemi vaincu, ce n'est plus le dragon monstrueux de la mythologie, ni le Pharaon, c'est le péché lui-même.

Comme la première, cette seconde série qui recouvre le second temps de l'hymne (v 19-20) atteint son sommet dans l'évocation du *ḥèsèd* divin, de la grâce divine. Cette fois, *ḥèsèd* est associé à *'èmèt*, la fidélité de Dieu à ses promesses (cf. Ex **15,** *2*), qui donne à la foi et à l'espérance de la communauté son véritable socle. Au v 18, Sion se présentait comme «le reste de l'héritage» de YHWH, formule qui associe deux termes à forte densité théologique. Mais déjà le v 14 définissait l'Israël éprouvé comme «le troupeau de l'héritage de YHWH». L'expression du v 18 se retrouve dans le discours deutéronomique (2 R **21,** *14*), mais Mi **7,** *18* n'envisage plus cette notion de reste sous sa face négative (il n'y aura qu'un reste cf. Am **5,** *12*), mais sous un angle positif : cette portion de la communauté, qui est sortie renforcée de l'épreuve du jugement par pure grâce divine, constituera le noyau du peuple eschatologique.

Exploitant, à son bénéfice, la catégorie de la personnalité corporative, caractéristique de l'anthropologie hébraïque, la communauté s'identifie, au v 20, avec les deux grands ancêtres, Abraham et Jacob, qui, selon le réalisme de la conception biblique de la génération, «portent dans leurs reins» la totalité des générations à venir (cf. Is **41,** *8* ; cf. Is **63,** *16*). Par-delà l'évocation de la conquête (v 14) et de la sortie d'Égypte (v 15), le psalmiste remonte maintenant aux toutes premières origines d'Israël, jusqu'à l'époque patriarcale. Non point pour des raisons de simple convenance mais pour des motifs proprement théologiques : ce sont ces ancêtres, et donc à travers eux

leur descendance, qui ont reçu la promesse. L'hymne met davantage
l'accent sur les qualités de celui qui promet que sur le contenu de la
promesse. En tout cas, celui-ci est nettement spiritualisé : la grâce et
la fidélité de Dieu. Il n'y a pas lieu de chercher un lien plus étroit
entre Abraham et la grâce, entre Jacob et la fidélité. En vertu des lois
du parallélisme distributif, il faut comprendre que ces deux objets de
la promesse ont été accordés à chacun des deux ancêtres, mais aussi
en eux à toute leurs descendance. Là est pour le psalmiste le secret du
comportement divin : YHWH s'est unilatéralement et solennellement
engagé par serment. Le pardon de Dieu prend sa source dans la
gratuité de sa parole. Là est aussi, pour Israël la source de son
inaltérable espérance : en vertu de ce serment, Dieu qui se doit d'être
fidèle à sa parole, ne pourra jamais l'abandonner. En définitive ne
retrouve-t-on pas la croyance fondamentale d'Israël? La plupart de
ces formulations du pardon divin sont des expressions reçues qui font
écho à la confession de foi traditionnelle (Ex **34,***6* ; Ne **9,***17* ;
Ps **86,***15* ; **103,***8* ; **145,***8* ; Jon **4,***2*). Et tout le Ps **103** pourrait
apparaître comme un plus ample développement de cette hymne
d'une densité et d'une profondeur rarement égalées.

Unité et date du psaume.

   Ce poème est donc composé de trois sections : v 8-10, 14-17, 18-20.
Constitue-t-il une unité originelle ? La diversité des formes littéraires
utilisées : supplication et hymne, certaines solutions de continuité ont
conduit nombre de critiques à y voir un conglomérat rédactionnel
d'éléments primitivement distincts. En réalité, depuis déjà longtemps, Gunkel a relevé l'existence de psaumes mixtes, et à l'encontre
du second argument, on peut faire valoir un certain nombre d'indices
en faveur de l'unité du morceau.
   Tout d'abord, un même climat d'espérance sereine traverse tout cet
ensemble : la communauté humiliée souffre douloureusement, mais
elle proclame la certitude de sa délivrance. Des motifs identiques
s'entrecroisent : la défaite et l'humiliation des ennemis, amorcées aux
v 8-10, se poursuivent aux v 16-17. La conscience du péché et l'espoir
du pardon divin rattachent les v 8-10 aux v 18-20. Le tout s'achève
sur une profession de foi en la fidélité et la grâce divines (v 20), qui
cache mal un appel déguisé, lancé à Dieu, pour qu'il intervienne
promptement et manifeste ainsi les merveilles de sa justice (cf. v 9 et
15). Dans l'évocation du passé, il y a comme une progression à
rebours vers les origines de plus en plus lointaines : la conquête (v 14),
l'Exode (v 15), l'époque patriarcale (v 20). La récurrence de certains

termes appuient l'unité interne du développement : la reprise par
exemple du terme «héritage» (v 14 et v 18) ; les «jours anciens» du
v 20 font écho «aux jours d'autrefois» du v 14, au «jour de la sortie
d'Égypte» du v 15. Il y a surtout, dans cet ensemble, comme un jeu
du «voir» : le verbe revient cinq fois (v 9.10*bis*.15.16). L'ennemie
«verra» (v 10*a*), les nations «verront» (v 16), Sion «verra»
(v 9.10*b*.15). En fait, il s'agit de contempler l'unique œuvre de Dieu,
mais à partir de points de vue différents : pour Israël l'admiration et
la joie, mais aussi le regard sarcastique porté sur les victimes de
l'action de Dieu ; pour celles-ci, la stupéfaction, l'humiliation et
l'effroi (cf. *La Formation...* p. 370). Tout cela ne peut guère être
l'effet du hasard ; si l'on ne croit pas pouvoir conclure à l'existence
d'une unité originelle, il faut au moins admettre que ces composantes
sont l'œuvre d'une même école sinon d'une même main.

D'ailleurs, pour chacune de ces trois sections, la même période
s'impose, celle de l'exil. Mi **7,** *14* nous a déjà renvoyé à Jr **50,** *19*, de
la main d'un disciple du prophète. On retrouve aussi, mais en
beaucoup plus serein, la plainte et la supplication des Lamentations,
ainsi que la personnification fréquente dans ce livret, de la
communauté sous les traits d'une femme. Ces deux écrits paraissent
présenter le point de vue des Israélites restés en Palestine plutôt
que celui des exilés dont on ne parle pas. La parenté de cette pièce
avec le psaume d'Is **63,** *7* à **64,** *11* va dans le même sens : même
évocation de l'épreuve, même conscience du péché, même appel
suppliant à YHWH pour qu'il intervienne ; on pourrait compléter
cette parenté en relevant les contacts de vocabulaire et de thèmes :
les «jours anciens» **63,** *11* ; l'évocation de l'Exode **63,** *9-14*, combinée
avec la métaphore du berger et du troupeau **63,** *9.11.14* ; «l'héritage»
63, *17* ; la mention d'Abraham et de Jacob **63,** *16*, absente, pour
Abraham au moins, chez les prophètes d'avant l'exil. Or ce psaume
du livre d'Isaïe date vraisemblablement de l'exil. Si l'on voulait
préciser pour Mi **7,** *8-10.14-20*, il faudrait penser à la fin de cette
période, comme le suggère la très grande sérénité du poème (sur ce
problème de la date cf. *La Formation...* p. 372-377).

3. — *La synthèse rédactionnelle : une liturgie d'espérance*

La main du rédacteur se reconnaît dans les deux sections du
chapitre **7**. Il a inséré le v *4b* à l'intérieur de la première pièce (v 1-6).
C'est lui aussi qui a placé le psaume **7,** *8-10.14-20* à sa place actuelle,

tout en lui faisant subir certaines modifications : il insère les v 11-13
de manière aussi abrupte que le v 4*b* ; il complète le v 17 par
l'addition «elles seront terrifiées, elles auront peur de toi» et
transforme le «fais-nous voir des merveilles» (v 15) en «je te ferai voir
des merveilles»; une supplication d'Israël devient alors promesse de
Dieu. Le v 7, qui clôturait probablement l'édition deutéronomiste du
livre de Michée (cf. *infra*), facilitait, par sa tonalité psalmique,
l'accrochage de cette finale **7,** *8-20*.

Ce travail rédactionnel ne se limite pas à compléter où à modifier le
noyau initial sur des points de détail. Toutes ces interventions ont
pour effet de donner à l'ensemble du chapitre une certaine structure.
La critique s'est penchée depuis longtemps sur cette organisation.
L'hypothèse d'une liturgie, issue du Royaume du Nord avant sa
disparition en 722 av. J.-C., ne paraît pas recevable (cf. *La Formation...* p. 372-375). On ne saurait cependant récuser le caractère
dialogal de la disposition actuelle, et la tonalité psalmique d'une
grande partie du chapitre nous oriente vers le culte. Toutefois, les
aménagements de cette structure relèvent d'un travail proprement
littéraire d'édition (cf. *La Formation...* p. 381). On parlera donc, de
préférence, d'une imitation prophétique d'une séquence liturgique.

Dans cette perspective, la disposition actuelle prend tout son sens :
d'un bout à l'autre du chapitre, le dialogue se poursuit entre Sion qui
se substitue au prophète des v 1-4*a* et YHWH, selon une alternance
régulière :

— Sion se plaint de la situation morale et religieuse lamentable où se
   trouve son peuple (**7,** *1-4a*).

— Premier oracle divin (**7,** *4b-6*) de consolation : l'épreuve que ces
   péchés ont attirée sur elle est arrivée (cf. «ta visite est arrivée» en
   4*b*). Elle a payé sa dette. C'est «maintenant» au tour de ses
   ennemis de subir l'humiliation et la honte (v 4*b*). Les v 5-6 qui
   primitivement, décrivaient l'état effroyable des relations au sein
   de l'Israël pécheur, entrent maintenant comme parties intégrantes
   dans le tableau de l'épreuve qui attend les ennemis aux temps
   eschatologiques : ce sont les signes avant-coureurs des derniers
   temps. Ainsi se trouve préparé le cri d'espérance quelque peu
   revanchard des v 8-10.

— Forte de cette parole de YHWH, Sion relève la tête et laisse
   éclater son espérance (**7,** *7*). Au stade primitif du psaume, l'ennemi
   devait désigner Babel, ou plus probablement Édom. Lors de la
   rédaction finale du chapitre, il doit représenter l'ennemi-type
   d'Israël. Sion reconnaît son péché, mais exprime sa ferme

assurance que Dieu la libérera et qu'elle verra l'écrasement de ses adversaires (**7**, *8-10*).

— Second oracle divin (**7**, *11-13*) qui précise le premier (v 4*b*). On notera le mot d'appel «jour» (sans article et avec valeur d'accusatif temporel). Mais cette fois (**7**, *11-12*), c'est la face positive du Jour qui est mise en relief : Sion deviendra le centre d'attraction de tout l'univers. L'enclos dévasté sera reconstruit ; faut-il penser à la reconstruction des murailles, que l'on attend avec tant d'espoir à l'époque du retour (Is **60**, *10* ; Ps **51**, *20* cf. Jr **31**, *38-40* ; Ps **69**, *36* ; **102**, *17* ; **147**, *2*)? Il faudrait alors donner au terme *gādér*, «clôture» le sens métaphorique de muraille d'une ville (cf. Jr **49**, *3* ; Ps **89**, *41* ; Esd **9**, *4*). Quoi qu'il en soit, les limites devront être repoussées, les frontières comme dilatées (cf. Is **26**, *15* ; **54**, *2*) pour y accueillir les foules venues des extrémités du monde connu (pour la formule du v 12 cf. Ps **72**, *8* ; Za **9**, *10*), dont l'Égypte et Assur (et le fleuve Euphrate) constituent les pôles extrêmes (cf. Is **11**, *11-16* ; **27**, *12* ; Za **10**, *8-12*). Est-ce la foule des Israélites dispersés revenant au bercail? ou la foule des nations comme en **4**, *1-4*? Le texte ne le précise pas. En tout cas, le reste de la terre se transformera en désert (**7**, *13* cf. Is **24**, *1-6*), en complet contraste avec le territoire de Sion. Celui-ci représente le lieu du salut, celui-là le lieu du jugement. Jérusalem, en perpétuelle expansion, deviendra comme une oasis au milieu du désert du monde (cf. Jl **4**, *18-20* ; Za **14**, *10* ss).

— Sion demande alors que se hâte ce temps de gloire. Qu'elle puisse enfin récupérer les territoires perdus, et retrouver les frontières d'autrefois, les gras pâturages de Bashan et de Galaad ; bref que Dieu renouvelle ses merveilles d'antan (**7**, *14*).

— Dieu prend alors une dernière fois la parole (**7**, *15-17*) : en réponse à la supplication de Sion, il s'engage à renouveler les merveilles de l'Exode. Les nations en seront toutes ébahies et prises de panique. Elles se traîneront aux pieds du vainqueur, YHWH et son peuple, désormais indissolublement unis (**7**, *15-17* après correction du v 15 et addition du dernier stique du v 17).

— Sûre d'être exaucée, fondant sa foi sur la parole divine, Sion entonne alors un hymne de jubilation au Dieu qui sauve et qui pardonne, au seul Dieu capable d'une telle tendresse et d'une telle générosité (**7**, *18-20*). Le v 20 en appelle au serment jadis prononcé devant les pères, Abraham et Jacob. De nouveau, Sion exprime sa certitude que YHWH honorera ses promesses.

Puisque le rédacteur utilise un psaume que l'on date de la fin de l'exil, on peut en déduire que cette synthèse lui est postérieure et qu'elle se situe sans doute aux débuts du retour de la captivité babylonienne. Qu'elle soit le fait des païens ou des Juifs de la diaspora, cette montée des foules à Jérusalem nous renvoie à l'époque du Trito-Isaïe (Is **60**; **66,** *18-24*) et de Za **14,** *16-21*, tous textes postexiliques. Si Mi **7,** *11* envisage la reconstruction des murailles de Jérusalem, il faut alors situer cette composition rédactionnelle dans les années qui précèdent la réforme de Néhémie (445-433 av. J.-C.).

CONCLUSION

Les diverses éditions du livre et leur visée théologique

Un ouvrage n'est pas seulement la somme des éléments qui le composent. Il a sa structure propre, porteuse de sens. Sans préjuger de retouches ponctuelles isolées, l'analyse a mis en évidence trois niveaux d'édition : le noyau michéen, l'édition deutéronomiste, la structuration définitive du livre (cf. *La Formation*... p. 383-426).

1. — *Le noyau michéen*

Il se localise dans les chapitres **1-3** qui, mis à part quelques modifications rédactionnelles, relèvent tous du prophète lui-même, conclusion confirmée par l'homogénéité du style et du message. Les pièces qui meublent cet ensemble sont à situer entre 722 et 701 av. J.-C. (cf. commentaire de Mi **1,** *1*). Le prophète pourrait avoir composé la lamentation de **1,** *8-16* à Moréshèt même, puisqu'il porte un regard circulaire sur les cités qui l'entourent (cf. *supra* commentaire). Les chapitres **2** et **3** ont sans doute été prononcés à Jérusalem : on ne voit guère que la capitale pour permettre la concentration des responsables interpellés au chapitre **3** : gouvernants, magistrats, prophètes et prêtres. De même, la controverse de **2,** *6-11* met en scène un groupe complexe où sont impliqués aussi bien les riches de **2,** *1-4* que les prophètes de mensonge. Selon la chronologie retenue, ces morceaux se situent principalement à l'époque d'Ézéchias, comme le confirme du reste la déclaration des Anciens en Jr **26,** *18*. Du fait que Michée ne mentionne pas le roi dans sa condamnation des responsables, on ne peut déduire, sans extrapolation indue, qu'il a appuyé la réforme d'Ézéchias, discrètement évoquée en 2 R **18,** *3-7*, mais plus longuement racontée en 2 Ch **29-31**. Il reste que les Anciens parlent d'une conversion du roi et du peuple de Juda (Jr **26,** *19*) à la suite de la prédication du prophète. Celle-ci eut donc un réel impact sur la communauté de Jérusalem.

Ces pièces, de formes littéraires diverses, ne sont pas disposées au hasard. Il semble que la chronologie n'ait joué ici aucun rôle : si la série commence bien par l'oracle le plus ancien, celui dirigé contre Samarie (avant 722), la dernière prophétie contre Jérusalem (**3,** *12*) pourrait avoir été prononcée avant la Lamentation de **1,** *8-16*, rattachée aux événements de 701, celle-ci paraît la pièce la plus tardive. Il est possible que le classement se soit opéré en fonction des destinataires : en Mi **1** le peuple dans son ensemble, au chapitre **2** un groupe plus restreint : les riches et les prophètes, au chapitre **3** les dirigeants. Il est clair surtout que, commencé avec l'annonce de la ruine de Samarie, le livret s'achève sur celle de Jérusalem. Ce ne peut être fortuit. De Samarie, le «coup qui frappe» le peuple élu (**1,** *9*) s'étend jusqu'à Juda (**1,** *9.12*), pour finalement s'abattre sur Jérusalem elle-même (**3,** *12*). Cette menace est restée, dans la mémoire collective d'Israël, comme la plus représentative de la prédication michéenne (Jr **26,** *18* s.). Michée est-il responsable de cette organisation ? C'est loin d'être invráisemblable. Selon notre analyse (voir commentaire de Mi **1**), le chapitre premier, composé en deux temps, témoigne de la conception unitaire que le prophète se faisait du peuple de Dieu : en 701, au moment d'entonner sa lamentation sur Juda et Jérusalem, il la fait précéder de l'oracle contre Samarie, car il voit dans le malheur qui touche le royaume du Sud le prolongement de celui qui, vingt ans auparavant, avait abattu le royaume du Nord. Ces deux royaumes, représentés par leurs capitales, ne constituent qu'un seul peuple. Or, l'organisation du livret de Mi **1-3** est dominée par cette même vision unitaire. Par ailleurs, le «je dis» de Mi **3,** *1* pourrait attester chez Michée une volonté de structuration. En tout cas, le fait qu'à la différence de **6-7**, l'édition deutéronomiste se soit contentée de retouches ponctuelles, fait supposer qu'elle s'est trouvée en présence d'un livret déjà constitué.

Quoi qu'il en soit de ce dernier point, la signification de cette disposition même des oracles rejoint le cœur du message de Michée qu'il faut qualifier de «prophète de jugement». On ne peut tenir pour secondaire le fait que ce livre commence par une théophanie de jugement (**1,** *3-5*) et qu'il s'achève sur une condamnation sans appel de Jérusalem et du temple (**3,** *12*). Michée est le premier à prononcer une sentence aussi radicale sur la ville sainte. On comprend dès lors que cette terrible menace soit si fort ancrée dans la mémoire du peuple (Jr **26,** *18* s.). Elle s'accorde d'ailleurs parfaitement avec la définition

que Michée donne en **3,8** de sa mission. Tout le livret se trouve donc
placé sous le signe de la condamnation : les formes littéraires où
domine l'oracle de jugement sont parfaitement adaptées à cette
perspective et, nous l'avons noté, l'usage de la lamentation donne à
cette annonce un caractère irrémédiable : le temps n'est même plus à
la conversion ; il est aux larmes et au deuil. Il est significatif que
l'oracle de jugement en **2,1-4** se mue en oracle de malheur. Cette
vision pessimiste de l'avenir repose pourtant sur une conviction de
foi : par un télescopage des causes secondes, dont la théologie
prophétique est coutumière, Michée voit dans cette série de catastro-
phes la main de YHWH lui-même, comme l'indique, dès l'entrée, la
mise en scène théophanique qui inaugure le recueil. Dieu semble
l'ennemi de son œuvre puisqu'il annonce la ruine de son propre
temple. C'est que les Israélites en ont perverti le sens, en interprétant
cette présence divine comme une garantie magique (**3,11** ; cf. **2,6-7**).
Ils méconnaissent cette dimension morale de la sainteté à laquelle
Dieu attache tant de prix, comme le soulignent les multiples
prescriptions légales et toute la tradition liturgique. YHWH ne peut
supporter une telle perversion et Michée est chargé de le rappeler au
peuple élu. Plus que sur les infidélités proprement religieuses, sa
dénonciation porte sur les injustices sociales nées de l'appât du gain et
de la soif du pouvoir. Qu'on ne voie pas là propos démagogiques. Ses
critères de jugement, le prophète les prend dans ce droit d'alliance,
dans ce *mišpāṭ* qui n'est pas mentionné moins de trois fois dans le
chapitre 3, ce droit qui permet à Israël de vivre selon les mœurs
mêmes de Dieu, c'est-à-dire en «frères». En définitive, cette
corruption morale touche la relation à Dieu, ravalé au rang d'une
grossière assurance sur l'avenir (Mi **3,11**) : YHWH mis au service de
l'homme ! Dès lors, qu'est-ce que celui-ci peut avoir affaire avec un
peuple qui a ainsi renié sa vocation et perverti sa conception même de
Dieu ? La catastrophe est inévitable, parce que la condamnation est
inexorable. Le seul élément d'espérance consiste dans le fait qu'au
milieu d'une corruption aussi généralisée, il se trouve encore des gens
comme Michée, capables de recevoir les confidences de Dieu.

On a parfois contesté ces conclusions au nom d'un principe qui
voudrait que tout prophète ait prononcé à la fois des annonces de
jugement et des promesses de salut. Disons-le franchement, ce
principe paraît tout aussi illégitime que celui, inverse, naguère mis en
œuvre par la critique, qui retirait *a priori* aux prophètes préexiliques
toute perspective de salut. Ce genre de problèmes ne se résout pas
avec des *a priori*. Dieu reste libre de ses dons et de ses révélations.
Seule l'analyse précise peut confirmer ou infirmer l'authenticité des

oracles. Celles que nous avons menées nous a conduit à retirer à
Michée les oracles de salut contenus dans ce livre (même position
défendue par J. L. Mays et H. W. Wolff). Du reste, il n'est pas
impossible que d'autres paroles du prophète aient été perdues. Mais
nous sommes alors dans la pure conjecture. Dans son état actuel, le
message de Michée se montre d'une sévérité extrême, et la disposition
même des oracles ne fait que renforcer cette impression de malheur
inéluctable. Il nous faut le recevoir comme tel et le situer comme un
élément dans une longue chaîne plus complexe et plus riche de
paroles divines. Michée n'avait pas à tout dire. Ses propos sont
formulés en fonction de ses objectifs du moment. Or, on ne peut
méconnaître le fait que selon Jr **26,** *18* s., cette prédication aussi
virulente et sans doute en raison de cette violence même, ait atteint
l'effet désiré : le peuple de Juda et de Jérusalem s'est converti et
«YHWH a renoncé au malheur qu'il avait décrété». Il est clair, dès
lors, que ce message de malheur se voulait ultime appel à la
conversion. Son contenu n'est donc pas la dernière parole de Dieu. On
comprend que les éditions postérieures aient voulu éclairer d'une
lumière nouvelle cette proclamation du jugement divin.

La tradition a donc pieusement recueilli et conservé ce témoignage,
si dramatique soit-il. Mais par quels moyens? Nous nous heurtons ici
au silence des livres prophétiques sur le sort réservé aux dits des
prophètes. Toutefois Jr **26,** *18* pourrait peut-être permettre de formuler une hypothèse. Ce texte nous apprend que le rayonnement de la
prédication michéenne dépassait largement le cercle d'éventuels
disciples sur lesquels le texte ne nous dit absolument rien : les
«Anciens du pays» y apparaissent comme les dépositaires naturels du
message michéen. On peut donc envisager une possible transmission
des oracles du prophète dans le cadre de la famille ou de la cité,
spécialement à l'intérieur de ce cercle des «sages, juges de la porte» et
garants des traditions séculaires.

Faut-il aller jusqu'à voir dans Michée un Ancien lui-même (ainsi
H. W. Wolff, p. xv; du même auteur «Wie verstand Micha von
Moreschet sein prophetisches Amt?», *VTS* 29 [1978], Leiden, p. 403-
417)? L'hypothèse est séduisante mais fragile (J. N. Carreira, «Micha
ein Ältester von Moreschet?», *TrTZ* 90 [1981], 19-28). Quel que soit
son statut social, Michée est avant tout un prophète. Sans doute, son
recueil ne contient-il aucun récit d'appel, mais c'est le lot de la
plupart des prophètes. On ne peut considérer **3,** *8* comme une
confidence sur son expérience spirituelle, puisque la formule «avec
l'esprit de YHWH» provient d'une insertion rédactionnelle. Mais les
trois formes littéraires utilisées : oracles de jugement, oracles de

malheur, lamentations se retrouvent toutes dans les recueils prophétiques. Surtout, le prophète a bien conscience de parler au nom de YHWH, comme l'exprime sans ambage la présence à plusieurs reprises (**2,***3* ; **3,***5* cf. Jr **26,***18*) de la formule de messager. Ses paroles sont paroles de YHWH ; il a reçu mission d'être auprès de son peuple l'interprète des projets divins et de dénoncer à Israël, au nom de Dieu, son péché (**3,***8*).

Cette mission prophétique l'expose à la contestation. Comme bien d'autres prophètes, Michée s'est heurté à l'hostilité et au refus non seulement de ceux dont il dénonçait les exactions (**2,***1-4*) mais aussi de ceux qui, reconnus comme prophètes, auraient dû l'aider dans son effort de réforme (**2,***6-11*). La controverse est parfois vive, elle dresse contre lui riches et prophètes (**2,***6-11*), mais il fait face avec courage. Cette « force » vient de plus loin que lui, comme le suggèrent les parallèles avancés à **3,***8* à savoir Jr **6,***11* ; **15,***17* ; **20,***9* ; Jb **32,***8*, selon lesquels le prophète « est rempli » de la force de Dieu.

Tout entier engagé dans sa mission, il met tout son talent littéraire au service de son message, même si ce talent n'égale pas celui de son contemporain Isaïe. Son style n'a rien de terne. Vigoureux, son vocabulaire rejoint parfois celui d'Amos pour sa verdeur et sa crudité : « ils bavent » profère-t-il à propos des prophètes de mensonge. Voir encore le réalisme d'images comme celles de **3,***3.5*. Michée refuse toute phraséologie ampoulée ; sa tendance naturelle le porte plutôt à la concision, ce qui donne parfois à son style un caractère heurté ; c'est le langage direct de la conversation (**2,***6* ss) : il ne se préoccupe guère des changements de personne qui se succèdent dans le développement sans aucune transition et qui impliquent même de véritables mises en scène, Michée changeant soudain d'interlocuteur (voir chapitres **2** et **3**). Il s'est rendu célèbre par ses jeux de mots, tantôt jeux de mots par assonance ou allitération (cf. **1,***8-16*), tantôt jeux de mots sur le sens (**2,***1.3* sur la racine *rā'āh*, malheur et mal). Le procédé est certes assez courant, mais il semble n'avoir jamais été employé de façon aussi systématique. Il n'y a donc pas lieu de faire de Michée un béotien. Sa culture s'affirme encore dans sa connaissance approfondie des traditions sacrales. Cette connaissance, il la suppose du reste, chez ses interlocuteurs, puisque, procédant par allusion, il fait en somme confiance à leur « compétence biblique ».

De sa personnalité, nous ne savons que ce que nous en livrent ses oracles. De ses virulentes dénonciations des injustices sociales, on a voulu conclure qu'il était un paysan en révolte. C'est aller un peu vite en besogne. Son contemporain Isaïe, citoyen de Jérusalem et, semble-t-il, membre de la haute société de la capitale reprend les mêmes accusations et annonce le même jugement. Il serait trop expéditif de projeter sur la société de ce temps nos propres catégories sociales. Ce qui est sûr, c'est que ce message de malheur ne le laisse pas insensible. Il souffre en son cœur de devoir proclamer la ruine de son pays et des cités auxquelles il est si profondément attaché : Jérusalem et surtout sa petite patrie de Moréshèt. Sinon, comment expliquer cette propension à la lamentation et à la complainte (**1**,*8-16* ; **2**,*1* «malheur» ; **2**,*4*)? On devine un homme torturé de devoir être pour les siens un messager de malheur.

2. — *L'édition exilique*

Dans le prolongement même du livret initial (Mi **1-3**), la seconde étape de la formation de l'ouvrage s'est encore organisée autour de ce thème de jugement divin. Son intervention s'est fait sentir de deux façons : tout d'abord, dans le donné de base qui s'imposait à lui (Mi **1-3**), l'éditeur s'est contenté de retouches ponctuelles. Celles-ci mettent surtout en lumière la culpabilité d'Israël et l'engagent sur la voie de la confession des péchés (**1**,*5bc.13c* ; **2**,*3b*) ; ou bien elles soulignent que le châtiment est arrivé (**2**,*4* ; **2**,*5* ; **2**,*10*). En **3**,*8* l'ajout «avec l'esprit de YHWH» renvoie à Dieu la responsabilité de l'accusation. Ensuite, cet éditeur a complété les chapitres **1-3** ainsi réinterprétés, à l'aide d'un nouvel ensemble (**6**,*2*-**7**,*7*) qui fait rebondir le thème du jugement : par le biais d'un réquisitoire prophétique d'alliance, la première pièce (**6**,*2-8*) met en relief la culpabilité d'Israël, la seconde prononce l'arrêt de condamnation (**6**,*9-16*), la troisième fait résonner une complainte sur la corruption généralisée de la communauté, perçue comme le châtiment, immanent au péché lui-même (**7**,*1-4a.5-6*). Ces éléments, préexiliques, sont d'origines diverses : apparentés au courant deutéronomique (**6**,*2-8*), empruntés à un prophète des derniers temps de la monarchie (**6**,*9-16*), ou proches des milieux jérémiens (**7**,*1-6*). Mais en même temps, l'éditeur les retouche pour les intégrer à son projet théologique : il ajoute par exemple le v **6**,*16* qui aligne le comportement de Juda sur celui de Samarie : il complète et modifie le v **6**,*14*. Enfin, pour ne pas en rester à un constat de désespérance, il ajoute le v **7**,*7* : Israël coupable, châtiée mais repentante attend dans la foi l'intervention salvifique de Dieu. On notera, à ce niveau d'édition, que le livre de Michée se présente comme un dyptique, composé de deux livrets **1-3** et **6**,*2*-**7**,*7* qui tour à tour exploitent les mêmes formes littéraires : toutes deux commencent par une théophanie ; suivent alors lamentation et oracles de jugement mais en ordre inversé.

Cette disposition des péricopes et ces retouches se rejoignent en ce qu'elles sont commandées par une même théologie spécifique de la parole prophétique. Tout est placé sous le signe de la Parole de Dieu, comme l'explique d'emblée le titre de la collection : «Parole de YHWH qui fut adressée (littéralement «qui fut vers»)...» (Mi **1,** *1*). La totalité des oracles se trouve donc marquée du sceau de l'autorité divine ; ce que confirme en Mi **3,** *8* l'insertion «avec l'esprit de YHWH». La prédication michéenne plonge dans le mystère de Dieu. Bien plus, la personnalisation de la Parole divine que suggère la formulation de ce verset donne à cet ensemble un caractère événementiel. C'est une Parole qui «vient», qui fait irruption dans la vie du prophète comme dans celle de la communauté à qui elle est adressée. Prenant sa source en Dieu, une telle Parole doit se révéler immanquablement efficace : elle s'accomplit dans l'événement majeur que représente la ruine de Jérusalem. D'où ces quelques ajouts qui soulignent l'accomplissement de tel ou tel oracle, ainsi le «c'est arrivé» qui, en **2,** *4* ponctue le malheur projeté par YHWH et annoncé par le prophète.

En effet, cette Parole se présente avant tout comme une Parole de jugement. La prophétie (**3,** *12*) ne s'était pas réalisée du vivant du prophète, car Ézéchias et le peuple de Juda s'étant repentis, «YHWH avait renoncé au malheur» (Jr **26,** *18* s.). Mais voici que la catastrophe de 587, la prise de Jérusalem et la ruine du Temple, donnent à cet oracle une actualité troublante. La prédiction de Michée s'est accomplie, preuve incontestable que Dieu parlait par sa bouche. Mais pour rendre plus parlante la correspondance entre l'annonce et son accomplissement, il fallait ajuster celle-ci sur celui-là ; il fallait «relire» la première à la lumière de l'événement qui la réalise. Dans ce but, l'éditeur procède à des retouches, à des développements, à des compléments. Bref, il fait fonction d'interprète : en confrontant la parole prophétique à l'événement, il montre d'une part l'accomplissement de la première dans le second, mais, d'autre part, il éclaire le second à la lumière de la première. Comment procède-t-il ? Tout d'abord, il donne une portée collective à des menaces qui, à l'origine, visaient des groupes bien définis ; désormais la communauté toute entière se trouve concernée : ainsi les «riches» de Mi **2,** *1-4* deviennent-ils «cette race de malheur» (Mi **2,** *3*) qui désigne clairement le peuple (cf. Jr **8,** *3*). En **2,** *4*, la complainte des riches est mise dans la bouche du peuple et, en **2,** *5*, Michée est censé avoir décrit cette désintégration de la communauté qui correspond si bien à la période de l'exil. Par ailleurs la retouche apportée en **6,** *14* tránsforme une catastrophe naturelle en un désastre guerrier. De la même façon, la relecture de

2, *10* semble annoncer le départ pour l'exil, comme l'addition de **6,** *16* parle de l'humiliation d'Israël au milieu des peuples. Enfin, l'insertion occasionnelle, en cours de poèmes, d'expressions comme «en ce jour-là» (**2,** *3d*), «en ce temps-là» (**2,** *4*) tente de combler la distance entre l'oracle et sa réalisation, en repoussant la menace dans un avenir plus lointain par rapport au prophète lui-même.

Si l'éditeur voit dans la ruine de Jérusalem et la captivité babylonienne une parole de jugement, c'est qu'Israël est gravement coupable. Sur ce point encore, il va compléter le réquisitoire de Michée, car cette correspondance voulue entre l'annonce du malheur et son accomplissement n'a pas seulement pour but de démontrer l'efficacité de la parole prophétique, elle veut aussi dévoiler le sens de cette épreuve. Michée l'avait donné en dénonçant le péché de Jacob-Israël (**3,** *8*). L'éditeur va assumer cette proclamation, en soulignant à sa façon la culpabilité du peuple élu. Il procède encore à une adaptation : des reproches, adressés primitivement à des collectivités réduites, sont maintenant réorientés sur le peuple (**2,** *1* cf. **2,** *3*). De plus, Michée dénonçait surtout les injustices sociales, le rédacteur va élargir l'accusation ; il y joint l'infidélité religieuse, d'après **6,** *2-8* et d'après les retouches de **2,** *10* où le terme «d'impureté» pourrait désigner, comme en Jr **2,** *7* ; **3,** *10* ; **19,** *13* ; **32,** *34*, le culte des idoles. Signalons aussi l'addition de **6,** *16*, puisque le livre des Rois n'a retenu d'Omri que cette dimension religieuse de son péché (1 R **16,** *25* s.), relevée aussi, d'ailleurs, pour Achab (1 R **16,** *30-33*). La glose de **1,** *13c* met en avant le manque de foi en YHWH d'un peuple qui préfère mettre sa confiance dans des chevaux plutôt que dans son Seigneur (cf. Dt **17,** *6*).

Cet éditeur aime à schématiser, à représenter le peuple coupable sous la forme typique des deux capitales personnifiées, Samarie et Jérusalem (Mi **1,** *5bc*). A l'horizon se profile le tableau, haut en couleur, d'Ez **23** : Ohola et Oholiba, Samarie et Jérusalem. Le rédacteur veut sans doute caractériser ainsi le péché des classes dirigeantes. Mi **6,** *16* montre qu'il attache une grande importance à la responsabilité du pouvoir, des rois notamment, puisqu'il nomme expressément Omri et Achab. On rejoint encore ici la problématique du théologien deutéronomiste, pour qui le peuple est étroitement solidaire de son souverain : à bon roi, bon peuple ; à mauvais roi, mauvais peuple. C'est sous cet angle que l'éditeur du livre des Rois envisage l'histoire d'Israël.

Dans la ligne même de Michée qu'il commente et adapte, l'éditeur en reste donc à des perspectives bien sombres. Toutefois, s'il est vrai qu'il a été placé en finale de cette œuvre d'édition, le v **7,** *7* laisse passer comme un rais de lumière. Au nom de la communauté coupable, châtiée mais repentante, le locuteur attend avec sérénité l'intervention de Dieu. Le dernier mot (au sens fort du terme puisque c'est le dernier verset de cette édition) est à l'espérance. Peut-on reconnaître ici comme une analogie avec la finale deutéronomiste du livre des Rois, dans laquelle le rétablissement du malheureux roi Yoyakin dans sa dignité royale (2 R **25,**27-30) vaut comme signe de la miséricorde divine donnée à son peuple?

On serait tenté, dès lors, de qualifier de deutéronomiste cette édition exilique du Livre de Michée. La comparaison avec la théologie de cette histoire deutéronomiste va tout à fait dans ce sens : absence de tout exposé systématique mais une série de notations au ras du texte ; la tonalité un peu sombre de cette confession des péchés qui, à la limite, devient «doxologie du jugement» ; l'horizon communautaire dans lequel la culpabilité est considérée ; l'importance accordée à l'expérience et au message prophétique comme critères de discernement dans l'aujourd'hui de l'épreuve ; une conception efficace de la Parole de Dieu comme jugement à l'œuvre dans l'histoire ; probablement un appel à l'espérance ; autant de points communs qui fondent un tel rapprochement. On sait que d'autres livres prophétiques, celui d'Amos par exemple (cf. W. H. Schmidt, «Die deuteronomistische Redaktion des Amosbuches», *ZAW* 77 [1965], p. 168-193), ont fait l'objet de semblables réinterprétations. D'ailleurs, le phénomène prophétique préoccupe tout particulièrement l'historien deutéronomiste (cf. W. Dietrich, *Prophetie und Geschichte*, Göttingen, 1972). La tradition juive n'a pas donné sans raison à cet ensemble, qui va de Josué à Rois, le titre de «Premiers Prophètes».

3. — *La structuration définitive du livre*

Un travail d'édition.

Ce travail se présente comme notablement différent de la strate précédente. Il laisse pratiquement intacts les deux volets de l'édition deutéronomiste, en se contentant de faire précéder chacun d'eux d'un verset d'amplitude cosmique (**1,***2* et **6,***1*). En revanche, il procède par insertion de grands blocs qui ont leur unité propre : Mi **4-5** et **7,***8-20* et qu'il place à la suite de chacun des deux livrets du recueil deutéronomiste. La seule modification qu'il se permet à leur égard est l'insertion du v 7, *4b* dans la complainte de **7,** *1-4a.5-6* pour l'articuler sur le psaume qui suit.

Si l'on tente de caractériser sa personnalité et sa façon de procéder, on peut définir cet éditeur comme un homme de tradition qui fait œuvre de synthèse. Un homme tout d'abord respectueux des textes que lui livre la tradition orale ou écrite de son peuple. Nous venons de voir qu'il conserve intégralement le donné de base qu'il se propose d'éditer. Il en va de même des éléments qu'il intègre dans les deux sections qui relèvent de sa composition : **4-5** et **7,** *8-20.* Là encore, il ne se permet que de rares retouches qui sont d'ailleurs plus des compléments que des modifications proprement dites : **4,** *3* «jusque dans le lointain», «nombreux»; **4,** *4* ; **5,** *3* «ils demeureront»; **7,** *11-13.17d.* Plutôt que de corriger le texte, il préfère par exemple l'encadrer : **5,** *8* et **5,** *14* enveloppant **5,** *9-13* pour adapter l'oracle à son propos théologique. Seul, **7,** *15* fait l'objet d'une légère modification qui, il est vrai, n'est pas sans conséquence, puisqu'elle transforme une prière d'Israël en promesse divine ! Si nous ajoutons à cela, la procédé anthologique, perceptible aussi bien en **4-5** qu'en **7,** *8-20,* on peut conclure que cette édition est l'œuvre d'un croyant qui se nourrit du patrimoine spirituel de son peuple.

Toutefois, tradition ne signifie pas pour lui pure et simple répétition mais parole vivante, qui doit éclairer des situations nouvelles. Comme l'éditeur deutéronomiste, il va faire résonner les oracles de façon nouvelle, à sa manière à lui, tout à fait spécifique, qui est de faire œuvre de synthèse. Au sein de structures, créées à cet effet, les anciens «dits» prophétiques vont résonner de façon neuve. Nous l'avons déjà relevé en commentant les chapitres **4-5** et **7,** *8-20,* œuvres remarquablement organisées grâce notamment à des versets de transition (**4,** *8* ; **5,** *8*) ou des versets d'appel (**5,** *2* renvoyant à **4,** *9-13* ; **7,** *4b* à **7,** *11-13*). Le procédé ne se limite pas cependant à ces sections fussent-elles importantes, il s'étend à l'ensemble du livre. En effet, les versets **1,** *2* et **6,** *1,* de même facture et de même typologie, placés au début de chacun des deux livrets de l'édition deutéronomiste (**1,** *3-***3,** *12* ; **6,** *2-***7,** *7*) encadrent désormais tout le livre. Chacun de ces livrets commence désormais par «Écoutez» et s'adresse aux éléments du cosmos et aux nations comme à des accusés.

Bien plus, ce même verbe «écouter» se retrouve, avec un jeu d'allitération et d'assonance, à la fin de **5,** *14,* c'est-à-dire qu'il fonctionne comme inclusion avec **1,** *2,* enfermant ainsi dans un même ensemble les chapitres **1-5**. En même temps, il sert de mot-crochet avec le verbe «écouter» (**6,** *1*) qui ouvre le second ensemble (**6,** *1-***7,** *20*), articulant ainsi les deux grandes sections l'une sur l'autre. De la sorte, le livre de Michée se présente comme un dyptique composé de deux grandes sections qui font alterner chacune annonces de jugement (**1-3**; **6,***1*-**7,***6*) et perspectives de salut (**4-5**; **7,***7-20*). Les versets **2**, *12-13* paraissent hors de propos à la fin du chapitre **2** (cf. *supra*). Sans doute placés primitivement entre **4,***7* et **4,***8* (cf. *La Formation...* p. 405-408), ils ont fait l'objet d'un déplacement tardif et leur situation actuelle paraît artificielle.

A l'intérieur même de chacune des deux grandes parties, cette alternance repose, elle aussi, sur des faits littéraires : ainsi, en **1,***2*-**5,***14* l'éditeur arrime la section « salut » sur la précédente, la section « jugement », par le jeu de contraste entre la ruine de Jérusalem (**3,***12*) et son élévation glorieuse au sommet des montagnes (**4,***1*), la transition étant assurée par le mot crochet « montagne du temple ». De même, greffe-t-il **7,***8-20* sur ce qui précède par l'insertion du v **7,***4b* qui fait écho à **7,***11-13* (cf. *supra*). Une telle disposition témoigne d'une volonté manifeste de structuration, mais dans quel but ? Quels sont les objectifs de cette organisation aussi fortement charpentée ?

La théologie de l'éditeur du livre.

On a quelque chance de cerner le propos de cet éditeur en portant l'attention sur le choix des péricopes, les versets de transition et la disposition même des éléments au sein de la structure, tout cela relevant de sa responsabilité.

Il fait jouer une grande variété de thèmes (cf. *La Formation...* p. 409 s.). Ce qui en fait l'unité et donne à l'œuvre toute sa cohérence, c'est la visée proprement eschatologique. Déjà l'analyse des sections **4-5** et **7,***7-20* l'avait mis en lumière. La préoccupation du « Jour » eschatologique est dominante, et la plupart des pièces qui composent ces petites synthèses sont des tableaux d'avenir. Cela vaut aussi pour l'ensemble du livre, car son encadrement par les v **1,***2* et **6,***1* lui confère d'emblée une portée eschatologique. Ces versets constituent pour chacun des deux volets du dyptique l'ouverture d'un gigantesque procès, où YHWH cite à son tribunal céleste (cf. Ps **11,***4*) non seulement Israël mais l'ensemble des nations (**1,***2*), voire les éléments du cosmos comme les montagnes et les collines (**6,***1*), dans lesquelles H. W. Wolff (p. 14 et 156) verrait comme le « chiffre » des peuples de l'univers. YHWH se fait accusateur des nations : « il témoigne contre vous » (**1,***2*). Certes, le jugement d'Israël n'est pas esquivé, puisque l'éditeur assume toutes les données de base que lui fournit la tradition, mais il se trouve désormais placé sur un large horizon universaliste. Nous l'avons vu, le sort des nations préoccupe fortement cet éditeur (**4,** *1-4.9-14* ; **5,** *6-14* ; **7,** *11-13*). Ce jugement des peuples est loin d'être purement négatif, puisque, convertis et purifiés (**5,** *8-13*), ils pourront participer à la liturgie hiérosolymitaine, en se rendant au Temple pour écouter «la Parole» et «la Loi» (**4,** *2*).

Cependant, ce que le rédacteur place au premier plan de ses préoccupations, c'est le sort d'Israël. Les nouveaux tableaux d'avenir qu'il dresse, sans annuler le jugement, le placent dans une nouvelle perspective : pour ce rédacteur, comme pour l'éditeur deutéronomiste, le châtiment d'Israël est survenu. Dès lors, l'épreuve présente prend un tout autre sens que celui d'une simple sanction. D'après Mi **4,** *9-14* et la dialectique temporelle qui sous-tend cette péricope, elle représente le signe avant-coureur des derniers temps. Loin de s'installer dans la tristesse (**4,** *9-10*), Israël doit s'en réjouir, car elle est en train d'enfanter le monde nouveau. Cela se vérifie aussi au niveau de tout le livre. L'encadrement des deux versets **1,** *2* et **6,** *1* fait entrer l'histoire d'Israël dans l'ensemble du dessein de Dieu et l'insère au sein du scénario eschatologique. De même, à l'intérieur de la première partie (**1-5**), le jeu de contraste entre **3,** *12* et **4,** *1* ss revêt une importance décisive, d'autant que selon la schématisation reçue, le sort d'Israël se concentre essentiellement dans celui de Jérusalem. Le dernier mot n'est pas au jugement, et le thème tient tellement au cœur de l'éditeur que celui-ci semble avoir composé la synthèse Mi **4-5** pour être placée à cet endroit même. De la sorte, il soulignait avec force que la même Jérusalem humiliée et ruinée serait érigée en gloire au sommet des monts et au centre de l'univers (**4,** *1-4*) ; elle deviendrait le bercail des rapatriés ramenés processionnellement à Sion (**4,** *6-8* cf. **2,** *12-13*) et le centre d'attraction pour tous les peuples. Sous la houlette du prince messianique (**5,** *1* ss), le reste qualitatif, devenu une nation puissante (**4,** *7*), exercera une fonction médiatrice à l'égard des nations, source de bénédiction ou de malédiction, selon le comportement de celles-ci face aux exigences divines (**5,** *6-7*). Cette promesse a ainsi pour effet de neutraliser la virulente sentence de destruction (**3,** *12*), en la débordant par une vision de bonheur et de gloire.

Ce ne sont là encore que promesses. Que faire en attendant leur réalisation ? La liturgie finale d'espérance, qui termine heureusement ce livre, esquisse l'attitude fondamentale requise de l'Israël éprouvé : croire au pardon divin (**7,** *8-10*), rendre grâces pour ce pardon lui-même (**7,** *18-20*), recueillir la promesse d'une Jérusalem glorieuse au milieu du désert du monde (**7,** *11-13*), et surtout espérer fermement et sereinement en l'intervention divine sur le point de se manifester (**7,** *8-* *10*). L'invitation à «écouter» qui encadre cet ensemble et qui retentit à plusieurs reprises dans le recueil (**1,** *2* ; **3,** *1.9* ; **6,** *1* cf. **5,** *14*) n'a plus rien de redoutable : pour Israël pécheur mais repentant, écouter c'est recueillir la parole de Dieu avec gratitude et fonder sur elle sa vie toute entière.

SOPHONIE

INTRODUCTION

Le Livre

Sa structure.

La tradition exégétique a quelques difficultés à dégager la composition du corpus sophonien. Certains critiques, assez rares, proposent une division quadripartite : menaces contre Juda et Jérusalem (**1,** *1* - **2,** *3*), oracles contre les nations (**2,** *4-15*), réquisitoire contre Jérusalem et les peuples étrangers (**3,** *1-8*), promesses (**3,** *9-20*). La plupart tentent de retrouver ici un schéma tripartite commun à plusieurs livres prophétiques : menaces de Dieu contre son peuple (**1,** *2* - **2,** *3*), annonces de malheurs contre les nations (**2,** *4* - **3,** *8*), promesses de salut (**3,** *9-20*). Malheureusement, ce schéma fait violence aux données de l'ouvrage : ainsi, loin de se limiter à Juda, la première section envisage un jugement universel (**1,** *2-3.17-18*) ; de leur côté, les oracles contre les nations mentionnent à plusieurs reprises l'existence d'un reste et paraissent concernés par l'avenir de Juda ; cette seconde section contient du reste un développement sur la condamnation de Jérusalem (**3,** *1-7*) et s'achève à nouveau sur la perspective d'un jugement universel (**3,** *8*).

Il semble préférable de fonder l'analyse de la composition sur des critères littéraires et non exclusivement thématiques (pour un traitement détaillé de la question cf. notre article « Le livre de Sophonie, la synthèse rédactionnelle », *RevScRel* 60 (1986), p. 1-33). On s'aperçoit alors de la récurrence, à des points stratégiques du livre, d'une expression généralisante « Au feu de ma (sa) jalousie, toute la terre sera dévorée » (**1,** *18* ; **3,** *8*). La première mention clôt la peinture quasi apocalyptique du Jour de YHWH, la seconde la série d'oracles contre les nations et contre Jérusalem. On est ainsi amené à dégager une division tripartite, différente toutefois de cette de la position traditionnelle : **1,** *2-18* ; **2,** *1* - **3,** *8* ; **3,** *9-20*. Il apparaît, dès lors, que l'on ne peut pas rendre compte de cette répartition des oracles en fonction des destinataires : Juda et les nations, car chacune des trois sections, qu'il s'agisse des condamnations ou des promesses, associe étroitement nations étrangères et peuple élu.

En revanche, un thème commun, formulé en **1,** *18* comme en **3,** *8*, ressort de l'inventaire de ces trois sections : celui du Jour de YHWH, qui fait l'unité de cet ensemble. On en retrouve la mention aussi bien aux chapitres **1** et **3** qu'au chapitre **2**. Mais le tableau qu'en donnent la première et la troisième partie est fort contrasté : en **1,** *2-18*, le Jour se présente comme un Jour de châtiment radical et universel ; en **3,** *9-20*, il se veut Jour de conversion et de paix. La seconde partie (**2,** *1-***3,** *8*) atténue le contraste et donne quelque cohérence à cette représentation d'ensemble : à plusieurs reprises, elle évoque l'existence en Juda d'un reste qui survivra au jugement et qui deviendra le noyau du peuple eschatologique (cf. **2,** *7.9* et **3,** *12-13*). L'oracle de **2,** *1-3* préparait cette émergence du reste puisque, à la différence de So **1**, il laissait ouverte une issue, une possibilité d'échapper au jugement (cf. **2,** *3*). La structuration de ce corpus s'est donc opérée non pas sur la base de la distinction des destinataires mais sur celle du Jour de YHWH, qui devient ainsi le thème central de tout le livre, à qui il sert de principe d'organisation.

La Formation du livre.

En partant du texte actuel et en rétrogradant dans le passé, on peut reconnaître trois grandes étapes dans la genèse du livre : des gloses ponctuelles, un important travail d'édition, un fond sophonien (pour une justification détaillée voir commentaire et *RevScRel* 60 [1986] p. 4-26).

Il est souvent difficile d'identifier les responsables de certains compléments brefs et occasionnels, particulièrement nombreux au chapitre premier : ainsi au v 3 «ce qui fait trébucher les méchants», au v 4 «de ce lieu» et la formule «avec les prêtres», qui semble faire double emploi avec «les desservants d'idoles» ; le v 6 d'allure deutéronomique ; le v 13*b* qui reprend presque à la lettre Am **5,** *11* ; au v 17, la proposition «car ils ont péché contre YHWH». En So **2,** *3aγ*, la relative «vous qui mettez en pratique le droit» s'insère mal dans un appel à la conversion. Au chapitre **3**, l'incise «fille de mes dispersés» (**3,** *10*), qu'il faut peut-être lire «dans la dispersion», semble vouloir infléchir vers les Juifs de la diaspora l'oracle des v 9-10 adressé primitivement aux nations. Un souci analogue a sans doute entraîné la modification, au v **3,** *18a*, de «comme aux jours de fête. J'enlèverai loin de toi le malheur» qui représentait probablement le texte primitif, en «Affligés loin de la fête, je les rassemblerai, ils étaient loin de toi» (texte actuel). Ces deux dernières retouches, qui semblent être survenues après la traduction de la Bible en grec, pourraient provenir d'un groupe de piétistes, exclus de l'assemblée et persécutés. On pense à la crise culturelle et religieuse qui conduira à l'affrontement entre Juifs orthodoxes et juifs assimilés dans le cadre des guerres maccabéennes. D'autres brèves interventions, de coloration deutéro-nomiste (**1**,*3.4.6*), ont pu gloser le chapitre premier avant son intégration dans la synthèse rédactionnelle.

Celle-ci, réalisée à l'époque post-exilique (vᴵᴱ ou vᵉ siècle av. J.-C.) ne se limita pas à ce genre de retouches ponctuelles. Elle s'est livrée à un véritable travail de structuration, guidé par un propos théologique précis (cf. *supra*). De ce fait, elle appelait inévitablement un certain nombre d'interventions de plus grande ampleur. Les trois sections en portent la trace. Au chapitre premier, l'éditeur a unifié des éléments sophoniens autour du thème du Jour de YHWH (So **1**,*4-16*), auquel il donne le caractère d'un jugement universel englobant aussi bien Juda que les nations, grâce à l'encadrement des v 2-3 et 17-18. Selon son même projet d'associer étroitement Juda et les nations, il a, dans la seconde partie, articulé plusieurs éléments originellement disparates : un appel à la conversion (**2**,*1-3*), des oracles contre les nations (**2**,*4-15*) et un réquisitoire contre Jérusalem (**3**,*1-7*). Le v **2**,*15*, peut-être vestige d'un oracle contre la puissance assyrienne, lui permet de mettre sur le même plan les deux capitales ennemies : Ninive la païenne et Jérusalem l'impure (cf. **3**,*1*). En retouchant le v **2**,*8*, il englobe dans une même condamnation les habitants de Jérusalem et les nations. En même temps, il complète ces oracles contre les peuples (**2**,*7.9b-10*) pour y insérer la perspective du «reste de Juda» triomphateur de ses ennemis. On peut sans doute lui imputer l'addition de **3**,*5*, qui, en célébrant la justice de YHWH à la fois positive et négative, ouvre la voie à une conception salvifique du jugement. On peut davantage hésiter sur l'attribution de **2**,*11* à l'éditeur. Sans doute, ce verset élargit-il lui aussi l'horizon à l'ensemble du monde païen, mais il se préoccupe surtout de la gloire de YHWH et de sa suprématie sur les autres dieux (cf. Is **40**,*19* s. ; **42**,*4-12* ...) et non plus de l'avenir du reste. La troisième section (**3**,*9-20*) se compose de trois petits ensembles, d'ailleurs eux-mêmes complexes (**3**,*9-13.14-18a.18b-20*) dont la particularité est de mettre au centre du développement la formule «en ce jour-là» ou «en ce temps-là», ce qui n'est pas sans rappeler la séquence du chapitre premier (cf. So **1**,*9.10.12*). Le premier ensemble pourrait intégrer un élément sophonien (**3**,*11-13a*), complété par un oracle plus tardif sur les

peuples (**3,** *9-10*), qui fait manifestement contraste avec la condamnation des nations en **3,** *8*, et par une phrase (v 13*b*) qui ouvre une
perspective de paix. Les deux autres unités sont œuvres du rédacteur
ou des oracles indépendants que celui-ci a retouchés et joints à **3,** *11-13*
pour achever le corpus sur une finale pleine d'espérance.

Ces gloses et ces compléments rédactionnels une fois retirés, il reste
un ensemble d'unités dont rien ne permet de contester l'authenticité
et qui se situent au viiᵉ siècle avant la captivité babylonienne. C'est la
majeure partie du livre. Dans la première section, on retiendra donc
les versets **1,** *4-5.7-16*, débarrassés de quelques surcharges postérieures.
Le débat, au sein de la critique, porte sur la question de savoir si à
l'origine ces versets constituaient une pluralité d'oracles ou si l'on
peut restituer un discours de YHWH (**1,** *4-5.8-9.12-13*) et un discours
du prophète (**1,** *7.10-11.14-16*). En ce qui concerne le discours de Dieu,
l'hypothèse n'est pas sans vraisemblance ; en revanche, il paraît
difficile de voir dans les paroles du prophète une unité originelle. La
seconde section contient trois éléments hétérogènes : un appel à la
conversion (**2,** *1-3*), une série d'oracles contre les nations (**2,** *4-6.8-*
9a.12-14) et un réquisitoire contre Jérusalem (**3,** *1-4.6-8*). Dans la
logique du texte, le v **3,** *8* devait initialement sanctionner la ville
impure et porter «sur vous (l'habitant de Jérusalem)» au lieu de «sur
elles (les nations)». La parenté de **3,** *11-13a*, aussi bien du point de vue
du langage qu'à celui de la thématique (thème du reste, des pauvres
et des humiliés), avec des éléments proprement sophoniens (cf. **3,** *1-*
4.6-8 mais aussi **2,** *1-3*) ferait volontiers conclure à l'authenticité de ces
versets. Intégrés au cœur de la composition postexilique actuelle, ils
sont sans doute tronqués. En toute hypothèse, le travail rédactionnel
a entraîné la disparition des éléments qui devaient très probablement
assurer le passage entre la condamnation (**3,** *1-4.6-8*) et la purification
(**3,** *11-13a*).

Le temps

Le cadre historique.

L'*incipit* du Livre situe la prédication de Sophonie «aux jours de
Josias, roi de Juda». La critique a mis parfois en cause la pertinence
de cette notation rédactionnelle. La brièveté des oracles qui nous sont
parvenus et l'imprécision des allusions historiques qui y sont
contenues rendent difficile la tâche de confirmer ou d'infirmer ces

données. L'essai isolé de Smith et de Lacheman (*JNES* 9, 1950, p. 137-142) d'y voir un écrit pseudépigraphique datant de l'an 200 av. J.-C., n'a pas été suivi en raison de son caractère systématique et des *a priori* irrecevables qui commandaient cette position. La quasi-totalité des critiques y reconnaît un fonds préexilique, mais le débat porte sur la chronologie précise des oracles : les uns, fidèles au titre, font prêcher Sophonie durant la minorité de Josias et pendant les années de son règne qui précédèrent la découverte, au Temple, du Livre de la Loi, soit donc entre 640 et 622. D'autres font du prophète un contemporain de Jojaqim (609-598).

En fait, les indices avancés par ces derniers auteurs sont ténus et se fondent parfois sur des interprétations discutables : ainsi en **1,***12*, l'expression «le reste du Baal» supposerait une épuration des cultes païens ; la réforme entreprise par Josias serait donc bien avancée (mais sur ce point, voir le commentaire). On invoque aussi les contacts avec le style et la pensée deutéronomiques. Ils sont incontestables mais sporadiques. Les affinités du vocabulaire de Sophonie avec celui de Jérémie suggèrent plutôt que les deux prophètes utilisaient la langue de leur époque. Par ailleurs, certaines parentés de thèmes avec la pensée du Deutéronome n'impliquent nullement la rédaction de cet ouvrage, tel que nous le possédons. La recherche récente a mis en lumière un très long processus de la formation de ce livre, dont certains éléments pourraient remonter au temps d'Ézéchias voire au-delà. Le prophète a pu côtoyer des groupes politico-religieux qui se réclamaient de près ou de loin de cette tradition et qui auraient apporté leur appui, dès 633, aux premières tentatives de réforme.

Enfin, on affirme trop vite que l'époque de Josias n'offre pas d'arrière-plan historique adéquat à la proclamation des oracles contre les nations. La puissance assyrienne a longtemps dominé la scène du Proche-Orient. Elle atteint son zénith sous Assarhadon (680-669), mais Assurbanipal (668-627 ou 630) doit déjà faire face à une série de graves menaces : aux frontières du Nord, la pression des Mèdes, des Perses et des Élamites ne cesse de s'accroître. Le véritable danger vient pourtant de l'intérieur même de l'empire : appuyé par Élam, le vice-roi de Babylone, Shamash-shum-ukin, demi-frère d'Assurbani-pal, se déclare indépendant en 648. La riposte du souverain assyrien est aussi immédiate que brutale, il pille et brûle Babylone, puis il poursuit sa contre-offensive et Suze tombe bientôt. Un calme relatif s'installe alors dans l'empire. Toutefois, le déclin s'amorce à la fin du règne d'Assurbanipal, entre 640 et 630, et il conduira rapidement à la ruine de l'empire assyrien : Assur tombera en 614 et Ninive en 612.

Au temps de Sophonie, nous n'en sommes pas encore là, mais le colosse a montré sa fragilité.

L'Égypte va profiter de cette faiblesse pour recouvrer sa liberté. Une campagne assyrienne en Haute-Égypte et la prise de Thèbes avaient sonné le glas de la dynastie éthiopienne. Dès 655, Psammétique I (663-609), fondateur de la 26ᵉ dynastie, commence la longue marche vers l'indépendance. Tout le temps du règne d'Assurbanipal, son dynamisme conquérant sera maintenu dans les limites de son territoire. Ensuite, l'expansion égyptienne en Palestine se heurtera à une nouvelle force politique qui surgit alors dans l'Ancien Orient sous la forme de bandes plus ou moins inorganisées, les Scythes.

Leur première mention en cette région date de l'époque d'Assarhadon. L'historien grec, Hérodote, va jusqu'à parler d'une domination scythe aux confins de l'Égypte qui aurait duré 28 ans. Elle se serait achevée vers 611 par la chute de la ville philistine d'Ashdod que Psammétique aurait assiégée pendant 29 ans. La critique a souvent contesté ces données. Mais H. Cazelles («Sophonie, Jérémie et les Scythes en Palestine» RB 74, 1957, p. 24-44) en a montré la vraisemblance. Selon lui, il ne s'agirait pas d'une invasion proprement dite, mais de la présence de contingents scythes et d'autres groupes apparentés, mercenaires au service du pouvoir assyrien mis en difficulté et désireux de voir stopper l'offensive qui aurait permis à Psammétique de contrôler la Palestine. Ce pharaon se trouva donc bloqué, à partir de 638, devant Ashdod. La recherche récente paraît confirmer ces conclusions (cf. E. YAMAUCHI «The Scythians : Invading Hordes from Russian steppes», BA 46, 1983, p. 90-99).

Ces mouvements de peuples, ces affrontements sanglants, ces renversements d'alliance fourniraient un fond de tableau approprié aux oracles contre les nations. Dans ces événements, Sophonie verrait les signes avant-coureurs du Jugement divin (So **3,6-7**).

Le climat politique et religieux en Juda.

Un tel environnement international ne pouvait manquer d'influer sur la situation intérieure en Juda. Exerçant son pouvoir au moment où l'Assyrie se trouvait au sommet de sa puissance, le roi Manassé (687-642) se montra vassal fidèle, sauf peut-être pendant une brève interruption, si l'on en croit 2 Ch **33** qui parle même d'une captivité du roi à Babylone. Peut-être avait-il trempé dans le complot suscité par Shamash-shum-ukin (648). En tout cas, il réussit à s'expliquer et à se faire grâcier ; les Annales assyriennes le présentent comme un vassal qui paie fidèlement tribut. En Juda, il a laissé le souvenir d'un roi impie et la chronique deutéronomiste de 2 R **21** en trace un portrait peu flatteur. Mais 2 Ch **33,** *10-17* parle de conversion et même d'un essai de réforme qui pouvait avoir coïncidé avec le déclin de l'Assyrie. Son fils Ammon (642-640) semble avoir mené lui aussi une politique d'allégeance et de fidélité aux traités avec l'Assyrie. C'est peut-être ce qui le conduisit à sa perte : il mourut assassiné dans une révolution de palais, victime sans doute de réformistes, impatients de secouer le joug. Ce meurtre paraît avoir profondément choqué une nation profondément légitimiste, fidèle depuis ses origines, à la dynastie davidique. Comme à l'époque de la révolution d'Athalie (2 R **11,** *20*), le « peuple du pays » (une classe sociale ? une institution traditionnelle ? des représentants du peuple devant le roi ? la masse du peuple ?) intervient pour châtier les conspirateurs et installer sur le trône un enfant de huit ans, Josias le fils d'Amon.

Nous ne savons rien ou presque de l'ambiance religieuse qui a prévalu durant la minorité du jeune roi. On poursuivit vraisemblablement la politique de vassalisation à l'égard de l'Assyrie. Mais l'année 630 marque une rupture et le début d'une réforme, menée avec méthode et prudence. Elle atteindra son apogée en 622, à la suite de la découverte, dans le Temple, du livre de la Loi (2 R **22-23**). Elle associait à l'élimination des cultes idolâtriques une politique d'indépendance, favorisée par la décadence, en Assyrie, d'une fin de règne, celui d'Assurbanipal. On ne s'étonnera pas dès lors de voir la réforme gagner les provinces du Nord (2 Ch **34,** *7* ; 2 R **23,** *15.19* s.). Le roi de Juda revendiquait ainsi tacitement ses droits sur des régions perdues depuis longtemps.

Quelques années après, en 612, Ninive tombera sous les coups des Babyloniens. Inquiète devant cette nouvelle puissance qui monte, l'Égypte renverse ses alliances et se précipite au secours de l'Assyrie tombée à la dernière extrémité. Josias n'a nulle envie de voir se redresser le tyran implacable ou de retomber sous la tutelle de l'Égypte. Il tente de s'opposer au passage de Néchao II et de ses troupes. Il mourra en 609 au combat près de Meggido.

L'activité du prophète.

Dans ce contexte, où situer le ministère de Sophonie ? La suscription initiale (So **1,** *1*) le place sous le règne de Josias. Celui-ci a régné trente ans (640-609). L'arrière-plan international évoqué plus haut pour rendre compte des oracles contre les nations couvre en gros la même période. L'offensive de reconquête de la Palestine, entreprise par Psammétique vers 640-648 ouvrait une ère de bouleversement politique. La présence de contingents scythes aux frontières de l'Égypte et le siège d'Ashdod expliqueraient l'oracle contre la Philistie mais aussi celui contre l'Égypte stoppée brutalement dans son offensive (voir commentaire de **2,** *4-12*).

Les précisions fournies par So **1,** *4-13* et **3,** *1-8* qui traitent de Juda et de Jérusalem peuvent s'accorder avec deux périodes : la minorité du roi (640-630) ou les débuts de la réforme (entre 630 et 622). Sophonie dénonce avec vigueur l'influence assyrienne sur les mœurs (**1,** *8*) comme sur la vie religieuse : adoption de cultes astraux (**1,** *5a*) ou religion syncrétiste (**1,** *5b*) instaurée par Manassé du fait de l'introduction, dans le Temple, de cultes assyriens (2 R **21,** *4-8*). Il est possible qu'après la mort d'Ammon et de ses meurtriers, les partisans du jeune roi aient favorisé un tel climat pro-assyrien. Religieux et politique sont alors étroitement mêlés. Les documents d'alliance étaient déposés au Temple, ils mentionnaient les divinités du suzerain et ceux du vassal comme garants des traités. C'était reconnaître la légitimité des dieux du vainqueur. De là à pratiquer leur culte, il n'y a qu'un pas. Ces célébrations liturgiques représentaient un signe concret de dépendance politique. Même si les contestations prophétiques étaient formulées au nom de la foi en l'unique YHWH, elles comportaient nécessairement une incidence politique et ne pouvaient être interprétées que comme expression d'une volonté d'indépendance. L'oracle contre l'Assyrie prend ici toute sa place (**2,** *13-15*). Une telle prédication se placerait bien à la fin du règne d'Assurbanipal où le déclin de l'Assyrie était de plus en plus perceptible.

Le prophète s'en prend avec virulence aux responsables du pays : politiques (les ministres de **1,** *8* s.), économiques (les marchands de **1,** *10-13*), religieux (les prêtres de **1,** *4*). Mais il garde curieusement le silence sur la personne du roi. Est-ce parce qu'enfant, il n'est pas réellement en charge du pouvoir ? Est-ce parce qu'il a entrepris un début de réforme qui se heurte à l'opposition des classes possédantes ? Dans ce cas, le prophète apporterait son soutien et sa collaboration à l'entreprise royale.

L'état lamentable de la situation religieuse, perceptible à travers les oracles, rejoint étrangement les conditions du temps de Manassé et d'Amon qui ont dû se prolonger durant la minorité de Josias : indifférence et cynisme (**1,** *12c*), corruption (**1,** *8*), injustices sociales et violences (**1,** *9*), culte du Baal (**1,** *4*), syncrétisme dans le Temple même de YHWH. Ce paganisme est trop installé pour disparaître soudainement. Selon 2 Ch **34**, la réforme s'étendra sur plus de dix années. Les vigoureuses dénonciations de Sophonie peuvent donc bien s'accorder avec les premiers efforts de Josias (2 Ch **34,** *3-7* cf. 2 R **23,** *5.10-13*) ; et l'appel émouvant de So **2,** *1-3* laisse entendre qu'un mouvement de conversion est encore possible. Le dernier verset (**2,** *3*), d'allure deutéronomique, pourrait bien trahir l'influence d'un milieu réformateur qui cherche encore sa voie.

Par ailleurs, la purification commence par les cultes du terroir, avant de s'en prendre aux cultes astraux implantés sous l'influence assyrienne (2 R **23,** *3* ss ; 2 Ch **34,** *3* ss). Sans doute, les premiers risquaient-ils moins d'éveiller la susceptibilité du suzerain. En dénonçant les cultes astraux, le prophète anticiperait sur une nouvelle étape de la réforme. Ces brèves notations suggèrent donc de situer la prédication de Sophonie soit sous la minorité de Josias soit aux alentours de 630-622 comme accompagnement de la première réforme.

La personnalité du prophète

La personne de Sophonie s'efface derrière son message : ses oracles n'offrent aucune allusion claire à son histoire personnelle. La seule source de connaissance demeure sa prédication elle-même.

Au premier chef de ses préoccupations, il faut sans aucun doute mettre celle de son peuple, cette nation sans désir (**2,** *1*) qu'il menace des foudres divines et dont il attend aussi, contre toute espérance, la conversion. En fait, cette nation se confond presque pour lui avec sa capitale, objet central, sinon unique, de tout le chapitre premier et de **3,** *1-4.6-8*. De même, dans ses promesses d'avenir, sa vision d'un peuple converti se fixe-t-elle sur la communauté de pauvres qu'il voit installée « sur la montagne sainte » où demeure la « Fille de Sion » (**3,** *11-14*). Sophonie peut désigner nommément chacun des quartiers de Jérusalem : la porte des Poissons, la ville neuve, le coin des collines, le Mortier (**1,** *10-11*). Il sait ce qui se passe à la cour (**1,** *8-9*), au tribunal (**13,** *3*) dans le quartier des affaires (**1,** *11*), au Temple ou dans les sanctuaires païens (**1,** *5-6* ; **3,** *4b*), ce qui se dit sur les places publiques. On ne risque guère de se tromper en en faisant un citoyen de Jérusalem.

Familier de la capitale, Sophonie en connaît toutes les turpitudes et, comme ses prédécesseurs, il en rend responsables les classes dirigeantes : les princes de la cour ambitieux et calculateurs, ne recherchant que leur propre intérêt, au risque même de faire couler le sang (**1**, *8-10*) ; les riches et les marchands qui font profession d'athéisme pratique (**1**, *10-13*) ; les prêtres qui, en tolérant le culte idolâtrique, profanent jusqu'au Temple lui-même (**3**, *3* s.) ; les juges avides et implacables (**3**, *3* s.) ; les prophètes infidèles à leur mission (**3**, *4*). Solidaire de sa communauté, il ne peut rester insensible devant tant de crimes. Aussi tour à tour rugit-il (**1**, *2* ss) et pleure-t-il (**3**, *1* ss) sur la ruine entrevue. Son vocabulaire de pauvreté (**2**, *3* ; **3**, *11-13*) suggère une sympathie particulière pour les couches les plus humbles de la population.

Son regard s'étend aussi au-delà des murailles de Jérusalem : il s'intéresse à la politique, aux événements de son temps, aux bouleversements qui se préparent (So **2**). Mais c'est toujours d'un point de vue religieux : il les perçoit comme des passages de Dieu. Éduqué dans la plus pure tradition yahviste, on le soupçonnerait d'un étroit conservatisme quand il accuse «ceux qui s'habillent à la mode étrangère» (**1**, *8*), si l'on ne savait que ce comportement traduisait une mentalité extrêmement dangereuse pour la foi.

Il s'intéresse au culte, mais comme n'importe lequel des Israélites fervents, scandalisé devant les profanations auxquelles il assiste. S'il utilise les formes littéraires de la liturgie, la monition (**1**, *7*), l'hymne (**1**, *14-16*), s'il mentionne le sacrifice, ce n'est point apparemment en professionnel. De même, son vocabulaire laisse ici ou là transparaître une certaine connaissance du courant de sagesse, et quelques formulations pourraient faire conclure qu'il a été en contact avec le mouvement deutéronomique (**1**, *5* cf. Dt **4**, *19* ; So **1**, *13* cf, Dt **28**, *30-32* ; voir encore So **2**, *1-3* ; **3**, *9-12*). Mais Sophonie est avant tout un prophète par son langage, ses réflexions, sa fougue même. La tradition prophétique lui fournit ses thèmes, ses formes littéraires, ses images, son vocabulaire. Deux de ses prédécesseurs paraissent l'avoir particulièrement marqué : Amos et Isaïe. Le premier lui a transmis, entre autres, le célèbre thème du Jour de YHWH (Am **5**, *18*) qu'il exploitera avec talent (So **1**, *14-16* ; **2**, *1-3*). Cependant, même ici l'influence isaïenne a laissé des traces (So **1**, *16* et **3**, *6* cf. Is **2**, *11-17*). On retiendra encore la reprise de l'expression «j'étendrai la main contre...» (So **1**, *4* ; **2**, *13* cf. Is **5**, *25* ; **9**, *11.16.20* ; **10**, *4*) etc. Surtout, le refus de l'orgueil, l'amour de la pauvreté, l'espérance d'un petit reste converti, autant de thèmes que Sophonie a empruntés à l'illustre prophète du VIIIe siècle.

Il serait pourtant injuste de faire de Sophonie un simple épigone. Déjà le style laisse transparaître une indéniable originalité. Il allie le souffle authentiquement poétique et le métier d'un bon écrivain. Le souffle on le perçoit dans le célèbre poème du «dies irae» (**1**, *14-16*), mais aussi, sur un mode mineur, dans le bref oracle de **2**, *1-3* scandé par son rythme ternaire et ses répétitions suppliantes. La langue, ferme et concise, reste toujours vigoureuse. Elle utilise avec habileté les procédés rhétoriques usuels en poésie hébraïque ; assonances et allitérations (**1**, *15*), jeu de mots sur les villes Philistines (**2**, *4*), jeu de sens sur le nom de *Mélèk* (**1**, *5* cf. encore **1**, *12*). Les images s'accumulent voire se bousculent, sans grande cohérence parfois (le sang répandu comme de la poussière **1**, *17* !). Outre le célèbre «dies irae», on retiendra volontiers comme traits caractéristiques le pittoresque tableau de YHWH fouillant Jérusalem avec une lampe (**1**, *10-11*), ou la complainte sur la ville impure (**3**, *1-4*).

LE MESSAGE

L'analyse de la structure a montré que le livre de Sophonie trouve son principe d'organisation dans le thème du Jour de YHWH. Ce n'est pas là création du rédacteur qui n'a fait qu'exploiter une idée centrale de Sophonie lui-même. Mais si important que soit, pour les représentations eschatologiques d'Israël, le message sophonien, le prophète n'est pas lui-même l'initiateur du motif. Il l'a puisé dans la tradition prophétique.

Les origines du Jour de YHWH.

L'expression Jour de YHWH, parfois abrégée en «Le Jour» ou «en ce Jour-là», apparaît pour la première fois sur les lèvres du prophète Amos (second quart du VIIIᵉ siècle). Ce jour, Amos l'annonce comme redoutable, comme un «Jour de ténèbres... sans aucune clarté» (Am **5**, *18-20*), bref un Jour de Jugement et de châtiment. Le ton polémique de l'oracle suggère que le prophète prend l'exact contre-pied d'une conception populaire d'un jour de YHWH, présenté comme un jour de lumière, c'est-à-dire de victoire pour Israël. La critique n'a pas encore pleinement élucidé les origines de cette formulation. Provient-elle du mythe (H. Gressmann)? du culte (S. Mowinckel)? de l'expérience historique (G. von Rad)? Faut-il d'ailleurs choisir entre ces hypothèses? Le Jour de YHWH désigne-rait primitivement celui de la visite de Dieu et s'appliquerait à certaines interventions réalisées au bénéfice d'Israël, comme le «Jour de Madian» (Is **9**, *3*), le jour où le Seigneur a donné à son peuple la victoire sur Madian (cf. Jg **7-8**), dans le cadre de la guerre sainte. Ces interventions ont pu faire l'objet de commémorations cultuelles, à l'analogie du «Jour de la sortie d'Égypte», nourrissant ainsi l'espérance d'un Jour à venir qui apporterait définitivement à Israël le bonheur et la paix. Des éléments mythologiques ont pu colorer ici ou là le tableau. Amos s'inscrit en faux contre de telles représentations : pour lui le Jour de YHWH ne sera que jour d'épreuve et d'angoisse. Et si l'on rapproche Am **5,** *18-20* de Am **8,** *2*, on serait tenté de conclure que, pour lui, le Jour de YHWH est en même temps le Jour de la fin d'Israël (voir aussi Is **2,** *6-22*).

Le message de Sophonie.

Sophonie se situe dans le droit fil de la prédication d'Amos et d'Isaïe. Il en accentue même les traits et en radicalise, s'il est possible, la présentation (**1,** *14-16*). Il est comme subjugué par cette vision d'un Jour d'épouvante derrière lequel se profile le visage terrible de YHWH lui-même. A la limite, ce Jour prendrait comme des traits personnels. Cette fois le message est clair : il entraîne dans sa tourmente (**1,** *14-16*) Juda et les nations.

Qu'est-ce qui justifie une telle description ? Comme YHWH lui-même, le prophète va «fouiller Jérusalem avec sa lampe», pour mettre en pleine lumière les turpitudes de son peuple (voir *supra* le tableau des dénonciations du prophète). Par-delà les manifestations du péché, il tente d'aller jusqu'à la racine du mal : la démesure (**3,** *1*), qui ravale la ville sainte, devenue «la cité impure», au rang de l'orgueilleuse Ninive (**2,** *15*). Si le prophète s'en prend avec tant d'acharnement aux classes dirigeantes, c'est qu'elles sont les premières menacées. Car le pouvoir se fait tentateur (**3,** *3-4*) et la sécurité matérielle risque d'engendrer l'autosuffisance. Aussi en vient-on facilement à considérer Dieu comme un être lointain et inefficace «qui ne peut faire ni bien ni mal» (**1,** *12*), qui ne s'intéresse pas aux actions des hommes. Une telle perversion semble réduire à néant toute possibilité de conversion. Enfermée dans la fausse sécurité de ses biens et de son pouvoir, la ville refuse «d'écouter la leçon» (**3,** *2.7*). Cette accusation d'orgueil n'épargne pas les nations païennes, Moab et Ammon par exemple, qui, par leurs sarcasmes et leurs insultes, se sont dressées avec insolence contre Juda (**2,** *8*), ou bien encore Ninive la joyeuse, qui, sûre de sa suprématie, proclamait «moi et rien que moi». Il est vrai que les oracles contre les nations (**2,** *4-15*) ne mentionnent pas une seule fois le Jour de YHWH. En **3,** *6-8*, elles doivent simplement servir de leçon à Jérusalem, car dans sa formulation primitive, le v **3,**_8_ n'envisageait de condamnation qu'à l'encontre de la capitale (cf. commentaire). Pour Sophonie, le Jour de YHWH concernait au premier chef la communauté judéenne.

Le message de Sophonie se réduit-il à cette condamnation imparable? A s'en tenir à So **1** et So **3,**_1-8_, on serait tenté de le croire. Mais il y a l'appel pressant de So **2,**_1-3_ qui semble envisager un possible pardon de Dieu, preuve, s'il en est, qu'on ne peut enfermer la prophétie dans des catégories trop rigides : jugement ou salut. En tout cas, l'exigence que cette exhortation requiert avec tant d'insistance est à l'opposé de ce péché d'orgueil, dénoncé comme la source de toute corruption. Sophonie, en effet, résume d'un mot l'exigence fondamentale de conversion : l'_'ănāwāh_, la pauvreté, l'humilité qui fait du croyant un être de désir en quête de Dieu : «Recherchez le Seigneur... rechercher la justice... recherchez la pauvreté». Pour la première fois, ce terme se charge de connotations religieuses : pour la première fois aussi, il définit une attitude globale, qui se confond pratiquement avec la foi. Ainsi Sophonie inaugure-t-il un mouvement qui s'épanouira après l'exil et qui nourrira la spiritualité des «pauvres de YHWH».

La théologie du rédacteur.

Sophonie a-t-il lui-même envisagé un au-delà du jugement? Si l'on tient pour authentiques les v **3,**_11-13_, il faut répondre par l'affirmative : un «reste» survivra à la catastrophe, purifié de toutes ses scories, débarrassé de ses «fiers orgueilleux», de ceux «qui prennent de grands airs» (v 11), et composé de «gens humbles et pauvres qui cherchent refuge dans le Nom du Seigneur» (v 12).

Quoi qu'il en soit de ce dernier point encore débattu, le rédacteur tout en assumant l'héritage sophonien, va offrir une présentation beaucoup plus complexe du Jour de YHWH. Ce thème structure maintenant tout le livre, puisqu'il est présent aussi bien au chapitre premier et en **2,** _1-3_ qu'en **3,**_8-20_. Il encadre donc désormais la série des oracles contre les nations qui, de ce fait, se trouvent intégrées au scénario du jugement. D'autre part, il se déploie maintenant en un drame eschatologique à plusieurs temps. «Ce jour-là» (**1,**_9-10_) se représente d'abord comme un jour de colère pour YHWH, et comme un jour d'angoisse pour Israël et les nations, pour la terre elle-même dévorée par le feu de la jalousie divine (**1,**_18_ ; **3,**_8_). Ainsi s'accomplit l'immense holocauste où l'humanité se confond avec la victime pour le sacrifice (**1,**_7_ s.). Les premiers mots du livre mettent en scène

YHWH lui-même qui fait irruption soudainement sur la scène du monde sous les traits d'une présence menaçante : «Je vais absolument tout retirer de la surface de la terre...». Ce projet de mort et d'anéantissement est sur le point de se réaliser, car «son jour est proche», leitmotiv des versets **1**, *7-18*. Est-ce alors l'échec du plan divin? Non, car les v **2**, *1-3* laissent entrevoir un possible pardon de Dieu — et c'est le second temps du scénario —, à condition toutefois que s'opère dans les cœurs une conversion radicale : le peuple arrogant, sûr de lui, doit se muer en une nation de pauvres, d'hommes de désir, en quête de Dieu et sa justice. Et les versets suivants **2**, *4-15* semblent prétendre que cela se réalisera effectivement, puisqu'on voit apparaître la notion d'un «reste de Juda» (**2**, *7.9b-10*) qui prendra sa revanche sur les ennemis d'Israël en occupant leur territoire. Mais ce n'est qu'un reste, car une fois encore, on nous rappelle que Jérusalem elle-même sombrera dans le cataclysme, qui engloutit les nations (**3**, *1-8*). Toutefois, miraculeusement, le feu de la jalousie divine instrument impitoyable du châtiment de YHWH, se transforme en un feu purificateur (**3**, *8*). De ce feu sortira un Israël rénové et des nations elles aussi épurées et purifiées. C'est le «changement de destin» qu'annonçait **2**, *7* (cf. **3**, *20*), le troisième temps de ce scénario du Jour de YHWH où désormais le maître du monde et de l'histoire apparaît comme le seul agent actif de conversion des cœurs.

Le «je» divin domine en effet toute la séquence des v **3**, *9-20*. C'est lui qui rend pures les lèvres des peuples pour leur permettre de participer à la liturgie yahviste (**3**, *9-10*). C'est lui encore qui entreprend, au sein même de son peuple, un vigoureux nettoyage (**3**, *11-12*). Alors, cette communauté rénovée sera conviée à constituer le noyau d'un peuple immense, pôle d'attraction pour les Juifs de la diaspora (**3**, *19b-20*) mais aussi pour les nations, elles-mêmes converties. Comment dès lors, le nouvel Israël n'exulterait-il pas de joie (**3**, *14-17*) devant cet avenir plein de promesses, devant cette gloire retrouvée au milieu des peuples (**3**, *19-20*)? Mais la véritable source de cette joie eschatologique, c'est la présence même de YHWH au milieu de son peuple (**3**, *15-17*). En définitive, cette joie se fera l'écho de celle de Dieu même, héros vainqueur qui danse d'allégresse, parce qu'il a enfin trouvé dans cette communauté eschatologique la réponse à ses offres d'amour (**3**, *17*).

Cette vison d'avenir frappe par son absence de toute emphase, de tout trait merveilleux, de tout triomphalisme et même, mis à part quelques brèves allusions (**2**, *7.9b*), de tout esprit de revanche. Elle met l'accent sur l'attitude d'intériorité, de foi (**3**, *11-12*), sur les exigences religieuses et liturgiques (**3**, *9-10*), non sur la conquête du

monde ou sur la soumission des peuples. Surtout, elle rapporte tout à
YHWH, à sa présence vivifiante au cœur de Sion «sa montagne
sainte». Cette insistance laisse deviner que, dans l'épreuve, Israël a
compris qu'il ne pouvait se convertir lui-même. La transformation des
cœurs relève de la seule grâce divine (cf. Jr **31,** *31-34* ; Ez **36,** *25-29*).
Certes il ne s'agit encore que de promesses, adressées à une
communauté que l'on devine désemparée et qu'il faut arracher à sa
morne résignation. D'où ces invitations pressantes à la joie (**3,** *14*), à la
paix intérieure, «ne crains pas». Aux yeux du prophète, la proclamation de la parole de YHWH vaut commencement de réalisation. Cette
parole est toujours efficace et créatrice (cf. Is **55,** *10-11*). Aussi le livre
s'achève-t-il sur cette affirmation, source de certitude et d'espérance :
«YHWH a parlé» (**3,** *20*).

SÉLECTION BIBLIOGRAPHIQUE

Commentaires

Commentaires des XII Prophètes, voir Bibliographie de Michée.
GERLEMAN G., *Zephanja textkritisch und literarisch untersucht*, Lund, 1942.
LEUWEN (VAN) H., *Zefanja*, Kampen, 1979.
SABOTTKA L., *Zephanja : Versuch einer Neuübersetzung mit philologischen Kommentar*, Rome, 1972.
WOUDE (VAN DER) A. S., *Habakuk, Zefanja*, Nijkerk, 1976.

Texte

Voir Bibliographie de Michée.

Études particulières

AMSLER S ..., Voir bibliographie de Michée.
CAZELLES H., «Sophonie, Jérémie et les Scythes en Palestine», *RB* 74 (1964), pp. 24-44.
IRSIGLER H., *Gottesgericht und Jahwetag : die Komposition Zef 1,1-2, 3 untersucht auf Grund der Literarkritik*, St Ottilien, 1977.
KAPELRUD A. S., *The Message of the Prophet Zephaniah : Morphology and Ideas* Oslo, 1975.
MUÑOS IGLESIAS S., «La joie de la Fille de Sion», *Assemblées du Seigneur*, Seconde série n° 7 (1969) pp. 54-58.
LANGHOR G., «Rédaction et composition du Livre de Sophonie», *Le Muséon* 89 (1976), pp. 51-73.
LANGHOR G., «Le livre de Sophonie et la critique d'authenticité», *ETL* 52 (1976), pp. 1-27.

MARTIN F., «Le livre de Sophonie», *Sémiotique et Bible*, 39 (1985), pp. 1-22; 40 (1985), pp. 5-20.

RENAUD B., «Les pauvres à la recherche de Dieu», *Assemblées du Seigneur*, Seconde série n° 35 (1973), pp. 4-9.

RENAUD B., «Le livre de Sophonie. Le Jour de YHWH, thème structurant de la synthèse rédactionnelle», *RevScRel* 60 (1986), pp. 1-33.

VANLIER HUNTER A., *Seek the Lord. A Study of the Meaning and function of the Exhortation in Amos, Micah, Isaiah and Zephaniah*, Baltimore, 1982.

So 1

¹ Parole de YHWH qui fut adressée à Sophonie, fils de Kushi, fils de Guedalya fils d'Amarya, fils d'Ézéchias, aux jours de Josias, fils d'Amon, roi de Juda.

² Je vais absolument tout retirer[a]
de dessus la surface du sol,
oracle de YHWH.

2a. Je vais absolument tout retirer. On traduit ainsi la nuance emphatique de l'infinitif préposé *'āsoph 'āséph,* nuance qui porte non sur l'action verbale mais sur une modalité qui se trouve renforcée (Joüon § 123*d*), ici l'idée de totalité. On peut voir dans *'āséph* l'hiphil de *sûph* «supprimer» ou la première personne de l'inaccompli de *'āsaph,* forme rare mais non inhabituelle de ce verbe faible (*VT* 25 [1975], p. 688). D'autres (*BHS,* Irsigler, p. 6-11) corrigent en *'oséph.* Ce verbe est ici renforcé par l'infinitif de *'sph* «enlever, retirer»; même association en Jr **8,** *13.* G *il disparaîtra, qu'il disparaisse* et Vg *amassant, j'amasserai* ont reconnu deux formes verbales d'un unique verbe *'sph,* mais en donnant à ce verbe soit le sens de *cesser* (G), soit celui de *rassembler* (Vg).

Titre

En plaçant en tête de l'ouvrage une formule aussi solennelle dans sa brièveté même : «Parole de YHWH qui fut (adressée) à Sophonie», l'éditeur attribue indistinctement à la responsabilité de YHWH l'ensemble des oracles du livre, aussi bien les paroles du prophète que celles de Dieu même. Cette formulation n'est pas inhabituelle; on la retrouve dans les livres d'Osée, de Joël, de Michée, de Malachie, et, précédée d'une précision temporelle, dans ceux d'Aggée et de Zacharie. A l'encontre d'autres en-tête, qui se contentent de présenter les oracles comme «paroles d'Isaïe ... de Jérémie ... d'Amos», elle met l'accent sur l'origine divine du message transmis par le prophète. Il convient donc de donner à ce terme «parole» tout le poids de réalité active qu'il possède habituellement dans la Bible : la parole est révélation, communication mais aussi action, événement. Elle s'impose à l'élu comme une présence transcendante qui le dépasse et l'investit pour en faire son interprète auprès des créatures.

Le nom de Sophonie, en hébreu *ṣᵉphanyāh*, en grec *sophonias*, attesté à plusieurs reprises dans la Bible, en Jr **21,** *1* et **37,** *3* par exemple, signifie « YHWH cache », ce qui peut s'interpréter « YHWH protège ». Sabottka (p. 1-3) voudrait y voir une proposition nominale « *Ṣapon* est YHWH », où *Ṣapon* désignerait une divinité phénicienne, connue par la littérature d'Ugarit. A l'analogie de *ba'alyah*, « YHWH est baal », cette formulation connoterait une intention polémique, une volonté d'annexion et d'identification de cette divinité locale à YHWH. Mais *ṣapon* n'a pas l'ambiguïté du mot baal qui peut désigner une divinité particulière, mais aussi signifier simplement « seigneur, maître ». D'autre part, la similitude des autres noms théophores de la généalogie *Gᵉdalyāh* « YHWH est grand », *'amaryāh* « YHWH a parlé (promis ?) », *Ḥizqiyāh* « YHWH est ma force » favorise aussi pour *ṣᵉphanyāh* la présence d'une proposition verbale et donc l'interprétation traditionnelle, ce que confirme du reste la vocalisation massorétique.

Deux particularités de la généalogie ont attiré l'attention de la critique : sa longueur et la mention du nom d'Ézéchias. En alignant successivement quatre ancêtres, elle remonte, fait exceptionnel, jusqu'à la cinquième génération. Seul, le passage de 1 S **9,** *1* s'étend jusqu'à la sixième génération, si l'on fait entrer dans la série *bén 'iš yᵉmînî* qui peut aussi se comprendre « fils d'un Benjaminite ». Mais les généalogies de Ruth, des Chroniques et de la tradition sacerdotale, invoquées par C.-A. Keller (p. 187), n'entrent pas en ligne de compte, puisqu'il s'agit de généalogies descendantes et donc d'une autre forme littéraire. Cette longue énumération de So **1,** *1* représente en tout cas un fait unique dans les suscriptions des livres prophétiques. Il se pourrait qu'elle veuille neutraliser la mention du nom de *kuši* « l'Éthiopien » ou plutôt le « Nubien ». Sans doute, ce mot n'a-t-il pas forcément cette signification, puisqu'il désigne aussi des personnages phéniciens (E. Lipiński, *VT* 15, 1975, p. 689), et l'on relève semblable nom propre en Jr **36,** *14*. Mais l'éditeur du livre, responsable de So **1,** *1*, pouvait craindre une telle confusion. Il aura voulu lever l'ambiguïté en remontant à la cinquième génération et en mentionnant des noms théophores de résonance typiquement yahviste. Peut-être se fonde-t-il sur la loi de Dt **23,** *8-9* qui admet l'intégration d'un Égyptien dans l'assemblée du Seigneur à la troisième génération. On notera cependant que Dt **23** porte *miṣraïm* « l'Égyptien » et non pas *kuši* le « Nubien ».

³ Je vais retirer hommes et bêtes,
    je vais retirer oiseaux du ciel et poissons de la mer,
    — ce qui fait trébucher les méchants[a] —
Je supprimerai l'homme[b]
    de dessus la surface du sol,
    oracle de YHWH.

⁴ Je dirigerai ma main contre Juda
    et contre tous les habitants de Jérusalem.

3a. *ce qui fait trébucher les méchants.* D'ordinaire on lit un nom et l'on traduit *les scandales avec les méchants.* Mais à la suite de Rudolph (p. 262) et de Irsigler (p. 11-14), il est préférable de lire le participe féminin pluriel, de l'hiphil de *kšl les choses qui font trébucher.* Ainsi le *'t* serait la particule de l'accusatif et non pas la préposition «avec». Cette proposition manque dans le G; il s'agit d'une glose. Voir commentaire.
b. *l'homme* avec sens collectif *les hommes.*

L'identification d'Ézéchias, l'ancêtre de Sophonie, avec le roi de Juda, paraît fort douteuse. On attendrait en So **1,1** une mention explicite de sa qualité royale, et la marge temporelle entre le temps d'Isaïe et celui de Sophonie, entre 660, date vraisemblable et approximative de la naissance de Sophonie, et 715, année de l'accession d'Ézéchias sur le trône de Juda, apparaît trop réduite pour pouvoir y loger cinq générations.

Jour de YHWH, Jour de colère
Première Section (**1**)

La disposition actuelle du chapitre relève de l'activité du rédacteur qui a donné au livre sa structure définitive. Celui-ci a puisé ses matériaux dans les oracles de Sophonie, qui se regroupent autour de deux pôles : paroles de Dieu (**1,***4-5.8-9.12-13*) et paroles du prophète (**1,***7.14-16*). L'éditeur les a entremêlés pour construire un discours unifié autour du thème du Jour de YHWH, Jour de colère et de châtiment (voir Introduction). Il a aussi ménagé ses effets : dans une première partie, résonne la Parole de Dieu comme parole de Jugement, sans que le terme «jour» soit une seule fois mentionné (v 2-6), mais, dès le début de la seconde partie (v 7-18), le prophète identifie l'annonce de cette venue comme celle du Jour de YHWH

(v 7). Dès lors, le terme reviendra comme un refrain, scandant tout le
développement de ses douze récurrences. En encadrant le matériau
sophonien avec les v 2-3 et 17-18 de son crû, le rédacteur a donné à ce
tableau une dimension universelle. Des gloses ponctuelles, d'origine et
de date souvent difficiles à identifier, surchargent le texte : certaines
proviennent du rédacteur (**1,** *8a*), d'autres s'apparentent plutôt aux
préoccupations de l'école deutéronomique (**1,** *3aβ* ; **1,** *4bα* « de ce lieu » ;
1, *4bβ* « avec les prêtres » ; v 6 ; v 17*aβ*) (cf. Introduction).

1. *Dieu annonce sa venue* (v 2-6).

a. *Jugement universel et cosmique* (v 2-3).

Pour la clarté de l'exposition, il convient d'abord de mettre à part
l'incise « ce qui fait trébucher les méchants », où la plupart des
critiques reconnaissent une glose. En surcharge rythmique, elle
manque dans la version des Septante et elle introduit un bref élément
d'accusation dans une sentence purement condamnatoire. Sans doute
son auteur voulait-il justifier la mention des animaux dans un oracle
qui concerne les hommes au premier chef : ces animaux ont été pour
eux l'occasion de cultes idolâtriques. L'usage du terme *rešā'im* « les
méchants » suggérerait une date tardive, à tout le moins postexilique.

Dégagée de cette incise, la petite unité des v 2-3 offre une structure
remarquablement travaillée. Elle se compose de trois vers de même
longueur, marquée par des répétitions significatives : chacun d'entre
eux commence par un verbe où YHWH s'exprime à la première
personne : les deux premiers sont de même racine et de même forme
verbale « je retirerai » ; le troisième, de sens très voisin « je supprimerai » provient sans doute du v 4 (cf. *infra*). D'emblée, YHWH prend
sous sa responsabilité l'annonce d'une destruction radicale, et la
reprise, à la fin du premier et du troisième vers, de l'expression
« oracle de YHWH » souligne encore le caractère délibéré de l'action
divine ; du reste, en lien avec le syntagme « de dessus la surface du
sol », elle forme une inclusion et délimite ainsi une unité close sur elle-
même. L'absence de toute formule d'introduction donne au premier
mot du discours, d'ailleurs lui-même renforcé par la présence d'un
infinitif préposé, une force particulièrement percutante : YHWH fait
irruption soudainement sur la scène du monde, sans préavis, et son
premier mot est pour déclarer « je détruirai ». YHWH vient pour
détruire, YHWH veut détruire.

La suite de l'oracle ne dira pas autre chose. Elle explicite seulement
l'objet de cette démarche, en précisant toutefois que YHWH veut

Je supprimerai de ce lieu la race du Baal[a],
le nom des desservants d'idoles, ainsi que les prêtres[b],

[5] ceux qui se prosternent sur les toits
devant l'armée des cieux,
ceux qui se prosternent, qui jurent[a] devant YHWH
et qui jurent par leur Mèlèk[b],

[6] ceux qui se détournent de YHWH,
qui ne cherchent pas YHWH et qui ne le consultent pas.

4a. *la race du Baal*. TM et Vg *les restes du Baal*, G *les noms du Baal*. Baal est précédé de l'article et l'on traduit souvent *Baal jusqu'au dernier reste*, mais l'interprétation est quelque peu forcée. Sabottka et, à sa suite, Irsigler lisent *šeʾér viande* mais aussi *parenté* (cf. Is **14,**22), au lieu de *šeʾār reste*.   b. *ainsi que les prêtres* rompt le rythme et manque dans les versions anciennes, G notamment. On y voit habituellement une glose explicative d'un terme devenu sans doute inintelligible *hakkᵉmarîm, les desservants d'idoles*.

5a. *qui jurent* est probablement une glose. La juxtaposition asyndétique, sans waw de coordination, et sa répétition dans le stique suivant sont étonnantes. Par ailleurs, anormalement construit avec la préposition *lᵉ*, il s'intercale entre le verbe *se prosterner* et son complément *devant YHWH* introduit par la préposition usuelle *lᵉ*. En revanche, on retrouve la construction normale du verbe *jurer* avec la préposition *bᵉ* au stique suivant. Ce verbe est donc passé du second stique dans le premier. D'ailleurs, ce retrait restitue au vers un rythme bien balancé 2 + 2, qui souligne le parallélisme antithétique des deux membres et met en relief la contradiction interne d'un culte syncrétiste. b. Certains mss grecs ont lu *Milkom*, nom d'une divinité Ammonite, au lieu de *mèlèk roi*.

---

tout détruire. Pour exprimer avec force cette idée de totalité, l'auteur va mettre en œuvre un certain nombre de procédés rhétoriques : le second vers (v 3*a*) détaille quelque peu le «tout» du v 2 : les hommes et les bêtes, c'est-à-dire l'ensemble des êtres vivants. Bien plus, la fin du vers précise «oiseaux du ciel et poissons de la mer», les animaux des deux pôles opposés du cosmos selon les représentations hébraïques du monde, le haut et le bas, le ciel et la mer. Ce mérisme suggère ainsi la totalité, des bêtes cette fois. Le troisième vers (v 3*b*) revient encore une fois sur l'évocation de l'humanité, au centre de la visée de Dieu. La traduction française ne permet pas de rendre le jeu de mots entre *'ādām*, «l'homme, la collectivité humaine» et *hā'ădāmāh*, le sol, terme qui forme aussi inclusion (fin du premier vers, v 2*a* et fin du troisième vers, v 3*b*). L'homme tiré de la *'ădāmāh* (cf. Gn **2,**7) doit disparaître de la *a'ădāmāh*. L'oracle envisage comme une sorte de processus inverse de celui de la création. Il n'est pas impossible, du reste, que l'association, «bêtes, oiseaux du ciel et poissons de la mer» fassent référence à Gn **1,** *26-28,* ou, tout au moins à une tradition sous-jacente (cf. Ps **8,** *8-9* ; Gn **7,** *23* ; Lv **11,** *46* P ; 1 R **5,** *13* ; Jb **12,** *7-8*).

L'absence de tout élément de reproche montre qu'ici le temps de la conversion est passé. La cause est entendue : il n'y a place que pour le jugement, un jugement radical, universel et sans appel. Et c'est Dieu lui-même qui vient l'annoncer avant de la réaliser. Cet oracle ouvre les derniers temps, et donne à tout le livre qu'il introduit une dimension eschatologique. Ce n'est pas, à proprement parler, la fin du monde, puisque le cosmos demeure. Mais qu'est-ce qu'une terre sans être vivant qui l'habite? Elle a perdu sa finalité.

L'origine de cette unité est discutée, mais un certain nombre de raisons invitent à l'attribuer à l'éditeur (cf. Irsigler, p. 99-101 ; 108 ; 414-416) : l'horizon universel et cosmique se démarque de celui des v 4-18*a,* limité au seul pays de Juda et à la seule ville de Jérusalem. Dans un tel contexte, *hā'ǎdāmāh* «le sol» ne peut avoir le même sens que *hā'ārèṣ* «terre» au sens de pays (de Juda). L'absence de toute motivation contraste avec les accusations des versets suivants. L'arrière-plan traditionnel paraît plus sacerdotal que prophétique (cf. *supra* le vocabulaire). Il est significatif que, sur plusieurs points, ces versets recoupent l'oracle d'Ézéchiel, un prêtre-prophète!, contre Gog et Magog (cf. en particulier Ez **38,** *20*), qui envisage lui aussi une catastrophe universelle et cosmique. Ce rapprochement est d'autant plus éclairant que ce texte d'Ézéchiel associe les thèmes du jour, de la jalousie, du feu et de la colère (Ez **38,** *19* s.) que l'on retrouve en So **1,** *18b.* Or la suite du commentaire montrera que cette conclusion de So **1** fonctionne avec les v 2-3 comme inclusion du chapitre et provient, elle aussi, du rédacteur.

b. *Le jugement de Juda et de Jérusalem* (v 4-6).

Le cadre grandiose et impressionnant ainsi mis en place, la menace se précise : Juda, centre du monde aux yeux de l'éditeur, devient l'objet de la vindicte divine.

Ici encore, des gloses sont venues surcharger le texte primitif. Certaines, d'allure deutéronomique, pourraient provenir d'interventions antérieures à l'édition finale. Ainsi en va-t-il de l'expression «de ce lieu», en surcharge rythmique ; son retrait donne au vers le rythme de la qinah (3 + 2), qui est aussi le mètre de **1,** *5ab.* Par ailleurs, comme dans la tradition deutéronomique, la formule s'applique au sanctuaire de Jérusalem reconnu comme seul lieu de culte légitime

(Dt **12,***3*) ; elle semble donc restreindre l'extension de la menace qui, en So **1,***4*, vise la totalité de Juda et de sa capitale.

L'expression «avec les prêtres» manque dans les plus importants manuscrits des Septante et fait double emploi avec *hakkᵉmarîm* «les prêtres (des idoles)». La formulation maladroite, l'usage de la préposition «avec» au lieu de la simple conjonction «et», laiss̄ent deviner la main d'un glossateur. Cette glose a sans doute pour but d'associer aux desservants d'idoles, les prêtres des hauts-lieux yahvistes, célébrant un culte plus ou moins marqué de syncrétisme, en tout cas devenus illégitimes après la réforme de Josias (2 R **22-23**).

Dans la même ligne d'une relecture deutéronomiste, on peut placer l'ensemble du v 6. Le caractère redondant du style, sa tendance généralisante, l'usage de termes comme «se détourner de YHWH», «rechercher», «consulter» rapprochent ce verset de cette tradition. En mettant l'accent sur la conversion intérieure et la réforme morale, cette formulation s'écarte des préoccupations cultuelles des v 4-5. Quant à l'insertion du participe «jurant» dans le premier stique du v 5*b*, elle relève probablement d'une faute de copiste, car on ne voit guère la portée théologique d'un tel ajout (voir critique textuelle).

La structure de l'unité se dégage alors clairement : les deux seuls verbes à mode personnel «je dirigerai (ma main)» (**1,***4a*), «je supprimerai» (**1,***4b*), tous les deux en début de vers, permettent de délimiter les deux temps de l'oracle : le premier (**1,***4a* donc un seul vers) expose le motif général du développement et présente l'ensemble des personnes concernées par la menace divine. Le second s'étend sur trois vers (**1,***4b.5a.5b*). En même temps qu'elle formule des accusations précises qui justifient la condamnation de **1,***4a*, cette section donne aux habitants de Jérusalem des visages concrets. Les deux premières catégories (**1,***4b*) «la race du Baal» et «les desservants d'idoles» se suivent sans conjonction de coordination. Cette construction asyndétique, relativement rare en hébreu, suggère des liens particulièrement étroits entre elles. Les deux dernières catégories ont droit chacune à un vers (**1,***5a.5b*).

La première section s'ouvre par le verbe «je dirigerai, je pointerai ma main contre *(nṭᵉ yd ʿl)* Juda ...». Cette expression, bien enracinée dans le corpus prophétique (Is **5,***25* ; **14,***26* ; **23,***11* ; Jr **6,***12* ; **51,***25* ; Ez **6,***14* ; **25,***13.16* ; etc.) a son premier *Sitz im Leben* dans la tradition de l'Exode, plus particulièrement dans le récit des plaies (Ex **7,***5.19* ; **8,***1*s.*13* ; **9,***15* ; **10,***12*) et pourrait avoir comporté, à l'origine, quelque connotation magique. A la différence de *šālaḥ yad* «envoyer la main» qui «a valeur de geste préhensif essentiellement humain», le plus souvent hostile et rarement favorable, la forme *nāṭaʿ yad ʿal* (litt.

«tendre la main contre») signifie «un geste de la main dirigée, pointée pour un châtiment» (P. Humbert, *VT* 12, 1962, p. 383-395). Elle est réservée à Dieu ou à ses représentants. Elle exprime ici la toute-Puissance divine menaçant de tout son pouvoir l'ensemble de la communauté judéenne.

Avec la seconde section (**1,** *4b-5*), on passe de la menace à la réalisation. Le «je supprimerai» actualise le «je dirigerai la main». Si l'on adopte la leçon «la race de Baal» (cf. critique textuelle), il faut comprendre «les adorateurs de Baal». Selon une conception, largement répandue dans le monde sémitique ancien, la divinité et son fidèle étaient compris comme se rattachant l'un à l'autre par des liens de parenté (cf. Jr **2,** *17* ; voir Sabottka, p. 15-18). Mais plus encore que les simples fidèles, il faut extirper la cause du mal, ceux qui propagent un tel culte et qui en vivent, les desservants des sanctuaires païens, désignés ici sous le terme méprisant de *k^emarim* (Os **10,** *2* ; 2 R **23,** *5*) terme que l'on pourrait rendre par «prêtrailles». Le châtiment de ces desservants d'idoles sera plus radical que pour les simples fidèles, puisque YHWH supprimera jusqu'à leur nom. Peut-être faut-il songer à la descendance, qui, en perpétuant le nom de l'ancêtre, en prolonge d'une certaine manière l'existence (cf. Dt **25,** *6*). Faire disparaître le nom équivaut à faire disparaître jusqu'au souvenir de celui qui le porte (Jr **11,** *19* ; Za **13,** *2*).

Après la dénonciation du culte baalique qui, liée à la civilisation agraire, avait depuis longtemps séduit les Israélites, le prophète s'en prend aux pratiques nouvelles importées en Juda avec la colonisation assyrienne, en particulier sous les règnes de Manassé et d'Ammon (2 R **21,** *3-5.21*). La mention des cultes astraux (**1,** *5a*) est relativement tardive dans la littérature prophétique ; ils n'apparaissent pas avant Jérémie (Jr **7,** *18* ; **8,** *2* ; **19,** *13* ; **44,** *17* cf. Ez **8,** *16* ; Dt **4,** *19*), à peu près contemporain de Sophonie. Les interventions de ces deux prophètes préparent ou accompagnent la réforme que le roi Josias entreprendra contre cette religion étrangère (2 Ch **34,** *3-4* ; cf 2 R **17,** *16* ; **23,** *4* s.), dont les emblèmes et les objets de culte ont pénétré jusque dans le Temple de Jérusalem (2 R **21,** *3-5*). Cette vigoureuse attaque du prophète contre les cultes astraux met implicitement en question l'autorité de tutelle, l'Assyrie. Les traités de vassalité contenaient la liste des dieux, invoqués par le suzerain comme garants du contrat. Parmi eux, figuraient évidemment ses propres divinités. Des clauses liturgiques pouvaient même être incluses dans les stipulations. Refuser de servir ces dieux équivalait donc à un geste de rébellion. La destruction par Josias des statues et lieux de culte représentait une rupture d'alliance. Que cette liturgie païenne soit, selon So **1,** *5a*

⁷ Silence devant le Seigneur YHWH,
  car il est proche, le Jour de YHWH,
  Car YHWH a préparé un sacrifice ᵃ,
  il a consacré ses invités.

7a. G *son sacrifice.*

(cf. Jr **19,** *13* ; **32,** *29* ; 2 R **23,** *12*), célébrée sur les toits, s'explique par le souci de regarder vers le ciel nocturne, mais aussi par la mentalité primitive qui localisait la divinité de préférence sur les hauteurs, par exemple sur les montagnes. En s'élevant, on tentait de trouver le contact avec elle. Dans la légende de Keret, le dieu El invite le héros « à monter au sommet de la tour », « à élever les mains vers le ciel » et aussi à « faire descendre Baal » (Krt 70-79).

Le dernier vers (**1,** *5b*) met en cause un troisième groupe de coupables, ceux qui pratiquent un culte syncrétiste « en se prosternant devant YHWH mais en jurant par leur *Mèlèk* ». Il convient ici de conserver la transcription hébraïque, car le mot *mlk* « roi » désigne vraisemblablement ici une divinité particulière. Connue comme telle à Ugarit, mais aussi chez les Ammonites sous l'appellation de Milkom, elle a ses adeptes en Israël (cf. Is **57,** *9*), peut-être sous l'influence assyrienne (cf. M. Weinfeld, *UF*, 4, 1973, 133-154). L'antithèse voulue entre YHWH et Mèlèk (**1,** *5b*) conduit à voir dans ce dernier terme une divinité particulière. Faut-il l'identifier avec le dieu Molèk (Lv **18,** *21* ; Jr **32,** *35* ; 2 R **23,** *10*) ? La vocalisation donnée ici à la racine *Mlk* est celle de *bošèt* « la honte ». C'est donc une sorte de sobriquet « le roi de la honte ». En tout cas, la religion populaire, saturée de sacré, aime ces amalgames. Dans cette confusion sordide, YHWH y perd son identité de Dieu, unique objet d'adoration pour Israël. L'opposition YHWH/MLK suggère que le Seigneur a perdu son titre de roi, transféré à un rival : celui que les fidèles reconnaissent pour leur « Roi » n'est plus YHWH ! Ne nous méprenons pas non plus sur la portée du verbe « jurer » qui, mis sur le même plan que « se prosterner », prend ici, comme souvent dans la Bible, valeur de profession de foi et d'allégeance cultuelle (cf. Am **8,** *14* ; Os **4,** *15* ; Jr **12,** *16*).

Le v 6, d'origine deutéronomique, se propose-t-il de rassembler les trois groupes précédents dans une même accusation ? Il semble plutôt introduire une catégorie nouvelle, non plus ceux qui s'adonnent à des cultes étrangers, mais ceux qui font preuve d'une sorte de passivité, d'indifférence religieuse. Ils ne nient pas l'existence de YHWH mais son efficacité et son pouvoir (**1,** *12*). Leur foi n'a plus aucune emprise sur leur vie : au lieu de «chercher YHWH», c'est-à-dire, de s'engager activement à son égard dans un désir ardent d'entrer en communion avec lui et de connaître sa volonté, ils «se détournent de lui». Is *59,13*, seul texte où se retrouve la même expression, interprète ce comportement comme celui d'une apostasie pratique.

2. *Le Jour de YHWH* (v 7-18).

La voix de YHWH s'est tue ... mais elle a trouvé un écho à tout le moins chez le prophète. Désormais, s'engage un duo dans lequel, à la lumière de la tradition, la parole prophétique commente comme en une sorte de contre-point la parole divine.

a. *Le jour du sacrifice* (v 7).

Le discours prophétique, bref mais percutant, se compose de deux distiques (*7a* : 3 + 3, et *7b* : 3 + 2). Le premier stique du premier vers commence par une interjection «silence», qui prend à partie les destinataires du message ; le second stique (v *7a*) apporte la justification de cette interpellation vigoureuse : «car il est proche le Jour de YHWH». Le second *kî* «car», qui introduit le second distique (**1,** *7b*), fait écho au premier : en un parallélisme synonymique et sous un langage métaphorique, ce second vers précise les traits du Jour de YHWH et en rappelle l'imminence.

Le prophète a donc pris la parole, mais c'est pour inciter ... au silence, un silence d'adoration. Selon toute vraisemblance, le v 7 représente un emprunt à la liturgie sacrificielle, une sorte de monition liturgique, destinée à préparer les fidèles au recueillement avant la théophanie cultuelle (cf. Ha **2,** *20* ; Za **2,** *17*). Cet appel crée comme un climat de mystère qu'exige l'apparition de Dieu : on pourrait traduire le v *7a* : «Silence en présence (litt. devant la face) du Seigneur YHWH».

Chacun des trois premiers stiques mentionne le nom de YHWH et derrière le «Jour» se profile le visage du Dieu vivant. C'est le Jour *de YHWH*. Celui-ci remplit tout l'espace et il est seul à agir. Les autres personnages sont relégués au second plan : ni les victimes ni les invités ne sont nommément désignés. Par son exigence de faire

⁸ Il arrivera, au jour du sacrifice de YHWH,
    que je visiterai les princes ᵃ,
        et les fils ᵇ du roi
    tous ceux qui s'habillent
        à la mode étrangère.

⁹ Je visiterai tous ceux qui sautent
        par dessus le seuil ᵃ, en ce jour-là ᵇ,
    ceux qui remplissent la maison de leur Seigneur
        de violence et de fraude ᶜ.

8a. Certains mss du TM portent *tous les princes.*   b. TM *les fils du roi.* G *la maison du roi,* c'est-à-dire toute la famille royale.
    9a. Plutôt que *ceux qui montent sur l'estrade.*   b. *En ce Jour-là,* glose? Mal située, cette expression rompt le rythme. D'ordinaire, elle est placée en fin d'oracle ou de section d'oracle.   c. G lit ainsi le v 9 *Je (les) visiterai tous ostensiblement dans les parvis, en ce jour-là, tous ceux qui remplissent la maison du Seigneur leur Dieu d'impiété et de ruse.* Elle a interprété le terme *'ădonêhèm* de la divinité.

silence, le prophète requiert une totale passivité qui contraste avec l'activité divine.

Mais ce silence est aussi lourd de menaces, tout comme en Ha **2,**20 et en Am **6,**10. La parole divine proclamée n'était-elle pas déjà une annonce de jugement et d'anéantissement (**1,**2-5)? Interprète de Dieu, de par sa fonction prophétique, Sophonie renchérit, s'il est possible, sur le caractère dramatique de la démarche divine, qu'il identifie avec le Jour de YHWH. Il s'inscrit dans le droit fil de la prédication d'Amos (Am **5,**18-20), qui retourne l'espérance populaire d'un Jour de YHWH, jour de lumière pour Israël en un jour de ténèbre et d'angoisse (cf. Introduction). Certes, pris en lui-même, ce v 7 reste ambigu en raison de l'indétermination des victimes et des invités, mais le contexte ne laisse aucun doute : Juda fait figure de victime (cf. **1,**4-6.8). Ce Jour de YHWH prend donc des contours menaçants, c'est le Jour de la venue de Dieu pour le jugement du peuple élu lui-même. Bien plus, YHWH et le Jour forment comme une identité fonctionnelle : le Jour vient parce que Dieu vient. Il commence à revêtir de ce fait des traits personnels. Il s'identifie à l'action même de Dieu.

Située au centre de l'unité, la proposition de **1,**7aβ en est aussi le pivot : elle fonde cette exigence de silence, puisque le Jour représente comme une théophanie pleine de menaces. Mais en même temps, elle commande la précision qui suit et qui en est comme une illustration.

L'explicitation porte sur deux points : sur la nature de ce Jour, un sacrifice sanglant ; sur la proximité de ce Jour, car YHWH en a déjà commencé les préparatifs. Le Jour de YHWH est comparé à un immense sacrifice et l'on a même parlé de «contre-liturgie» (J. Scharbert, *Die Propheten*, II, Köln, 1967, p. 31). Cette métaphore renverse tous les éléments du rite : YHWH, normalement destinataire du sacrifice, en devient l'acteur ; les officiants habituels, les Judéens, se muent en victimes, et la célébration festive devient jugement impitoyable. Ce retournement est d'une ironie cinglante : même s'ils sont postérieurs à Sophonie, des textes comme Is **34, 6** ; Jr **46, 10** ; Ez **39, 17** attestent l'existence d'une symbolique, souvent associée à celle de la guerre d'ailleurs, où les nations représentaient les victimes sacrificielles, au bénéfice d'Israël et de sa délivrance, Et Sophonie de déclarer que ceux qui attendaient avec impatience le jour où YHWH les inviterait à partager le festin sacrificiel, ceux-là même en deviendront les victimes ! Qui sont alors ces mystérieux invités que YHWH a consacrés ? On a songé aux nations païennes, instruments de la vengeance divine, mais aussi à la cour céleste. Dans la prophétie contre Gog et Magog (Ez **39, 17**), Ézéchiel parle des animaux. Laissons au texte de Sophonie son indétermination, car la comparaison porte moins sur le repas que sur l'immolation. En revanche, un point est clair : le Jour de YHWH est imminent et l'on ne pourra échapper à sa force corrosive : les préparatifs sont terminés, les invités convoqués et sanctifiés. L'affaire est entendue.

b. *Le jour de la visite de Dieu* (v 8-13).

Dieu reprend la parole pour une déclaration scandée par trois mentions de la formule «Et il arrivera en ce jour (temps)-là» (v 8.10.12). La condamnation se précise ; Dieu se tourne expressément contre trois catégories de coupables : les hauts dignitaires de la cour (v 8-9), les marchands de la ville Neuve (v 10-11), les riches de la cité (v 12-13).

Contre les hauts-dignitaires de l'État (v 8-9).

Le v 8a, qui introduit le nom de YHWH dans une parole de YHWH lui-même, représente une transition rédactionnelle, dans le but d'articuler les v 8-9 sur le v 7. Cette insertion combine habilement les deux thèmes essentiels de ce v 7, celui du sacrifice et celui du jour, grâce à la formule «au jour du sacrifice de YHWH». La structure de cette unité n'est pas sans analogie avec celle des v 4-5, ce qui favoriserait l'hypothèse selon laquelle les v 8-9 seraient

¹⁰ Il arrivera (ceci), en ce jour-là, oracle de YHWH :
le bruit^a d'une clameur

10a. *le bruit.* On pourrait comprendre le terme *qôl bruit* comme une interjection *Écoutez!* (cf. Is **66**,*6* ; Jr **51**,*54*). Mais le syntagme *qôl ṣᵉ'āqāh le bruit d'une clameur* est une formule reçue (1 S **4**,*14* ; Jr **48**,*3*). Cf. *qôl zᵉ'āqāh la voix du cri* (Is **30**,*19* ; **65**,*19* ; Jr **51**,*54* ; Ez **27**,*28*).

la suite des v 4-5. Elle se déploie, elle aussi en deux temps, comprenant chacun deux vers et commençant par un verbe à mode personnel. Il ne s'agit plus cette fois de deux mots différents mais d'un même verbe à la même forme. Cette répétition de «Je visiterai» a pour effet de présenter la décision divine comme définitive. De même, dans le contexte, la récurrence régulière (quatre fois) de la préposition *'al*, dans le sens de «contre», signe de détermination de YHWH de châtier tous les hauts responsables de l'état. Un rythme à quatre temps caractérise cette séquence : quatre vers mais aussi quatre groupes de personnes concernées, énumérées dans les trois premiers vers. La proposition participiale du quatrième vers qualifie l'ensemble des cercles mis en cause. L'enchaînement des deux éléments (v 8 et v 9) est particulièrement soigné, puisque le v 9 emprunte au début du v 8 le verbe «je visiterai», la préposition *'al kl* «contre tous» et la forme participiale.

. La visite de Dieu peut, parfois dans la Bible, revêtir un sens favorable. Dans le contexte présent, elle prend la forme d'une intervention redoutable, ordonnée au châtiment de Juda. L'invective s'adresse d'abord à l'entourage du roi : «les princes» et les «fils du roi». Cette association se retrouve en 1 R **22**, *26*. Cette référence ne permet pas de voir, dans le second qualificatif, «les fidèles du Roi», c'est-à-dire «de la divinité Mèlèk» (contre Sabottka p. 36-38). Il désigne plutôt une fonction officielle de la cour, peut-être des officiers de police (cf. Jr **36**,*26* ; **38**,*6* ; 2 Ch **28**,*7*). Il n'est même pas sûr qu'ils appartiennent à la famille royale (cf. R. de Vaux *Les Institutions de l'Ancien Testament*, I, Paris, 1958, p. 183 s.). On sait du reste que ce concept de famille pouvait recevoir une très large extension dans le monde sémitique ancien.

Après ces catégories bien délimitées, la menace se porte sur des groupes aux contours plus flous et stigmatisés en raison de leur comportement. Ne s'habillent-ils pas à la mode étrangère»? Ils laissent ainsi transparaître «une mentalité aliénée et livrée à toutes les influences du dehors» (C.-A. Keller p. 193), en particulier à celle de l'Assyrie, qui donne le ton aussi bien en politique qu'en matière de mœurs. Il serait excessif d'y voir une allusion à des vêtements liturgiques et la trace de coutumes cultuelles. Mais dans un monde où politique, social et religieux sont étroitement mêlés, le vêtement ne peut rester neutre. Plus que dans notre civilisation, il ne se contente pas de couvrir l'homme, il le révèle. Aussi, adopter une tenue étrangère, c'est manifester une inclinaison vers un esprit marqué au coin du paganisme.

Dans le prolongement du v 8*b*, le v 8*c* évoque lui aussi sans doute, une coutume païenne. Le sens de ce geste énigmatique a suscité bien des débats. La recherche récente (débat et conclusions bien répertoriés en Irsigler p. 35-49) a montré qu'il fallait retenir la traduction traditionnelle «sauter par-dessus le seuil» et non, comme on l'a parfois suggéré, «monter sur le podium». Des textes comme 1 S **5,***4-5* ou Ez **44,***2* permettent d'y voir la trace d'une coutume superstitieuse, qui interdirait de fouler le seuil, considéré comme le lieu privilégié des esprits, surtout des mauvais esprits censés rôder autour de la maison. On n'a pas encore montré quel lien particulier ce geste pouvait revendiquer avec le monde de la cour.

L'analyse de la composition du passage a montré que le v 9*b* se rapportait à l'ensemble des cercles dont il vient d'être question. Il met le comble au comportement inqualifiable de ces responsables : «ils remplissent la maison de leur seigneur de violence et de fraude» (cf. Am **3,***10*; Mi **6,***12*; Jr **5,***27*). Le terme *'ădonêhèm*, «leurs seigneurs», pluriel de majesté, désigne le roi et fait inclusion avec le *mlk* du v 8*b*. Abusant du pouvoir qu'ils détiennent, ces responsables accumulent richesses sur richesses, au profit de la maison royale. Sans aller jusqu'à voir dans le couple de mots violence et fraudes un hendyadyn, ces termes désignent des biens obtenus par des moyens violents et frauduleux. L'absence de toute accusation portée contre la personne du roi pourrait s'expliquer, si Sophonie a exercé son ministère durant la minorité de Josias et si le pouvoir se trouvait alors aux mains d'une faction sans scrupule.

Contre les marchands de la Ville Neuve (v 10-11).

Cette unité introduit dans le développement une solution de continuité, car elle interrompt la série des «je» divins (**1,***8b-9.12-13*). Le rédacteur a tenté d'atténuer la césure, en ajoutant, avant l'unité primitive (**1,***10aβ-11*) «il arrivera en ce jour-là, oracle de YHWH» (*10aα*), qui transforme une parole du prophète en un discours de Dieu.

La péricope originelle se compose de deux vers (v *10aβ.b* et v 11) de

depuis la Porte des Poissons[b],
des hurlements depuis la ville neuve,
un fracas formidable[c], depuis les collines.

[11] Hurlez, habitants du Mortier,
car il est anéanti tout le peuple de Canaan[a],
ils sont supprimés, tous les riches[b] d'argent.

[12] Il arrivera, en ce temps-là,
que je fouillerai Jérusalem avec des lampes[a].
Je visiterai les hommes[b],

b. *la porte des poissons.* G *la porte de ceux qui tuent* a lu sans doute par erreur
ḥorᵉgim au lieu de *haddāgîm.*   c. *formidable.* Litt. *grand.*
11a. *Il est anéanti tout le peuple de Canaan* TM. *Tout le peuple est semblable à Canaan*
G. Le verbe *dmh* a plusieurs sens : *ressembler, se taire, anéantir.* G a retenu le premier.
        b. Litt. *les chargés d'argent* (hapax legomenon), plutôt que les *peseurs d'argent* qui
requerraient *šql ksph.*
12a. TM *des lampes.* G *une lampe.*   b. Peut-être faut-il comprendre «Les
Messieurs», c'est-à-dire les couches supérieures de la société. (Cf. Sabottka, p. 48).

trois stiques chacun. Ces deux éléments sont disposés symétriquement
et commencent tous les deux par une une interpellation : une
interjection (*qôl* «écoutez» cf. critique textuelle) et un impératif
«jurez». *qôl* pourrait être placé en anacrouse, introduisant ainsi une
petite pause qui serait une invitation à prêter l'oreille. Suivent alors
trois propositions nominales qui, par leur brièveté même, suggèrent
l'accélération et l'intensité croissante d'un bruit qui ne cesse de
s'enfler, une clameur, un hurlement, un fracas. Par son étymologie, ce
dernier mot évoque un son d'objets brisés ou de monuments qui
s'effondrent. Dans ce contexte sonore, l'adjectif *gâdôl* vient donner à
ce fracas une force maximum, d'où la traduction adoptée «formidable». Le v 11 relance l'interpellation «hurlez». Tout en gardant le
rythme ternaire (trois stiques), il précise à qui s'adresse cet impératif :
«les habitants du Mortier», alors que le v 10 laissait les interlocuteurs
dans l'anonymat. D'autre part, il apporte une justification, absente
elle aussi du v 10, en ouvrant le second stique par un *kî* «car»
explicatif, qui introduit en même temps le dernier élément du vers.

Tous les quartiers de Jérusalem, ici mentionnés, se situent au Nord
et à l'Ouest du Temple. La Porte des Poissons, connue de Ne **3,***3* ;
12,*39* (cf. 2 Ch **3,***14*) était ainsi dénommée parce que s'y tenait le
marché des poissons (Ne **13,***16*), non loin de la Porte des Brebis
(Ne **12,***39*). La «ville neuve» (litt. «la seconde ville») avait commencé

de s'étendre, dès la fin de l'époque royale, sur la colline occidentale, au-delà du Tyropéon, au Nord-Ouest de la cité de David, la prophétesse Hulda y résidait au temps de Josias (2 R **22,** *14*), et l'on venait de l'entourer de remparts. Le terme vague de «collines» ne favorise guère une identification précise. Quant au *Maktéš* (Mortier), il devait occuper la dépression du Tyropéon. Peut-être son nom lui vient-il de ce qu'il avait servi de carrière sous la monarchie. C'était à la fois le quartier des affaires et de l'artisanat, où se rencontraient les marchands, désignés ici sous le vocable méprisant de «peuple de Canaan». Les Cananéens avaient en effet la réputation de commerçants expérimentés (cf. Pr **31,** *24* où cananéen équivaut à marchand ; Os **12,** *8* ; Is **23,** *8* ; Jb **40,** *30* ; Za **14,** *21*). Mais en Sophonie, en raison du contexte (cf. So **1,** *8*), la connotation péjorative d'étrangers peut n'être pas exclue. Quoi qu'il en soit, la construction asyndétique (sans conjonction de coordination) du dernier vers invite à les ranger dans le même groupe que les «riches en argent» (cf. critique textuelle), condamnés pour leurs exactions et leur trafic frauduleux (Am **8,** *5* s ; Mi **6,** *10*).

Cette focalisation sur le Nord s'explique par la topographie de la capitale. D'un point de vue stratégique, celui-ci représente le point le plus vulnérable de la cité, car il est dépourvu de défenses naturelles, les autres côtés étant protégés par de profondes dépressions. Précisément, le vocabulaire employé, clameur, hurlement, fracas formidable, évoque l'invasion d'une armée ennemie. L'effet dramatique recherché est atteint : l'usage de l'impératif rend scéniquement présent l'événement à venir, ce que confirme, au v 11*b*, l'utilisation du parfait prophétique. Les cris et les pleurs valent comme signes d'un malheur qui survient soudainement. On ne s'étonnera donc pas de retrouver au v 11 la forme littéraire de la lamentation : impératif suivi d'un vocatif et d'un *kî* explicatif introduisant la raison de la plainte (cf. Jr **25,** *34.36* ; Za **11,** *2-3*).

La critique débat encore de la provenance de ces versets 10-11, qui se raccordent mal à la parole de Sophonie ou au discours de Dieu. On a pensé à l'évocation du siège de Jérusalem par les Babyloniens en 598 ou 589. Mais si l'on retient l'hypothèse d'une pénétration, en Palestine, de bandes armées, apparentées aux Scythes (cf. Introduction), leur authenticité demeure vraisemblable, sans compter qu'une anticipation prophétique reste toujours possible.

Contre les riches qui croupissent sur leurs lie (v 12-13).

Le «je» divin réapparaît ici comme en **1,** *1-6.8-9*. Il s'en prend à une catégorie de personnes, aux contours cette fois moins bien définis. Le

Ceux qui croupissent sur leur lie[c]
qui se disent en leur cœur :
« YHWH ne fait ni bien ni mal ».

13 Leur richesse sera livrée au pillage
et leurs maisons à la dévastation.
Ils bâtiront des maisons et ne les habiteront pas ;
ils planteront des vignes et n'en boiront pas le vin.

c. *ceux qui croupissent sur leur lie* litt. *qui coagulent, qui caillent*. G *ceux qui méprisent les commandements* fait dériver *šimrêhèm* de *šmr garder*, d'où *ce qu'il faut garder*.

v 12*aα* « il arrivera en ce temps-là » pourrait provenir du rédacteur qui a structuré l'ensemble du chapitre autour du Jour de YHWH. La fin de la péricope (v 13*b*) reprend presque à la lettre Am **5,** *11* (cf. Mi **6,** *15*). Ce genre de formules dérive de la forme littéraire de la malédiction (cf. Dt **28,** *30-33*) : une première proposition, formulée à l'accompli, décrit une activité donnée, elle est suivie d'une seconde, négative, qui en neutralise les effets bénéfiques : « ils ont bâti des maisons et n'y résideront pas ... ». Cette séquence est tout à fait à sa place dans le développement d'Am **5,** *11*, qui fournit aussi une justification de cette sanction. Mais en Sophonie **1,** *13b*, les verbes de la première proposition ne sont plus à l'accompli mais au w^{e}qatalti, qui a ici valeur de futur « ils bâtiront », car la menace s'inscrit dans une annonce de malheur. Cette modification du temps du verbe ne va pas sans quelque distorsion à l'intérieur du message : tout le contexte du chapitre premier présente la venue de YHWH comme imminente. Or le futur « ils bâtiront ... ils planteront ... » implique un délai assez long. Aussi est-on conduit à voir dans ce v 13*b* la présence d'une glose, empruntée à Am **5,** *11* ou à quelque malédiction apparentée.

L'unité primitive ainsi reconstituée (v 12*aβ*-13*a*) comprend quatre vers. Le mouvement du texte s'organise autour de trois verbes : « je fouillerai ... je visiterai ... et (leur richesse) sera ». C'est la disposition même de la sentence condamnatoire dans l'oracle de jugement, qui formule l'intervention de Dieu à la première personne (ici les deux premiers verbes) et ses conséquences à la troisième personne (ici le troisième verbe). L'action personnelle de Dieu, plus développée dans le cas présent, se décompose en deux temps : fouiller et visiter. L'ensemble marque ainsi une progression dramatique : l'examen (v 12*a*), la visite punitive (v 12*b*) et sa conséquence, la destruction (v 13*a*). A l'intérieur même de cette séquence, qui constitue le nerf même du développement, s'inscrit une description des personnages visés, qui met aussi en lumière les motifs d'accusation ; «ceux qui croupissent ... ceux qui disent...».

Ici encore YHWH mène le jeu. La démarche de Dieu fouillant les moindres recoins de Jérusalem, à la manière d'un policier soupçonneux et implacable, traduit de façon pittoresque et inattendue la conviction du prophète que rien n'échappe à ses yeux (cf. Am **9**,*2-8* ; Ps **137**,*7*.*12*, etc.). Le pluriel «lampes» a valeur d'intensité : la lumière puissante de YHWH pénétrera jusqu'au tréfonds de la cité : rien ni personne ne pourra se soustraire à ce dévoilement inexorable.

Dieu sait ce qu'il trouvera, puisqu'il devra «visiter» c'est-à-dire châtier Jérusalem. La désignation quelque peu inattendue de *'ănāšîm* «les hommes (les mâles)» pourrait viser la classe des riches, Sabottka (p. 48) traduit «les messieurs». On nous les montre en effet croupissant sur leur lie (de vin). On soupçonne ici un jeu de mots : le terme hébreu désigne tantôt les bons vins (Is **25**,*6*), qui symboliseraient les richesses, tantôt la lie (Ps **75**,*9*), qui s'appliquerait aux orgies et aux ripailles qui les accompagnent. Les riches s'y attachent avec frénésie, littéralement «s'y coagulent» ; ce verbe signifie une solidification à partir de liquides (Ex **15**,*8* ; Jb **10**,*10*). Bref ils s'installent dans une fausse sécurité, qui les pousse à un athéisme pratique. Non certes qu'ils nient l'existence de Dieu mais, à leurs yeux «il ne fait ni bien ni mal». Ce mérisme, cette association de deux contraires, traduit la totalité : selon eux, YHWH demeure totalement impuissant (cf. Jr **5**,*12* ; Am **9**,*10* ; Mi **3**,*11*), ce que le rythme lui-même souligne de façon significative, en accentuant la négation *lo'*. Une telle déclaration touche le Seigneur dans son être même, puisque, dans l'Ancien Testament, la divinité se définit en termes de puissance (cf. Is **41**,*23*). On comprend dès lors qu'il réagisse avec autant de violence, comme le montre sa déclaration toute centrée précisément sur son action vigoureuse et implacable. La glose du v 13*b* ne fait qu'expliciter le châtiment annoncé en 13*a* : richesses, maisons, vignes, tout devra disparaître. L'oracle ne précise pas les modalités de la sanction. L'absence du «je» divin laisse la place aussi bien à la dévastation d'une invasion armée qu'à celle d'une catastrophe naturelle. L'accent est mis sur la décision et la détermination de Dieu, à l'origine de tout ce naufrage.

[14] Il est proche, le Jour de YHWH, le grand (Jour),
  il est proche, il vient en toute hâte[a].
Ô rumeur amère du Jour de YHWH[b] ;
  un preux y pousse le cri de guerre[c].

14a. Habituellement on reconnaît dans *mahér* le participe piel de *mhr, se hâter*, avec haplographie du premier *m (m{e}mahèr)*. Irsigler (p. 51 s.) y verrait un infinitif adverbial *en hâte, vite*. Les adverbes peuvent constituer le prédicat d'une proposition nominale. On éviterait ainsi toute correction.   *b.* Litt. *Voix du Jour de YHWH amère. Un preux y pousse le cri de guerre.* Cette leçon ne va pas sans difficulté. En particulier, elle perturbe la séquence des v 14-16 en introduisant un nouveau sujet, alors que tous ces versets sont focalisés sur le Jour de YHWH, thème unique de la péricope. Aussi est-il préférable d'adopter la correction de Tur-Sinaï (*VT* 8 [1958], p. 198, n. 2) reçue par un certain nombre de critiques. Au prix de très légères corrections et d'une répartition différente des consonnes, on devrait lire *qal yôm YHWH mérāṣ, w{e}hāš miggibbôr, plus rapide le jour de YHWH qu'un coursier, plus prompt qu'un guerrier.* Cette lecture donne à l'ensemble de la péricope toute sa cohérence, aussi bien au plan esthétique qu'à celui du contenu : 1. Ce vers constitue ainsi le prolongement parfait de 14a. 2. Elle fait du Jour de YHWH le sujet du verbe comme dans tout le poème des v 14-16. 3. Elle instaure un parallélisme remarquable entre les deux vers du v 14 : chaque stique commence par un adjectif identique dans le premier vers, synonymique dans le second vers. 4. Elle renforce le thème central du morceau : l'imminence du Jour de YHWH. On notera que le premier mot, placé en tête à la suite d'une inversion, exprime cette idée de proximité temporelle.   *c.* G *les force sont rangées en bataille.*

c. *L'imminence du Jour de YHWH* (v 14-16).

De nouveau, le prophète entre en scène pour commenter cette «visite» de Dieu. Comme au v 7, il perçoit dans ces événements l'irruption du Jour de YHWH. Ce thème, préparé par des rappels de plus en plus fréquents (v 7.8.9.10.12) passe soudain à l'avant-plan. Par sa puissance et son lyrisme, cette proclamation, d'allure hymnique, constitue le sommet de tout le chapitre. Il marquera à jamais la conscience des croyants et, naguère encore, à la messe pour les défunts, la séquence du *dies irae* en donnait un écho célèbre.

La structure de la péricope est des plus simples : une série de phrases nominales qui ont toutes pour sujet le « Jour de YHWH ». A la différence du v 7, si proche par sa thématique, ces versets ne contiennent aucun élément de justification, et l'absence de toute forme verbale suggérerait, au dire de C.-A. Keller, «la mort et l'arrêt de la vie» (p. 196). Il ne se passe rien. Nous sommes en présence d'«une pure description». Cette simplicité n'est pas sans qualité esthétique. Jamais en Sophonie, le langage n'a autant servi la pensée :

la répétition insistante du mot «jour», l'accumulation de plusieurs
séries de doubles qualificatifs, la plupart du temps synonymes, l'usage
de l'assonance (ainsi en 14*a* la dominante de sons ô/a et l'absence
totale de sons î), de l'allitération et de la paronomase (ainsi en **1,***15*
yôm šo'ah um'šô'ah, jour de dévastation et de désolation) créent une
atmosphère d'incantation et de terreur. Le rythme quelque peu
haletant, avec ses phrases brèves, illustre à merveille l'idée de la
proximité et de l'imminence du Jour de YHWH.

Deux sections se dégagent. La première (v 14) la plus courte ne
comporte qu'un seul distique. Elle traite de l'imminence du Jour qui
vient en toute hâte, et les procédés rhétoriques mis en œuvre
concourent à orchestrer ce message. Ainsi en va-t-il de l'usage de
l'adjectif *qārôb* «proche». Il est placé en tête de la section, bien plus en
situation d'inversion : prédicat, il précède le sujet alors qu'il devrait
le suivre. Il réapparaît de nouveau au début du second stique,
accompagné cette fois du syntagme *mahér m' ôd* (noter l'allitération)
«il vient en toute hâte», renchérissant ainsi sur le premier stique.
Ainsi, le Jour se révèle-t-il une réalité dynamique, une puissance qui
fait irruption dans le monde et dans l'histoire. Il commence à revêtir
quelques traits personnels : dans l'ombre se profile la présence du
Dieu qui vient (cf. en **2,***2* l'association du «jour» avec le verbe
«venir»). La comparaison avec la célérité du coureur et du guerrier
(v 14*b* ; voir la critique textuelle) renforce encore cette personnification du Jour et contribue à lui donner la physionomie d'une réalité
vivante et rapide. Il mérite pleinement sa qualification «de YHWH» ;
n'est-il pas, par deux fois, associé au tétragramme sacré? Or de tout
le passage c'est le seul terme qui désigne un être vivant.

Plus longue, la seconde section (v 15-16) est aussi plus complexe.
On notera que les couples de mots qui qualifient le Jour vont par
deux, aussi bien du point de vue du sens que des assonances et des
allitérations. Le v 15*a* «jour de colère que ce jour-là» renvoie
clairement au v 14. Placé en tête du développement, il donne le ton à
l'ensemble : le Jour de YHWH se présente comme «un jour de
colère». La tradition israélite connaissait un tel jour, celui où YHWH
écraserait les ennemis du roi et de son peuple. Le drame, c'est qu'il se
retourne maintenant contre ce peuple lui-même (Ez **7,***19* ; Is **13,***9.13* ;
Lm **2,***1-3*). Les deux vers suivants, qui joignent par deux des couples
de mots apparentés, décrivent comme les effets de la fureur divine. Ils
empruntent leur vocabulaire (ténèbres et nuée) aussi bien aux
traditions théophaniques (Ex **19,***16.19* ; **20,***21* ; Dt **4,***11* ; **5,***11* ;
Ps **18,***10-12* ; **97,***2-6*) qu'à celles de la guerre sainte (cf. Ex **14,***20* ;
10,*22*). L'association de la trompette (ou par métonymie du son de la

¹⁵ Jour de fureur que ce jour-là,
    Jour d'angoisse et de détresse,
    Jour de dévastation et de désolation,
    Jour de ténèbres et d'obscurité,
    Jour de nuages et de sombres nuées,

¹⁶   Jour de sonneries de cor et de cris de guerre,
    Contre les villes fortifiées
        et les hautes tours d'angle.

¹⁷ Je serrerai les hommes de près,
        ils marcheront comme des aveugles,

trompette) avec la *tᵉrûʿāh*, l'acclamation liturgique, pourrait faire
songer au culte, mais le v 16*b* spécifie clairement qu'il s'agit de cris de
guerre, cris d'attaques ou de victoires. Détachées de leur milieu
originel, ces formulations contribuent à donner à cette représentation
un caractère cosmique, mais le symbolisme guerrier, qui en fait
domine le passage, lui donne les couleurs d'un événement historique.
Cette accumulation de substantifs, à la limite de l'obsession, crée un
climat d'angoisse. Le symbolisme du chiffre 7 renforce l'impression
d'une efficacité incontournable : aux v 15 et 16*a*, chacun des stiques
comporte 7 syllabes, et le mot «jour» revient 7 fois dans la péricope.
Ce chiffre de la plénitude souligne la puissance de cette réalité qui
s'impose comme une force dangereuse, qui remplit tout l'horizon du
temps. Dans ces v 15-16, le «Jour» a perdu de sa célérité, il a gagné en
intensité.

d. *Un jour d'effusion de sang* (v 17-18*a*).

Brusquement Dieu reprend la parole pour avaliser en quelque sorte
l'annonce de son prophète mais aussi pour donner à la catastrophe
une dimension universelle.
La critique reconnaît généralement dans la proposition «car ils ont
péché contre YHWH» un ajout tardif. Elle introduit la mention de
YHWH dans une phrase où Dieu s'exprime à la première personne.
Elle veut sans doute apporter à cette annonce de malheur la
justification qui lui manquait, mais cette motivation d'allure très
générale n'a plus la précision des reproches avancés dans les v 4-13.
L'unité se compose de trois vers au rythme très régulier : 2 + 2
(v 17*a*); 3 + 2 (v 17*b*); 2 + 2 (v 18*a*). Elle débute, de façon aussi

abrupte que la péricope de **1,** *2-3*, par un verbe à la première personne, et c'est Dieu qui parle. On y entend la parole décisive « Je serrerai de près … », car tout le reste découle de cette intervention divine. La forme w^{e}qatal du verbe *whlkw* « et ils marcheront » a valeur de conséquence. Suivent, au second vers, deux propositions nominales et au troisième vers un *yiqtol* à valeur de futur. Le mouvement du morceau est marqué par une sorte de dégradé tout à fait évocateur. D'abord Dieu entre en scène (v 17*a*), puis viennent les hommes (v 17*a*) ; au second vers (v 17*b*) on passe à des éléments humains (sang, sève vitale) presque dépersonnalisés, puisqu'ils sont comparés à de la poussière et à du fumier ; le troisième vers (v 18*a*) ne mentionne plus que la matière inanimée : or et argent (Irsigler, p. 418, 424). Le prophète voudrait-il suggérer qu'on s'achemine peu à peu vers la mort ?

Dans ce petit oracle, qui ne comporte aucune justification, tout est rapporté au malheur à venir et celui-ci prend les traits de la guerre et de la défaite, à en juger par l'usage du verbe *hṣrty* « serrer les hommes de près, assiéger » (cf. Jr **10,** *18* seule occurrence où, comme ici Dieu parle à la première personne ; Dt **28,** *52* ; 1 R **8,** *37* ; Ne **9,** *27* ; 2 Ch **6,** *28* ; **28,** *20.22*) ou de l'image du sang répandu (Ps **79,** *3.10* ; 2 Ch **22,** *8* ; **28,** *3* ; Jl **4,** *19*). Cette comparaison du sang répandu comme de la poussière peut paraître étrange. Elle a pu naître à partir de règles comme celle de Lv **17,** *13*, qui imposait de verser le sang d'animaux capturés à la chasse et de le recouvrir de poussière (cf. Ez **24,** *7*). Quoi qu'il en soit, le sens est clair : parce qu'il contient la vie, le sang représente une valeur sacrée. Or le voici ravalé au rang d'une chose sans valeur qu'on peut impunément fouler aux pieds. Cette interprétation rend compte de la place que ce trait occupe dans le dégradé des v 17-18*a*, qui passent du vivant à l'inanimé. L'image qui suit n'est pas moins méprisante : la sève vitale (voir critique textuelle) se mélange avec du fumier, voire avec des excréments. Peut-on imaginer plus grave profanation ? Le v 18*a* ne détonne pas dans cet ensemble : plutôt que de voir dans l'or et l'argent « qui ne peuvent sauver » une allusion aux idoles, il faut se rappeler qu'en cas de guerre, on pouvait détourner la menace de mort en offrant au vainqueur ses propres richesses (Is **13,** *17* ; 2 R **16,** *8* ; 2 R **23,** *35*). Ici, Dieu refuse aux hommes cette ultime échappatoire.

Car il s'agit bien de la collectivité humaine *(hā'ādām)* et non plus de Juda. L'horizon s'élargit comme en **1,** *2-3*, où l'on retrouve le même vocabulaire, la même absence de justification morale ou religieuse, la même façon abrupte de faire parler YHWH lui-même par un verbe à la première personne. Ces deux péricopes qui encadrent le chapitre

— parce qu'ils ont péché contre YHWH[a] —.
Leur sang sera répandu comme de la poussière
et leur sève[b], comme du fumier.

[18] Ni leur argent ni leur or
ne pourront les délivrer.
Au jour de la fureur de YHWH,
et au feu de sa jalousie,
toute la terre sera dévorée,
car il va faire une extermination, combien terrifiante,
de tous les habitants de la terre.

So 2, 1 - 3, 8

2   [1] Assemblez-vous, rassemblez-vous[a],
nation sans désir[b],

17a. *parce qu'ils ont péché contre YHWH*, en dehors du rythme, est probablement
une glose. Voir commentaire.   *b. l^eḥumām* ne se retrouve qu'ici et en Job **20,**23
texte discuté. Les versions ont compris «leurs chairs» (G), «leurs corps» (Vg) de *lḥwm*
«viande». Mais il semble qu'il faille plutôt y voir une variante de *léaḥ sève*, en supposant
soit une introduction d'un hypothétique *mèm* enclitique, soit plutôt un phénomène de
mimation. Jr **11,**19 connaît une forme analogue «un arbre en pleine sève». Ce sens
donne un bon parallèle au terme *sang* du premier stique.
     2. 1a. Litt. *tassez-vous, entassez-vous (comme la paille)*. Les deux impératifs hitpolel
et qal d'un verbe dénominatif dérivant de *qš paille* ne se retrouvent qu'ici mais le poel
revient en Ex **5,**7-12 ; Nb **15,**32 s ; 1 R **17,**10-12. L'absence de complément d'objet pour
le qal s'explique sans doute par l'influence de l'hitpolel à valeur réfléchie. Le v 2c
exploite le thème très proche de la bale.   *b.* Le verbe *ksp* signifie au qal *soupirer,*
désirer (Ps **17,**12 ; Jb **14,**15) et au niphal *désirer douloureusement, languir* (Gn **31,**30 ;
Ps **84,**3). La version des LXX appuie indirectement le TM, puisque τὸ ἀπαίδευτον
grossier, stupide, non éduqué traduit le verbe *lo' niksāph*, mais avec le sens qu'il a en
araméen. Il n'y a donc pas lieu de corriger le texte.

premier relèvent sans doute du même éditeur et confèrent une
dimension universelle à la venue du Jour de YHWH.

e. *Le feu de la Jalousie divine* (v 18aγδ.b).

L'éditeur, responsable de la composition de l'ensemble du chapitre,
scelle tout ce développement en soulignant, une dernière fois, le
caractère inexorable de la décision divine et l'effet implacable de la
venue du Jour de YHWH. Écrite en prose rythmée, sans aucun
parallélisme synonymique ou antithétique, cette addition se compose

de deux éléments, qui se terminent tous les deux par le mot *hā'ārèṣ* que le contexte immédiat nous invite à traduire par «terre» et non par «pays». Le premier (v 18*αγδ*) proclame l'embrasement d'un immense incendie, qui doit dévorer la terre. L'inversion des deux compléments placés en tête de la proposition affirme avec force que c'est là un effet, l'effet le plus terrible, le plus fulgurant du Jour de YHWH, Jour de la fureur divine (cf. v 15*a*). Ce feu de la colère, c'est avant tout celui de la Jalousie de Dieu. Ce terme, déroutant pour bien des modernes, traduit en fait l'engagement passionné de YHWH dans l'histoire des hommes. A n'en pas douter, il renferme un formidable potentiel de violence et l'image du feu qui lui est associée (Dt **4**,*24* ; **6**,*15* ; Ct **8**,*6*) illustre avec éclat la menace que fait peser sur les créatures la présence même de YHWH : «Car le Seigneur ton Dieu est un feu dévorant, il est un Dieu jaloux» (Dt **4**,*24*). En fait, cette violence est mise au service d'un projet de communion, car c'est toujours dans le cadre de l'alliance que se déploie cette jalousie, que ce soit pour le malheur d'Israël ou pour son salut (cf. B. Renaud, *Je suis un Dieu Jaloux*, Paris, 1963, p. 140 ss). So **1**,*18* ne fait pas exception, car si la catastrophe englobe les nations païennes, c'est que le monde entier s'y trouve entraîné en raison même du péché de Juda. Cette relecture est donc inséparable de l'ensemble du chapitre, puisque l'éditeur se propose précisément d'affirmer cette sorte de communauté de destin entre Juda et les nations (cf. Introduction p. 179).

On comprend dès lors l'ampleur cosmique de la catastrophe : **1**,*18* va plus loin que **1**,*2-3.17*. La terre même se transforme en un immense brasier. La répétition du mot *kl* «tout», associée à l'allitération *kl/klh* (faire l'extermination), ne laisse place à aucune échappatoire possible. YHWH pratique la politique de la terre brûlée. On ne peut être plus radical dans la description du châtiment. Ce passage prépare sans aucun doute l'imagerie apocalyptique. La première section de l'ouvrage s'achève ainsi sur une vision de catastrophe.

Au sein de la catastrophe, l'émergence d'un reste

Seconde Section (**2**, *1* - **3**, *8*)

Cette section comprend trois unités nettement délimitées mais de longueur inégale : un appel à la conversion (**2**, *1-3*) adressé à la nation d'Israël, une série d'oracles contre les nations (**2**, *4-15*), une annonce de malheur dirigée contre Jérusalem mais qui débouche sur une nouvelle condamnation des peuples (**3**, *1-8*). L'éditeur a procédé à un certain

² avant que vous ne soyez chassés ᵃ,
   comme la bale qui passe en un jour;
  avant que ne vienne sur vous
   la colère brûlante de YHWH,
  avant que ne vienne sur vous
   le Jour de la colère de YHWH.

³ Cherchez YHWH,
   tous les pauvres de la terre,
   — ceux qui pratiquent son droit — ᵃ

2a. *avant que vous ne soyez chassés*, correction habituellement reçue qui lit *l' tdḥqw*. Cette leçon a l'avantage de restituer un verbe à mode personnel et, surtout, la négation *l'* aussitôt après la conjonction, comme dans les deux propositions parallèles. TM *bᵉṭèrèm lèdèt ḥoq avant que naisse le décret* n'est guère intelligible. G *avant que vous ne deveniez comme la fleur qui passe* ne semble pas avoir lu le mot *jour*.

3a. *ceux qui pratiquent son droit* manque dans le G. Sans doute glose. On relèvera le changement de personne.

---

nombre d'interventions. Outre l'incise «vous qui pratiquez le droit» qu'il a ajoutée au v 3*a*, il a complété la séquence contre les nations avec quelques allusions au triomphe du reste (**2,**7.9*b-11*). Il a aussi inséré le v 15 qui permet d'associer Ninive à... Jérusalem, et transformé, au v **3,**8, un jugement de la capitale judéenne en une condamnation des peuples. Ces retouches ont pour effet de modifier considérablement la coloration du Jour de YHWH, par rapport à la description du chapitre premier. Si elle conserve au Jour les traits d'un jugement implacable, cette section laisse entrevoir, avec le «peut-être» de **2,**3 et surtout les promesses au petit reste, un au-delà du jugement.

1. *Un «peut-être» qui ouvre sur l'espérance* (**2,**1-3).

Cette petite péricope, qui reprend le thème du Jour de YHWH développé au chapitre premier, s'en démarque pourtant par sa tonalité. Alors que l'avenir semblait irrémédiablement compromis (cf. **1,**17-18), elle entrouvre soudain la porte à l'espérance. Cette lueur d'espoir s'exprime dans le mouvement même de cette unité fort bien structurée. Les deux parties qui la composent commencent, la première (v 1-2) par un double, et la seconde (v 3) par un triple impératif. Le v 3 reprend trois fois la même forme verbale «recherchez», le v 1 voit se succéder deux formes différentes d'un même verbe. La première partie se poursuit par l'alignement de trois vers qui commencent tous par «avant que ...» (cf. critique textuelle) et qui insistent sur l'urgence du rassemblement devant l'imminence du Jour de YHWH. Le début de la seconde partie (v 3) relance l'appel sous forme impérative, mais cette fois dans le cadre de deux vers (**2,** *3a* et **2,** *3bα*). Le troisième vers (**2,** *3bβ*) de cette partie énonce la finalité ou l'effet éventuel de cette exhortation. Chacun des deux éléments de la péricope se termine sur le syntagme «le jour de la colère de YHWH», qui constitue comme le fond de tableau de cet oracle. La métrique n'est pas moins remarquable : une fois 2 + 2 accents (v 1), trois fois 3 + 2 (v 2), trois fois 2 + 2 (v 3). Cet entrecroisement de rythmes binaires et ternaires se retrouve au niveau de la texture même du vers, puisque tout en retenant le mètre 2 + 2, le v 3 reprend trois fois l'impératif «recherchez».

Une telle cohérence dans la péricope ne permet pas de disjoindre les v 1-2 et le v 3, et d'y voir deux unités indépendantes, ou de retirer **2,** *2c* ou **2,** *3aα*, comme on a parfois tenté de le faire. De telles opérations détruisent le mouvement remarquable de cette exhortation. De même l'omission de **2,** *2bβ*, sous prétexte que cette ligne ne fait que répéter la précédente (G. Langhor, *ETL*, 1976, p. 12) méconnaît l'usage de procédés rhétoriques et les lois du parallélisme hébraïque. Loin de ne représenter qu'une variante de la proposition précédente, le v *2bβ* marque au contraire une gradation significative : on passe de la «colère de YHWH» au «*Jour* de la colère de YHWH». Cette répétition a pour effet de mettre en relief le mot «Jour», dont on vient de montrer l'importance pour l'ensemble du corpus et pour la péricope elle-même.

En revanche, la relative du v **2,** *3aβ* «vous qui observez son droit» vient perturber cet équilibre en introduisant un mètre de 2 + 2 + 3, peu fréquent en poésie hébraïque, en tout cas, absent de l'unité **2,** *1-3*. Elle manque d'ailleurs dans la version des LXX et elle contredit l'appel à la conversion qui suppose un mépris flagrant du droit. Cette glose veut sans doute restreindre l'exhortation à une catégorie de gens déjà fort engagés dans la recherche de Dieu.

Beaucoup de critiques ont été conduits à éliminer tel ou tel élément ou à désarticuler l'ensemble, en raison de la contradiction apparente qu'ils ont cru déceler entre les destinataires de l'oracle au v 1 : une nation impénitente, et ceux du v 3 : des fidèles pleins de bonne volonté. Dans le premier cas, Dieu condamnerait, et il faudrait donner à l'invitation du v 1 un caractère ironique. Dans le second cas, YHWH appellerait à la conversion. En fait, le retrait de **2,** *3aβ* (cf. *supra*) atténue déjà considérablement la contradiction. Surtout,

Cherchez la justice,
  cherchez la pauvreté,
Peut-être serez-vous à couvert,
  au jour de la colère de YHWH.

l'unité manifeste une réelle cohérence thématique : la nation sans
désir (v 1) doit se muer en une communauté en attente de Dieu et de
son pardon (v 3). Le verbe *ksp* au niphal peut exprimer le désir ardent
de rencontrer Dieu (Ps **84,***3*). Le prophète reproche à son peuple une
foi passive, une sorte d'indifférence religieuse, un manque d'idéal et
de soif d'absolu. Sa démarche a précisément pour but de secouer cette
léthargie, d'où cette exhortation pressante à la recherche du Seigneur
(v 3), avant que ne surgisse (v 2) le jour terrible entrevu auparavant.
Car si le peuple s'installe dans la passivité, YHWH, lui fait preuve
d'une activité débordante et menaçante. Il agit par la médiation
redoutable de son Jour, Jour de colère ardente (**2,***2bα*) où Juda risque
d'être dispersé à tous vents (v *2a*). L'usage du verbe *bô'* «venir» pour
qualifier l'irruption du Jour, n'est pas sans parenté avec la venue de
Dieu dans les théophanies. Aussi convient-il de resserrer les rangs ;
c'est la première démarche de conversion. On a souvent méconnu la
portée de la comparaison du v 1 «tassez-vous, entassez-vous (comme
la paille)». Cette image a suggéré un rassemblement inconsistant et
éphémère, que l'épreuve emportera comme le vent disperse le
chaume. En réalité, s'il est bien construit selon les règles du métier,
un pailler bien tassé résistera à la tornade. D'où l'invitation, adressée
à Juda, de faire preuve de cohésion, premier temps de la démarche de
conversion. Sinon, il sera dispersé comme la bale (v *2a*). La
métaphore qui se prolonge du v 1 au v 2 est donc parfaitement
cohérente.
    La seconde partie développe une autre exigence : «le peuple sans
désir» doit se mettre en quête de Dieu «Recherchez YHWH ...» (v 3).
D'origine cultuelle (Os **5,***6* ; Ex **33,***7*), la formule en vient à exprimer
la foi active (Am **5,***4*), la conversion (Dt **4,***29*) voire l'attente
eschatologique. La triple répétition de l'impératif traduit l'urgence et
l'importance de cette démarche. Les «pauvres de la terre», ainsi
sollicités, représentent ceux qui, socialement sont démunis de tout
bien (cf. Am **8,***4* ; Is **11,***4* ; Jb **24,***4* ; Ps **76,***10*). Mais dans ce contexte
d'appel à la conversion, cette expression prend déjà une coloration
religieuse et traduit l'humble soumission devant l'apparition divine,
ce que confirme, au stique suivant, la présentation de cette pauvreté
comme objet de la quête de Dieu. Il semble que le prophète fixe

maintenant son regard sur une catégorie particulière de ce peuple «sans désir», et qu'il s'adresse à ceux qui ont commencé de s'engager sur le chemin du retour à Dieu.

En même temps, il en précise les conditions et les exigences. Il refuse tout désir inefficace, attentiste. La recherche ardente du Seigneur passe par la recherche de la justice, une justice qui prendra la forme d'une défense des exploités et des opprimés, à l'instar de Dieu lui-même (Am **2,** *7* ; **8,** *4* ; Is **3,** *14* s. ; **32,** *7* ; Mi **2,** *8* s. ; Ps **76,** *10-13*). YHWH revêt donc le visage du pauvre. Comment le terme ne s'en trouverait-il pas religieusement valorisé? Associée d'aussi près à l'expérience religieuse, la pauvreté devient à son tour objet de la quête de Dieu. Déjà, dans la tradition de sagesse, la pauvreté, l'*'ănāwāh*, ne caractérise plus seulement un état social mais évoque aussi le fond même de l'expérience religieuse (Pr **15,** *33* ; **18,** *12* ; **22,** *4* où il a pour parallèle la crainte de Dieu). Désormais la traduction oscillera entre humilité et pauvreté, pour définir cette attitude de disponibilité d'accueil et de désir (**2,** *1*). A l'opposé du riche satisfait et repus, le pauvre désire et cherche (Ps **34,** *5-11*). Le croyant n'a plus seulement à s'occuper des pauvres. Il doit se trouver du côté des pauvres. C'est même ce qui le caractérise devant Dieu.

Ainsi valorisée, la pauvreté représente l'attitude décisive, requise du fidèle au Jour du grand passage de Dieu. «Peut-être» ce comportement lui ouvrira-t-il la porte du salut. Écho de cette radicalité du jugement et du châtiment qui porte en lui le Jour du Seigneur (So **1**), ce «peut-être» fait trembler. Mais, il contient aussi un rappel opportun de la grâce divine. Il revient certes à l'homme de se mettre en route, en réponse à l'appel du Seigneur, mais le salut demeure pure initiative divine. La démarche de foi et d'abandon en constitue la condition *sine qua non*, mais Dieu reste libre de ses dons et de ses pardons.

Cette péricope ne contredit-elle pas le caractère radical du chapitre premier qui ne laisse place à aucune échappatoire? Faut-il donc refuser l'authenticité sophonienne de cet appel à la conversion? Rappelons d'abord que nous ne savons rien des conditions concrètes dans lesquelles le prophète a exercé son ministère, ni non plus d'une possible évolution de sa prédication. En faveur de l'origine sophonienne, on notera la reprise insistante du thème du Jour de YHWH, si caractéristique du message de Sophonie, et de sa présentation comme un «Jour de colère» (**2,** *2-3* cf. **1,** *14-16*). S'il laisse entrevoir une possibilité d'échapper au jugement, le «peut-être» final de **2,** *3* souligne le caractère aléatoire de ce salut et laisse planer une éventualité menaçante. Il faudrait d'ailleurs s'interroger sur la finalité

⁴ Voyez ᵃ! Gaza sera abandonnée ᵇ,
  Ashqalon deviendra une solitude désolée.
  Ashdod ᶜ, en plein midi, on la chassera,
  Eqron sera déracinée.

⁵ Malheur aux habitants du cordon de la mer ᵃ,
  nation des Kerétiens,
  — la parole de YHWH est contre vous —;

4*a*. En donnant à la particule *ki* une valeur emphatique (Sabottka p. 70). *b*. TM
« *abandonnée* » sans doute participe passif. Mais le parallélisme permet d'y voir aussi un
nom *terre abandonnée cf. Is* **6,***12*.   *c*. Ashdod personnifie ici les habitants.
5*a*. Certains traduisent « *Malheur ! (Hélas) habitants de la mer* ». *hôy* introduit
probablement, à l'origine, une lamentation funèbre. Mais le contenu de l'oracle (cf. le *je
vais le faire périr*) ne se contente pas d'établir un constat de détresse, il annonce le
malheur et, ce faisant, il le provoque. La formulation se rapproche alors de celle de la
malédiction (cf. B. Renaud, *La formation du Livre de Michée*, Paris, 1977, p. 61-64).
Sabottka veut donner à *ḥèbèl* une dimension plus politique que géographique et
traduire le mot par *confédération, ligue* (cf. TOB), ce que confirmerait l'apposition
nation. Mais le contexte reste préoccupé de topographie cf. l'énumération des villes, la
précision *de la mer*, l'apposition *Canaan terre des Philistins*, et, au v 6 l'aspect
« territoire ». Aussi paraît-il préférable de conserver cette connotation géographique.

ultime d'une annonce aussi radicale que celle de So **1**. Le fait que les
prophètes, messagers du jugement, viennent avant le jugement lui-
même n'est-il pas l'indice que cette annonce a valeur d'ultime appel à
la conversion? Vus sous cet angle, les deux chapitres pourraient se
rejoindre. Du reste, le vocabulaire et la symbolique de la seconde
péricope reprennent et prolongent ceux de la première : le jour de la
colère (**1,***14* ; **2,***2-3*), le jour qui vient (**1,***14* et **2,***2*). L'image de la
tempête et de la tornade (**1,***15*) prépare celle de la balle emportée par
le vent (**2,***2*). Il n'y a donc pas de contradiction majeure entre les
deux pièces. So **2,***1-3* peut être l'œuvre de Sophonie lui-même.

2. *Oracles sur les nations* (v 4-15).

Le prophète distribue ces oracles selon le schéma des quatre points
cardinaux. Le rattachement à l'exhortation précédente est probablement rédactionnelle. Le *kî* « car » du début du v 4 a une valeur plus
causale qu'emphatique. L'éditeur invite à voir dans les événements
de son temps les prodromes de la venue imminente du Jour de
YHWH. Rassemblez-vous et mettez-vous en quête de Dieu, semble-t-

il dire, avant que ne vienne sur vous le Jour de YHWH ; voyez, il est déjà là ; regardez à l'Ouest, à l'Est, au Sud, au Nord ; les foyers d'incendie sont déjà allumés. Peut-être, cette disposition géographique reflète-t-elle les restes d'une mentalité magique, telle qu'elle s'exprime par exemple dans les rituels d'exécration égyptiens. Non point qu'il faille identifier ces oracles avec des paroles proprement magiques, mais ce type de répartition permet d'exprimer l'efficacité de la Parole de Dieu. Ces annonces prophétiques s'apparenteraient alors aux malédictions, qui ne se contentent pas d'annoncer ou même de souhaiter le malheur mais qui, par la puissance même du mot, le font advenir. Un certain nombre de séquences prophétiques analogues semblent construites sur la base du même schéma (Am **1-2** ; Ez **25** ; Jr **46-49**) (cf. G. Fohrer «Prophetie und Magie» dans *Studien zur alttestamentlichen Prophetie*, Berlin, 1967, p. 257-259).

Le fond de ces oracles est authentiquement sophonien, car ils s'accordent avec la situation internationale du moment (H. Cazelles, *RB* 1967, p. 42-44). Ils ont néanmoins fait l'objet d'un important travail de gloses et de relectures.

A l'Ouest : la Philistie (**2**,4-7).

Cet ensemble bloque très probablement deux oracles primitivement distincts : une parole du prophète (v 4) et un discours de Dieu (v 5-6), car d'ordinaire, le terme «malheur» ouvre un oracle de jugement. Une main tardive a ajouté le v 7 (cf. *infra*). Il en va de même pour l'incise «la parole de YHWH est contre vous» au v 5. Normalement elle introduit un oracle divin alors qu'ici elle est intégrée dans un développement dont elle trouble le rythme. Formulée à la seconde personne du pluriel, elle s'insère mal entre le «malheur aux habitants (troisième personne)» et le vocatif «terre des philistins» (seconde personne du singulier).

La première sentence (v 4) vise quatre villes de la Pentapole philistine. La cinquième, Gath, n'est pas nommée, car elle avait été détruite par Sargon en 711 av. J.-C. Mais déjà Amos (Am **1**,*6-8*) la passait sous silence : prise par Hazaël de Damas (2 R **12**,*18*), elle avait ensuite été démantelée par Ozias de Juda (2 Ch **26**,*6*). Jérémie, contemporain de Sophonie, associe, lui aussi les quatre cités (Jr **25**,*20*) mais parle du «reste d'Ashod». L'historien grec Hérodote se fait l'écho d'une domination scythe de 28 ans en Palestine, qui doit se situer entre 640 et 611 av. J.-C. En faisant état des résistances égyptiennes devant cette invasion, il mentionne Ashqalon, Ashdod et Gaza (cf.

Canaan[b], terre des Philistins,
je vais te ruiner, te vider de tout habitant.

[6] Le cordon de la mer sera pacages,
prairies pour bergers,
et parcs à moutons[a],

---

b. L'identification de Canaan avec le pays des Philistins a paru étonnante. Aussi a-t-on
proposé de lire *'kn'k je vais t'abaisser.* D'autres critiques concluent à l'insertion d'une
glose. Mais l'expression n'est peut-être pas aussi insolite qu'on le dit. Voir le
commentaire.
6a. Le texte de ce verset est certainement surchargé. L'expression *ḥèbèl ḥayyām*, qui
manque dans le G, est probablement une glose. D'autre part, le verbe est au féminin
avec un sujet masculin *(ḥèbèl).* Dès lors, dans le prolongement du v 5 à la seconde
personne, on serait tenté de lire *wᵉhayit tu seras* au lieu de *elle sera.* Le passage de la
seconde à la troisième personne aurait eu lieu quand l'éditeur a ajouté les v 7 et 8
(cf. commentaire) qui commencent par *wᵉhāyāh et il sera* (homoiokatarton). Par
ailleurs, *nᵉwôt pacages* semble une glose explicative du terme rare *kᵉrôt prairies.* Si l'on
accepte ces corrections, le texte se lit *« et tu seras prairies pour bergers et parcs à
moutons ».* Ce qui a l'avantage de donner un rythme de 3 + 2 accents qui est celui des
v 4 et 5. La version des LXX a assimilé *kᵉrôt prairies* aux Kerétiens du v 5*a* et a lu *la
Crète sera pacages pour bergers et parcs à moutons.*

Introduction). Cette parole s'accorde donc parfaitement avec la
situation internationale au temps de la minorité de Josias.

Formulé au futur, l'oracle peut avoir été composé au moment
même de l'invasion scythe. Il se compose de deux vers de $3+2$,
rythme caractéristique de la lamentation. Comme en Mi **1,**8-16,
chaque ville se fait le support d'un jeu de mots par assonance ou
allitération : *'azzāh* (Gaza) deviendra *'ăzûbāh* (abandonnée); *'Eqrôn*
sera *tē'āqér* (déracinée). Moins nets, ceux sur les deux autres villes
reposent sur la reprise du *šin*; *'ašqalôn* deviendra *lišᵉmāmāh*; Ashdôd
«on la chassera» *(yᵉgāršûhā).* Ce n'est pas là simple procédé littéraire.
Chaque nom porte en lui comme le propre destin de la ville qu'il
désigne, et l'on rejoint ainsi les remarques sur les connotations
magiques du genre adopté. La précision «en plein midi» n'a pas
encore reçu d'explication satisfaisante. Le prophète veut-il souligner
les conditions particulièrement pénibles d'un départ en exil, en pleine
chaleur? Marque-t-il le contraste entre l'heure la plus lumineuse et
l'événement ténébreux qui survient (Am **8,**9)? En s'appuyant sur
Jr **6,**4 et surtout Jr **15,**8, on peut penser à la soudaineté de la
catastrophe : l'attaque commencée au matin est terminée à midi!

Le premier oracle visait les centres vitaux du pays, le second (v 5-

6) élargit la perspective à l'ensemble des habitants du «cordon de la mer». Cette expression désigne le territoire philistin qui, au Sud-Ouest de la Palestine, recouvrait la plaine maritime, étroit couloir entre la Méditerranée et les monts de Juda et de Samarie. La qualification de «nation des Kerétiens» (cf. Ez **25,** *16*) garde vraisemblablement le souvenir de leur origine géographique : selon Am **9,** *7* ; Jr **47,** *4* (cf. Dt **2,** *23*) ils viennent de Kaphtor, c'est-à-dire de l'île de Crète. Ces deux groupes apparentés, Kerétiens et Philistins, faisaient partie des «peuples de la mer» qui, au XIIe s. av. J.-C. ont envahi les côtes de l'Asie Mineure et sont descendus jusqu'à l'Égypte (sur les rapports de ces deux ethnies voir l'hypothèse de P. Prignaud «Caphtorim et Keretim» *RB* 71, 1964, p. 215-219 ; M. Delcor «Les Kéréthim et les Crétois» *VT* 28, 1978, pp. 409-422).

La présence du terme «Canaan» peut paraître plus étrange. Il vient d'un mot *kinahhu* «pourpre» et s'appliquait originellement au Sud de la Phénicie, à la région de Tyr et de Sidon (Is **23,** *11*), d'où partait le commerce de cette denrée. Dans les textes Égyptiens du Nouvel Empire, il englobait les territoires plus au Sud, jusqu'à la limite du Negèb. Dans la Bible, Jos **13,** *3* rattache la Philistie au territoire des Cananéens, tout comme dans la table des peuples (Gn **10,** *19*) celui-ci comporte Gaza. La mention n'a donc rien d'insolite, et aucune correction ou élimination ne paraît justifiée. Peut-être, dans le contexte, l'apostrophe prend-elle valeur de terme méprisant. La pensée de Sophonie ne s'embarrasse guère de considérations ethniques ; ses préoccupations sont essentiellement d'ordre religieux : à cet égard, rien ne départage les Philistins et les indigènes du pays.

La décision divine est sans appel. Le premier mot «malheur à» est déjà gros de la menace qui va suivre. L'absence de toute justification fait que tout le poids de la parole porte sur la sentence impitoyable. L'évocation des bergers et des moutons n'a rien de bucolique, elle sert à marquer la radicalité du jugement : les villes sont rasées et YHWH ne laissera pas subsister un seul habitant. Il se pourrait qu'ici encore le prophète joue sur les mots : la nation des *Keretîm* (les Kerétiens) sera transformée en prairies, *k^erôt*, ce qui expliquerait le choix de ce terme très rare.

Ce qui rend difficile le texte actuel (voir critique textuelle), c'est la glose postexilique qui s'est greffée sur ce v 7. L'éditeur a comme enveloppé la teneur originelle (v 7*b*) avec les v 7*a* et 7*c*. En effet, ces deux vers introduisent un nouveau groupe de personnes tout à fait inattendu. L'oracle contre la Philistie devient promesse pour Juda. Les bergers anonymes du texte primitif prennent maintenant figure de Judéens. Le langage n'est pas sophonien. De tout le corpus, ce

⁷ Il sera un territoire ª
pour le reste de la maison de Juda.
Là ᵇ, on mènera paître ;
dans les maisons d'Ashqalon,
le soir, on se reposera,
Car YHWH, leur Dieu, les visitera,
il changera leur sort ᶜ.

⁸ J'ai entendu les insultes ª de Moab,
et les huées des fils d'Ammon,
qui ont insulté mon peuple
et se sont donné de grands airs, à propos de leur ᵇ territoire.

7a. On traduit parfois *et le cordon (la ligue) appartiendra au reste de la maison de Juda*, en faisant de *ḥèbèl* le sujet de *ḥāyāh*. Mais il est placé en seconde position et, surtout, il n'a pas l'article, ce que l'on attendrait après la mention du *cordon de la mer* au v 6. Il s'agit donc d'un prédicat. L'éditeur joue ici sur le sens du mot *ḥèbèl* (cf. commentaire). Voir Jos **19**,*9 la part (ḥèbèl) des fils de Juda*.   b. *Là*, litt. *sur eux* (*'alêhèm*) renvoie sans doute *aux prairies* du v 6. Cette leçon s'explique mieux si le v 7a provient d'une glose rédactionnelle, car alors 7b suit le v 6. D'autres préfèrent corriger en *'al hayyām au bord de la mer*.   c. Avec le K *šub sᵉbûl*. Q *šwb šbytm ramener la captivité (les captifs)*.

8a. *insultes*. C'est la traduction habituelle. Mais *ḥrph* pourrait signifier le «défi» qui implique la vantardise de son auteur et la volonté d'humilier celui qui en est l'objet. Cf. F. Gonçalves, *L'Expédition de Sennachérib*, Louvain, 1986, p. 420 s.   b. *leur territoire*, c'est-à-dire le territoire de Moab et d'Ammon. D'autres commentateurs pensent que le suffixe pluriel renvoie à *'ammi mon peuple*, nom collectif (cf. Joüon § 149a). G *mon territoire* a sans doute été entraîné par le parallélisme du stique.

verset est le seul cas où *pqd 'l*, «intervenir contre quelqu'un ou en sa faveur» revêt ici un sens favorable (comparer avec **1**,*8.9.12*). Et l'expression *šub sᵉbûl* reconnue habituellement comme postexilique se retrouve ici précisément dans l'addition de **3**,*20* (cf. *infra*). Ainsi reformulé, le v 7 s'accorde mal avec le v 5 qui annonce la disparition de tout habitant. On reconnaît ici le procédé classique de l'intervention rédactionnelle, qui emprunte des mots au contexte environnant, en l'occurrence *hyh* «il sera» et *ḥèbèl*. La suture est habile car le rédacteur joue sur le double sens du terme *ḥèbèl* : le *cordon de la mer* deviendra pour le reste de Juda un *lot*, une *part* (d'héritage) (cf. Ab 19 : «ceux du Bas-pays hériteront des Philistins»). Le «reste de Juda» désigne habituellement les Judéens qui ont échappé à la catastrophe de 587 (Jr **40**,*15* ; **42**,*15-19* ; **43**,*5* ; **44**,*12.14.28*). La visite de Dieu aura pour effet un retournement de situation, un renversement de leur sort *(šub šᵉbûl)*. Elle inaugurera la grande restauration eschatologique où le peuple sera rétabli dans ses droits.

*A l'Est : Moah et Ammon (**2**, 8-11).*

Le noyau sophonien reprend avec le v 8. Le prophète fait soudain volte-face ; de l'Ouest son regard se tourne vers l'Est, vers ces demi-frères (Gn **19**, *30-38*) devenus frères ennemis que sont Moab et Ammon.

Le fond primitif se limitait aux v 8-9*a*, où l'on reconnaît sans peine la forme littéraire de l'oracle de jugement avec accusation (v 8) et sentence de condamnation (v 9*a*), reliées par le classique «c'est pourquoi». Les deux sections sont quantitativement équilibrées et construites selon des procédés assez semblables. Elles se composent chacune de deux vers, scandés par le mètre de la qina $(3+2)$. Les stiques se correspondent deux à deux, selon les règles du parallélisme distributif : le verbe «insulter» du v 8*bα* reprend le substantif «insultes» de 8*aα*, tandis que le v 8*bβ* commente 8*aβ*. Il s'ensuit que les deux peuples se trouvent englobés dans la même réprobation.

L'oracle, qui se termine avec un «à tout jamais» sans rémission, (v 9*aγ*), commence de façon assez abrupte par un verbe à la première personne. C'est bien dans la manière de Sophonie (cf. *supra* **1**, *4.8b.12b*). Dans tous ces exemples, YHWH prend la parole. Il en va de même ici, comme le montre l'incise «oracle de YHWH, Dieu d'Israël», qui introduit la sentence (v 9*a*). La Bible associe les deux peuples dans un même reproche (Ez **25**, *6-11*) ; mais elle dénonce plus souvent l'arrogance de Moab (Is **16**, *6* et Jr **48**, *29* ss qui débutent, tous les deux, par «Nous avons entendu» cf. encore Is **25**, *11*). Il n'y a pas lieu de corriger le texte en adoptant la leçon des LXX «ils se sont vantés au sujet de mon territoire», car celle du TM pourrait faire allusion à l'attitude délibérément hostile de Moab lors de l'entrée en Terre Promise (Nb **21-24**). Le commentaire autorisé de So **2**, *8* que constitue **2**, *10* l'a interprété en ce sens. D'où cette hostilité permanente, qui débouchera sur de nombreux affrontements tout au long de l'histoire.

Les choses sont moins claires en ce qui concerne Ammon. Seul, Dt **23**, *4-5* mentionne le refus de secourir Israël. Le verbe *gdl* à l'hiphil, avec la préposition *'l* signifie toujours «se dresser contre quelqu'un» avec à la fois les connotations d'hostilité et d'insolence (Ps **35**, *26* ; **38**, *17* ; **55**, *13* ; Jb **19**, *5* ; Ez **35**, *13*) ; noter en particulier Jr **48**, *26.42* où «Moab se dresse avec insolence contre YHWH»). Quels événements vise ce passage ? On peut penser à des accusations comme celles

⁹ C'est pourquoi, par ma vie,
    oracle de YHWH Sabaotᵃ, Dieu d'Israël,
Oui, Moab sera comme Sodome,
    et les fils d'Ammon comme Gomorrhe,
un domaineᵇ de chardons,
    une mine de sel,
    une solitude désolée, à tout jamais.
Le reste de mon peuple les pillera,
    ce qui reste de ma nationᶜ en héritera.

¹⁰ Tel sera pour eux le prix de leur orgueil,
    car ils ont insulté et traité de hautᵃ
    le peuple de YHWH Sabaot.

9*a*. *Sabaot* manque dans le G. C'est très probablement une addition, car la titulature est déjà passablement longue.   *b. domaine*, terme rare et difficile. Les versions n'ont plus compris : G *Damas*, Vg *sécheresse*.   *c. ma nation* en raison du parallélisme et avec G, Syr, TM Q. Le K *une nation*. Le *yod* a pu tomber par haplographie, du fait que trois *yod* se suivaient dans le texte primitif *gwyy ynḥlwn*.

10*a. traité de haut* avec Bible Osty. Litt. « *se faire grand* » (cf. Jr **46**,*26.42*; Ps **35**,*26*; **38**,*17*; **55**,*13*; Jb **19**,*5*). Traduction préférable à *se sont agrandis à ses dépens* (cf. *HALAT* 1967, p. 172).

---

d'Am **1**,*13* ou Jg **3**,*13-20*. Le texte de 2 R **24**,*2* nous apprend qu'au temps de Jojaqim, Nabuchodonosor, exploitant cette hostilité latente, lança sur Juda des bandes armées, parmi lesquelles les Moabites et les Ammonites figurent en bonne place. Semblables incursions ne sont pas impensables quelques décades auparavant.

La sentence (v 9*a*) se développe en trois vers, mais, si l'on met à part la titulature de YHWH (v 9*aα*), la sentence a la même longueur que l'accusation. Les procédés rhétoriques sont en partie les mêmes : d'une part le prophète fait usage du parallélisme distributif et il faut comprendre « C'est pourquoi ... Moab et les fils d'Ammon sont comme Sodome et Gomorrhe ». D'autre part, le second vers explicite le premier, en précisant le point de comparaison : une terre salée, couverte de ronces et impropre à la culture (Gn **19**,*26* cf. Dt **29**,*22*; Jr **17**,*6*; Ps **107**,*34*). Le texte de Jr **48**,*9* est particulièrement significatif, puisqu'il s'adresse à Moab. D'après W. Moran (*Biblica* 39, 1967, p. 67-71), le terme *ṣiṣ*, une *crux* pour les exégètes, serait à interpréter comme « sel », d'après un texte ugaritique ; d'où la traduction proposée : « Mettez du sel sur Moab, car elle va être dévastée (en lisant *naṣoh liṣṣèh*) ; ses villes deviendront des lieux désolés, vides de leurs habitants». En Jg **9,** *45*, Abimélèk sème du sel sur Sichem et voue ainsi le sol à la malédiction. En So **2,** *9*, l'évocation de Sodome et de Gomorrhe ne se réduit pas à un simple cliché, fréquent dans la Bible (Am **4,** *11* ; Is **1,** *9* ; **3,** *9* ; **13,** *19* ; Jr **23,** *14 ;* **49,** *18* ; Ez **16,** *46* ss.*53* ss). Elle renvoie à l'épisode de Gn **19**, sous la forme d'un contraste dramatique : par sa justice, Lot, le père de Moab et d'Ammon, avait échappé à la catastrophe qui avait bouleversé et détruit Sodome et Gomorrhe. En raison de leur péché, de leur arrogance, ses descendants sombreront dans un malheur analogue à celui de ces deux villes.

Dans ces conditions, comment le v 9*b* peut-il parler de «pillage» (d'une terre désolée !) et surtout «d'héritage». Ce heurt dans la rédaction laisse déjà soupçonner une retouche. Or, les v 9*b*-10 ne sont pas sans affinité avec l'addition du v 7. Comme en v 7*a*, ils introduisent en effet un tiers personnage, désigné sous le titre de *š'ryt* «reste», et présenté comme héritant aussi bien de la terre des Philistins que de celle de Moab et d'Ammon. Ce thème rejoint aussi l'oracle postexilique d'Is **14,** *1* ss.

Le v 10, est en partie construit à partir d'emprunts aux versets précédents, procédé rédactionnel bien connu (cf. précisément *supra* le v 7) : les deux verbes «insulter» et «prendre de grands airs» ainsi que la désignation «mon peuple» proviennent du v 8, et YHWH Sabaot du v 9*a*. Le caractère prosaïque du morceau tranche sur l'allure clairement poétique des 8-9*a*. Le rédacteur a sans doute voulu intégrer une note revancharde à l'encontre de Moab et d'Ammon, à l'instar de celle que les éditeurs postexiliques prononçaient à l'encontre d'Édom. En même temps, ce complément lui permettait, dans cette seconde partie du livre, d'assurer, grâce au thème du reste, la transition entre la face catastrophique (première partie) et la face salvifique (troisième partie) du Jour de YHWH (cf. Introduction, la genèse du livre et son message).

Écrit, lui aussi, en prose, le v 11 trahit la main d'un rédacteur, postérieur à Sophonie. Mais il n'est pas sûr que ce soit le même qui a ajouté les v 9*b*-10. En effet, il met au centre de ses considérations, non plus la relation du peuple à YHWH mais la personne même de Dieu et son attitude face aux nations. Il élargit soudain l'horizon à la totalité du monde païen, et sa formulation rejoint les préoccupations du Second Isaïe, notamment l'humiliation de tous les dieux de la terre (Is **44,** *6-20* ; **43,** *9-13* ; **45,** *20* s. ; **46,** *1* ss cf. Is **40,** *19* ; **41,** *6-23*) : YHWH y défie toutes ces fausses divinités, sous les yeux ébahis des peuples. L'expression «îles des nations» ne réapparaît qu'en Gn **10,** *5*, de

¹¹ Terrible^a sera YHWH contre eux,
   car il réduira^b à néant tous les dieux de la terre.
Et elles se prosterneront, chacune sur son propre sol^c,
   toutes les îles des nations.

¹² Quant à vous, Kushites,
   « vous êtes transpercés par mon épée^a... »

11a. *Terrible nwr' de yr'.* G a fait dériver le mot de *r'h voir*, d'où la traduction *il sera vu, il apparaîtra.* b. Faut-il corriger *rāzāh il a réduit* en *yirzèh il réduira*, le *yod* étant tombé par haplographie ? Ou bien faut-il donner à ce parfait un sens futur (parfait prophétique) ? c. Litt. *depuis leur lieu.*
   12a. Texte grammaticalement difficile. Litt. : *quant à vous, les transpercés de mon épée eux-mêmes (ils sont).* Le passage brutal de la seconde personne à la troisième choque. Cependant, en hébreu, un pronom à la troisième personne peut servir de copule dans une phrase nominale dont le sujet est à la seconde personne (2 S **7**,*28* ; 2 R **19**,*15* = Is **32**,*16*). La situation de cette copule après le prédicat permettrait de mettre celui-ci en relief (Irsigler p. 124). D'autres critiques font du *quant à vous* une interpellation formulée par le prophète, suivie, sans transition ni marqueur syntaxique, d'une parole de YHWH *eux ils sont les transpercés de mon épée.* D'autres encore préfèrent corriger le texte en retrouvant ici le tétragramme sacré : le *hrby hmh de mon épée, eux* devient *hrb YHWH (les transpercés) par l'épée de YHWH.*

tradition sacerdotale. Mais le Second Isaïe emploie fréquemment le terme « îles » (Is **40**,*15* s. ; **42**,*4.10.12* ; **49**,*1* ; **51**,*5*). Il invite tous les peuples à fléchir le genou (Is **45**,*22* s.), comme le rédacteur de So, **2**,*11* annonce la prostration des nations devant le Maître du monde. Ce geste évoque aussi Ml **1**,*11.14.* Ne serait-ce pas comme une amorce de la conversion des nations, annoncée en So **3**,*9-10* ?
   En résumé, les v 9*b*-11 se présentent comme un élargissement universaliste, tel qu'on en rencontre de multiples exemples dans la période suivant le retour d'exil (Ps **66**,*5.8* ; **89**,*7-8* ; **96**,*4*). Les divinités païennes sont dépossédées de leurs privilèges et de leur pouvoir, et Dieu apparaît redoutable aux nations et aux hommes pourtant invités à l'adorer. L'universalisme de ce passage s'avère largement décentralisé. Toutefois, l'expression « chacune, de son propre lieu » (So **2**,*11*) oriente vers la coutume des Juifs de la Dispersion, qui se tournent, pour prier, dans la direction de Jérusalem.

Au Sud l'Éthiopie (**2**,*12*).

Cet oracle déjà grammaticalement différent (cf. critique textuelle) tranche sur les précédents par sa brièveté. Il est manifestement tronqué, car on ne peut le rattacher au suivant (v 13-14), traitant de l'Assyrie qui, selon la disposition topographique retenue dans cette séquence, se situe aux antipodes de l'Égypte. Par ailleurs, ici, les victimes sont directement interpellées. Enfin, le mètre du v 12 (2+2) se démarque de celui des v 13 s. Cependant le *gam* « même (vous) ... » suppose que cet oracle entrait dans la série.

Si elle peut avoir des origines mythologiques (Sabottka p. 93), la métaphore de l'épée, pour désigner la guerre, est devenue presque un cliché dans la Bible. C'est Jérémie, qui dans un contexte cosmique et universel, illustre le mieux cette phrase elliptique : « YHWH ouvre le procès des nations... les impies, il les livre à l'épée ... Il y aura des transpercés de YHWH en ce jour-là, d'un bout de la terre à l'autre » (Jr **25,**_30-33_ cf. Jr **14,**_18_ ; Is **66,**_16_).

Mais pourquoi le choix de Kushites, ces lointains habitants de la Nubie ? Le texte évoque sans doute la dynastie éthiopienne, qui s'imposa à l'Égypte de 712 à 663 et qui s'éffondra sous les coups successifs des princes Assarhadon (Is **37,**_9_) et Assurbanipal ; ces campagnes aboutirent à la prise de Thèbes par les Assyriens en 663. Le dernier roi kushite Taharqa perdit alors la suzeraineté même sur la Haute-Égypte et mourut en 655. Sophonie ferait donc allusion à ces événements. La phrase nominale de **2,**_12_ ne doit pas être comprise au futur, mais comme dépeignant une situation présente. Le grand jugement de Dieu a commencé. L'appellation de Kushites, peut-être empruntée à Isaïe, pouvait avoir, dans la bouche de Sophonie, valeur de sobriquet. Elle rappelait la vassalisation temporaire de l'Égypte, pourtant reconquise alors par une dynastie autochtone, fondée par Psammétique I.

Cependant, le prophète s'adresse à l'Égypte de son temps, plus de 20 ans après la chute de Thèbes. Le *gam* hébreu « même (vous) » s'explique bien s'il vise une Égypte qui commence à redresser la tête, après une période de colonisation subie pendant quelques décades. Profitant de la faiblesse grandissante de son ennemi séculaire, elle tente de reconquérir alors la maitrise de la Syrie-Palestine dont la main de fer assyrienne l'avait chassée. D'où l'engagement à Ashdod qui vise à arrêter l'invasion scythe, commandée par l'Assyrie. La résistance s'avère tenace et Sophonie ne semble guère croire à la réussite de l'entreprise, puisqu'il voit les soldats égyptiens « transpercés par l'épée » de YHWH. La référence à la fin tragique de la dynastie éthiopienne se voudrait un rappel cruellement ironique de la chute de Thèbes. Le Prophète feint de confondre les deux dynasties. Si l'Égypte reprend espoir, il sait, lui, que le succès n'est qu'éphémère. « Même » les Égyptiens tomberont sous le jugement de Dieu. Que l'aventure kushite leur serve de leçon.

¹³ Il dirigera sa main contre le Nord,
il fera périr Assur.
Il fera de Ninive une solitude désolée,
une terre aride comme le désert.

¹⁴ Les troupeaux se reposeront en son milieu
ainsi que toutes les bêtes sauvages de la vallée[a].

14a. Litt. *bêtes d'une nation*. L'expression n'a pas de sens. Même si elle n'est pas
entièrement satisfaisante, on retient ici la leçon des LXX *terre* qui supposerait *gay(')*
vallée, marais. Rudolph et Irsigler corrigent en *naweh pâturages*, qui a l'avantage de
fournir un bon parallèle au premier stique qui parle de troupeaux. Selon J. Barr
(*Comparative Philology*, Oxford, 1968, p. 324, n. 74) *gôy* pourrait signifier *champs*.

Au Nord : l'Assyrie (2, 13-15).

Achevant son tour d'horizon, Sophonie se tourne vers le Nord.
Dans l'état actuel du texte, cet oracle contre l'Assyrie constitue le
climax de toute la séquence. A travers la violence du passage, on
devine une joie contenue devant les signes avant-coureurs de
l'effondrement du tyran, qui depuis plus d'un siècle maintenait
l'Orient et plus précisément la Palestine sous sa botte de fer. Assur
désigne le peuple plutôt que la ville, nulle part mentionnée dans
l'Ancien Testament. La diatribe se concentre surtout sur Ninive, ville
au passé prestigieux. Hammurabi en faisait déjà mention parmi les
grandes cités de son empire, et Sennachérib l'éleva au rang de
capitale. Assurbanipal, contemporain de Sophonie, lui donna un relief
culturel particulièrement brillant ; la découverte de la bibliothèque
qu'il avait fondée demeure encore une des sources les plus importantes pour la connaissance de la culture assyro-babylonienne. La ville
tombera sous les coups conjugués des Mèdes et des Babyloniens en
612 (cf. Nahum **2-3**).

Pour l'instant, Sophonie se contente d'en prédire la ruine. Le texte,
ici encore, est probablement tronqué. La forme verbale w^eyiqtol
introduit normalement un tournant dans le développement de la
pensée (Irsigler p. 124), et d'ordinaire, les discours du prophète
nomment expressément YHWH. Or ce nom manque en So **2,** *13-15*.

L'expression «il dirigera sa main contre ...» est réservée à Dieu (cf.
commentaire de **1,** *4*). C'est donc lui qui agit. La structure de ces
versets reprend la disposition habituelle des annonces de malheur :
l'action de Dieu (v 13), et ses conséquences présentées de façon
impersonnelle (v 14). La première section, ponctuée par trois verbes à

la forme wᵉyiqtol, comprend deux vers de 3 + 2 accents, le mètre de la
qinah. L'oracle de jugement prend donc la couleur d'une lamentation
quelque peu sarcastique. Car YHWH ruinera de fond en comble la
ville fastueuse et populeuse, qui se glorifiait de posséder des
monuments somptueux. L'accumulation, à la fin du v 13*b*, de trois
synonymes, avec en hébreu un jeu d'assonance i/a : solitude désolée,
terre aride, désert, souligne l'ampleur de la catastrophe.

Le second élément (v 14), marqué par un changement de forme
verbale wᵉqatal, décrit les effets du châtiment divin en trois vers dont
le premier et le dernier exploitent encore le rythme de la qinah. Dans
les décombres, les troupeaux et les bêtes sauvages trouveront un gîte
pour la nuit (cf. **2,** *6-7*). Ce motif de villes célèbres, transformées en
ruines tout juste bonnes à devenir repaires d'animaux, est tradition-
nel (cf. Is **13,** *19-22* Babylone ; Is **34,** *11-14* Édom ; **23,** *13* s. Babylone
et Tyr). Il entrait depuis longtemps dans la série des malédictions
intégrées aux traités d'alliance (cf. stèle de Sfiré IA, 32-33. Voir
D. J. Mc Carthy, *Treaty and Covenant*, p. 190 ; Fitzmeyer, *JAOS 8*,
1961, p. 188). On ne sait pas de manière très précise quelle
dénomination répond aux termes hébreux du v 14. Pour le premier
animal, certains pensent au pélican, d'autres aux choucas ; pour le
second on évoque le hibou ou le hérisson. Quoi qu'il en soit, ce n'est
sans doute pas un hasard si le premier est classé parmi les animaux
impurs en Lv **11,** *18* et Dt **14,** *17*. Voilà donc la glorieuse Ninive
réduite au rang de lieu repoussant et souillé. Là où naguère
s'entendait la rumeur joyeuse d'une foule en fête, on perçoit
maintenant le chant d'un oiseau, ou même le croassement d'un
corbeau. Les lambris de cèdre et les célèbres bas-reliefs assyriens, que
les fouilles archéologiques ont mis à jour, gisent à terre, brisés,
repaires pour les bêtes sauvages.

L'oracle s'achève au v 15 sur une satire d'une cruelle ironie. Ce
n'est pas là conclusion inhabituelle, mais un certain nombre de
constatations inviteraient à y reconnaître une glose. On peut
s'étonner, par exemple, que l'accusation vienne à la fin du développement après l'annonce de malheur (v 13-14). Ce v 15 introduit surtout
un changement de temps significatif : d'une série de wᵉqatal (v 14) on
passe à une proposition nominale au présent (v 15*a*) suivie d'un verbe
au qatal (v 15*b*). Ce verset envisage donc l'annonce des v 13-14
comme déjà réalisée. Le même terme *zô'l* «tel» introduit aussi une
glose au v 10. Le caractère anthologique de ce passage laisse aussi
planer quelque doute sur son authenticité. Que l'on se réfère à
Is **23,** *7* ; Is **47,** *8-10* ; Jr **19,** *8* et voilà Ninive assimilée à Tyr et à
Babylone coupables de la même volonté d'orgueilleuse et cruelle

Même le pélican[b], même le hérisson,
   passeront la nuit dans ses chapiteaux[c].
Une voix[d] chantonnera à la fenêtre,
   un corbeau[e] sur le seuil
   ....[f]

[15] Telle sera la ville orgueilleuse
   qui siégeait en sécurité,
elle qui disait dans son cœur :
   moi, rien que moi[a].
Comment est-elle devenue une ruine,
   une aire de repos pour les bêtes sauvages ?
Quiconque passe près d'elle siffle,
   en agitant la main.

3   [1] Malheur à la rebelle[a], à l'impure[b],

b. G *le caméléon.*   *c.* G *boiseries.*   *d. Une voix,* celle des oiseaux. Ou bien
Écoutez, on chantonnera. J. Wellhausen a proposé de lire *kôs le hibou,* ce qui donne
un bon parallèle à *corbeau.*   *e. Corbeau* en lisant *'oréb* avec G et Vg. Le TM
dévastateur (ḥorèb). Cette confusion du *'ayin* et du *ḥèt* est tout à fait possible dans
la prononciation orale.   *f.* Le TM est très difficile et les versions divergent. La
traduction des LXX *son élévation est un cèdre* n'est guère intelligible. Elle peut
cependant favoriser une autre répartition des consonnes : on rattacherait le *h* de *'rzh*
au mot suivant. D'où la leçon *ky'rz h'rh, car le cèdre il (on) l'a mis à nu.* Le sens
n'est pas non plus entièrement satisfaisant. Il est très possible que ces mots
proviennent d'une dittographie du début du v 15 ; on aurait ensuite tenté de leur
donner une signification plausible.
    15a. Rudolph verrait dans le *yod* de *w'phsy* un *yod compaginis,* plutôt que le suffixe
de la première personne. Il faudrait alors traduire : *moi et personne d'autre.*

    3. 1*a. rebelle.* La forme *mor'e'āh* (avec graphie pleine), participe qal de *mr',* ne se
retrouve nulle part dans la Bible (mais voir la forme *mrh* I qui a le même sens). G
ἐπιφανὴς et la Syr ont lu le participe hophal de *r'h voir,* d'où la traduction *célèbre,
illustre.* Le Tg *qui se hâte d'être racheté* relie ce mot au verset précédent et renvoie à
Jon **3,5.**   *b. impure, nig'e'ālāh,* participe niphal de *g'l,*
forme seconde (Is **59,3** ; **63,3** ; Lm **4,14**) de *g'l.* G ἀπολελυτρωμένη *délivrée, rachetée*
renvoie à *g'l* I.

suprématie. Le rédacteur rappelle ainsi que la parole de jugement ne
manque jamais son but, si lente qu'elle soit à se réaliser. Les ruines de
Ninive en sont l'illustration concrète. De génération en génération, en
passant près de ces décombres, on sifflera d'étonnement et de stupeur
(Lm **2,15**) et l'on agitera la main en signe de mépris et d'épouvante
devant pareille malédiction.

En même temps, ce v 15, qui fait de Ninive un exemple, assure la transition avec la dénonciation de Jérusalem qui suit (**3, 1** ss). La ville sainte devenue «rebelle et impure» se situe dans le prolongement de Ninive dont elle partage l'orgueilleuse révolte. On retrouve ici les préoccupations de l'éditeur, qui composait après la chute de Jérusalem en 587. Pour lui, le terrible Jour de YHWH est arrivé qui engloutit dans une même catastrophe les nations aussi bien que Jérusalem. Tout l'avenir du peuple élu repose désormais sur l'existence d'un petit reste (**2, 7**.*9b-10*).

L'authenticité de l'oracle primitif contre l'Assyrie (v 13-14) ne fait guère de doute. La plupart des verbes suivent le mètre de la qinah, apprécié du prophète, et le vocabulaire est bien celui de Sophonie (solitude désolée **2, 13** cf. **1, 13** ; **2, 4** ; «périr» **2, 13** cf. **2, 5** ; «se reposer» **2, 14** cf. **2, 7b**). Les images de désolation rappellent celles de l'oracle contre les Philistins. Sophonie assiste à la décadence progressive de l'Assyrie, et la mort d'Assurbanipal annonce le commencement de la fin. Sophonie y voit la main de YHWH.

Même si la séquence des oracles contre les nations comporte un certain nombre de retouches rédactionnelles, la disposition actuelle du chapitre pourrait être mise au crédit du prophète lui-même. L'absence de toute référence à Babylone, la gradation voulue, atteignant son sommet dans l'oracle contre l'Assyrie, qui représentait alors l'ennemi le plus redoutable et le plus honni, appuient sérieusement la thèse d'une composition préexilique. L'ébranlement prévisible de tout l'équilibre du Moyen Orient, conséquence de la décadence assyrienne, pouvait fournir à Sophonie l'occasion d'un large tour d'horizon. Chacun de ces oracles, dégagé de ses relectures éventuelles, s'accorde fort bien avec les premiers syndromes d'un bouleversement politique d'envergure internationale.

3. *Jérusalem et les nations* (**3, 1-8**).

A Ninive, l'orgueilleuse, succède la «cité rebelle» (**3, 1**). L'anonymat ne doit pas faire illusion. Puisque YHWH «son Dieu» (v 2) habite «au milieu d'elle» (v 5), il s'agit bien de Jérusalem. La césure entre les deux oracles (**2, 15** et **3, 1** ss) n'est pas aussi accusée qu'il pourrait le sembler au premier abord. Le v **3, 1** doit offrir suffisamment d'ambiguïté pour que les versions y aient lu une condamnation de la capitale assyrienne (cf. critique textuelle). Sans aller jusque là, l'éditeur a, semble-t-il, intentionnellement inséré le v **2, 15** (cf. *supra*) pour assurer une transition entre les oracles contre les nations et cette à la cité tyrannique^c.

² Elle n'a entendu aucun appel^a,
    elle n'a accepté aucune leçon.
  En YHWH, elle n'a pas mis sa confiance,
    de son Dieu, elle ne s'est pas approchée.

---

c. *tyrannique, hayyônāh*, participe féminin de *yānāh*. G la *colombe*; c'est en effet le sens du mot Jonas en hébreu. Il semble donc que les versions ont rattaché ce verset 1 à **2,** *15*, Ninive étant devenue célèbre grâce au pardon dont elle a bénéficié à la suite de la prédication du prophète Jonas. On comprend, dès lors, que dans le prolongement, la Syr ait traduit *hayyônah* par *la ville de Jonas*.

2a. Litt. *point n'a entendu d'appel, point n'a reçu de leçon*. Sabottka (p. 103) fait remarquer que cette construction sans article est plus forte que si le texte portait *mon appel, ma voix*.

condamnation de Jérusalem : les deux villes célèbres manifestent la même volonté d'orgueilleuse révolte. On reconnaît là le seul souci de l'éditeur désireux d'englober dans un même châtiment Jérusalem et les peuples étrangers (cf. introduction).

La délimitation du passage est controversée. D'ordinaire, on distingue volontiers deux unités primitives : un oracle de malheur, mis dans la bouche du prophète (**3,** *1-4*) et un oracle de jugement placé dans la bouche de Dieu (**3,** *6-8*). Il semble préférable d'y voir une seule et même unité. L'oracle de malheur comporte en effet, normalement une accusation et une condamnation, reliées par «c'est pourquoi». Cette structure se retrouve ici si l'on joint **3,** *6-8* à **3,** *1-4* : l'accusation comporte les v 1-4.6-7 et la condamnation le v 8. La reprise, au v 7, de l'expression *laqaḥ mûsar* «accepter la leçon», déjà présente au v 2, favorise l'unité du discours, d'autant que les v 6-7 précisent en quoi consiste cette leçon : le châtiment exercé par Dieu contre les nations devait servir d'avertissement à la capitale judéenne. Au v 7, l'interlocuteur de YHWH, interpellé à la seconde personne du féminin (*tîrᵉ'î*, «tu craindras») ne peut que désigner la ville de **3,** *1*, symbolisée sous les traits d'une figure féminine. Enfin, Ez **22,** *23-31*, qui exploite manifestement So **3**, cite aussi bien les v 1-4 que le v 8. Il connaît donc **3,** *1-4.6-8* comme une péricope d'une seule venue.

On pourrait objecter un changement de locuteur entre **3,** *1-4* et **3,** *6-8*. Rien n'empêche cependant de mettre les v 1-4 dans la bouche de YHWH, lui-même. Le fait qu'il parle de lui à la troisième personne, n'a rien de choquant, car il s'agit d'une formule stéréotypée «avoir

confiance en YHWH». De même, l'interpellation directe du v 8
«attendez-moi» ne s'oppose pas à l'évocation de Jérusalem à la
troisième personne aux v 1-4. La difficulté serait d'ailleurs la même
pour la section 6-8, puisque le v 7 parle des habitants à la troisième
personne, tandis que le v 8 les prend à parti. Le prophète utilise un
jeu de scène bien connu : YHWH parle d'abord à la cantonade ou se
parle à lui-même (cf. v 7a «je m'étais dit...»). Soudain, avec vigueur,
presque avec violence, il se retourne contre ceux dont il vient de
montrer la culpabilité, pour leur annoncer le sort qui les attend. La
brièveté de cette mise en cause n'en est que plus percutante : ce n'est
qu'au moment où il prononce la sentence que Dieu s'adresse
directement à ceux qu'il va châtier.

    L'analyse de la cohérence du morceau pourra servir de contre-
épreuve. Après l'interjection «malheur à», qui porte déjà en germe
toute la condamnation, les v 1-2 contiennent des accusations d'ordre
très général. Aux v 3-4, les critiques, qui se font plus précises,
justifient les qualificatifs de «rebelle» et de «tyrannique», accolés au
v 1 à la capitale. Les v 6-7 font écho au début du v 2 qu'ils
reprennent en partie : «elle n'a pas accepté la leçon». La sentence
tombe logique et irréfutable au v 8.

    Pourtant une difficulté demeure — importante. La condamnation
de Jérusalem débouche sur un châtiment... des nations (**3**,*8*). La
rupture est d'autant plus nette que le v 7 s'adresse directement à
Jérusalem. Le commentaire du v 8 tentera d'éclairer cette anomalie.

L'accusation : Jérusalem rebelle et impure (v 1-4).

    Cette section comprend deux parties : la première, de trois vers,
formule les reproches de manière générale, plus précisément «théologique» (v 1-2). La seconde, de quatre vers (v 3-4) met en cause, de
façon concrète, les responsables de la cité. Le rythme frappe par sa
régularité : des distiques de $2+2$ accents.

    Tout commence par un «malheur à» menaçant (v 1). On sait la
portée de cette expression (cf. **2**,*5*). Proche de la malédiction, elle ne
se contente pas d'annoncer le malheur ; elle le fait advenir. Prégnante
d'un redoutable potentiel de violence, l'accusation se fait, dès le
départ, condamnation, jugement impitoyable et sans appel. La
justification vient très vite, car le prophète accumule les qualificatifs :
la rebelle, l'impure, la tyrannique. Le terme «cité» ne vient que dans
le second stique, comme si le locuteur avait hâte de fustiger la ville
infidèle, en la personnifiant sous les traits d'une femme. L'absence de

³ Ses chefs, au milieu d'elle,
   sont des lions rugissants,
   ses juges, des loups de la steppe,
   qui n'ont rien à ronger au matin[a].

⁴ Ses prophètes, des aventuriers[a],
   des hommes de trahison.
   Ses prêtres ont profané les choses saintes,
   ils ont violé la loi.

3a. Ce vers difficile a donné lieu à de multiples interprétations ou corrections. Deux
problèmes se posent ici. Le premier, pratiquement résolu, concerne la traduction du
mot 'rb. Le TM a compris *soir*, d'où l'étrange qualification de *loups du soir* (même
expression en Ha **1**,*8*). La version G τῆς 'Αραϐίας (loups d'Arabie) s'est fourvoyée mais
peut avoir conservé la bonne vocalisation *'ărāb, steppe* (cf. Is **21**,*13*). Précisément
Jr **5**,*6* connaît *des loups des steppes ('ărābôt)*. Le second débat porte sur le sens de la
relative asyndétique. Il reste largement ouvert. La traduction retenue fait de *garᵉmû* un
verbe dénominatif de *gèrèm, os*, d'où le sens de *ronger, briser (les os)*. Voir en Nb **24**,*8 il*
(Israël) leur brise (yᵉgarèm) les os ('aṣᵉmotêhèm), en parallèle avec *'kl manger*. Il se
pourrait que *labboqèr, au matin*, soit une addition appelée par la mauvaise
interprétation du TM *loups du soir*, d'autant que Gn **49**,*27*, si proche de So **3**,*3* écrit
Benjamin est un loup qui déchire. Le matin, il mange encore. Le soir, il partage les
dépouilles. So **3**,*5* rappelle que le jugement se rendait le matin *(babboqèr)*.
4a. *aventuriers*. Même terme en Jg **9**,*4*. On pourrait aussi comprendre *les hâbleurs*. G
πνευματοφόροι *des porteurs de vent (ou d'esprit)*, cruel jeu de mots sur les prophètes
hommes de l'esprit (inspirés) devenus hommes du vent.

waw «et» conjonctif, donne à la formulation une particulière vigueur.
En hébreu, les voyelles *o* et *a* alternant conférant ainsi une certaine
pesanteur à l'énumération.

Cette personnification fait penser à la Fille de Sion (cf. **3**,*14*).
L'omission de ce titre n'est peut-être pas sans signification : Sophonie
n'ose plus la nommer, tant est grave sa rébellion. Ainsi s'expliquerait
aussi l'anonymat : Jérusalem ne peut plus revendiquer d'être la
partenaire de Dieu, car elle est celle qui dit «non». Au v 2, la négation
lo' revient à quatre reprises ; s'il faut l'accentuer, elle prend alors un
relief encore plus particulier. En tout cas, dans le premier vers (v 2*a*),
elle est placée en début de stique. Elle réapparaît dans le second vers
(v 2*b*), mais cette fois, l'inversion du complément souligne plutôt la
personne de YHWH. Par sa révolte Jérusalem a perturbé la relation,
fondée sur l'alliance avec «son Dieu». Ici encore, l'assonance a/o, avec
notamment la rime en a (2ᵉ, 3ᵉ, 4ᵉ stique) donne à la formulation un
caractère de solennité.

Toute une série de verbes, trois participes au v 1, quatre verbes à
mode personnel au v 2, servent à illustrer la faute de Jérusalem. Cet
effet d'accumulation en souligne la gravité. La ville élue par Dieu

s'est révoltée (Ps **46**,*5* ; So **3**,*11; Ez* **2**,*5.7* ; Os **14**,*1*). La ville sainte s'est souillée (cf. Lm **4**,*14* ; Is **59**,*9* ss ; **6**,*5*). La cité de paix, symbole de la fraternité, s'est muée en ville tyrannique, remplie de violences (Jr **46**,*16* ; **25**,*38* ; **50**,*16*). Le prophète ne se contente pas d'un constat, il va à la racine du mal : la séparation d'avec Dieu (v 2) ; « Elle n'a pas écouté sa voix », formule qui se retrouve 14 fois dans l'histoire deutéronomiste et 7 fois en Jérémie. « Elle n'a pas accepté la leçon » (cf. Jr **2**,*30* ; **17**,*23* ; **32**,*33* ; **35**,*13* et surtout **7**,*28* où cette expression se trouve, comme ici, associée à la formule précédente) ; elle est du reste d'origine sapientielle, Pr **1**,*3* ; **8**,*10* ; **24**,*32* ; autrement dit, la « ville » n'a pas su ou voulu lire dans l'événement le passage de Dieu (cf. v **3**,*7*). Si le premier vers (v *2a*) mettait l'accent sur les exigences de l'alliance, le second (v *2b*) s'attache plutôt aux liens de communion : Jérusalem n'a mis ni sa foi ni son espérance en YHWH (Ps **4**,*6* ; **31**,*17*). Elle ne s'est pas « approchée » de son Dieu. La formule peut évoquer une démarche cultuelle d'entrée au sanctuaire (1 S **14**,*36*) et de consultation de la parole divine. Mais, dans le contexte du v *2a*, elle prend une dimension plus intérieure de recherche humble et docile (cf. So **2**,*3*) ; la cité ne s'est pas mis en état de rencontrer le Seigneur (cf. Ps **15** ; **24**,*3* ss). Dans le cadre rédactionnel (addition du v 5), le verbe résonne encore de façon plus dramatique, car elle ne s'est pas approchée du Dieu qui s'est approché d'elle, qui s'offrait à la rencontre, en se voulant présent « au milieu d'elle » (**3**,*5.15-17*).

Jérusalem a préféré garder « au milieu d'elle » (v 3) des chefs dévoyés, et le prophète d'énumérer successivement les ministres, les juges, les prophètes et les prêtres (même amalgame en Mi **3**,*9.12* ; Jr **2**,*26* ; **5**,*31* ; **6**,*13*). Pour les deux premières catégories, le tableau n'est guère flatteur : bêtes sauvages qui mettent leur pouvoir au service de leurs bas instincts. Les princes et les juges, qui, dans la communauté, avaient en charge la régulation de la justice, se jettent avec voracité sur les pauvres pour les dévorer (cf. la peinture si réaliste de Mi **3**,*3-4*). Les prophètes qui ont trahi leur mission, en falsifiant la parole de Dieu, en se mettant du côté des puissants, mènent le peuple à l'aventure. De même, les prêtres agissent au rebours de leur vocation. En commentant ces v 3-4 (les contacts sont trop nets pour ne pas suggérer une dépendance littéraire), Ez **22**,*23-31* ne retiendra que les fautes du domaine cultuel, relatives à la séparation du pur et de l'impur. Mais le contexte de So **3**,*1-4* invite à donner à cette accusation une amplitude plus grande. Les prêtres violent cette loi aussi bien morale que cultuelle qu'ils avaient pour mission d'enseigner et d'interpréter (Dt **33**,*9-10*). Dans cette énumération, on relèvera encore une fois l'absence de toute mention du roi.

⁵ Mais YHWH est juste, au milieu d'elle,
   il ne commet pas l'iniquité ;
   matin après matin, il rend sa sentence,
   à l'aube ᵃ, il ne fait pas défaut.
   — Il ne connaît pas l'iniquité abominable ᵇ —.

⁶ J'ai supprimé les nations ᵃ,
   leurs tours d'angle sont abattues.

5a. *à l'aube*, litt. *à la lumière*. Le parallélisme avec le v 5*bα* autorise cette traduction
(cf. Jg **19**,*26* ; Ne **8**,*3* ; Jb **24**,*4*. Voir aussi l'expression *'ôr habboqèr, la lumière du matin*
Jg **16**,*2* ; Mi **2**,*1*...). Il ne paraît pas nécessaire de considérer le second *babboqèr* comme
une dittographie. Si l'on accentue la négation *lo'*, le rythme est de 4 + 3, tout à fait
classique. L'aspect distributif *(chaque matin)* n'empêche nullement le parallélisme avec
la lumière.   b. *Iniquité* en lisant *'awèl* au lieu de *'awwāl, criminel* (cf. en 5a *'aweˡlāh*.
TM *le criminel ne connaît pas la honte* (avec inversion). En dehors du parallélisme ce
stique pourrait être une glose marginale de 5*αβ*, introduite malencontreusement dans le
texte et ensuite mal interprétée.
6a. *nations gôyim*, G *orgueilleux, géʾim*.

Le v 5 : la justice de Dieu.

Ce verset fonctionne ici comme motif de contraste. Face aux
responsables iniques, résidant « au milieu d'elle (Jérusalem) », se dresse
soudain la figure de YHWH, présent « au milieu d'elle ». Pris en eux-
mêmes, ces vers donnent une image incontestablement positive de la
justice divine. YHWH n'est pas là d'abord pour condamner et
châtier, mais pour faire jaillir la justice comme la lumière. A
l'encontre des juges iniques (v 3), « il ne commet pas l'iniquité » (cf.
Dt **32**,*4*, qui ajoute « il est juste et droit »), car il défend les pauvres, à
qui il ne fait pas défaut. C'est le sens du mot ʿ justice ʾ dans la Bible.
L'infidélité des dirigeants fait ressortir ainsi la fidélité de YHWH (cf.
Is **42**,*21*). Chaque matin, il « prononce son jugement », car c'est à ce
moment que de façon privilégiée, Dieu intervient en faveur de son
peuple (Ps **46**,*6* ; Is **33**,*2* ; Ps **5**,*4* ; **59**,*17* ; **90**,*14* ; **143**,*8*). C'était
d'ailleurs le temps où Israël rendait, lui aussi, la justice (2 S **15**,*1* s. ;
Jr **21**,*12* ; Ps **101**,*8*) ; l'image de la lumière comme symbole du droit
s'enracine dans cette coutume israélite.
Dans le contexte actuel (rédactionnel) toutefois, ce verset prend
l'allure d'une doxologie du jugement : Dieu se montre juste en
punissant Israël. Il est tout à fait légitime de parler de doxologie, car
ce v 5 emprunte un certain nombre de ses expressions au langage
psalmique : « Dieu est juste » (Ps **119**,*137* ; **129**,*4* ; **145**,*17*) ; « au milieu

d'elle» (Ps **46,***6* associé avec le motif du matin); «pas d'injustice» (Ps **92,***16*).

Cette particularité du langage, qui démarque le v 5 des v 1-4, pose déjà le problème de l'authenticité du verset. D'autres constatations viennent renforcer le doute : YHWH est ici le sujet des verbes, à la différence des versets précédents qui sont mis dans sa bouche (cf. *supra*). Le passage du v 5 (YHWH à la troisième personne) au v 6 (YHWH à la première personne) ne va pas sans heurt. Les temps des verbes divergent : qatal aux v 1-4.6-8, yiqtol au v 5. Surtout la teneur théologique du passage s'écarte de celle des autres versets, car il traite du jugement «de tous les jours» et non pas d'un acte spécifique, qui met fin à une longue histoire de péchés. L'exercice de la justice n'aboutit pas nécessairement à une sentence de condamnation, mais consiste plutôt dans une fonction d'arbitrage, qui vise à rétablir positivement dans ses droits la partie lésée. Le glossateur a pris prétexte de la condamnation des juges iniques (v 3) pour célébrer, sur un ton hymnique, la justice de YHWH. Peut-être a-t-il emprunté quelques mots au contexte environnant : «au milieu d'elle *(beqéréb)*», «iniquité» (cf. v 3). Mais les mots ne résonnent pas de la même façon, et c'est le signe d'un procédé rédactionnel. Aussi cette insertion modifie-t-elle quelque peu le visage du juge divin. Elle laisse place à une intervention favorable et prépare discrètement la perspective d'une justice salvifique, d'un au-delà possible de la condamnation (cf. **3,***9*ss). On rejoint encore ici la préoccupation de l'éditeur soucieux d'articuler les deux faces, négative et positive, du jugement divin.

L'accusation : l'obstination de Jérusalem (v 6-7).

Avec l'entrée en scène de YHWH au v 6, la diatribe reprend encore avec plus de vigueur, car ce changement de personne relève d'un procédé rhétorique qui marque une gradation dans l'accusation. On ne peut, en effet, sur la base de ce changement de locuteur, conclure à l'existence d'un oracle différent des v 1-4. C'est méconnaître la souplesse du style hébraïque mais aussi la conception même du prophétisme. En tant que messager de Dieu, le «je» du prophète se confond, d'un point de vue fonctionnel, avec celui de Dieu. A l'époque de Jérémie, «la distinction très tranchée que les prophètes opéraient autrefois entre leurs paroles et les sentences divines commence à s'estomper» (G. von Rad, *Théologie de l'Ancien Testament*, traduction française, II, Genève, 1965, p. 165). YHWH se trouvait comme mystérieusement présent dans la démarche même du prophète, mais il

J'ai rendu leurs rues désertes,
    personne n'y passe.
Elles sont ravagées, leurs villes,
    pas un homme, pas un habitant!

[7] Je disais : au moins tu me craindras,
    tu accepteras la leçon[a];
de ses yeux ne disparaîtra pas[b]
    ce que je lui ai imposé[c].
Mais non! A peine levés, ils se sont mis à pervertir
    toutes leurs actions.

[8] C'est pourquoi, attendez-moi, oracle de YHWH,
    au jour où je me dresserai en accusateur[a],
car telle est ma sentence : rassembler les nations,
    réunir[b] les royaumes,

7a. G a lu le pluriel *vous me craindrez ... vous accepterez*. Le sens n'en est pas affecté.
b. de ses yeux; méʿeyneyhā, avec G. Le TM *sa demeure (mᵉʿônāh) ne sera pas retranchée*
n'est pas cohérent avec le contexte. Une ville n'a pas d'habitation, elle *est* une
habitation (Rudolph), et le lien avec la relative qui suit n'est pas apparent.
c. imposé. Pour ce sens de *pāqad ʿal* cf. Nb **4**,*27.49*; Jb **34**,*13*; Esd **1**,*2*.
    8a. *en accusateur laʿèd*, avec G cf. Mi **1**,*2* où Dieu se présente en témoin d'accusation.
Pour le lien de *ʿèd* avec *qûm, se lever* cf. Dt **19**,*15.16*; Ps **27**,*12*. TM *lᵉʿad, toujours*. *b*. Le
verbe *réunir* est en hébreu accompagné du pronom de la première personne suffixé
lᵉqobṣî. Certains pensent que ce pronom a valeur de sujet; d'autres (Bogaert, *Bibl* 45
[1964], p. 238 s.) de datif *afin de rassembler pour moi*. Quoi qu'il en soit, la forme insiste
sur le rapport à YHWH : les nations deviennent instruments de YHWH. Elles sont en
effet le sujet de *lišpok, déverser*.

---

avançait comme masqué. Maintenant, il lève le voile, en disant
clairement «je». La révélation du péché n'en paraît que plus
dramatique.

D'ailleurs, ces v 6-7 se comprennent assez mal sans un discours
préalable à l'adresse de Jérusalem, qui mettrait en avant sa
culpabilité. C'est précisément l'objet des v 1-4. Les v 6-7 représentent
un second temps dans l'accusation : le châtiment des nations devait
servir d'exemple et d'ultime appel à la conversion. Dieu en effet a
frappé (cf. So **2**,*4-15*) et l'on relèvera la progression dramatique de son
intervention : il s'en prend d'abord «aux tours d'angle», c'est-à-dire
aux remparts à l'extérieur de la cité; il rentre ensuite dans la ville et
pénètre dans les rues; puis il fait le vide. La triple répétition «sans un
passant» (fin du second vers v *6aβ*) «sans un homme, sans un

habitant» (fin du troisième vers v 6*b*) tourne presque à l'obsession. Le discours de Sophonie rejoint celui de Jérémie sur les villes dévastées, vidées de leurs habitants (Jr **2,***15* ; **4,***7* ; **26,***9*). La version des LXX porte ici «orgueilleux» *(gé'îm)* au lieu de «nations» *(goyyîm)*. On serait tenté de suivre cette leçon, qui donnerait plus de cohérence logique au texte : les malheurs subis par les coupables au sein de la communauté devant servir de signe à cette communauté. Mais la suite du morceau, qui parle de tours, de rues, de villes ne favorise guère cette interprétation.

En trois vers, lui aussi, le v 7 formule l'ultime reproche. Les deux premiers vers énoncent le projet que Dieu avait formé en son cœur («je m'étais dit ...»). Jérusalem devait tirer la leçon (cf. v 2) et revenir à un comportement de respect et de confiance tout à la fois : «tu me craindras», et de docile soumission : «de ses yeux ne disparaîtra plus ce que je lui ai imposé» à savoir les exigences de l'alliance. Le troisième vers constate qu'il n'en a rien été. Bien au contraire, dès le point du jour (litt. «ils se lèvent tôt»), ils mettent tout leur zèle à faire le mal. Le matin, qui devait être l'heure de la lumière et de la justice (cf. v 5), devient l'heure de la perversion et de la révolte.

La sentence de condamnation (v 8).

La mesure est comble et la patience de Dieu à bout. Introduite par le traditionnel «c'est pourquoi», la sentence, formulée en trois vers, tombe comme un couperet : «je vais déverser ma colère». Sur qui? on attendrait «sur vous (habitants de Jérusalem)»; le TM porte «sur elles (les nations)». Les v 6-7 mettent en cause Jérusalem et le v 8 sanctionne ... les nations. Sans doute est-il question de celles-ci au v 6, mais elles ne font pas l'objet de l'accusation, elles remplissent une simple fonction d'exemplarité. D'ailleurs, elles sont déjà châtiées et, dans la logique du développement, leur rassemblement au v 8 devait servir au châtiment d'Israël (cf. Is **10,***9* ss ; **5,***26-30* ; **7,***18-20* ; Ez **31**). Plusieurs essais d'interprétation ont été avancés. La plus obvie consiste à opérer une minime correction, le changement d'une seule lettre, en lisant *'alêkèm* «sur vous», au lieu de *'alêhèm* «sur elles». Dès lors, YHWH s'adresse à la population de la capitale judéenne : «attendez-moi». Cet avertissement solennel reçoit dans ce contexte, une note de cruelle ironie. D'ordinaire, ce verbe traduit l'attente confiante en la venue favorable de YHWH. Celui-ci va bien passer mais ... c'est pour détruire (cf. Os **5,***10* ; Jr **6,***11*). Dieu se dresse en accusateur (cf. critique textuelle), en témoin à charge (cf. Mi **1,***2* ; Ml **3,***5*), un témoin qui assume en même temps les fonctions de juge

pour déverser sur eux ma fureur,
toute l'ardeur de ma colère,
car, au feu de ma jalousie,
toute la terre sera dévorée.

So 3, *9-20*

[9] C'est alors que je transformerai les peuples[a] ;
en leur faisant des lèvres pures[b],
pour qu'ils invoquent, tous, le nom de YHWH,
pour qu'ils le servent d'un commun effort[c].

9a. Mur 88 porte *'l* au lieu de *'l* et l'article : *h'mym, les peuples.* Leçon facilitante. Mais il reste à expliquer l'absence d'article dans le TM et G. Peut-être le texte primitif portait-il *'my, mon peuple* et s'appliquait-il à Israël ? En toute hypothèse, au v 6 et au v 8, le terme *gôyyim* n'a pas non plus l'article.   *b.* Litt. *je changerai aux peuples la lèvre (G la langue) en une purifiée.* Construction analogue en 1 S **10,**9. Au lieu de *bᵉrûrāh purifiée,* G a lu *bᵉdôrô pour sa génération.*   *c.* Litt. *d'une même nuque,* image empruntée sans doute au monde du travail : deux hommes portent ensemble un même fardeau.

(cf. Is **3,** *13-15*). Le terme *mišpāṭ* désigne ici la sentence. Le maître de l'histoire comme du cosmos se fait recruteur de mercenaires : il rassemble les peuples pour en faire les instruments de son courroux. Jérémie recevra un message analogue au jour de sa vocation (**1,** *15*), de peu postérieur à la prédication de Sophonie. Conformément aux autres oracles du prophète (So **1,** *7.14-17* ; **2,** *2*) ce jugement se réalisera au « Jour » où YHWH se dressera en accusateur, en même temps qu'il rendra sa sentence de juge contre Jérusalem.

Le texte actuel du TM, qui élargit considérablement l'horizon en évoquant le châtiment des peuples, ne provient pas d'une faute de scribe mais d'une relecture intentionnelle, destinée à associer les nations au jugement de Jérusalem. Une fois encore, on retrouve les préoccupations de l'éditeur (cf. Introduction). Il ne semble pas que selon cette lecture « sur elles (les nations) », Jérusalem soit pour autant épargnée. Mais les nations, initialement convoquées pour être les exécuteurs des hautes œuvres, en deviennent maintenant au premier chef les victimes. On notera l'ambiguïté du verbe hébreu *'sph,* qui signifie aussi bien « rassembler » (ici en parallèle avec *qbṣ*) que « retirer, extirper ». La teneur primitive du texte se prêtait donc à semblable relecture.

Celle-ci se poursuit d'ailleurs au v 8*bγ*. Le *kî* «car» sert, comme souvent de suture rédactionnelle (cf. commentaire de **1,***18*). En même temps, il introduit un parallèle à 8*bα* «car ma sentence...». Le jugement de Dieu prend une dimension cosmique. Dans ce contexte de Jérusalem et de nations rassemblées, le terme *'rṣ* doit signifier «terre» et non pas «pays». Le cosmos tout entier s'embrase du feu du jugement. Est-ce la fin du monde? On a déjà noté l'absence de la dernière phrase : «Il (YHWH) fera l'extermination... de tous les habitants de la terre», présente en **1,***18*. L'éditeur, responsable de ce complément **3,***8bγ*, laisse ouverte la possibilité d'un au-delà du jugement, et le début de la section suivante (**3,***9*s.) suggère d'y voir simplement un feu purificateur.

LE JOUR DU SALUT ET DE LA RESTAURATION
Troisième Section (**3, *9-20***)

Le v **3,***9* marque un tournant décisif dans le développement de la pensée. Jusque-là dominait la face ténébreuse du Jour de YHWH. Maintenant le prophète ne retient plus que la promesse d'un Jour de lumière. La finale du livre s'organise autour de trois thèmes : la purification des peuples et de Jérusalem (v 9-13); la joie eschatologique (v 14-17); le rassemblement des dispersés (v 18-20). Comme le commentaire le montrera, cette division se fonde aussi sur des critères proprement littéraires. On notera que les trois parties sont disposées selon le schéma ABA' : les deux sections extrêmes, où YHWH s'exprime à la première personne, encadrent une partie médiane où le prophète parle de YHWH à la troisième personne.

Chacune d'entre elles se compose de deux éléments primitifs, articulés de telle façon que, dans les trois cas, la formule «en ce jour-là» (v 11*a*; 16*a*) ou «en ce temps-là» (v 20*a*) se trouve située au milieu de la péricope. Leur récurrence régulière dans ces v 9-20 ne peut manquer d'évoquer leur récurrence identique en So **1,***9.10.12*. Les deux sections du livre reflètent donc une conception contrastée du Jour de YHWH : Jour de colère et de châtiment (So **1**), Jour de purification, de paix et de joie (So **3,***9-20*). Ainsi, s'esquisse une théologie complexe, importante pour les représentations eschatologiques d'Israël.

On relève un certain dégradé dans les liens qui unissent ces péricopes au reste du livre. En raison d'un réemploi d'un possible noyau sophonien (v 11-13), la première section se trouve organique-

246

¹⁰ D'au-delà des fleuves de Kush,
   mes adorateurs^a (qui sont) dans la dispersion^b
   m'apporteront leur offrande^c,

10a. ʿătāray (hapax legomenon). En ponctuant ʿoteray, on comprend *mes adorateurs*. Ce mot manque dans la plupart des mss des LXX.   b. *dans la dispersion*, après correction baṯᵉpoṣah. TM baṯ-pûṣay *fille de mes dispersés*. Bat, fille peut exprimer la personnification d'un groupe. Toutefois, la juxtaposition d'un pluriel *mes adorateurs* et d'un féminin singulier *fille de mes dispersés* sans aucune conjonction de coordination favorise plutôt la lecture retenue. Ces mots manquent aussi dans la plupart des mss des LXX. C'est très probablement une glose. Voir le commentaire.   c. Litt. *ils apporteront mon offrande*.

ment reliée à ce qui précède, surtout au chapitre **3** (cf. *supra*). La section des v 14-18a l'est moins nettement. Toutefois, le retour significatif de la phrase «YHWH est au milieu de toi» (v 15*b* et 17*a*) prolonge celle du v 5 «YHWH (présent) au milieu d'elle (la ville)», en contraste avec les ministres indignes du v 3, qui résident «au milieu» de Jérusalem. Thématiquement, cette unité neutralise le malheur annoncé (v 15*b* et 16*b* opposés aux v 6-8) : le Seigneur a levé la sentence, *mišpaṭ* (**3**, *8* et **3**, *15*), qui pesait sur Sion, en détournant «ses ennemis» (**3**, *15*), que l'on pourrait identifier aux nations de **3**, *8*. Les v́ 18*b*-20, eux, n'ont guère de points de contact avec **3**, *1-8*; ils apparaissent plutôt comme des compléments au tableau d'avenir, esquissé en **3**, *9-18a*. Cependant on ne peut manquer de noter la correspondance entre le verbe ʾsph «j'enlèverai» de **1**, *2* et celui de **3**, *18b*, tous les deux en début d'oracle : YHWH «enlèvera» le malheur annoncé en **1**, *2* et présenté comme un «enlèvement». La même dimension universaliste se retrouve dans les deux passages. En un certain sens, ces deux verbes forment une inclusion contrastée, encadrant l'ensemble du livre. Si l'éditeur a éventuellement puisé dans l'héritage sophonien (cf. les v 11-13a), la composition de cette finale relève de son initiative et correspond à son projet théologique.

La purification des peuples et de Jérusalem (**3**, *9-13*).

Cette unité comprend deux péricopes qui traitent, la première (v 9-10) de la transformation des peuples, la seconde (v 11-13) de celle de Jérusalem.

1. *La purification des peuples* (v 9-10).

Le contraste ne peut être plus accusé entre **3,** *8* qui annonce la ruine des nations et **3,** *9* qui envisage leur conversion. Le *kî-'āz*, «c'est alors que» souligne la mutation étonnante d'un Jour de colère en un Jour d'espérance et de salut pour les peuples. En même temps, cette articulation fonde l'unité de la représentation : il ne s'agit pas de deux jours qui se succéderaient mais d'un seul. La reprise de la même formule «En ce jour-là», «En ce temps-là», aussi bien au chapitre **1** (v 9-10.12 ; 14-18 cf. **2,** *2*) qu'au chapitre **3** (v 11.16.20), confirme que les deux faces contrastées du Jour du Seigneur représentent les deux aspects d'un unique événement eschatologique, qui ne se situe pas hors du temps, mais qui porte l'histoire à son accomplissement. Celle-ci passe par une rupture ; toutefois, elle débouche non sur un échec mais sur une ère de paix et de bonheur sans fin, par-delà le jugement.

Ceci explique que l'éditeur ait placé, en tête de son esquisse d'avenir, la conversion des peuples. Le jugement des nations (**3,** *8*) ne pouvait pas représenter la fin de l'histoire. Les voici, elles aussi, appelées à entrer dans la grande assemblée liturgique. C'est en effet sous cet aspect que les v 9-10 considèrent la communauté eschatologique. Cette unité composée de trois vers, combine deux motifs, celui de l'invocation du nom divin (v 9) et celui d'une offrande sacrificielle (v 10). Mais cette double démarche requiert un préalable : l'action de Dieu lui-même. Le verbe «changer» exprime le renversement brusque et violent d'une situation, soit en positif (Jr **31,** *13*) soit en négatif (Am **6,** *12*). Dieu en est très souvent le sujet. C'est le cas ici. Pas plus qu'Israël, les peuples ne peuvent se convertir d'eux-mêmes (cf. Jr **24,** *7* ; Ez **36,** *23* ss). Selon la conception globalisante de l'anthropologie sémitique, les lèvres, comme le cœur, désignent l'être tout entier. La formulation littérale est quelque peu singulière : «Je changerai aux peuples une lèvre en une (lèvre) purifiée». Le singulier pourrait suggérer que l'unification des peuples se réalisera par l'adoration de l'unique Dieu. La même idée est aussi sous-jacente à l'expression du v *9b* «servir (le Seigneur) d'un commun effort (litt. d'une même épaule)». Quant au souci de pureté, il se retrouve en Is **66,** *20*, dans l'évocation du pèlerinage des peuples à Sion. Le prophète précise ici «pour invoquer le nom de YHWH». On ne peut réduire cette invocation à un geste de prière. Elle implique en fait une authentique profession de foi et donc une conversion du cœur. D'ailleurs, le second stique de *9b* le rappelle, qui invite à «servir YHWH», c'est-à-dire sans aucun doute, au premier chef, à lui rendre

¹¹ en ce jour-là.
   Tu n'auras plus à rougir de toutes les actions
      par lesquelles tu as péché contre moi,
   car, alors, j'écarterai d'au milieu de toi
      ceux qui s'enorgueillissent de ta grandeur ª,
   et tu cesseras de prendre de grands airs,
      sur ma montagne sainte.

¹² Je ferai qu'il reste au milieu de toi,
   un peuple pauvre et faible.
   Il aura pour refuge le nom de YHWH,

11*a. ceux qui s'enorgueillissent de ta grandeur*, litt. *les orgueilleux de ta grandeur*
cf. Is **13,***3* où YHWH parle des *orgueilleux de ma grandeur* (voir G. Brunet, *Essai sur
l'Isaïe de l'histoire*, Paris, 1975, p. 290-292). G *les mépris de ton orgueil*.

un culte (Ps **102,***22* s.). Cette purification des lèvres signifie donc
l'abrogation des cultes des divinités étrangères, dont la proclamation
du nom souillait les lèvres des peuples païens. On pense bien sûr à
Is **6,***5*, mais, comme dans ce récit, la purification est essentiellement
ordonnée à la proclamation de la parole prophétique, le texte le plus
proche est encore celui du Ps **51,***17* «Seigneur ouvre mes lèvres, et ma
bouche publiera ta louange», d'autant que le motif de la purification
revient en ce psaume aux v 4.9.12.
    Le v 10 emprunte à Is **18,***1* la formule «d'au-delà des fleuves de
Kush». Dans une anticipation pleine d'espérance, le prophète voit les
habitants de la lointaine Nubie (cf. commentaire sur **2,***12*) s'avancer
dans une démarche processionnelle. Il ne s'agit pas d'une limitation
du large universalisme du v 9, car ces Kushites représentent plutôt les
types mêmes des nations les plus éloignées, appelées, elles aussi, à
bénéficier de cette œuvre purificatrice. A moins que «les fleuves»
n'évoquent les ramifications du delta du Nil. En ce cas, Kush
désignerait l'Égypte par métonymie. Le Ps **96,***7-9* invite les nations à
«apporter leurs offrandes» au Temple de Jérusalem. La même
perspective commande sans doute la pensée moins explicite de
So **3,***10*. Où donc les adorateurs de YHWH iraient-ils «apporter leur
offrande» sinon à Jérusalem? Certes, la relecture d'Is **19,***16-25*
envisage une adoration de YHWH sur la terre même d'Égypte. Mais,
So **3,***10* se trouve inséré dans un cadre sioniste (**3,***1-8* et **3,***11* ss). Le
texte source d'Is **18,***7* le dit d'ailleurs clairement : «Il (Kush)
apportera un présent là où se trouve le nom de YHWH Sabaot, sur la

montagne de Sion» (cf. Ps **76**,*2*). Cette formule «apporter une
offrande à YHWH» a donc d'abord et avant tout une signification
cultuelle. Mais le parallèle d'Os **10**,*6* suggère en outre d'y ajouter
l'idée d'humble soumission, car les offrandes dont il est question dans
ce texte représentent le tribut payé à l'Assyrie, «au grand roi». Par
leur démarche, les peuples, mis en scène en So **3**,*9-10*, reconnaîtraient
la souveraineté unique de YHWH sur le monde (cf. Is **45**,*21-25*).

Ces v 9-10, on le voit, recoupent les promesses universalistes des
prophètes postexiliques. Le v 9 n'est pas non plus sans rappeler
Ml **1**,*11* «Car du levant jusqu'au couchant, grand est mon *Nom*, parmi
les nations. En tout lieu, un sacrifice d'encens est présenté à mon
Nom, ainsi qu'une *offrande pure*, car grand est mon Nom parmi les
nations». Les contacts verbaux et thématiques sont frappants. En
même temps, ces versets se rapprochent de façon significative
d'Is **18**,*1-7*. La formule «d'au-delà des fleuves de Kush» se retrouve
littéralement en Is **18**,*1*, et l'hiphil de *ybl* «apporter», avec YHWH
comme complément, dans l'ajout prosaïque de **18**,*7*. Sophonie **3**,*10*
s'inspire donc d'un chapitre d'Isaïe mais d'un chapitre déjà relu, ce
qui renvoie aux temps d'après l'exil.

L'étrange insertion encore plus tardive «mes adorateurs dans la
Dispersion» (cf. critique textuelle) se trouve en surcharge rythmique.
Elle interprète l'oracle dans un sens plus restrictif et particulariste ; ce
ne sont plus les peuples qui apportent leur offrande à YHWH, mais
les Juifs de la Dispersion. Mi **4**,*5* apporte un correctif analogue à la
promesse universaliste de Mi **4**,*1-4* (voir commentaire). Cette interprétation paraît préférable à celle qui voit dans les offrandes les
Israélites eux-mêmes en référence à Is **66**,*20* ; Is **49**,*22* ; **60**,*4-9* ;
Za **8**,*23*) (Irsigler p. 189-191, note 219), car dans l'état actuel, les
termes rajoutés fonctionnent comme sujet du verbe.

2. *L'épuration de Jérusalem* (v 11-13).

Le v 10 orientait discrètement la pensée vers Jérusalem. Au v 11,
Sion passe au premier plan. Dieu va maintenant entreprendre la
purification de «sa montagne sainte». L'unité débute par une
déclaration liminaire (v 11*a*) qui a valeur de promesse. Le développement qui suit (v 11*b*-13), introduit par *kî*, «car», décrit la manière
dont celle-ci doit se réaliser. Il comprend deux temps qui détaillent les
deux aspects de l'œuvre divine : d'abord une action négative
«j'écarterai», avec ses conséquences pour Israël : l'élimination des
orgueilleux, le tout s'étalant sur deux vers (v 11*bα* et v 11*bβ*) ; ensuite,
une démarche positive de Dieu (v 12*a*) avec ses conséquences pour

¹³ le reste d'Israël ᵃ.

Ils ne commettront plus d'iniquité,
  ils ne diront plus de mensonges.
On ne trouvera plus dans leur bouche
  de langue trompeuse.
Eux, ils paîtront et se reposeront,
  sans personne pour les inquiéter.

13a. Pour l'équilibre du vers, on rattache le début du v 13 *le reste d'Israël* à la fin du v 12 (cf. *BHS*).

Israël (v 12*b*-13*a*), le tout formant une séquence de quatre vers. Le positif l'emporte ainsi sur le négatif qui ne représente que la condition nécessaire préalable à la constitution du nouvel Israël. Le contraste entre le «j'écarterai *d'au milieu de toi (miqqirbék)*» du v 11*bα* et le «je ferai qu'il reste *au milieu de toi (b'qirbék)*» du v 12*a* montre clairement la dualité de l'action divine. Le tout s'achève sur une promesse de YHWH plus concrète (v 13*b*).

Ces v 11-13*a* présentent des affinités significatives avec l'oracle de jugement qui précède (**3**,*1-8*). Le tableau de la Jérusalem future contraste avec celui de la Jérusalem de l'histoire : à la révolte (v 1) s'oppose la soumission (v 11*b*) ; au refus de confiance (v 2) l'abandon à YHWH (v 12*b*) ; au mensonge et à l'oppression (v 3-4) la loyauté et la justice (v 13) ; à la violence (v 3-4) la paix (v 13*b*). Des contacts de vocabulaire, non seulement avec **3**,*1-8*, mais aussi avec certaines pièces de So **1** et **2** viennent conforter cette correspondance thématique : *krt* «supprimer» (**3**,*6* cf. **1**,*4.3.11*) ; un peuple pauvre (*'ānî* **3**,*12* cf. pauvreté *'ănāwāh* **2**,*3*) ; «tromper» (**3**,*13* cf. **1**,*9*) ; «au milieu de» *b'qéreb* (**3**,*3.5.12b* cf. **3**,*11b miqqirbék* «d'au milieu de») ; «commettre l'iniquité» (**3**,*5.13*). L'interlocutrice de **3**,*11-13* (seconde personne du féminin singulier) ne peut désigner que la ville des v **3**,*1-2.7*. On peut dès lors se demander si **3**,*11-13* n'aurait pas primitivement constitué une unité avec ce qui précède (**3**,*1-8*). Il est difficile de trancher, car le texte ne porte plus de trace de transition entre la condamnation et le pardon. Or les deux sections ne peuvent se suivre purement et simplement. Le morceau est-il tronqué du fait de l'insertion de **3**,*9-10* ? Ou bien le rédacteur s'est-il inspiré des oracles de Sophonie lui-même pour composer une contre-partie «à la manière de» ? L'hypothèse n'est pas impossible, car **3**,*11* paraît exploiter des morceaux bibliques tardifs, tel le «tu n'auras pas honte» (cf. Is **29**,*22* ; **54**,*4* ;

Jl **2**,*27* où cette expression est associée à la présence de YHWH au milieu d'Israël).

La précision temporelle «En ce jour-là», en surcharge rythmique, provient du rédacteur, soucieux de présenter une théologie cohérente du Jour de YHWH. Dans le contexte immédiat, «ce jour-là», jour de la transformation morale et spirituelle de Jérusalem, coïncide avec le jour de la purification des peuples et donc avec le jour du jugement universel (**3**,*8* cf. le «c'est alors» du v 9). Le prophète éditeur conçoit l'eschatologie comme un événement unique aux multiples facettes.

La déclaration liminaire du v 11*a* met en lumière le renversement radical de situation. Car la «honte» symbolise le jugement divin dont elle est un des signes (Is **1**,*29*; **19**,*9*; **41**,*11*; Jr **15**,*9*; **20**,*11*...). Sa suppression, annoncée pour les temps eschatologiques (Is **29**,*22*; **54**,*4*; **45**,*17*; **49**,*23*; Jl **2**,*27*) ouvre l'ère du bonheur sans fin. YHWH va s'attaquer à la racine du mal et supprimer la cause même du jugement. Du coup, celui-ci prend la forme d'une purification et non plus d'une destruction totale. L'action du Seigneur n'en reste pas moins vigoureuse; ceux qui refusent de prendre le chemin de la conversion, qui s'enferment dans leur autosuffisance et donc dans leur révolte (cf. **3**,*1*) seront éliminés (**3**,*11*). Sophonie est-il ici héritier de la théologie d'Isaïe, qui proclame l'abaissement de tout orgueil (Is **2**,*9-22*)? Mais l'expression «sur la sainte montagne» n'apparaît guère que dans des textes tardifs exiliques (Jr **31**,*23*; Ez **20**,*40*) et postexiliques (Trito-Isaïe, Zacharie **8**,*3*... : Abdias).

L'Israël purifié prendra donc le visage d'un «peuple humble et pauvre». L'adjectif *'ānī* doit conserver encore quelque chose de sa coloration sociologique (cf. *supra* **2**,*3*) et *dal* «maigre» peut faire allusion au «petit reste»; la racine *š'r* revient par deux fois dans ce verset. Dans le contexte présent, la note religieuse domine : un peuple humble *('ānī)* se reconnaît «petit» *(dal)* devant Dieu. Cette attitude contraste avec celle de «ceux qui s'enorgueillissent de la grandeur de Sion». Loin de s'appuyer sur des moyens humains, les pauvres mettent toute leur confiance dans le Nom, c'est-à-dire dans la personne même de YHWH (Ps **2**,*12*; **5**,*12*; **7**,*2*; **18**,*31*; etc.), car le Nom concentre en lui toute la présence salvifique de l'être qu'il désigne : YHWH, «celui qui est là» (cf. Ex. **3**,*13-15*), à jamais solidaire de son peuple. Lié au sanctuaire de Sion «la montagne sainte» (Is **56**,*6-8*) il représente l'ultime et même l'unique recours (cf. Pr **18**,*10*; Ps **20**,*2-3*). La communauté des convertis pourra alors retrouver le titre d'honneur «reste d'Israël» (Is **46**,*3*; Jr **31**,*7*; Mi **2**,*12*), s'il faut donner ici à cette formule une valeur prédicative : «ils cherchent refuge dans le Nom de YHWH, comme reste d'Israël» (Irsigler p. 153) (cf. Mi **4**,*7*).

¹⁴ Pousse des cris de joie, fille de Sion ᵃ,
   Éclate en ovation, Israël ᵇ.
   Réjouis-toi et exulte ᶜ de tout ton cœur,
   fille de Jérusalem.

14a. Fille de Sion, ...fille de Jérusalem, selon la traduction reçue. Mais dans les deux cas, nous sommes en présence d'un génitif épexégétique. Il faudrait traduire *la fille Sion, la fille Jérusalem*, car il s'agit d'une personnification de la ville ou plus exactement de sa population.   *b.* G porte *fille de Jérusalem*, comme en v 14*b.* Erreur de copiste?   *c. exulte*, c'est la même racine *'lz* qu' au v 11 *les orgueilleux*, mais le contexte et le jeu du parallélisme imposent de revenir au sens premier du verbe, qui exprime la joie exubérante.

De cette proximité avec le Dieu sauveur, découlent des exigences morales que le discours de Dieu formule en trois propositions négatives. La première «ils ne commettront plus d'iniquité» met l'Israël purifié à l'unisson de son Dieu (cf. **3,** *5*). Les deux suivantes ont rapport à la vérité, non point une vérité abstraite, théorique, car la pensée biblique est surtout attachée à «faire la vérité», comme le suggère ici le parallèle avec «ne plus commettre l'iniquité». Dans ce refus de dire des mensonges on pense, au premier chef, à la franchise, à la transparence que la communauté d'alliance impose à ses membres (cf. Mi **6,** *12* ; Jr **9,** *1-7* ; Ps **52,** *6*). Mais la dernière expression pourrait bien comporter une note plus religieuse que morale. Le terme rare, ici utilisé, *tarmît* «tromperie» ne se retrouve qu'ici et en Jérémie (au Ps **119,** *128* les versions supposent une autre lecture). Jr **8,** *5* le lie étroitement à l'apostasie. En Jr **14,** *14* et **23,** *16*, il caractérise le prophète infidèle à sa mission. Ainsi, à la différence de l'oracle sur les peuples (v 9-10), tout centré sur la démarche liturgique, la promesse à Jérusalem ne comporte plus de résonance cultuelle mais uniquement une dimension éthique et religieuse. Nous sommes loin des perspectives quelque peu triomphalistes, qui caractérisent souvent les visions d'avenir des prophètes postexiliques. Il n'est pas question ici de victoire ou d'écrasement des ennemis. En revanche, l'oracle insiste avec force sur la qualité intérieure de la conversion.

La petite note conclusive du v 13*b* revient à des perspectives beaucoup plus concrètes : l'instauration de la paix qui, dans le contexte présent, apparaît comme le fruit de l'harmonie des cœurs. Le couple «paître et se reposer» se retrouve en **2,** *7*, verset rédactionnel, et là aussi en lien avec «le reste de la maison de Juda». Il est rattaché plus ou moins adroitement à ce qui précède par le mot-cheville *kî*, qui fonctionne souvent comme marqueur d'une intervention du rédacteur. Les critiques hésitent sur la portée exacte de cette liaison : explicative, emphatique, adversative? Il semble en tout cas qu'il faille reconnaître ici la main de l'éditeur.

La présence divine source de joie (v 14-18a).

En écho à la promesse divine, le prophète prend la parole pour inviter Israël, représenté sous les traits de la Fille de Sion (cf. le parallèle du v 14), à laisser éclater sa joie. Ce discours prophétique s'étend du v 14 au v 18a, car la thématique change aux v 18b-20 dans lesquels s'exprime YHWH. Il convient de compléter les v 14-17 avec les premiers mots du v 18, pour restituer au dernier vers le stique manquant. Dans son état actuel, le texte n'est pas des plus clairs. Il représente sans doute une relecture tardive. La plupart des commentateurs adoptent la leçon des LXX «comme aux jours de fête» ou plutôt «de la rencontre» (voir critique textuelle).

Cette invitation à la joie comprend deux sections. Loin d'être simplement juxtaposés, ces deux éléments s'articulent selon une composition soigneusement étudiée, délimitée par l'inclusion de deux termes placés en position chiastique : «crie (de joie) *ranni* ... réjouis-toi *śimḥi*» (v 14)/«dans la joie *beśimḥāh* ... dans les cris (de joie) *berinnāh*» (v 17). Bien plus, S. Munos Iglesias («La joie de la Fille de Sion, So *3, 14-18a» Ass. Seign.*, 2ᵉ série nº 7, 1969, p. 54-58) a finement dégagé une structure chiastique dans l'ensemble de l'unité. «Les v 16-18a reprennent mais en ordre inversé les thèmes des v 14-15» :

A. Joie de Sion (v 14)   Joie de Dieu (v 17c-18a)   A'
B. Nouvelle attitude divine (15ab) Nouvelle attitude divine (17d)   B'
C. YHWH à Sion (15c)   YHWH à Sion (17ab)   C'
D. Rien à craindre (15d)   Rien à craindre (16)   D'

L'éditeur combinant deux oracles primitivement indépendants aurait bouleversé quelque peu l'ordre des motifs de la première unité pour aboutir à la structure chiastique dégagée plus haut. Du reste, la tonalité des v 14-15 est plus hymnique, celle des v 16-17 plus oraculaire. Le v 14 a l'allure d'un invitatoire, suivi du développement des motifs de louange, avec des verbes au perfectif : «Il a levé ... détourné ... manifesté sa royauté». La leçon des LXX qui suppose *mālak* «il a régné, il règne» doit avoir ici la préférence sur celle du TM *mèlèk* «roi». Cette lecture s'harmonie parfaitement avec la séquence des deux premiers verbes, eux aussi au qatal. On rejoint ainsi la célèbre proclamation des Psaumes du Règne : YHWH *mālak*

[15] YHWH a écarté tes condamnations[a],
   il a détourné tes ennemis[b].
Le roi d'Israël, YHWH[c], est au milieu de toi,
   tu n'as plus à craindre[d] de malheur.

[16] En ce Jour-là,
   on dira[a] à Jérusalem :
Ne crains[b] pas, Sion,
   que tes mains ne faiblissent pas.

[17] YHWH, ton Dieu, est au milieu de toi,
   héros sauveur[a].
Il laissera éclater sa joie à ton sujet[b],
   il tressaillera[c] dans son amour,
Il jubilera à cause de toi, avec des cris de joie.

15a. C'est-à-dire les sentences de condamnation *mišpāṭayik*. On propose souvent une correction *mᵉšopaṭayik ceux qui te condamnaient*. Mais le parallèle entre un mot abstrait et un participe concret n'est pas unique cf Is **42,**24.   *b. tes ennemis* avec G, Syr, Tg, Mur 88. TM *ton ennemi*. G *il t'a racheté de la main de tes ennemis* a-t-il été influencé par Mi **4,**10?   *c.* Certains mss de G omettent *Israël* qui se trouve effectivement en surcharge rythmique ; ils lisent *régnera* au lieu de *roi*. Ce pourrait être l'indice d'une retouche. Voir le commentaire. Mais au plan de la critique textuelle, il ne convient pas de corriger le TM.   *d.* G, Syr et quelques mss hébreux : *tu ne verras plus le malheur*. Ils lisent le verbe *rā'āh voir*, au lieu de *yr' craindre*.

16a. G *dira le Seigneur*, mais cette formulation ne s'accorde pas avec le v 17 qui parle de YHWH à la troisième personne.   *b.* G *aie confiance*.

17a. Litt. *héros (qui) sauve*, relative asyndétique. G *le puissant, il te sauvera*. Le verbe *yš' sauver* peut prendre parfois le sens de *triompher*. Peut-être faudrait-il traduire *héros victorieux* (cf. Za **9,**9).   *b.* G *il amènera sur toi la joie*. Mais le parallélisme avec le stique suivant recommande la leçon du TM.   *c.* Dans ce contexte où YHWH laisse libre cours à sa joie, le *il se taira yaḥăriš* du TM est étonnant. Le G *il te renouvellera* a lu *yᵉḥaddēš*. La correction la plus économique consiste à procéder à une métathèse du *r* et du *ḥ* d'où *yir⁽ḥaš*, il *tressaillera* (il est excité, ému) cf. Ps **45,**2. Les trois verbes du v 17a expriment alors les sentiments de YHWH.

(Ps **93,**1 ; **96,**10 ; **97,**1 ; **99,**1), ce qui confirme la coloration psalmique de So **3,**14-15. Le texte actuel du TM provient sans doute d'une correction intentionnelle : dans sa volonté de faire correspondre les deux versets **3,**15bα et *17*aα, le rédacteur aurait modelé la formation du premier sur le second et l'insertion du terme « Israël » en **3,** *15* serait liée à la transformation de *mālak* en *mèlèk*. Elle permettait au rédacteur d'établir une correspondance entre le « reste d'Israël » (v 13) et le « roi d'Israël » (v 15).

L'invitation à la joie, que formulent quatre impératifs au v 14, et que répercutent huit termes de jubilation et d'exultation, situés en inclusion, puise, elle aussi, dans le vocabulaire des Psaumes du Règne de YHWH (Ps **47,**2 ; **98,**4.6). Mais, selon F. Crüsemann (*Studien zur Formgeschichte von Hymnus und Danklied in Israël*, Neukirchen-Vluyn, 1969, p. 55-65), l'impératif féminin est caractéristique du discours prophétique (cf. Za **2,**14 s. ; **9,**9 s. ; Lm **4,**21 ; Is **54,**1 ; Jl **2,**21-24 ; Os **9,**1) plus que du langage psalmique. Comme justification, le v 15a évoque l'action bénéfique de Dieu « Il a levé les sentences de condamnation qui pesaient sur » Israël. Le Ps **97,**8 formule la même idée de façon plus positive : « Sion se réjouit à cause de tes jugements *(mišpaṭim)* ». Ce terme, qui se retrouve aussi en So **3,**15, signifie ici des jugements qui ont valeur de pardon, et qui ont pour effet de « détourner les ennemis », ces instruments de la vengeance divine (**3,**6-8).

En fait, la joie de Sion se ressource avant tout à la présence de YHWH en son sein « au milieu d'elle » (v 15b et 17a cf. Is **12,**6 ; Za **2,**14), plus précisément à la royauté de Dieu. « Il règne au milieu de toi ». Dieu est là dans cette puissance souveraine et secourable tout à la fois, qu'il met au service de son projet de salut, s'offrant à la communion de qui veut trouver en lui refuge et paix. Aussi convient-il de pousser l'acclamation royale ; tel est le sens précis du verbe *hari'i* « éclate en ovation ». Fort de cet appui, Israël doit rejeter toute peur « ne crains pas ». Cette exhortation retentit deux fois ; elle suit ou précède immédiatement la proclamation de la présence divine (cf. Is **35,**4 ; **54,**4 ; Za **8,**13-15). Le Ps **46**, qui module en quelque sorte la réponse du peuple, chantera sa confiance en « l'Emmanuel », « Dieu avec nous », rocher solide qui ne fait jamais défaut (Ps **68,**17-21.29.36 cf. Ps **48,**2-4). « Que tes mains ne faiblissent pas » : la formule vient sans doute des traditions de la guerre sainte (Jr **6,**24 ; **50,**43), mais elle a ensuite pris place dans le vocabulaire du Jour de YHWH (Is **13,**7 ; Ez **7,**17). On comprend, dès lors, qu'elle soit associée à la présentation de YHWH comme « héros sauveur ». Cette vieille image vient, elle aussi, du fond des âges et Israël l'a assumée, YHWH apparaissant comme le général en chef qui mène ses troupes à la victoire (Dt **20,**1-4 ; Jos **6** ; Jg **7,**1-8 ; 1 S **7,**10 ; 2 Ch **20,**20-25. Voir encore Jr **14,**9 ; Is **10,**21 ; Jr **32,**18 ; Ps **24,**8).

Commencée par une invitation à la joie adressée à Jérusalem, la péricope débouche sur un hymne à la joie de Dieu lui-même, à la joie que YHWH prend dans ce regard amoureux qu'il porte sur sa partenaire, la Fille de Sion (cf. Is **62,**4-5 ; **54,**4-7 ; **65,**18 s.). Cette finale (v 17-18a), particulièrement soignée, décrit les sentiments de Dieu en trois verbes qui se succèdent en une gradation voulue : la

18 Ceux qui, loin de la fête, étaient dans la peine[a],
   je les ai rassemblés,
   — ils étaient loin de toi[b] —,
   de sorte que tu ne portes plus la honte[c]

18*a.* Le TM est particulièrement difficile : *les affligés loin de la fête.* G, Syr *comme aux jours de fête* ont rattaché l'expression au verset précédent. Du point de vue du rythme et du sens, ces mots donnent, en effet, une bonne conclusion au v 17. C'est probablement le texte de l'oracle primitif. La leçon du TM provient sans doute d'une relecture. Voir le commentaire.   *b.* G *les brisés* aurait lu *mukkim* ou *mukkayk* au lieu de *mimméka loin de toi.* Au lieu de *hāyû ils étaient,* G a encore lu *hôy malheur à,* qui peut être le reste d'un *howwāh, malheur.* On peut tenter de restituer la teneur du texte initial avant l'intervention rédactionnelle : *j'enlèverai de toi le malheur.* Le verbe *'sph* a les deux sens *enlever* et *rassembler.*   *c.* On ponctue *miss'ēt* (de *nāsā' porter*) et on lit avec Tg *'lyk sur toi* à la place de *'lyh sur elle.* Pour la formule *ns' ḥrph, porter l'opprobre,* cf. Jr **15,**15 ; Ps **69,**8.

---

joie, le tressaillement, la jubilation ou la danse. Chacun d'entre eux est renforcé par un complément dont deux expriment la joie ou les cris de joie. Bien plus, ils sont répartis en deux vers (v 17*b*α et 17*b*β) ; chaque premier stique commence de façon identique *yasîs/yagîl,* comporte le même nombre de syllabes et une même séquence de voyelles, produisant ainsi une assonance tout à fait remarquable. L'auteur s'est attardé avec complaisance sur la joie de Dieu.

En conclusion, l'éditeur a utilisé deux oracles primitivement indépendants mais de thématique apparentée (v 14-15 et 16*b*-18*a*). Il les a retouchés pour les faire se correspondre selon une disposition chiastique, ce qui a entraîné la transformation du «il règne» en «roi» et l'addition, au v 15, du terme Israël. L'insertion du v 16*a* en plein milieu de l'unité ainsi construite remplit une triple fonction : éviter la séquence trop brutale «ne crains pas le malheur» (v 15*b*)... ne crains pas» (v 16*b*) ; introduire l'expression «En ce jour-là», chère au rédacteur, pour la placer au centre du morceau ; ouvrir une perspective d'avenir (v 16 s.) après l'évocation de la situation présente : «YHWH (est) au milieu de toi» (v 15). Une addition plus tardive «mes adorateurs, la fille de mes dispersés (ou plutôt : dans la Dispersion)» s'est glissée en **3,**10. Elle a pour effet de réorienter sur les Israélites disséminés à travers le monde, une prophétie adressée primitivement à l'ensemble des peuples.

Selon la plupart des critiques, ces v 14-18 *a* sont des compléments tardifs. Ils diffèrent de façon notable des v 11-13, qui pourraient, au moins en partie, relever de Sophonie lui-même. On a noté la similitude de l'oracle de **3,** *16-17* avec une forme littéraire familière au Second Isaïe. Leur contenu s'apparente aux oracles de salut postexiliques, et l'invitation à la joie (**3,** *15*) résonne comme en Is **12,** *6* (postexilique) : «Pousse des cris de joie et d'allégresse, toi qui habites Sion, car il est grand au milieu de toi le Saint d'Israël» (cf. Is **54,** *1* ; Za **2,** *14* ; **9,** *9*). L'exclamation «YHWH règne» renvoie aux «Psaumes du Règne de YHWH». Ces oracles pourraient prendre place aux débuts du retour de la captivité babylonienne. Dans ces conditions, le travail de l'éditeur doit leur être postérieur. On pourrait le situer au ve s. av. J.-C.

Le rassemblement des dispersés et la restauration d'Israël (v 18*b*-20).

Le livre s'achève sur une parole de YHWH qui prolonge les perspectives d'avenir, ouvertes par le prophète aux v 14-18*a*. Le texte a souffert de plusieurs fautes de copistes (voir critique textuelle) mais aussi de remaniements successifs. La critique n'a pas encore bien démêlé l'écheveau ; elle se demande par exemple si l'éditeur n'aurait pas brisé et dédoublé un oracle primitif d'une seule venue, en insérant au milieu la formule «En ce temps-là». Ou bien se trouvait-il en présence de deux oracles indépendants, pourtant très proches l'un de l'autre par leur contenu (v 18*b*-19 et v 20), qu'il aurait soudés ensemble? Ou bien, autre hypothèse, partant d'un oracle existant (v 18*b*-19), l'éditeur aurait composé le v 20 à partir d'éléments puisés dans son contexte : il aurait emprunté au v 19 le thème de l'honneur et de la renommée, celui du rassemblement, l'expression «en ce temps-là», et, au v **2,** *7* la formule *šub š⁼bût*. Quoi qu'il en soit, la disposition de cet ensemble n'est pas sans rappeler celle des v 14-18*a*, la structure chiastique en moins : deux volets, de thématique et de vocabulaire apparentés, avec au centre la formule «en ce temps-là», qui prend le relais de l'autre expression «en ce jour-là» (cf. v 11 et v 16).

Le texte actuel donne au verbe *'sph* du v 18*b* le sens de «rassembler». Mais c'est une relecture (cf. critique textuelle et *supra*). Sans nier le caractère conjectural de la proposition, on peut reconstituer ainsi le texte primitif «J'enlèverai de toi le malheur, de sorte que tu ne portes plus l'opprobre» (Ps **69,** *8* ; Jr **15,** *15*). Cette lecture a l'avantage de fournir un bon parallèle au v 19*a* «Me voici au travail contre tous ceux qui t'oppriment». Maltraité, humilié, désespéré, le peuple d'Israël est mis au ban des peuples. Dieu ne peut plus le tolérer, il est déjà à l'œuvre pour délivrer son peuple, le

[19] Me voici au travail[a],
   contre tous ceux qui t'oppriment,
   En ce temps-là,
   Je sauverai ce qui est éclopé[b],
      ce qui est égaré[b], je le rassemblerai.
   Je leur donnerai louange et renom[c],
      sur toute la terre où ils étaient objets de honte[d].

[20] Au temps où[a] je vous ramènerai[b],
   et au temps où je vous rassemblerai[b],
   alors je vous donnerai renom et louange
   parmi tous les peuples de la terre,
   lorsque je ramènerai vos captifs[c], sous vos yeux,
   dit YHWH.

19a. Litt. *voici que je fais*. Il n'est pas nécessaire d'insérer *kālāh, extermination*, car cet emploi absolu du verbe *'sh 'l* est encore attesté en Ez **22,**14; **23,**25.29.   b. Litt. *l'éclopée... l'égarée* au féminin cf. Mi **4,**6-7.   c. Litt. *je les mettrai en louange et renommée*.   d. Litt. *sur toute la terre leur honte*. Il faut très probablement supposer ici une relative asyndétique.

20a. TM *en ce temps-là*, mais le parallélisme avec le stique suivant suggère d'éliminer le pronom démonstratif *hhy'*, introduit sans doute sous l'influence de la formule analogue du v 19. Nous sommes encore en présence, au v 20aα, d'une relative asyndétique.   b. G *je vous ferai du bien* suppose *'ētib* au lieu de *'abî* je ramènerai. Mais Is **43,**5-6 offre le même parallélisme ramener/rassembler.   c. On peut aussi traduire *lorsque je changerai votre sort* ou *lorsque j'accomplirai votre restauration* cf. So **2,**7. Mais le contexte de rassemblement invite à voir ici le retour des exilés.

rétablir dans ses droits, lui redonner honneur et dignité. Le passé du verbe *'āsaptî* «j'ai écarté» a valeur de parfait prophétique, puisque les verbes qui suivent sont au futur. Telle est sans doute la teneur originelle du passage. La relecture dont témoigne le TM relève-t-elle de l'éditeur ou d'un glossateur tardif? D'ordinaire, cet éditeur procède avec plus de doigté et d'habileté. Mais alors, à quelle date, à quelle intention, à quel milieu se rattacherait cette glose? Notre connaissance imparfaite de la période postexilique ne permet guère de le préciser. Avec son évocation de l'ambiance festive, Is **30,**19 peut, par contraste expliciter la souffrance de ces Juifs «privés de la fête».

Après l'anéantissement des ennemis (v 19a), l'œuvre de restauration se poursuit par la délivrance de «l'éclopée», le rassemblement de l'«égarée». Ces deux adjectifs, au féminin singulier dans le texte, ont

une portée collective. So **3,** *19* dépend clairement de Mi **4,** *6* s. (Irsigler
p. 162 s.). Mais la formulation elliptique de l'un et l'autre morceau ne
se comprend qu'en fonction d'une symbolique très ancienne, fréquemment exploitée dans la Bible, spécialement en référence à un texte
source, Ez **34,** où l'évocation de la brebis malade, chétive, égarée est
tout à fait à sa place (cf. commentaire sur Mi **4,** *6* s.). Cet environnement littéraire nous livre le sens de cette métaphore, le rassemblement des Israélites dispersés en exil, ce que précisera l'usage au v 20
du verbe *bô'* «entrer». Dans le texte d'Is **43,** *5-6,* en parallèle comme
ici avec le verbe «rassembler» *(qbṣ)* il fait référence au retour de la
captivité.

Cette démonstration de puissance et de bienveillance tout à la fois,
de la part de Dieu, fera basculer le sort définitif d'Israël. Objet de
honte, le voici projeté au sommet de la gloire. Le couple louange/re-
nommée vient du langage de la bénédiction (Dt **26,** *19* ; cf. Jr **13,** *11* ;
33, *9-11* ; Is **62,** *2-3.7* ; Jr **29,** *14*). Il traduit la restauration d'Israël,
exprimée encore dans le *šub šᵉbûl* de la fin du v 20, qui résume et
couronne l'œuvre divine, annoncée dans cette finale **3,** *14-20.* La
formule, déjà présente en **2,** *7,* verset rédactionnel (cf. commentaire),
est de date tardive. Construite avec le mot *šᵉbît,* le verbe *šub* renvoie
au retour de la captivité (Ps **126,** *1* ; **85,** *2*). Avec *šᵉbût* comme
complément, il évoque le rétablissement d'Israël (Os **6,** *11* ; Ez **39,** *25*),
le changement radical de ses conditions de vie et toujours en positif
(Jr **48,** *47* ; **49,** *6.39* ; Ez **16,** *53* ...). L'extrême ressemblance de ces
formulations a entraîné une osmose de signification. Dans le contexte
de rassemblement des exilés (v 20), la formule doit envisager le retour
des captifs. Mais la Bible aime jouer sur les mots. C'est pourquoi, le
second sens n'est pas exclu. En faisant revenir les prisonniers,
YHWH inaugure la restauration intégrale d'Israël dans sa dignité et
dans ses droits. A la fin de tout le corpus, cette expression met le
point d'orgue à tout ce qui précède. Par-delà les épreuves, les péchés
et les châtiments, Israël est appelé à l'intégrité, au bonheur et à la vie.
Tel est le projet que YHWH forme pour son peuple, son dessein
irrévocable. «YHWH a parlé»; la cause est donc déjà entendue, cf.
Is **25,** *8.* Par cette promesse même, le processus de restauration est
déjà engagé.

NAHUM

INTRODUCTION

1. — *La prophétie de Nahum.*

Les oracles du prophète.

A quelques rares exceptions près (comme H. Schulz dont la thèse ne semble pas avoir convaincu), la quasi-totalité des critiques reconnaissent comme authentiques la plus grande partie des pièces contenues dans le recueil. Celles-ci sont de deux sortes : d'une part une description, de type visionnaire, de l'ultime bataille conduisant à la ruine de Ninive (**2,** *2.4-11* ; **3,** *2-3*) et une série de reproches (**1,** *9-11*) et de promesses (**1,** *12* s.), le tout adressé à Juda. Le reste, d'autre part, est destiné soit au roi de Ninive (**1,** *14* ; **3,** *18* s.), soit à Ninive elle-même : oracle de jugement (**2,** *12-14*), oracle de malheur (**3,** *1.4-7*), lamentation satirique sur la cité déchue (**3,** *8-15a* ; **3,** *15b-17*). En réalité, cette adresse est purement rhétorique, car il est clair que les véritables destinataires sont les Judéens eux-mêmes, pour qui le jugement de la capitale maudite représente une véritable annonce de salut.

Seule, la composition de Nah **1,** *2-8* reste objet de débat. Pourtant, de nombreux arguments plaident en faveur d'une composition tardive : l'absence de toute allusion à la ruine de Ninive, thème central de tous les autres oracles ; un style solennel, presque hiératique, qui diffère considérablement de celui, beaucoup plus vivant, beaucoup plus concret des pièces qui suivent. Le caractère acrostiche de ce psaume introductif n'est pas attesté avant les Lamentations de Jérémie qui datent de l'exil. Il impose au prophète des contraintes qui ne conviennent guère à son lyrisme exubérant. Les nuances théologiques ne sont pas moindres : les perspectives sont cosmiques (**1,** *4*) et universalistes (**1,** *5-7*). Le clivage n'est plus entre Juda et l'Assyrie, mais au sein même du peuple, entre les fidèles et les impies. La conception de la jalousie divine, impitoyable pour les

ennemis de Dieu, au bénéfice de ses élus, correspond à un stade tardif
de l'évolution du mot (cf. commentaire). Ézéchiel est le premier
témoin qui donne à ce terme une signification positive. Cet hymne est
donc sans doute postérieur à Nahum.

La date de la prédication de Nahum.

La recherche récente a abandonné, à bon droit, l'hypothèse d'une
prophétie *ex eventu*, formulée après la prise de Ninive en 612 av. J.-C.
Le livre nous fournit deux points de repère : la prise de Thèbes par les
Assyriens en 667 ou 663 av. J.-C. (cf. Nah **3,** *8*) et la capitulation de la
capitale assyrienne en 612 (cf. **3,** *7*). Entre ces deux dates, la critique
hésite, car le recueil ne contient pas de références à des événements
précis. On en est réduit à tirer des conclusions à partir du «climat»
que reflètent les oracles. La difficulté se renforce du fait que le titre
(**1,** *1*) ne livre aucune donnée historique. Il n'est d'ailleurs pas sûr que
toutes ces déclarations se situent à la même période de la vie du
prophète. Toutefois, rien ne permet de relever des différences notables
entre les divers oracles. Certains d'entre eux présentent comme à
venir la fin de Ninive (**1,** *9-14* ; **3,** *1-7.18-19*) et si **2,** *4-11* nous fait
assister à l'ultime combat, c'est plus dans le style d'une anticipation
visionnaire que d'un compte-rendu d'un événement passé. De même,
les lamentations de **3,** *8-15a.15b-17* sont de simples procédés rhétoriques qui, en aucune façon, n'impliquent la catastrophe déjà survenue.
Nah **2,** *12-14* est, à cet égard, tout à fait significatif. Il commence par
une complainte, pour s'achever... sur l'annonce d'un châtiment à
venir.

Est-il possible de cerner la date avec plus de précision ? On ne peut
ici que formuler des hypothèses. On relèvera que le prophète s'en
prend avec vigueur à des Judéens qui désespèrent de venir à bout de
la puissance assyrienne et qui semblent en rendre YHWH responsable
(**1,** *9-11*). Ninive apparaît, en effet, comme une ville puissante «qui
asservit les nations» (**3,** *4*), un peuple sans cesse en train de piller
provinces et pays conquis, et d'entasser le fruit de son butin (**2,** *12* s. ;
3, *1*). Ses fonctionnaires et ses marchands, «plus nombreux que les
étoiles du ciel» (**3,** *16*) se répandent à travers le monde comme des
nuées de sauterelles ravageuses (**3,** *17*). Le prophète concède que les
ennemis de Juda sont encore puissants (**1,** *12a*), mais pour rejeter
aussitôt toute tentation de désespérance : les oppresseurs ne sont-ils
pas présentés «comme des ronces prêtes pour l'incendie» (**1,** *10*) ? Leur
triomphe n'aura qu'un temps : «ils seront fauchés» et «ce sera fini»
(**1,** *12a*), car YHWH est sur le point de briser le «joug qui écrase Juda»

(**1,***13*). Nahum se fait-il le promoteur d'une espérance contre toute
espérance? Ou perçoit-il dans les événements contemporains les
signes d'une désintégration de l'ennemi abhorré, qui justifieraient une
politique de résistance? Dans ce dernier cas, on peut penser à la fin du
règne d'Assourbanipal, mort en 630 av. J.-C. Déjà, du temps
d'Ammon, des factions rivales se sont affrontées en Juda, prônant des
politiques opposées de soumission ou de résistance. Le roi, assassiné
en 640, après deux ans de règne, pourrait en avoir été la victime.
Quelques années plus tard, vers 630, au moment où l'Assyrie présente
des signes de désintégration, le roi Josias (640-609) entreprendra une
réforme politique et religieuse qui se propose de secouer le joug. Les
oracles de Nahum auraient-ils leur place dans ce début de révolte et
prendraient-ils à parti (**1,***9-11*) un groupe d'opposants timorés, qui
craindraient un retour en force de l'Assyrie sur la scène politique? Il
faudrait alors situer la prédication de Nahum aux environs de 630 av.
J.-C., avant la réforme religieuse de 622, à laquelle le livre ne fait pas
la moindre allusion.

La personnalité du prophète.

Le recueil ne nous dit rien d'explicite sur le personnage (pour le
nom et le lieu d'origine cf. commentaire de **1,***1*). Une hypothèse qui a
eu son heure de gloire, défendue notamment par P. Humbert et
E. Sellin, voulait voir en Nahum un prophète attaché au Temple, et
l'ouvrage qui porte son nom ne serait rien d'autre que le livret d'une
liturgie célébrant la chute de Ninive à la fête du Nouvel An, à
l'automne de 612. Une telle reconstruction ne manque pas de
témérité, dans l'ignorance où nous sommes du déroulement précis des
cérémonies cultuelles, sans parler de l'existence hautement hypothétique de cette fête qui n'est jamais mentionnée dans la Bible. Avec sa
terminologie militaire, sa description du sac de Ninive, le langage du
livre ne convient guère à une liturgie et diffère étonnamment de celui
que les psaumes nous ont conservé. La théorie repose en grande partie
sur la présence de l'hymne introductif (**1,***2-8*), mais cet argument
s'effondre, puisque, selon toute vraisemblance, il est postérieur à
Nahum et qu'il a été placé à cet endroit par l'éditeur postexilique.
Hormis ce psaume, on ne trouve pas, dans le livre, d'éléments
proprement cultuels : procession, bénédictions et surtout sacrifices.
Les oracles authentiques présentent la chute de la ville comme un
événement à venir, ce qui convient mal à la célébration du passé. Et
comment admettre que l'élégie de **3,***18*s. sur le roi de Ninive, ses

capitaines et son peuple dispersé ait pu constituer le répons conclusif de cette célébration?

L'hypothèse est maintenant pratiquement abandonnée mais elle a laissé des traces. A. Haldar la modifie considérablement : il y voit un document de propagande, issu des milieux du Temple et composé aux environs de 614. D'autres encore considèrent Nahum comme un prophète cultuel qui aurait donné à ses oracles la forme d'une liturgie, sans que ce livret ait effectivement servi dans le cadre d'une cérémonie cultuelle. Pour H. Schulz, cet ouvrage n'est pas une liturgie prophétique à proprement parler, mais il est enraciné dans le culte, en ce qu'il imite un formulaire liturgique du Second Temple.

Ces hypothèses minimisent le processus littéraire qui a abouti au livret actuel. Le commentaire montrera la part importante de l'éditeur postexilique dans l'agencement des pièces originelles et dans la cohérence théologique qu'il a su donner à cet ensemble, à première vue si disparate.

Ce travail d'édition n'a pas pour autant occulté la remarquable qualité littéraire de l'écrivain ou plutôt du poète Nahum. Avec sa peinture impressionniste, qui se concentre sur tel ou tel lieu, sur telle ou telle étape du combat, avec son rythme bref, haletant, avec son style concis (caractérisé notamment par l'absence de verbes), heurté, saccadé, l'évocation de la bataille de Ninive prend place parmi les chefs-d'œuvre du lyrisme hébreu. Mais Nahum n'est pas l'homme d'une seule écriture. Il utilise des formes littéraires aussi variées que l'oracle de jugement ou de malheur, la controverse et la lamentation. Il manie l'humour noir et le persiflage avec un mordant qui retient mal l'explosion d'une joie féroce. Il sait tenir son auditoire en haleine et ménager ses effets : ainsi décrit-il avec quelque complaisance la cohorte des marchands et des fonctionnaires assyriens prêts à s'envoler comme des sauterelles pour ruiner les pays où ils s'abattent ; soudain, un seul mot rature définitivement ce signe de puissance : «où sont-ils?». Avec raison, la critique l'a rangé parmi les plus grands poètes d'Israël.

Le Message.

En revanche, elle n'a pas porté une appréciation aussi favorable sur le contenu de son message. «Nationaliste exalté» ou médiocre «prophète de bonheur», tels sont quelques-uns des qualificatifs qu'elle lui a décernés. Jugement excessif ! Certes Nahum n'est pas un grand théologien. On ne saurait pour autant lui refuser un authentique sens de Dieu et le classer parmi ces «faux-prophètes» dénoncés par Michée

(Mi **2-3**) ou Jérémie (Jr **20,***6* ; **28** ; **23,***9-40* ; **26,***7.11.16*) parce qu'ils promettent le bonheur et la paix à peu de frais. Il est vrai qu'à l'opposé des autres prophètes préexiliques, sa prédication ne contient pas de condamnation de Juda. J. Jeremias a tenté, en vain, de retrouver, sous des oracles présentement adressés à Ninive et à son roi, des menaces contre Jérusalem et son souverain (**1,***11.14* ; **2,***2-3* ; **3,***1-5* ; **3,***8-11*) que des éditeurs auraient détournés, à l'époque de l'exil, contre Assur, symbole de l'oppression babylonienne. Les arguments avancés : un langage traditionnellement utilisé contre Juda, la présentation de Jérusalem comme une prostituée, ce qui supposerait un cadre d'alliance réservé aux liens entre Dieu et son peuple, etc. ne sont pas convaincants (cf. C.-A. Keller, *VT* 22, 1972, pp. 394-419). Pourquoi refuser au prophète ce qu'on accorde à ses disciples, à savoir une grande liberté dans l'usage d'un langage traditionnel ? La présentation de Ninive comme une prostituée ne se fonde pas sur des liens d'alliance ; la comparaison porte simplement sur les profits que la courtisane tire de ses débauches et, à ce titre, elle peut s'appliquer aussi bien à l'Assyrie qu'à Jérusalem. En **3,***4*, le reproche d'asservir les nations convient bien mal aux possibilités du minuscule royaume judéen de l'époque, si limité dans sa puissance militaire, et si réduit dans son aire géographique depuis l'expédition de Sennachérib en 701. En revanche, il illustre parfaitement les procédés de la cruelle et «ensorceleuse» Assyrie.

Tous les oracles du prophète ont donc Ninive pour cible. Il n'en faudrait pas conclure à la superficialité de sa foi, comme s'ils exprimaient uniquement un souci de revanche patriotique. Les condamnations de la cité ennemie sont toutes fondées sur des considérations religieuses et éthiques. Nahum dénonce le complet mépris de l'Assyrie pour les valeurs morales de justice et de dignité humaine. Ce qui est en cause, ce n'est pas seulement l'oppression subie par Juda mais toutes les exactions qu'elle a commises même à l'égard des autres nations (**2,***12-13* ; **3,***4.16*). Sous cet angle, le prophète rejoint les accusations d'Amos (**1,***3.6.9*) et témoigne d'un universalisme moral incontestable.

C'est surtout l'attitude d'opposition à YHWH qui motive l'attaque prophétique contre l'Assyrie. Le prophète lui reprochera son idôlatrie (**1,***14*) mais avant tout, dans la ligne d'Isaïe (Is **10,***5-19*), la démesure de son orgueil. Elle représente «l'esprit de Bélial», de celui «qui trame le mal contre YHWH» (**1,***11* ; **2,***1*). On pense aux sarcasmes lancés par le Rab Shaqé, l'officier de Sennachérib, lors du siège de Jérusalem en 701 (2 R **19,***4.16* cf. commentaire de Nah **1,***11*). YHWH ne peut tolérer pareil défi, pareille provocation. Avec détermination, il va intervenir dans l'histoire et rien ne pourra lui résister. Il suffit qu'il paraisse pour que Ninive s'effondre. Il fera table rase du colosse assyrien (**1**, *9.10.12.14* ; **2**, *14* ; **3**, *5-7*). Peut-il y avoir démonstration plus évidente de la souveraineté universelle de Dieu ?

Précisément, le prophète reproche avec quelque vivacité à ses compatriotes de douter de Dieu : «Quelle idée vous faites-vous donc de YHWH ?». Pour lui, le salut ne peut en aucune façon provenir d'un jeu d'alliances politiques ou d'un renforcement du potentiel militaire. Il est dans la remise totale entre les mains du Dieu vivant. Juda pèche par manque de foi en la puissance souveraine et universelle de YHWH. Sur ce point, Nahum se situe dans la droite ligne du message d'Isaïe (Is **7**, *9* ; **8**, *13* ; **30**, *15-18*). Il est donc pour le moins excessif de transformer le prophète en un poète nationaliste et revanchard ; ses attaques contre Ninive procèdent, toutes, d'un sens authentique de Dieu, d'un véritable idéal de justice et de foi.

2. *L'édition du livre.*

La combinaison des unités littéraires.

Il n'est plus possible, en l'état actuel des choses, de reconstituer les étapes de la formation du recueil. Ces oracles ont-ils, par exemple, été appliqués à Babylone, comme le pense J. Jeremias, qui invoque, à cet effet, la dépendance de Nah **2**, *1.3* par rapport au Second Isaïe (Is **52**, *1.7.8.12*) ? C'est fort douteux, car cette dépendance même suppose une époque postérieure au prophète de l'exil, ce qui nous conduit aux années du retour. D'ailleurs, ces versets **2**, *1-3* sont liés de très près à la rédaction finale de l'ouvrage (cf. commentaire).

Celle-ci ne s'est pas contentée d'un travail de composition. Elle s'est efforcée d'articuler étroitement les unités les unes sur les autres à l'aide de procédés divers : emboîtement de la partie centrale (**2**, *4-11*) sur les sections qui lui servent de cadre, grâce à l'imbrication de **2**, *2* dans la première partie et de **3**, *2-3* dans la seconde ; utilisation de mots crochets, par exemple *klh* et *ṣrh* en **1**, *7-8* et **1**, *9*, de gloses harmonisantes (**3**, *15b*) ; récurrences de mots d'appel, etc. (cf. B. Renaud, *ZAW*, 1987 à paraître).

L'unité de la composition rédactionnelle.

Cet effort d'agencement et de coordination a pour effet d'atténuer et de gommer les solutions de continuité qui ne peuvent manquer d'apparaître dans la mise en série de péricopes originellement indépendantes. Il n'a d'autre finalité que de créer un livret profondément unifié, où tous les éléments prennent place dans une structure d'ensemble qui a sa logique propre. Tout peut se résumer en une seule phrase : Dieu vient juger Ninive.

Le scénario recouvre tout le recueil et sa dynamique en sous-tend toute l'organisation. Aussi est-il difficile de délimiter des sections de façon très précise, car le phénomène d'emboîtement relevé plus haut a pour conséquence de ménager des transitions dans le déroulement du récit. Tout commence avec la venue solennelle de Dieu dans le cadre d'une théophanie du jugement (**1**, *2-8*). YHWH va désormais occuper le devant de la scène ; c'est lui qui parle et assume les dits du prophète : reproches adressés aux Judéens pour leur manque de foi (**1**, *9-11*), suivis de promesses qui donnent le véritable sens de la démarche divine : le salut pour Israël (**1**, *12* - **2**, *3*). Ces promesses se précisent : dans une sorte de contemplation visionnaire, YHWH fait assister ses fidèles à l'ultime combat contre Ninive (**2**, *4-11*). Un combat que YHWH présente ensuite comme son œuvre à lui et à lui seul : il punit l'Assyrie pour ses propres péchés. Il est si sûr de lui qu'il mêle à l'annonce de l'effondrement de la cité, des lamentations sur sa disparition (**2**, *12* - **3**, *19*).

La signification théologique : un scénario du jugement.

En plaçant le psaume (Nah **1**, *2-8*) en tête du livret, l'éditeur donne à la chute de Ninive une portée cosmique et universelle. Comme l'a montré H. Schulz (*Das Buch Nahum*, pp. 73-90), nous sommes en présence d'une théophanie du jugement qui arrache l'événement au champ de l'histoire contingente et factuelle, pour lui conférer une dimension eschatologique. Dans ce cadre, le «jour de détresse» (**1**, *7*) ne peut manquer d'évoquer le Jour de YHWH (cf. So **1**), et la répétition insistante de la négation *lo'... 'ôd*, «ne... plus» (**1**, *9b.12b.14a* ; **2**, *1b.14*) souligne le caractère définitif de l'intervention divine, à la différence du miracle de 701 (**1**, *11*) qui n'a permis qu'une libération partielle et provisoire.

De la même façon, Ninive, disparue de la scène du monde, à l'époque de l'éditeur, devient le type même des puissances hostiles à Dieu et le paradigme des métropoles despotiques et impures. Le titre de Bélial (**1**, *11* ; **2**, *1*), désignation des forces chaotiques qui menacent l'équilibre du monde et l'ordre voulu par Dieu, convient parfaitement à ce nouveau statut de la cité, émanation du monde du mal qui tente de se mettre en travers des projets divins.

Si centrale que soit la figure de Ninive dans cette représentation du combat eschatologique, elle n'occulte pas l'autre face, positive celle-là, du jugement divin, la libération d'Israël. Cette ultime intervention de YHWH marque la fin définitive de l'humiliation de Juda (**1**, *12*) et de son oppression (**1**, *13* s. ; **2**, *1*). La disparition de Bélial « l'homme aux projets maléfiques » (**1**, *11* ; **2**, *1*) signifie plus que la libération politique, il évoque la délivrance d'une servitude religieuse. Le sort de Juda se décide dans ce grand combat inégal, où YHWH ne peut manquer de remporter la victoire sur son rival aux prétentions scandaleusement divines. Aussi Juda doit-il célébrer la fête de la délivrance (**2**, *1*). Des remparts de Jérusalem ne voit-il pas la cohorte des rapatriés, ramenés par YHWH lui-même à Sion (**2**, *2-3* cf. Is **34**, *3-4*). Maintenant les choses sont claires : si les ennemis de **1**, *8* prennent le visage de la Ninive en révolte, les Judéens s'identifient avec « ceux qui cherchent en Dieu leur refuge » (**1**, *7*).

En définitive, à travers ce jugement qui condamne et sauve tout à la fois, le livret de Nahum se veut une célébration grandiose de YHWH lui-même. Le caractère théocentrique éclate dès les premiers mots du livre « C'est un Dieu jaloux et vengeur que YHWH ». Toute l'œuvre qui va suivre est comme ramassée dans cette déclaration liminaire. On risque de se méprendre sur la signification exacte de cette proclamation. La Jalousie de Dieu ne s'identifie pas purement et simplement avec la colère. Elle comporte certes un potentiel de violence dont la théophanie qui suit donne bien la mesure, mais c'est une violence toujours mise au service du projet divin. La jalousie se déploie toujours à l'intérieur de l'alliance et à cette étape de son évolution sémantique, elle se tourne contre les païens au bénéfice d'Israël (cf. B. Renaud, *Je suis un Dieu jaloux*, Paris, 1963). C'est donc dans ce sens qu'il faut prendre le terme « vengeur ». YHWH venge son honneur, mais il venge en même temps la souffrance et l'humiliation de son peuple, comme l'exprime Ez **39**, *25* « Ainsi parle le Seigneur YHWH : c'est maintenant que je vais ramener les captifs de Jacob (ou ' changer la destinée de Jacob '), que je vais prendre en pitié toute la maison d'Israël, et je me montrerai jaloux de mon Saint Nom ». Nous ne sommes pas loin, non plus, de la conception de l'école isaïenne (Is **42**, *13* ; **59**, *17* ; **26**, *11* ; **63**, *15*) où ce concept de vengeance est organiquement relié à celui de *go'él*, de « rédempteur ». La jalousie divine apparaît, dans le psaume de Nahum et surtout dans la synthèse rédactionnelle qui l'interprète, comme l'agent actif de l'œuvre divine. Elle exprime la transcendance de Dieu que signifie aussi l'éclatement du cosmos qu'entraîne l'apparition théophanique (**1**, *3b-6*). Elle s'inscrit dans l'histoire comme l'exécuteur de la colère divine (**1**, *6*), impitoyable à ses ennemis (**1**, *8*). Ninive, symbole des

puissances du mal en fait la triste et douloureuse expérience (**2,4**-
3,*19*). Cependant, Dieu ne travaille jamais pour le néant. Sa
démarche est toujours polarisée par une finalité de salut. Si, dans
l'intransigeance de sa sainteté, il ne «laisse rien passer», il est aussi le
Dieu «lent à la colère» (**1,***3a*), le Dieu «bon, un abri, au jour de la
détresse, qui prend soin de ceux qui cherchent en lui leur refuge»
(**1,***7*). Au cœur du combat eschatologique implacable, dans lequel
sombrent les puissances hégémoniques les plus assurées, Juda l'élu est
invité à la joie, elle aussi eschatologique, à célébrer la puissance
invincible et libératrice de celui en qui il a mis son refuge (**2,***1* cf. **1,***7*).
Tout le livret n'est que l'écho de cette célébration même du Dieu
Jaloux, à la fois vengeur et sauveur.

Le livre dans la tradition biblique et juive.

Le prophète Joël a bien perçu la signification eschatologique du
livre, puisque dans sa proclamation du Jour de YHWH, il lui
emprunte la métaphore des sauterelles (Joel **1** cf. Nah **3,***15-17*) et il
donne aux insectes les traits des armées lancées à l'attaque de Ninive
(Joel **2,***4-9* cf. Nah **2,***4-5*; **3,***2-3*). Tobie (**14,***4*) met en lumière
davantage la souveraineté universelle de YHWH, le Maître de
l'histoire, qui, longtemps à l'avance, en révèle les secrets et dont les
projets se réalisent de façon implacable.

Les grottes de Qumrân nous ont livré un pesher (commentaire) de
Nahum. Il n'en reste que des fragments qui expliquent Nah **1,***3b-6*;
2,*12b*-**3,***12* et que l'étude de critique textuelle a largement utilisés.
Cette œuvre d'exégèse actualisante lit dans ce recueil prophétique les
démêlés entre Démétrios, probablement Démétrios III Eukairos avec
Alexandre Jannée aux environs de 88 av. J.-C.

Ainsi, le livre a-t-il été soumis à diverses relectures. Il est toujours
apparu comme source d'espérance et de foi en la Seigneurie
universelle et cosmique de YHWH.

SÉLECTION BIBLIOGRAPHIQUE

Commentaires

BÉGUERIE P., LECLERCQ J., STEINMANN J., *Études sur les prophètes d'Israël*, Paris, 1954.
CAHTCART K. J., *Nahum in the Light of the North-West Semitic*, Rome, 1973.
HALDAR A., *Studies in the Book of Nahum*, Uppsala, 1947.
Commentaires sur les XII Prophètes, voir Bibliographie de Michée.

Texte

Voir Bibliographie de Michée.

Études particulières

AMSLER S..., Voir bibliographie de Michée.
GEORGE A., «Nahum (le livre de)», *DBS*, VI, c. 291-301.
GUNKEL H., «Nahum 1», *ZAW* 13 (1893), pp. 223-244.
HUMBERT P., «Essai d'analyse de Nahoum **1,**2 - **2,**3», *ZAW* 44 (1926), pp. 266-280.
HUMBERT P., «La vision de Nahoum», *AFO* 5 (1928), pp. 14-19.
HUMBERT P., «Le problème du livre de Nahoum», *RHPR* 12 (1932), pp. 1-15.
JEREMIAS J., *Kultprophetie und Gerichtsverkündigung in der später Königszeit Israels*, Neukirchen - Vluyn, 1969.
KELLER C.-A., «Die theologische Bewältigung der geschichtlichen Wirklichkeit in der Prophetie Nahums», *VT* 22 (1972), pp. 399-419.
PARROT A., *Ninive et l'Ancien Testament*, Cahiers d'archéologie biblique 3, Neuchâtel - Paris, 1955.

RENAUD B., «La composition du livre de Nahum. Une proposition»,
ZAW 99 (1987).

RUTTEN M., CAVAIGNAC E., LARGEMENT R., «Ninive», DBS, VI,
c. 480-506.

SCHULZ H., Das Buch Nahum. Eine redaktionskritische Untersuchung,
BZAW 129, Berlin - New York, 1973.

TOURNAY R., «Le Psaume de Nahum», RB 65 (1958), pp. 328-335.

Nah **1,** *1*

Proclamation sur Ninive. Livre de la vision de Nahum d'Elqosh.

Nah **1,** *2-8*

² C'est un Dieu jaloux et vengeur que YHWH,

Titre

Le titre, double, laisse déjà soupçonner une histoire complexe du livre de Nahum. Le premier, *maśśa'*, traduit ici par «proclamation» provient d'une racine *naśa'* qui signifie à la fois «élever (la voix)» et «charger». Isaïe l'apprécie tout particulièrement et, sauf en **22,** *1*, l'applique toujours à des pays étrangers (**13,** *1* ; **15,** *1* ; **17,** *1* ; **19,** *1* ; **21,** *1.11* ; **23,** *1* ; **30,** *6* ; cf. aussi Ha **1,** *1* ; Za **9,** *1* ; Ml **1,** *1*). Jr **23,** *33-39* joue sur le double sens du mot : le prophète de bonheur qui continue à crier *maśśa'* «proclamation», annonçant la paix et la destruction de l'ennemi deviendra *maśśa'*, «charge» de YHWH : celui-ci «se chargera» de le rejeter et de l'humilier. En va-t-il de même ici ? La proclamation sur Ninive (génitif objectif) deviendrait-elle la «charge sur Ninive» ? Quoi qu'il en soit, ce terme a pu servir de titre au poème de **2,** *4-11*.

Le second titre relèverait plutôt de la responsabilité de l'éditeur, qui l'aurait placé à cet endroit pour coiffer l'ensemble du corpus. Le mot *séphèr*, qui nulle part ailleurs ne caractérise un livre prophétique, désigne un livret, ici l'ensemble des oracles de Nahum. Même s'il ne faut pas nécessairement donner au terme «vision» un sens proprement technique, puisqu'il peut équivaloir à «révélation» (cf. commentaire de Mi **1,** *1*), ce mot introduit fort bien la théophanie du Psaume initial. Il compense ainsi l'absence un peu curieuse du terme *nabî'*, prophète, pour qualifier Nahum qui se présente ainsi sous les traits d'un «voyant».

Le nom de Nahum vient d'une racine *nḥm* «consoler». Faut-il lui donner une portée symbolique et y lire un résumé du message : une consolation pour Israël? C'est douteux, car la forme passive du participe oriente non pas vers la traduction de «consolateur» mais plutôt de «consolé», à moins qu'à l'analogie de *raḥum*, «le miséricordieux», on ne l'interprète comme «riche en consolation». En fait, il s'agit plus probablement d'un simple nom propre.

La Bible ne nous offre aucun moyen d'identifier la bourgade d'Elqosh dont le prophète serait originaire. Des localisations, avancées par la tradition : en Galilée (Elkesi, selon Saint Jérôme, ou bien Capharnaum «le village de Nahum»), en Judée (non loin d'Eleutheropolis, selon les Vitae Prophetarum), près de Mossul (Ninive) au XIII⁰ siècle, aucune ne s'impose. Le titre ne nous fournit aucune indication chronologique (pour un essai de datation du livre : voir l'introduction).

Le Psaume introductif

1, *2-8*

Structure et Forme littéraire.

Les v **1,** *2-8* constituent une unité. Cette délimitation se fonde sur l'analyse de la composition et sur son caractère acrostiche, plus exactement alphabétique. Les vers sont en effet disposés de telle façon que la première lettre de chacun d'entre eux suive l'ordre normal de l'abécédaire. On peut facilement reconnaître ce procédé d'écriture dans la section des v 2 à 8, qui vont de la lettre aleph à la lettre kaph. Ils recouvrent ainsi la première moitié de l'alphabet hébreu, composé de 22 lettres. Les versets 5*b* (daleth) et 6*b* (zain) présentent quelque perturbation, mais le recours à la critique textuelle ou à l'étude de la rhétorique permet d'apporter des solutions plausibles (cf. critique textuelle). Il ne faut pas en déduire, comme beaucoup le prétendent, que les v 2*b* et 3*a*, qui ne rentrent pas dans ce cadre, soient pour autant des ajouts. Ils orchestrent plutôt le v 2*a* qui formule le thème-clé et introduit le personnage central du poème : Dieu lui-même. Comme la suite du commentaire le montrera, cet ensemble des v 2-3*a* manifeste, en ce qui concerne le rythme et la structure, une cohérence qui dissuade de le démanteler. Un certain

c'est un vengeur que YHWH[a] et un maître en fureur[b].
Il se venge, YHWH, de ses adversaires,
il garde rancune, lui, à ses ennemis.

[3] YHWH est lent à la colère et grand par sa puissance,
mais il ne laisse absolument[a] rien impuni, YHWH.

2a. Cette proposition manque dans certains mss grecs importants. Sa répétition (3 fois dans les deux premiers vers) semble intentionnelle, marquant l'insistance du poète sur ce thème. Elle est nécessaire au parallélisme graduel du v 2a qui, en juxtaposant deux fois cette même formule, renforce encore plus l'accent mis sur le thème de la vengeance. Dans le grec, elle a pu tomber par haplographie ou omise par des traducteurs qui n'avaient plus perçu le mouvement du vers.   b. Traduction littérale intentionnelle de l'hébreu ba'al ḥēmāh. Le terme ba'al suivi d'un autre nom peut exprimer la possession d'une qualité : «un expert en fureur». Mais l'association avec 'ēl, «Dieu», et leur disposition aux deux extrémités du vers, peuvent évoquer le couple 'ēl... Ba'al, fréquent dans les textes ugaritiques, mais réduit ici à de simples appellatifs. Le nom propre c'est YHWH, sujet des propositions nominales.

3a. Le rythme à quatre accents (4 + 4) laisse supposer que lo', «ne... pas» est accentué, soulignant ainsi la force de la négation. En outre, le verbe nqh, à l'intensif «laisser impuni» est accompagné de l'infinitif préposé qui exprime une nuance emphatique. Cet accent mis sur le caractère imparable du châtiment divin s'accorde parfaitement avec l'insistance sur le thème de la vengeance (v 2ab).

nombre de critiques ont tenté de retrouver dans la suite du texte la seconde moitié de l'alphabet, mais au prix de corrections et de transpositions arbitraires. Par ailleurs, nous le verrons, le v 9 s'inscrit dans une forme littéraire prophétique et non plus psalmique, et son style l'apparente à celui des oracles de reproche. On notera aussi entre le v 8 et le v 9 le passage brusque de la troisième à la seconde personne. L'exploitation de la moitié seulement de l'alphabet se retrouve encore dans le Ps 9, sans qu'on puisse donner une explication pleinement satisfaisante de cette limitation. Dans le cas de Nah 1, 2-8, le dernier vers commence et finit par la lettre k, la première du mot klh, qui signifie «extermination» mais aussi «achèvement». Le psalmiste aurait-il voulu jouer sur les mots? D'autres critiques pensent qu'il a voulu réagir contre le caractère magique que l'on aurait attribué à ce jeu de langage.

Quoi qu'il en soit, l'analyse de la composition des v 2-8, bien mise en lumière par R. Tournay («Le psaume de Nahum», RB 65, 1958, pp. 328-335) confirme cette délimitation. Ils présentent une structure concentrique : deux développements de trois vers sur la personne

de YHWH, à la fois vengeur et miséricordieux, situés l'un au début
(**1,**2-3a) et l'autre à la fin (**1,**7-8) encadrent une théophanie (**1,**3b-6).
La triade initiale présente un caractère concentrique (4 + 4/3 + 3/
4 + 4) et la triade finale s'achève sur le rythme élégiaque de la qinah
(3 + 2). Le développement théophanique se compose d'un couplet
(v 3b-4a : la venue de Dieu), d'une triade (v 4b-5 : réaction du cosmos
devant l'apparition divine), d'un couplet (v 6 : conclusion rhétorique). Ainsi, d'un bout à l'autre, le poème fait alterner triade et
couplet selon une séquence tout à fait régulière. Cette disposition
n'autorise pas à reconnaître des gloses dans les v 2b-3a.

Cette structure s'apparente à celle des hymnes. L'invitatoire est
remplacé par une proclamation sur YHWH (v 2-3a cf. Ps **19,**1).
Suivent alors le corps du Psaume (v 3b-6) et enfin la conclusion (v 7-
8) qui reprend la thématique du début. C'est une célébration de
YHWH, qui, dans le contexte actuel, présente les traits d'une
doxologie du jugement, du jugement de Ninive. On y retrouve les
caractéristiques du style hymnique : la succession de participes, suivis
de verbes au perfectif et à l'imperfectif ainsi que l'usage de la question
rhétorique (v 6a) qui développe le théologoumène de l'incomparabilité de YHWH. On relèvera encore la reprise en fin de parcours (v 7-8)
des motifs du début (**1,**2-3a). Par ailleurs, la théophanie représente un
motif bien attesté dans les Psaumes de louange (Ps **18** ; Hb **3** ;
Ps **77,**14-21) ; **97,**3 s. ; **99,**1 ; **104,**7 ; **114,**3-4 ; **144,**5).

« Un Dieu Jaloux et vengeur » (**1,**2-3).

Le lecteur qui ouvre le livre de Nahum reçoit de plein fouet cette
déclaration liminaire. Ces premiers mots du psaume donnent d'emblée
au poème sa tonalité propre. Un certain nombre de procédés
rhétoriques en accentue encore la force d'expression : l'inversion
donne à cette qualification de YHWH une puissance exceptionnelle.
Le parallélisme graduel qui enchaîne le premier stique sur le second
du premier vers, et ensuite sur le premier stique du second vers :

«Un Dieu jaloux et vengeur YHWH
                vengeur YHWH et maître en fureur
                vengeur YHWH de tous ses adversaires
                        et gardant rancune à ses ennemis»

explicite le sens de l'adjectif «jaloux», comme le soulignent encore
fortement l'allitération entre *qannô'* (jaloux) et *noqém* (vengeur), ainsi
que la disposition chiastique de **1,**2a qui conduit à juxtaposer deux
fois *noqém YHWH* ... Ce qualificatif de «vengeur», en seconde position

Dans la tornade^b et la tempête, son chemin.
La nuée est la poussière de ses pieds.

b. TM «dans la tornade». Le G «dans l'achèvement» a donné à *b^esûpah* le sens de *sûph.* Même lecture en Am **1,** *14.*

dans le premier stique, passe soudain en première position dans les deux stiques suivants. Le troisième vers (**1,** *3a*) semblerait atténuer, au moins dans sa première partie : «YHWH lent à la colère...», l'effet terrifiant de la déclaration liminaire ; en réalité, ce début fonctionne comme élément de contraste et souligne, par là, la fin du vers qui rejoint la thématique d'ensemble : «...mais il ne laisse absolument rien impuni». Le jeu de mots entre *noqém* «vengeur» et *y^enaqqéh* «laisser impuni» confirme l'appartenance du vers au psaume. D'ailleurs la régularité du rythme : 4 + 4 (v *2a*)/3 + 3 (v *2b*)/4 + 4 (v *3a*) favorise l'unité strophique des v 2-3a.

Curieusement, le texte ne précise pas qui sont ces adversaires et ces ennemis de YHWH. Il faudra attendre la fin du psaume (**1,** *7-8*) pour obtenir quelques précisions. Celles-ci ne sont pourtant pas sans importance pour définir la portée exacte de l'adjectif «jaloux». Celui-ci, qui dans la Bible, ne s'emploie jamais en contexte profane, est toujours associé à *'él*, «Dieu» (*'él qannô* en Jos **24,** *19* et Nah **1,** *2* ; *'él qannā'* en Ex **20,** *5* ; **34,** *14* ; Dt **4,** *24* ; **5,** *9* ; **6,** *15*) donnant ainsi à l'expression un caractère stéréotypé. Ex **34,** *14* va jusqu'à définir YHWH comme «le Jaloux», «YHWH, Jaloux est son Nom ; il est un Dieu jaloux». Toutefois cette jalousie ne se confond pas avec l'envie ou la haine. Elle traduit une passion violente, rançon de cet engagement que Dieu a contracté à l'égard d'Israël, en lui offrant l'alliance. C'est pourquoi, au terme d'une longue évolution, elle s'identifiera avec l'amour (Ct **8,** *6-7*). Mais à l'origine, dans les textes du Deutéronome et la première partie du ministère d'Ézéchiel, elle exprime le potentiel de violence qui s'exerce à l'encontre d'Israël, quand celui-ci a trahi. YHWH, le Dieu Saint (cf. Jos **24,** *19* où ce terme est associé à Jaloux) ne peut tolérer le péché ; il brûle (Dt **6,** *15* ; **4,** *24* : «YHWH un feu dévorant, un Dieu jaloux») tout ce qui souille le mystère de sa Sainteté. C'est le châtiment du peuple élu. L'exil et la ruine de Jérusalem en 587 en seront les manifestations les plus brutales. Mais, paradoxe, en ce châtiment même, la Sainteté de YHWH apparaît menacée, car, par l'alliance, YHWH s'est compromis avec Israël et, aux yeux des nations païennes, la faiblesse d'Israël apparaît comme la faiblesse de Dieu. Aussi, cette énergie de la sainteté va-t-elle à nouveau se déployer, cette fois pour châtier les peuples. Car YHWH se montre jaloux de son Saint Nom (Ez **39,** *25* cf. **35,** *11* ; **36,** *5-6* ; **38,** *19*). Avec la prédication d'Ézéchiel, la jalousie change donc de sens ; elle œuvre à la libération du peuple élu (cf. B. Renaud, *Je suis un Dieu jaloux,* Paris, 1963). Les v 7-8 de Nah **1** le montrent, c'est le sens qu'il convient de donner à cette appellation de jaloux en Nah **1,** *2,* à cette différence près que, au moins dans le psaume pris isolément, le clivage ne passe plus entre les païens et le peuple élu mais, au cœur même d'Israël, entre les fidèles et les impies. Au niveau de l'édition, les ennemis prennent à nouveau le visage des nations, symbolisées par Ninive, et les fidèles celui du peuple de Dieu.

Cette interprétation de la jalousie divine permet de mieux comprendre le qualificatif de «vengeur», si étroitement lié au précédent. Ce serait gravement se méprendre que d'y voir la trace d'un esprit ombrageux et vindicatif. Dans un monde où la justice publique manquait d'organisation et de moyens légaux, la vengeance individuelle ou familiale permettait de rétablir dans ses droits la personne ou la collectivité lésée. Sans doute, une telle action prêtait-elle à des abus, mais en soi, elle était nécessaire et bénéfique. Elle est, en particulier, à la base de l'institution du *go'él,* ce proche parent, chargé de défendre les droits de la veuve et de l'orphelin, qui peuvent être la proie de toutes les injustices. Ce devoir pouvait aller jusqu'à la «vengeance du sang», c'est-à-dire jusqu'à la suppression violente du meurtrier d'un membre du clan ou de la famille. Cette représentation fut naturellement appliquée à YHWH, le défenseur des pauvres et des opprimés. Il n'est pas sans intérêt de noter que ce thème du *go'él* «vengeur» ou «rédempteur» est étroitement associé, dans l'école isaïenne (Is **26,** *11* ; **42,** *13* ; **59,** *17* ; **63,** *15* cf. B. Renaud, *o.c.* pp. 99-106) à celui de la jalousie divine. YHWH se fait le proche parent de son peuple. A ce titre, il exercera la vengeance contre ses ennemis qui deviennent les siens à lui, YHWH. La correspondance structurelle entre **1,** *2-3a* et **1,** *7-8* confirme cette interprétation. YHWH se fait le vengeur et le protecteur de «ceux qui prennent en lui leur refuge», en anéantissant leurs adversaires.

La même thématique de la vengeance se poursuit au v *3a.* Le poids de l'argumentation porte sur le second stique (cf. *supra*). Le psalmiste paraît réagir contre une théologie déviante, qui s'appuyait sur la doctrine de l'élection pour en déduire une impunité totale et constante. Comme les adversaires de Michée (Mi **2,** *6* ss), qui invoquaient la patience et la miséricorde de Dieu, ceux de Nah **1** avançaient une formule très ancienne de profession de foi : «YHWH est lent à la colère» (cf. Ex **34,** *6* ; Nb **14,** *18* ; Ps **86,** *5* ; **103,** *8* s ; Jl **2,** *13* ;

⁴ Il tance la mer et la dessèche ª,
  tous les fleuves, il les fait tarir.
Ils dépérissent ᵇ le Bashan et le Carmel
  et la fleur du Liban dépérit.

⁵ Les montagnes ª tremblent devant sa face,
  les collines se désagrègent.
La terre se soulève ᵇ devant sa face,
  ainsi que l'univers et tous ceux qui l'habitent ᶜ.

4a. TM : *wayyab⁽ᵉ⁾šéhû*, imperfectif piel de *ybš*, « dessécher », forme contracte pour *way⁽ᵉ⁾yabšéhû*. 4 Qp Nah *wywbyšhw* semble avoir lu l'hiphil.   *b.* Le *'um⁽ᵉ⁾lal*, « ils dépérissent », du TM ne permet pas de faire entrer le vers dans la série alphabétique, et la répétition du même verbe à la fin du vers paraît peu conforme à la loi de diversification qui caractérise le parallélisme synonymique en hébreu. Le G *'ôligôthê* suggérerait de restituer un *dāl⁽ᵉ⁾lû* « ont été abaissés ». Une confusion du aleph et du daleth n'est pas impossible dans l'écriture ancienne. Les deux graphies sont très proches dans le calendrier de Gezer.

5a. Lire *hèhārîm*, en ajoutant l'article tombé par haplographie, avec l'appui de *Mur.* et des versions, ce que favorise aussi le parallélisme avec *hagg⁽ᵉ⁾bā'ôt*, « les collines ». *b.* On garde le TM mais le sens de « se soulever » pour *nš'* n'est pas bien assuré. Aussi beaucoup de traducteurs proposent de corriger *wattiśśa'*, « monte » en *wattiššā'*, « est dévasté » de *š'h*. W. Rudolph comprend « élever (la voix) ».   *c.* On a proposé de lire *w⁽ᵉ⁾'āb⁽ᵉ⁾lû kol* ... « Ils sont en deuil tous (les habitants de la terre) », au lieu de *w⁽ᵉ⁾tébél w⁽ᵉ⁾kol* ... « Le monde et tous ... ». D'autres lisent *wayyiblû* « ils se flétrissent » de *nbl*. Le scribe transcripteur aurait été influencé par la formule stéréotypée « Le monde *(tébél)* et ceux qui l'habitent » (Is **14**, *17* ; **18**, *3* ; **26**, *9.18* ; **34**, *1*).

Lm **4**, *2* ; Neh **9**, *17*). Le psalmiste ne conteste pas cette affirmation. Il rappelle simplement que cette patience divine n'élimine pas la sanction du péché : « il ne laisse rien impuni ». Il emprunte cette expression à la même profession de foi (cf. Ex **34**, *6* ; Nb **14**, *18* ; Dt **5**, *9* s. ; Ex **20**, *5-6*) que ses adversaires avaient sans doute tronquée.

La théophanie de YHWH (**1**, *4-6*).

De la contemplation du mystère de la personne divine (le nom de YHWH retentit cinq fois dans les trois vers de **1**, *2-3a*), le psalmiste passe soudain à la description de sa venue. Le tableau se met à bouger. Le Dieu jaloux et vengeur s'avance dans une théophanie du jugement aussi majestueuse que terrifiante, présentée en 7 vers, chiffre symbolique de la perfection, et répartie en deux couplets encadrant une triade (cf. *supra*, structure de la péricope).

Le premier couplet (**1,** *3b-4a*) met en scène YHWH lui-même, sujet des verbes, tandis que la triade centrale (**1,** *4b-5*) décrit les réactions du cosmos devant l'apparition soudaine de ce Dieu vengeur (cf. Jérémias, *Théophanie*, Neukirchen-Vluyn, 1965). Mais ce texte, particulièrement riche en évocations de toutes sortes, peut se lire à trois niveaux : à la présentation de phénomènes cosmiques, extra-ordinaires certes, mais hélas souvent expérimentés dans l'histoire humaine, viennent se superposer des réminiscences du combat primordial et des allusions à l'histoire d'Israël.

La manifestation de « celui que la terre ne peut contenir » entraîne inévitablement un bouleversement de la nature. Elle s'accompagne de signes avant-coureurs ou plus exactement révélateurs : la tornade et la tempête d'abord, qui poussent les nuages à une vitesse inhabituelle (**1,** *3b*). Tandis que lors de l'apparition à Élie sur le mont Horeb, le vent puissant et fort n'était qu'un signe avant-coureur (1 R **19,** *11*), en Nah **1,** *3b* (cf. Jr **4,** *13*) Dieu est là présent au cœur même de la tempête. D'ordinaire, les nuées sont « le char de YHWH » ; en une image originale, elles deviennent ici « la poussière de ses pas ». Du fond de cette tempête, il « tance la mer et la met à sec, il tarit toutes les rivières » (**1,** *4a*). On peut penser au vent du désert qui dessèche tout sur son passage. Ce verset *4a* amorçait déjà les effets de cette apparition divine sur le cosmos, mais Dieu restait le sujet des verbes, l'agent actif. La triade (**1,** *4b-5*) s'attarde maintenant sur la réaction des éléments terrestres eux-mêmes en une progression voulue des espaces géographiquement délimités : Bashan, Carmel, Liban d'abord (**1,** *4b*), l'ensemble des montagnes (**1,** *5a*) ensuite ; la terre entière et tous ses habitants (**1,** *5b*) enfin. Les trois régions nommées étaient connues pour la richesse de leurs productions : le Liban souvent cité pour ses cèdres et ses fruits (Is **29,** *17* ; **37,** *24* ; Os **14,** *6* ; Ct **4,** *11*) ; le Bashan en Transjordanie pour ses gras pâturages et son riche bétail (Mi **7,** *14* ; Jr **50,** *19* ; Dt **32,** *14* ; Ps **22,** *13* cf. Am **4,** *1*). Is **35,** *3* ne parle-t-il pas de la « Gloire du Liban » et de la « splendeur du Carmel » (Ct **7,** *6*) ? Leur ruine symbolise la plus grande détresse. Effet du tremblement de terre, les montagnes se désagrègent (littéralement « fondent » cf. Mi **1,** *4* ; Ps **97,** *5* dans le cadre d'une théophanie). Catastrophe la plus impressionnante, car ce qui paraissait comme le plus stable, le plus immuable peut en un instant se transformer en un magma informe (cf. Is **24,** *4*). En un mouvement inverse, la terre, se soulève, s'il faut garder le TM (voir note de critique textuelle cf. Ps **89,** *10* ; Am **8,** *8*). Pour la première fois (**1,** *5b*), le tableau, tout centré jusque là sur les éléments de la nature, inclut la présence des êtres humains dont il sera question au v 6.

⁶ Devant son courroux, qui peut tenir ᵃ ?
  et qui peut se dresser contre l'ardeur de sa colère ?
  Sa fureur se répand comme le feu ᵇ
  et les roches se brisent ᶜ devant lui.

⁷ Bon est YHWH,
  une forteresse ᵃ au jour de la détresse.
  Il connaît ᵇ ceux qui se réfugient en lui,

6a. Pour retrouver la lettre *z* en tête de vers, ce qui permettrait d'insérer celui-ci dans la série alphabétique, on propose souvent d'inverser les deux premiers mots : « son courroux est devant lui Qui peut tenir ? », ou de déplacer le premier mot à la fin du stique, en lisant *lᵉphānāyw* dans les deux cas « sa colère, qui tiendrait devant elle ? ». Mais le caractère chiastique du vers dissuade de corriger le TM, et il est clair que l'inversion souligne le mot « courroux » qui porte comme première lettre *z*. Le « devant » *liphnê* devient secondaire par rapport à ce mot qui prend place dans la série alphabétique.   *b.* G « Fait fondre les commencements » (!) a lu sans doute *r'š* « tête, commencement » au lieu de *k'š* « comme le feu ».   *c.* BHS évoque l'hypothèse, fondée sur un ms. et la loi du parallélisme, selon laquelle il faudrait lire *niṣṣᵉtû* (de *yṣt*) « sont incendiés » (cf. Jr **4,**26), au lieu de *nittᵉkû* « sont brisés » du TM. Mais cette lecture est bien en situation, puisque le feu peut faire éclater les roches.

7a. L'hébreu *lᵉmā'ôz* « en guise de (?) forteresse » fait difficulté. Le G *tois hupoménousin aùton* semblerait supposer le qal de *qwh* : *lᵉqôwaw* ou plutôt le piel *limqawayw* « ceux qui espèrent en lui », ce qui donnerait un bon parallèle à **1,**7*b*. Mais malgré D. J. Levenson (*VT* 25, 1975, pp. 792-795), les deux termes hébreux ne sont pas faciles à confondre. Du reste, selon K. J. Cahtcart, *JNSL* VII, 1979, p. 4 s., il se pourrait que les LXX aient lu le participe de *'zz/'wz* qui signifie « tenir ferme ». Surtout le Ps **37,**39-40 offre le même complexe de vocabulaire : « YHWH, leur forteresse au temps de la détresse... quand ils l'ont pris pour refuge ». Le TM est donc tout à fait plausible. K. J. Cahtcart *(a. c.)* propose de voir dans le lamed un lamed d'affirmation et C. A. Keller (p. 111, n. 4) un lamed emphatique : « un vrai refuge ».   *b.* Pour retrouver la structure alphabétique du Psaume (lettre yod), on propose d'ordinaire de supprimer le *w* devant *yodé'a* « il connaît ». La tendance de l'hébreu à la coordination a pu entraîner un scribe à l'introduire ici par inadvertance. Il convient de donner au verbe « connaître » toute sa force de sollicitude active. TOB traduit : « prendre soin ».

Derrière ces phénomènes cosmiques se profilent quelques réminiscences du combat primordial. Le v 4*a* rappelle le Ps **77,**17 (cf. Is **50,**2 ; Ps **93,**3 ; Ha **3,**8 où se retrouve le même parallélisme mer et rivières). Le vent et la tempête ne sont-ils pas dans le mythe babylonien de l'*Enuma Elish* (IV, 45 ss) l'arme avec laquelle Marduk, le chef des dieux, remporte la victoire sur Tiamat, personnification du chaos originel ? Le verbe *g'r* « tancer, menacer » désigne peut-être à l'origine le cri de guerre ; dans la littérature psalmique, ce grondement de YHWH suffit à maîtriser les eaux chaotiques (Ps **18,**16 ; **104,**7 ; Is **50,**2 ; **51,**9-10 cf. Is **66,**15). Dans ce cadre de coloration mythique, il se peut que les rivières représentent les courants souterrains de l'Océan primordial, comme dans certains textes ougaritiques.

S'il renvoie aux origines d'un monde, ce tableau pourrait, en même temps, évoquer celles d'Israël. La même fusion de thèmes se retrouve dans le Ps **77**,*17-21* déjà cité. La «menace» *(g'r)* de Dieu suffit à juguler et à dessécher les eaux de la Mer des Joncs (Ps **106**,*9* cf. **114**,*3-5*), comme elle maîtrisa les eaux d'en haut et d'en bas lors de la création (Ps **104**,*7*). Cette maîtrise de Dieu, sur les forces chaotiques, manifeste depuis les origines du monde, peut se renouveler à tout instant avec un effet bénéfique ou mortifère selon les intentions divines : elle résonne par exemple comme une menace en Is **50**,*2*, mais elle reproduira, dans le cadre du Nouvel Exode, les merveilles du premier, selon Is **51**,*9-10*. Nah **1**,*3-5* se rapproche beaucoup de cette représentation du Second-Isaïe ; il formule certes une menace, mais les v 7-8 préciseront que cette théophanie aura pour effet de protéger du «flot impétueux» ceux «qui se réfugient en lui» (**1**,*8a*).

En attendant, le dernier couplet (**1**,*6*) de ce tableau théophanique tire la conséquence aussi inéluctable que terrifiante, de cette manifestation divine : qui pourra tenir devant ce déferlement de colère? Ces deux vers n'utilisent pas moins de trois synonymes pour traduire la colère de Dieu. La disposition chiastique du v *6a*, avec en plus l'inversion du complément au v *6aα*, accentue encore le caractère redoutable de cette fureur divine, tandis que la juxtaposition de la question rhétorique en *6aα* et *6aβ*, suggère l'angoisse du spectateur terrifié. L'image du feu, se propageant à grande vitesse (cf. Dt **32**,*22*) souligne encore, s'il est possible, l'aspect menaçant de la colère de Dieu (Ps **79**,*5* ; **83**,*15*s. qui associe tempête et feu ; **89**,*47* ; Is **26**,*11* ; **30**,*27* ; **65**,*5*). La représentation accumule ici les traits d'une théophanie du jugement (cf. Mi **1**,*2*ss ; So **1**).

YHWH est bon ... (**1**,*7-8*).

Et pourtant, en un contraste brutal, la triade finale commence par cette sereine déclaration : « Bon est YHWH ». Ici encore, l'inversion met en relief le qualificatif «bon» qui introduit toute la séquence et lui donne sa véritable tonalité. L'analyse de la structure empêche d'y voir une pièce rapportée. Il faut donc conclure que ce contraste est voulu. Il nous éclaire sur la portée du v 2 : le Dieu Jaloux est un Dieu bon. Nous retrouvons ici la théologie d'Ézéchiel et de l'École isaïenne (cf. *supra*), à cette différence près qu'ici la jalousie divine s'exerce non plus en faveur d'Israël comme peuple, mais au bénéfice de ceux qui,

[8] alors même que déborde le flot impétueux[a].
Il fait une extermination de ceux qui se dressent contre lui[b]
ses ennemis, il les poursuivra jusqu'aux ténèbres[c].

Nah 1, *9 - 2, 3*

1 [9] Que pensez-vous donc de YHWH[a]?
L'extermination, c'est lui qui la fait
Elle ne surgira pas deux fois, la détresse[b].

8a. Pour équilibrer le vers, il convient de rattacher au v 7 le début du v 8. Le *w* de *wbšṭph* «dans le flot» serait une dittographie de celui de *bw* «en lui» qui précède. Pour le sens de «déborder» donné à *'br*, cf. Is **8,***8a*, où il est associé à *šṭph*.   *b.* TM : «de l'emplacement d'elle». Mais le suffixe féminin n'a pas d'antécédent dans le contexte. G suppose *b'qāmāyw* «se dressant contre lui» (cf. aussi Jérôme *a consurgentibus ei*), ce qui donne un bon parallèle aux «ennemis» du second stique. Mais la leçon actuelle du TM pourrait provenir de l'éditeur, lorsqu'il plaça ce psaume en tête du livret de Nahum. YHWH «fait table rase *(klh)* de son emplacement», c'est-à-dire de l'emplacement de Ninive.   *c.* L'hébreu contient un double accusatif. Le second est interprété comme un accusatif de lieu ou plutôt de direction.

1. *9a.* C'est-à-dire «quelle idée vous faites-vous donc de YHWH?». Qu'ils corrigent ou non *'él* en *'al*, la plupart des critiques comprennent «que tramez-vous contre YHWH?», comme au v 11. On invoque aussi souvent Os **7,***15* «Ils tramaient le mal contre *('él)* moi, YHWH». Mais, dans tous ces cas, le sens du verbe est précisé par son complément «mal». De plus, à deux versets de distance, la différence de construction *'él/'al* est significative et doit conduire à donner deux sens différents. Cf. commentaire.   *b.* G «Il ne se vengera pas deux fois de la même manière dans l'épreuve» a lu, sans doute à tort, *yiqqôm* (de *nqm*) «venger», au lieu de *taqûm* «surgira» (de *qûm*, se lever).

au sein de la communauté, mettent leur confiance en YHWH. C'est la perspective de nombreux psaumes, dont le langage s'apparente d'ailleurs à celui de Nah **1,***7-18* : « YHWH est bon » (Ps **25,***8* ; **34,***9* ; **52,***11* ; **54,***8* ; **73,***1* ; **100,***5* ; **106,***1* ; **107,***1* ; **119,***68* ; **135,***3* ; **136,***1* cf. **69,***17* ; **109,***21*). Si elle s'exprime dans la patience divine (Nah **1,***3a* voir le parallèle en Ps **145,***8-9*), cette bonté se traduit aussi dans cette sollicitude active («il connaît» au sens de «prendre soin de» cf. Ps. **1,***6* ; **139,***1.14.23* ; **142,***4* ; **144,***3*) qui fait de lui une forteresse (Ps **27,***1* ; **28,***8* ; **31,***3.5* ; **37,***39* ; **43,***2* ; **52,***9* ; **71,***3*) pour tous ceux qui se réfugient en lui (Ps **2,***12* ; **5,***12* ; **7,***2* ; **11,***1* ; **16,***1* ; **17,***7* ; **18,***3.31* en contexte théophanique ; **25,***20* ; **31,***2* en lien avec la «bonté» de YHWH ; **34,***9* : «Goûtez et voyez comme est *bon YHWH*. Heureux l'homme qui *se*

réfugie en lui»; **34,** *23*; **37,** *40*; **57,** *2*; **64,** *11*; **71,** *1*; **118,** *8.9*; **144,** *2* cf.
encore YHWH un «refuge», *mḥsh*, Ps **14,** *6*; **61,** *4*; **71,** *7*; **73,** *28*;
91, *2.9*; **94,** *22*; **142,** *6*). Le Ps **37,** *39*, un psaume alphabétique!, offre le
parallèle le plus éclairant : «Le salut des justes (vient) de YHWH. Il
est *leur forteresse* au temps de la *détresse*, YHWH ... les délivre des
impies, car *ils se réfugient en lui*». Mais qu'on ne s'y trompe pas : dans
le cadre de cette théophanie du jugement, la bonté de YHWH n'a
rien de cette faiblesse bonhomme que comporte de nos jours le
qualificatif hélas si dévalué de «Bon Dieu». S'il se montre le Sauveur
de ses fidèles, sa vengeance s'exerce impitoyablement (cf. **1,** *2-3a*)
envers ceux qui «se dressent contre lui» (**1,** *8*). Le jugement de YHWH
comporte nécessairement une face sombre, qui conduit les «ennemis»
à la «ténèbre» c'est-à-dire dans la tombe (Ps **88,** *7*; **13,** *4*; **23,** *4*; **44,** *20*;
49, *20*; cf. Job **10,** *21* s.; **17,** *13*; **38,** *17*).
     Pas une seule fois n'apparaît le nom de Ninive. Il semble que le
poème ait été placé en introduction au livret, pour lui conférer une
valeur eschatologique (cf. l'introduction). Bien plus l'éditeur aurait
tenté, selon ses procédés habituels, d'articuler plus étroitement cette
pièce psalmique sur le poème de la ruine de Ninive. Le v **1,** *8* présente
quelques difficultés textuelles. L'interprétation développée ci-dessus
se fonde sur la leçon du grec «il fait une extermination de ses
adversaires *(bᵉqāmayw)*». Le texte hébreu porte *mᵉqômah*, littéralement «le lieu d'elle». Ce suffixe féminin est sans antécédent dans le
contexte immédiatement précédent. Il est possible qu'il renvoie à la
ville de Ninive, évoquée par la suite. Un scribe aurait donc modifié le
texte original, attesté par le grec, pour articuler plus ou moins
adroitement le psaume sur les oracles qui vont suivre. Cette
correction entraînerait une transposition des partenaires de YHWH.
Désormais, le jugement s'exerce à l'encontre de Ninive, devenue le
symbole des nations et identifiée aux «ennemis» de YHWH, tandis
que «ceux qui se réfugient en lui» représenteraient la communauté
d'Israël.

PAROLES D'ESPOIR

1, *9-***2,** *3*

     Le psaume alphabétique s'achève en **1,** *8*. Le v 9, d'un tout autre
style, interpelle directement les auditeurs du prophète : il fait
succéder un oracle à une prière psalmique. On a fait remarquer que les
deux vers du v 9 prolongeraient, quoique en ordre inversé, la
séquence alphabétique : le *mem* se situant au début de 9*a* et le *lamed*

¹⁰ Comme des fourrés ᵃ d'épines enchevêtrés,
comme des liserons entrelacés ᵇ,
Ils sont dévorés comme la paille séchée ᶜ.

¹¹ Ne s'est-il pas éloigné de toi ᵃ,
celui qui trame le mal contre YHWH,
l'homme aux projets maléfiques ᵇ.

10a. En lisant *kᵉyaʿar* «comme un fourré» au lieu du TM *ki-ʿad* «car jusqu'à» (cf. C.-A. Keller). *b.* Le TM *ûkᵉsābᵉʾām* *sᵉbûʾîm*, signifierait «bus, comme ils boivent», ce qui n'a guère de sens. HALAT distingue deux racines *sbʾ*, l'une signifiant «boire abondamment», l'autre «liseron» (de la racine *sab*, «entourer»), cf. G. Le second terme serait un participe passif de la même racine : «qui sont tressés, entrelacés». *c.* Litt. «comme la paille (qui) sèche». Construction asyndétique. Pour *mlʾ* voir note suivante.

11a. On rattache le dernier mot *mlʾ* du v 10 au début du v 11 et l'on corrige en *hlʾ* «est-ce que ... ne ... pas...», ce qui donne un bon rythme ternaire au v 10 : 3+3+2. Littéralement : «Est-il sorti de toi?». Beaucoup de traducteurs comprennent «est-il issu de toi?». Mais le contexte favorise plutôt le sens de «s'éloigner de». Voir le commentaire. W. Rudolph renvoie à Gn **4,6** ; **44,28** ; Ex **4,6**. *b.* Litt. «Celui qui fait des projets (dignes) de Bélial».

au début de 9*b*. Est-ce pur hasard? Ou l'éditeur du livre a-t-il perçu le caractère acrostiche du psaume et aurait-il tenté de le poursuivre jusqu'à la lettre *nun* exclue, ce qui pourrait signifier formellement la chute de Ninive dont le nom commence par un *nun*?

Quoi qu'il en soit de cette hypothèse, difficile à vérifier, le passage de **1,9-2,3** offre une suite d'éléments à première vue disparates, mélangeant exhortation (**1,9-11**), promesses (**1,12-13** ; **2,1.3**), annonces de jugement (**1,14** ; **2,2**), tandis que le v **2,4** commence à brosser un tableau de l'ultime bataille de Ninive, qui se poursuit jusqu'en **2,11**. Cette diversité à l'intérieur de la section fait soupçonner déjà un travail d'édition. Son interprétation s'avère délicate pour plusieurs raisons : l'état défectueux du texte ; la multiplicité et la brièveté des pièces qui paraissent souvent tronquées ; l'absence de référents explicites pour les destinataires de ces paroles d'espoir, formulées à la seconde personne tantôt du masculin, tantôt du féminin.

Il semble cependant que l'on puisse considérer cet ensemble comme un regroupement de pièces concernant Juda, autour du thème de la consolation. D'ordinaire, on voit ici des oracles adressés alternativement à Juda (**1,9-10** ; **1,12-13** ; **2,1.3**) et à Ninive (**1,11** ; **2,2**) ou à son roi (**1,14**). Cette disposition ne s'impose pas. Il paraît en effet préférable de considérer les pièces formulées à la seconde personne du féminin singulier comme adressées au même destinataire, surtout quand elles se suivent comme aux v **1,***11-13*. Si le v 11 affirme que l'être maléfique s'est éloigné (cf. critique textuelle), il concerne alors Juda qui a vu l'effondrement de la puissance assyrienne (cf. commentaire). De la sorte, les v **1,***9-13* se présentent comme des paroles d'espoir adressées à la communauté judéenne. Bien plus, si l'on adoptait la proposition, avancée par W. Rudolph, de lire en **1,***14a* «contre lui» au lieu de «contre toi», ce v 14 pourrait aussi concerner Juda et l'ensemble des **1,***9*-**2,***1* se définir comme une série d'exhortations à la confiance.

Cette série se poursuit en **2,***3*, où l'on évoque le retour de Jacob et d'Israël. Aussi, avec nombre de commentateurs, serait-on tenté de remonter le v **2,***3* immédiatement après **2,***1* et de rattacher **2,***2* à ce qui suit. Le contenu de **2,***2* et son rythme rapide à dominante $2+2$ le rapproche de la séquence **2,***4-11*. C'était probablement là sa place primitive. Toutefois, l'inversion des v **2,***2* et **2,***3* ne paraît guère provenir d'une erreur de scribe. Elle est plutôt intentionnelle : par une sorte de verrouillage, l'éditeur aurait emboîté le tableau de la bataille (**2,***4-11*) sur la section composite dont il la faisait précéder. Il donnait ainsi plus clairement à la ruine de Ninive une portée religieuse et y lisait un événement de l'histoire du salut.

L'œuvre imparable de YHWH (**1,***9-11*).

Même si elle n'est pas proprement originelle, cette unité développe une argumentation tout à fait cohérente. D'entrée de jeu, le prophète s'en prend avec vigueur à ses compatriotes ; «quelle idée, vous faites-vous donc de YHWH ?». Derrière cette question, on devine, dans le peuple, une tentation de désespérance, qui se tourne en accusation de Dieu : que fait donc YHWH ? Son silence et son absence ne sont-ils pas le signe de son impuissance ou de son abandon ? Nahum essaie de secouer l'apathie de ses concitoyens et refuse leur vision pessimiste de l'avenir, qui repose en fait sur une sorte d'incroyance pratique. Aussi rappelle-t-il que la décision et l'action de YHWH sont irréversibles. C'est lui qui mène l'histoire, et son engagement va jusqu'au bout de ses ultimes conséquences : quand il a décidé la ruine d'une nation ou d'un peuple, celle-ci se réalise de façon implacable, sans espoir de retour (cf. Jr **30,***23*s.). Nahum rejoint ainsi Jérémie (Jr **30,***11*) pour qui YHWH «fait table rase» (littéralement «il fait l'extermination», ce sont les mêmes mots qu'en Nah **1,***9*) de toutes les nations, à

¹² Ainsi parle YHWH :
   Si intacts et nombreux qu'ils soient^a,

12a. Le *w^ekén* du premier stique est absent du G. Il semble être une dittographie de celui du second stique.

l'exception d'Israël. N'est-il pas celui qui «brise le plan des nations et anéanti les desseins des peuples» (Ps **33,**10)? Il se pourrait que la fin du verset : «La détresse ne surgira pas deux fois» fasse allusion au siège de Jérusalem en 701 av. J.-C. L'événement avait fait une telle impression que la Bible en rapporte le récit en trois endroits au moins (2 R **18-19**; Is **36-37**; 2 Ch **32**) sans compter les nombreuses allusions dans le livre d'Isaïe par exemple. Ézéchias proclama que ce jour est un «jour de détresse». Si l'on a foi en YHWH, dit le prophète, une telle catastrophe ne peut se reproduire (cf. **1,**11 et *infra*).

Après la monition, l'encouragement. Dans une sorte de vision prophétique, pressentant que l'empire assyrien vit ses derniers jours, Nahum emprunte au langage d'Isaïe l'image de l'incendie embrasant le monde. Les ennemis d'Israël et de ... YHWH sont comparés à des épines et à des ronces, en raison de leur agressivité certes (cf. Mi **7,**4), mais aussi parce que, tout comme la paille séchée, elles s'enflamment en un instant (Is **5,**24; **10,**17; **27,**4; **33,**11-12 cf. Jr **5,**14; 2 S **23,**6 s.). Comment ne pas y voir aussi le symbole de la colère divine (Am **1,**4 ss)? Nah **1,**6 n'en parle-t-il pas comme d'un feu et d'un incendie?

Comme pour justifier son credo théologique, le prophète en appelle à l'expérience même de Juda, au «miracle» de 701, tel du moins que le rapporte le récit de 2 R **18-19** et de ses parallèles, quand Sennachérib dut, pour des raisons restées mystérieuses, lever le siège de Jérusalem et retourner précipitamment en son propre pays. «Ne s'est-il pas éloigné de toi ... l'homme aux projets maléfiques?». La question s'énonce au féminin. La représentation d'une collectivité sous les traits d'une femme est fréquente dans la Bible, à commencer par la «Fille de Sion». Les qualificatifs attribués à l'anonyme du v 11 conviennent parfaitement au comportement et au caractère de Sennachérib, tels que les reflètent la narration de 2 R **18-19** et le discours du messager officiel (2 R **18,**22.29-34). L'argumentation des v 33-34 oppose à la marche triomphale des armées assyriennes l'impuissance des dieux des vaincus, parmi lesquels prend place YHWH. N'est-ce pas là «tramer le mal contre YHWH» (Nah **1,**11 cf. 2 R **19,**22)? On peut même se demander si cette péroraison n'a pas laissé quelques traces dans le subconscient de Juda, comme semble le suggérer Nah **1,** *9*. Isaïe, lui aussi, avait dénoncé l'orgueil de l'Assyrie, élevé au rang d'instrument divin pour le châtiment d'Israël, mais qui, par démesure, a outrepassé sa mission (Is **10,** *5-19*). C'est peut-être cette «ubris» quasi satanique, que veut caractériser le terme de «Bélial», «l'être aux projets maléfiques». D'étymologie incertaine, ce mot garde de ses origines quelques résonances mythologiques. Il s'apparente aux forces chaotiques, qui constituent une menace pour l'équilibre de la communauté et l'ordre voulu par Dieu (cf. *TWAT*, I, 656 s.). Il relève du monde de la mort, des puissances infernales. Le Ps **18,** *5* met les «torrents de Bélial» en parallèle avec les rivières souterraines du *she'ol*. Ici ce jeu d'image donne à l'événement une nouvelle dimension. Le roi assyrien apparaît comme l'émanation de ce monde du mal, qui tente de se mettre en travers des projets divins. Mais le v 11 résonne déjà comme un cri de victoire. Naguère (en 701 av. J.-C.), ce représentant des forces du mal n'a-t-il pas dû abandonner le terrain et lever le siège de la ville de YHWH ?

J. Jeremias (*Kultprophetie*, p. 17 s.) croit pouvoir reconnaître en Nah **1,** *9* un verset rédactionnel, qui emprunterait à Nah **1,** la proposition «il fait l'extermination» et à Nah **1,** *11* l'expression «tramer le mal contre YHWH». Mais la première similitude a simplement pu permettre à l'éditeur de rapprocher le Ps **1,** *2-8* de l'oracle de **1,** *9-11*, grâce au procédé du mot crochet, qui lui est coutumier (cf. B. Renaud *ZAW* 99, 1987). Par ailleurs, nous avons vu que **1,** *9aα* ḥšb *'ēl*, «penser au sujet de YHWH» n'a pas le même sens qu'en Nah **1,** *11aα* ḥsb *'al* «tramer le mal contre YHWH». Cependant, cette ressemblance approximative des deux expressions, qui font inclusion et encadrent l'unité de **1,** *9-11*, pourrait supporter un jeu de mots : en doutant de YHWH, en s'en faisant une représentation faussée (**1,** *9a*), les Judéens tombent dans le piège de celui «qui trame le mal contre YHWH» (**1,** *11a*). Ne semblent-ils pas donner raison à l'argumentation de l'envoyé de Sennachérib (2 R **19,** *33* s.) ? Cette conclusion reste assurément hypothétique, car on ne peut prouver que Nah **1,** *9-11* se réfère consciemment à 2 R **18-19**.

Si je t'ai humiliée, je ne t'humilierai plus (**1,** *12-13*).

A la parole du prophète succède un oracle de YHWH. La formulation revêt quelque solennité, du fait que c'est le seul passage du livre qui utilise la formule de messager. Pour la première fois, aussi, YHWH prend la parole. Mais c'est le même message que précédemment : le salut est imminent. Ce qui s'est passé en 701, va se

Ils seront pourtant rasés[b], ils disparaîtront[c].
Je t'ai humiliée, je ne t'humilierai plus.

[13] Et maintenant, je vais briser son joug[a] de dessus toi
et tes chaînes, je vais les rompre.

[14] YHWH a décrété contre toi[a] :
Il n'y aura plus de descendance (issue) de ton nom[b].
De la maison de tes dieux, je supprimerai
images sculptées et images fondues.
Je prépare ton tombeau[c],
car tu es méprisable.

---

b. G « séparés ».   *c.* Le TM a le singulier $w^e‘ābār$ « il disparaîtra ». En rattachant ici le waw du mot suivant, on lit w^e $abrû$ « ils passeront ». Pour le sens de « disparaître », cf. Jr **13**,*24* ; So **2**,*2* ; Jb **34**,*20* ; Ps **48**,*5* ; **144**,*4*. Ce verbe manque dans G.

13*a.* G semble avoir lu $maṭṭéh$ « bâton ». Mais la vocalisation du TM renvoie plutôt à $môṭah$, « joug », lecture préférable, étant donné l'association de $šbr$ briser et de $moṭah$ en Jr **28**,*10-12* ; Ez **30**,*18* ; Lv **26**,*13*, ainsi que le parallèle « briser le joug » / « rompre les chaînes », Jr **2**,*20* ; **5**,*5* ; **30**,*8* cf. Jr **27**,*2*.

14*a.* Dans une série d'oracles s'adressant à Juda, une condamnation contre le roi d'Assyrie peut faire figure de corps étranger. Aussi, très habilement, W. Rudolph suggère-t-il de lire « contre lui » au lieu de « contre toi » : YHWH rapporte ainsi à Juda le décret qu'il a pris contre le roi de Ninive. Cette légère substitution d'un suffixe de la troisième personne à un suffixe de la seconde personne s'expliquerait par une influence de ce suffixe, normal dans le contenu de l'oracle qui contient trois pronoms à la seconde personne, sur l'introduction elle-même (v 14*aα*). L'hypothèse est plausible et donnerait une bonne cohérence logique. Elle manque cependant d'appui textuel.   *b.* Litt. « A partir de ton nom, il ne sera plus semé (il n'y aura plus de descendance) ». Corriger le TM $yizzāré‘$ en $yizzākér$ « On ne se souviendra plus (de ton nom) » d'après le Tg, c'est adopter une leçon facilitante. Le nom renvoie à la progéniture cf. Is **66**,*22* ; **56**,*5* ; **14**,*22* cf. Is **48**,*19* ; 2 S **14**,*7* ; Ps **9**,*6* ; Jb **18**,*17* ; Pr **10**,*7*.   *c.* « Je prépare », Litt. « je fais ». Certains traducteurs corrigent $kî$ $qallôta$ « car tu es méprisable » en $qîqalôn$: « (Je fais de ta tombe) une ignominie ». On a aussi proposé de modifier $‘āśîm$ « je fais » en $’aššîm$ (de $šmm$) « je dévasterai ». Même si la formulation du TM est un peu difficile, elle est loin d'être inintelligible. Cette sanction s'inscrit dans la droite ligne des précédentes : suppression de la descendance, suppression des dieux protecteurs, suppression de la vie.

---

reproduire, toutefois en plus radical, en apportant du définitif. Le roi d'Assyrie et son armée avaient dû lever le siège de Jérusalem, cette fois c'est la ruine totale qui les attend : « Ils seront rasés, ils disparaîtront » (Nah **1**,*12* cf. Jr **13**,*24*). Leur force actuelle (**1**,*12a*) ne doit pas faire illusion. Le prophète annonce donc un bouleversement de la politique mondiale. Il est si assuré de ce qu'il affirme, qu'il emploie le parfait prophétique « ils sont rasés ... ». Du seul fait qu'elle

est décidée et annoncée par Dieu, la fin de l'empire assyrien est
considérée comme déjà réalisée. Cette ruine signifie libération pour
Juda (**1,** *13*). Le joug, symbole traditionnel de l'oppression, est brisé,
et les chaînes de l'esclavage rompues. Le langage est proche de celui
de Jérémie (Jr **28,** *2.4.10* s. et surtout **2,** *20* et **30,** *8* cf. Éz. **30,** *18* ;
34, *27*). Dans le prolongement des v **1,** *9-11*, peut-être le prophète fait-
il allusion aux lourdes contraintes imposées par Sennachérib : le
tribut important (2 R **18,** *14-16*), la réduction considérable du territoire laissé sous l'autorité d'un roi judéen, etc. Alors, le salut de
Jérusalem n'avait été que partiel. Maintenant Juda est rendu
totalement à la liberté.

La fin d'un tyran (**1,** *14*).

Que l'on retienne ou non la correction, proposée par W. Rudolph,
de lire «contre lui» au lieu de «contre toi», il est clair, qu'au niveau
rédactionnel à tout le moins, ce verset se situe dans la droite ligne de
ce qui précède. Il formule une parole de YHWH, cette fois une parole
de jugement contre un personnage anonyme, à identifier sans doute
avec celui qui, au v 13, tenait Israël asservi. Ainsi s'explique le
passage du pluriel du v 12 au singulier du v 13. Selon la mentalité de
l'époque, en un monde où dominait le pouvoir absolu d'un homme,
l'Assyrie se trouvait comme personnifiée en la personne de son roi.
L'effondrement du pouvoir royal entraîne et symbolise tout à la fois
la ruine du peuple lui-même. La libération de Juda passe par la
disparition du tyran maudit.

YHWH lui-même décide. Il laisse ainsi sous-entendre que le
combat entre Juda et l'Assyrie n'est que l'extériorisation de
l'affrontement implacable entre lui-même et le souverain de Ninive,
l'être maléfique. Combat inégal en vérité. Il suffit à Dieu de parler, de
«décréter», pour remporter la victoire définitive. La décision est sans
appel : la triple parole divine se réalisera inmanquablement.

Si la formulation de la première sanction annoncée est loin d'être
claire (cf. critique textuelle), le sens global ne fait guère difficulté. En
un temps où l'on ignore la vie dans l'au-delà, l'homme aspire à
prolonger la vie et son être à la fois dans son nom (sa renommée) et sa
descendance. Les deux sont d'ailleurs étroitement associés, puisque
c'est la descendance qui porte le nom. Pour le Sémite, celui-ci est
conçu comme une sorte d'équivalent de la personne. L'extinction de
la dynastie (cf. Jr **22,** *30*) marque l'échec définitif de celui qui aspirait
à une renommée mondiale de puissance et de gloire.

Le second arrêt divin, la disparition des statues du temple, ne

2   ¹ Voici sur les montagnes les pas ª du messager
           qui fait entendre la paix.
        Célèbre tes fêtes, Juda,
           accomplis tes vœux,
        Car, il ne passera plus chez toi,
           l'être maléfique ᵇ
           il est totalement supprimé ᶜ

---

2. 1*a*. «Les pas», litt. «les pieds».   *b*. Litt. «Bélial» cf. **1,***11*. Peut-être un *bèn*
«fils» est-il tombé entre *bk* (chez toi) et Bélial. Pour l'expression «fils de Bélial» voir
1 S **1,***16* ; **25,***17*, etc.   *c*. G «il est achevé».

signifie pas une simple purification cultuelle, comme le voudrait
J. Jeremias (*Kultprophelie*, p. 20 ss), qui, du reste, voit ici un oracle
contre le roi Judéen Manassé. Dans le contexte immédiat, où il est
question d'anéantir aussi bien la descendance (**1,***14aβ*) que la
personne (**1,***14bβ*), cette éradication des idoles ne peut valoir que
comme signe de destruction totale. Les bases mêmes, religieuses, de
l'empire assyrien sont ébranlées, entraînant la ruine de Ninive. Les
assises religieuses sur lesquelles se fondait la royauté, marquée au coin
d'une mentalité sacrale, se sont elles-mêmes effondrées. A travers la
victoire sur le souverain, YHWH emporte la victoire sur les dieux de
la nation. Le roi d'Assyrie se vantait que les divinités n'avaient pu
arrêter ses campagnes triomphales (Is **36,***18-19*). Le prophète Isaïe y
voyait une insulte au Dieu vivant (Is **37,***23-25*). L'heure du châtiment
a désormais sonné. YHWH se venge en détruisant jusqu'au
fondement religieux de cet empire, caractérisé par l'orgueil et la
démesure.

Les unes après les autres, toutes les perspectives d'avenir se
ferment : la descendance, l'empire et, pour finir, la vie même (**1,***14bβ*).
Il n'est nul besoin de corriger le texte et d'y lire l'annonce de la
profanation du tombeau. Car ce qui est au cœur de cet oracle comme
des précédents, c'est la fin de l'oppression et de l'oppresseur : Dieu
«fait l'extermination» (**1,***9*) ; les ennemis sont consumés (**1,***10*), rasés
(**1,***12*). Le discours divin s'achève sur une appréciation d'une ironie
mordante : «car tu es méprisable» (la TOB traduit «tu ne fais pas le
poids». C'est le sens premier de la racine «être léger»). L'homme qui
régnait en maître (**2,***12*), qui asservissait les peuples (**3,***4*), qui se
vantait d'être le plus fort que les dieux des nations (cf. *supra*)
s'évanouit en un instant, balayé par la seule parole de YHWH.

Invitation à la joie (**2,** *1-3*).

Cette série d'oracles, adressés à Juda, culmine dans la joyeuse proclamation d'un salut imminent. Ne voit-on pas déjà sur les montagnes avoisinant Jérusalem le messager s'approcher pour annoncer la «bonne nouvelle» de la paix?

La structure un peu complexe de ce petit ensemble : deux séries d'impératifs (v 1*aβ* et v 2) suivis de *kî* «car» (v 1*b* et v 3 *bis*), et des heurts dans la pensée entre le v 1 et le v 2, entre le v 3*a* et le v 3*b*) conduisent à envisager l'hypothèse d'une intervention rédactionnelle. Dès le début de **2,** *1*, la parenté de ce stique 1*aα* avec Is **52,** *7* pose le problème des sources. Une analyse précise montre que les v **2,** *1-3* sont l'œuvre du rédacteur, qui a combiné des éléments de provenances diverses (cf. *ZAW* 99, 1987). Il semble que le schéma littéraire qui a présidé à cette compilation provienne d'Is **52**. Hormis le mot «voici», Nah **2,** *1aα* reprend à la lettre Is **52,** *7aα*, et J. Jeremias (*Kultprophetie*, p. 13 s.) a clairement montré que Nah dépendait du Second-Isaïe et non l'inverse. De même, Nah **2,** *1bα* «car il ne passera plus chez toi (l'être maléfique)» décalque Is **52,** *1bβ*. Comme l'ont noté bien des commentateurs, malgré le changement de personne, qui pourrait provenir du déplacement rédactionnel, le v **2,** *2*, de par le rythme et la thématique, se rapproche de **2,** *4-11*. Dans l'oracle primitif de Nahum, il s'adressait à Ninive. L'éditeur l'insère entre les v 1 et 3 et l'oriente ainsi sur Jérusalem. Ce déplacement, au premier abord étonnant, s'explique ici encore, à notre sens, en fonction du scénario d'Is **52**. En effet, après l'annonce de l'arrivée du messager de paix (Is **52,** *7* cf. Nah **2,** *1*) le prophète met en scène des guetteurs (*ṣpy* Is **52,** *8* cf. Nah **2,** *2* : surveille, *ṣph*, la route) qui proclament la venue de YHWH retournant à Sion. C'est précisément ce qu'exprime Nah **2,** *3*. Ainsi cette séquence, au premier abord quelque peu étrange, prend toute sa cohérence en fonction du développement d'Is **52**. Mais en même temps, le rédacteur combine ces réminiscences deutéro-isaïennes avec des emprunts au contexte immédiat : «Bélial» (cf. Nah **1,** *11*), «complètement» (*klh* cf. Nah **1,** *8-9*) ; «supprimer» (*krt* cf. Nah **1,** *14*). Nous sommes donc en présence, non plus seulement d'un enchaînement d'oracles comme en **1,** *9-14*, mais devant une véritable composition rédactionelle.

L'expression «faire entendre la paix *(šalôm)*» plonge sans doute ses racines dans une formule de bénédiction : «Que YHWH fasse entendre à mon maître une nouvelle paix», nous rapporte un extracon de Lakisch (cf. A. Lemaire, *Les inscriptions hébraïques*, t. I, Paris,

² Un destructeur^a est monté contre toi^b,
  Garde la forteresse^c,
    surveille la route.
  Ceins tes reins^d,
    rassemble toutes forces.

2*a.* «destructeur», en vocalisant *mappéṣ* (de *pṣṣ*). TM *mépîṣ* «celui qui disperse» (de *pwṣ* disperser). On a proposé aussi *mépîṣ* au sens de «massue» (d'où TOB «une troupe de choc»). K.-J. Cahtcart (p. 80) conserve le TM en rappelant que le verbe *pwṣ* est souvent utilisé en langage militaire avec l'idée de jeter la confusion dans les troupes ennemies. *b.* Litt. «contre ta face» *('al pānayik)*. J. Jeremias *(Kultprophetie*, p. 27), suivant P. Humbert *(ZAW*, 44, 1926, p. 275), corrige en *'al pinnayik* «contre tes créneaux (remparts)».   *c.* G «délivrant de l'épreuve» a lu *miṣṣārāh* au lieu de *mᵉṣurāh* «forteresse».   *d.* Litt. «raffermis tes reins» voir HALAT sur *ḥzq*.

1977, p. 87). Elle est ici intégrée à un oracle de salut, auquel l'introduction «Voici les pas du messager» et l'image du porteur de bonne nouvelle marchant de montagne en montagne (cf. Ps **84,** *8*) donnent quelque solennité. Le message se résume en un seul mot : *šalôm.* Notre traduction «paix.» n'est qu'une approximation bien pâle de ce terme hébreu riche de sens. Sans doute désigne-t-il cet état de tranquillité qui suit la fin des combats et surtout la victoire (cf. ici **2,** *1b*), mais il inclut aussi les idées de salut et de libération (Ps **85,** *9-10*), celles de plénitude, d'équilibre, d'épanouissement. Il comporte même une dimension économique et sociale ; c'est pourquoi il est souvent associé au mot «justice» dont il est le fruit (Is **32,** *17* ss). De cette paix, Dieu est la source ; ne nous étonnons pas de la retrouver dans la bénédiction sacerdotale de Nb **6,** *22-27.*

On comprend dès lors qu'une invitation à rendre grâces suive immédiatement l'annonce du salut (**2,** *1aβ*). Plutôt que des fêtes annuelles régulières, il s'agit ici des célébrations associées à la victoire et au salut du Dieu «qui vient» (Is **9,** *2* ; **24,** *14* ; **65,** *18* ; So **3,** *14* s. ; Jr **31,** *37* ; et surtout Is **30,** *27-30* : «Voici venir de loin le nom de YHWH ... Vous chanterez comme la nuit où l'on célèbre la fête, vous avez le cœur joyeux comme celui qui va vers la maison de YHWH»). Dans les temps de trouble, d'épreuve et d'angoisse, le fidèle s'engage souvent par vœux. Le temps de la fête qui célèbre l'exaucement des demandes doit être aussi celui où l'on remplit ses engagements, l'heure de l'action de grâces (Ps **22,** *26* ; **50,** *14* ; **56,** *13*).

Le v **2,** *1b* précise l'objet de cette action de grâces : la ruine définitive de l'ennemi traditionnel. Dans ce contexte (cf. **1,** *11*), Bélial, l'être maléfique, ne peut que désigner le roi d'Assyrie, mais à l'époque de l'éditeur qui a composé ces versets, celui-ci a depuis longtemps disparu. Cet appellatif prend le visage de l'ennemi eschatologique (cf. *infra* et l'introduction). Quel que soit le visage, on devine en tout cas, à travers ce bref oracle, la jubilation devant la disparition d'un tyran universellement honni.

Le passage du v 1 au v 2 ne s'opère pas sans difficulté : de la «paix» on passe sans transition à la guerre. Primitivement, ce verset introduisait sans doute la description des v 4-11 et s'adressait à Ninive (cf. *supra*). Après l'évocation de l'attaque ennemie, le prophète invite ironiquement la capitale assyrienne à se préparer au combat, en lui donnant une multiplicité de conseils : monter la garde aux remparts, du chemin de ronde surveiller les accès de la cité, bander toute son énergie. Elle en aura bien besoin à l'heure de la terrible bataille qui s'annonce imminente. Déjà ne voit-on pas dans la plaine les premiers combats ? N'entend-on pas le cliquetis des armes (**2,**4ss) ?

Dans le contexte actuel, l'invitation s'adresse à Jérusalem (cf. *supra*). Comme en Is **52,**8 («Voix de tes *guetteurs*, ils élèvent la voix ... car les yeux des yeux ils voient YHWH revenir *(šûb)*, à Sion»), la Jérusalem eschatologique, du haut des remparts, voit elle aussi YHWH revenir *(šûb)*, à Sion (Nah **2,**3). Il n'est plus seul; il est accompagné de la longue théorie des rapatriés. C'est là un des éléments du Nouvel Exode, cher au Second Isaïe (Is **40,**3 ; **43,**16 ; **46,**1-13 ; **52,**1-6.12) qui pourrait avoir aussi fourni au rédacteur le parallèle Jacob-Israël, fréquent en Is **40-55** (Is **46,**13 ; **40,**27 ; **41,**8.14 ; **42,**24 ; **43,**1.22.28 ; **44,**1, etc.) pour désigner le nouveau peuple issu de l'épreuve et regagnant Jérusalem. De même, l'expression «fierté d'Israël», «fierté de Jacob» caractérise en Is **4,**2 ss (oracle exilique ou postexilique) les «rescapés d'Israël ... le reste de Sion ... les survivants de Jérusalem», là aussi dans le contexte d'un Nouvel Exode (Is **4,**6) ; en Is **60,**15 elle qualifie la Jérusalem glorieuse, centre du monde (cf. Ps **47,**5).

La fin du v **2,**3 introduit une sorte de rétrospective sur le passé, qui fonctionne comme un élément de contraste et souligne le renversement de situation. Reprenant de manière allusive le symbole de la vigne (Ps **80,**9-17 ; Is **5,**1ss) pour désigner Juda-Israël, il rappelle le saccage des pillards qui en avaient «coupé les sarments». Sur la base de la traduction des LXX, J. Jeremias (*Kultprophetie*, p. 26) donne au verbe *šûb* le sens de «détourner», c'est-à-dire de «détruire». Il propose «Car YHWH détruira l'orgueil de Jacob comme (il a détruit) l'orgueil d'Israël. Des pillards les pilleront et saccageront leurs sarments». Jacob désignerait le royaume du Sud et Israël le royaume

³ Car YHWH revient^a avec la fierté de Jacob
comme avec la fierté d'Israël^b,
Car des pillards les avaient pillés
et avaient détruit leurs vignes^c.

Nah 2, 4-11

⁴ Le bouclier de ses braves est teint de rouge^a.
Les guerriers sont vêtus d'écarlate^b.
Comme le feu^c (brillent) les aciers^d des chars

3a. On traduit souvent «fait revenir», en corrigeant parfois *šab* en *yāšib* «fait revenir» avec haplographie du yod. Mais en dehors de l'expression *šub šᵉbût*, le verbe *šub* n'a pas de valeur transitive. Et puisque le texte actuel est tout à fait intelligible, surtout si l'on se réfère à Is 52, 7-11 (cf. commentaire), aucune correction ne s'impose.   *b.* Litt. «comme la fierté d'Israël». Mais le comparatif *k* peut inclure la préposition, comme en Is 28, 21. Cf. HALAT sous la lettre *k*, nº4. M. Delcor et d'autres proposent de corriger *gᵉ'ôn*, «fierté» en *géphèn* «vigne», du fait que le dernier stique du vers a utilisé le mot «sarments». Mais cette correction ne s'impose pas. G *'ubris* «orgueil» a lu *gᵉ'ôn*, mais en lui donnant sa connotation négative.   *c.* Litt. «leurs sarments», *pars pro toto*.

4a. G : «hors des hommes» a lu *mè'ādām*, au lieu de *mᵉ'ādām* «teints de rouge». Leçon inintelligible.   *b.* G : «se jouant (du feu)», n'a pas mieux compris le second stique que le premier   *c.* Avec quelques mss et *Syr*, nous lisons *kᵉ'éš*, «comme le feu». TM : *bᵉ'éš* «dans le feu».   *d.* TM *pᵉlādôt* est un *hapax legomenon*. En syr. et en arabe, la racine signifie «acier». K.-J. Cahtcart et C.-A. Keller le rattachent à la racine ugaritique *pld* «couverture». On a aussi proposé de corriger *pᵉladôt* en *lapidôt* «flambeaux, torches» : «Dans le feu des torches, les chars».

du Nord ; les parfaits seraient des parfaits prophétiques. Ce serait donc un oracle de jugement contre Juda. L'avantage de cette lecture est de donner davantage de cohérence au v 2, 3. Ce pourrait être le sens primitif du verset. Dans ce cas, jouant sur le double sens du verbe *šûb* détourner et revenir, ainsi que du mot *gᵉ'ôn* «orgueil» ou «fierté», l'éditeur aurait transformé une condamnation en oracle de salut.

En même temps, ce déplacement et cette réinterprétation du v 2 lui permettent d'associer étroitement cette annonce du retour à l'évocation de la ruine de la cité que les v 2, 4-11 dépeignent avec tant de talent poétique. Dans le contexte actuel, le combat apparaît comme celui de YHWH, auquel renvoie l'adjectif possessif dans l'expression «ses braves» du v 4. La libération de Jacob-Israël, c'est-à-dire de Juda s'accompagne de l'écrasement des ennemis qui sont aussi ceux du Seigneur lui-même. Le rédacteur voit dans la mystérieuse armée libératrice qui s'en prend à la capitale tyrannique l'instrument de Dieu (Is **30,** *27* ss).

Si le rédacteur de Nah **2,** *1-3*, exploite Is **52** qui date de la fin de l'exil, il ne peut plus s'agir de Ninive, rayée de la carte, depuis un siècle comme puissance souveraine et autonome. Selon J. Jeremias, l'éditeur aurait réorienté sur Babylone l'annonce de la ruine de Ninive. Mais puisqu'il dépend du Second-Isaïe et qu'il est postérieur à la fin de l'exil, Babylone a aussi disparu à cette date. Dans la Bible, Assur a souvent servi de chiffre pour désigner les puissances mondiales qui se sont succédé siècle après siècle : les Babyloniens (Lm **5,** *6*, cf. Is **13-14**), les Perses (Esd **6,** *22*), les Grecs (Jdt **1**). A ce stade de la rédaction finale du livre de Nahum, toute centrée sur le jugement à venir, il est préférable de voir dans Ninive une figure eschatologique (cf. l'introduction. Voir aussi Is **19** *23* s. ; Za **10,** *10*, la relecture de Mi **5,** *4* s. cf. *supra* le commentaire de Michée). Le blocage des perspectives mêlant le Nouvel Exode au Jugement de l'adversaire eschatologique favorise cette interprétation.

L'ULTIME COMBAT
2, *4-11*

Désormais, tout le reste du livre sera consacré à l'évocation de la ruine de Ninive. La section centrale (**2,** *4-11*), dans un tableau haut en couleurs, raconte la prise de la ville. Comme nous venons de le voir, dans son contexte actuel, ce nom désigne une grandeur eschatologique, et la bataille correspond au grand combat de la fin des temps. Mais, il s'agit là d'une réinterprétation, car primitivement ces versets annonçaient la fin de la Ninive historique. Il est probable que le v 2 précédait alors immédiatement le v 4 (cf. *supra*) et l'on serait tenté de faire suivre le v **2,** *11* de **3,** *2-3*, qui font figure de bloc erratique dans leur contexte présent et dont le rythme, le style, la thématique se rapprochent étrangement des v **2,** *4-11*.

Cet ensemble constitue une des plus belles pièces poétiques de toute la Bible, par la vivacité du rythme, le jeu des assonances et des allitérations, le brillant du tableau, son mouvement, etc. Par certains côtés, il anticipe sur certains procédés modernes de composition. On ne trouvera ici rien d'une description minutieuse, à la manière d'une reconstitution historique, soignée jusque dans le détail, ni même un récit continu et cohérent, mais plutôt une succession de gros plans,

quand ils se déploient[e].
Les coursiers[f] sont parés.

[5] Sur les routes, les chars foncent avec furie[a],
  ils se ruent sur les places[b].
On les voit[c] comme des torches,
  comme des éclairs, ils zigzaguent[d].

[6] Il[a] fait appel[b] à ses capitaines,
  ils trébuchent[c] dans leur marche.
Ils se précipitent vers le rempart.
  L'abri[d] est mis en place.

---

e. Litt. «au jour de leur préparation». *b°yôm* «au jour de» a ici un sens tout à fait général «au moment où, quand». *hăkînô* : le verbe, ici à l'infinitif hiphil, signifie en contexte militaire «se mettre en position» cf. Jos **8,4**; Jr **51,12**; Pr **21,31**. Cf. aussi le G.   f. En corrigeant *habb°rošim* «les cyprès» avec le G qui suppose *happārāšim*, «les cavaliers, les coursiers». On a aussi pensé à traduire le TM «lances (de bois)».

5a. Litt. «se conduisent comme des fous furieux». Cf. Jr **46,9**.   b. G «sont entremêlés».   c. Litt. «leurs formes comme des torches».   d. Litt. «courent çà et là».

6a. Ce «il» anonyme désigne sans doute le même personnage que celui évoqué en **2,4** «ses braves». G a le pluriel «ses capitaines se souviendront».   b. Litt. : «il se rappelle». Gaster (*JBL*, 1944, p. 52) renvoie à l'akkadien *zakaru* «convoquer», en contexte militaire.   c. Le verbe n'est guère en situation (cf. v 6b). Driver (*JTS*, 34, 1938, p. 270) propose de lire *yiššal°kû* «ils s'élancent», au lieu de *yikkāšlû* «ils trébuchent».   d. G «avant-postes».

---

qui privilégient certaines scènes dans le temps comme dans l'espace : ainsi le poète nous montre-t-il la mise en place des assaillants des différentes armes (**2,4-6**), puis, passant soudain à l'attaque, il nous fait assister à l'effondrement du palais (v 7), à la capture de la «Princesse», emmenée en déportation (v 8), à la fuite des habitants (v 9), au pillage de la ville (v 10-11), au cliquetis des armes (**3,2.3a**), pour terminer sur l'amoncellement sinistre des cadavres entassés sur le champ de bataille (**3,3b**). Tantôt le narrateur se place au haut des remparts de la ville assiégée, d'où il observe les mouvements des attaquants (**2,4-6**), tantôt, il reflue à l'intérieur même de la ville, où il tente, en une série d'instantanés, de saisir sur le vif quelques scènes aussi atroces que significatives (**2,7-11**; **3,2-3**).

Par son mouvement, le style sert remarquablement l'évocation de la bataille : le rythme bref, heurté, à dominante 2 + 2 ou 3 + 2 celui de la qinah, du chant funèbre, traduit de façon tout à fait significative le déplacement rapide des personnages ou la succession haletante des phases du combat. Peu de *waw* consécutifs (coordinations), sinon en début de vers. Ainsi domine la construction asyndétique qui accentue le mouvement saccadé du poème. Peu de verbes, mais des participes qui rendent le lecteur — ou l'auditeur — comme contemporains des événements relatés. Impression renforcée par l'introduction d'impératifs en **2**,*9-10* : on croirait assister au pillage (v 18) et à la bousculade de la foule qui fuit la ville comme un fleuve en crue (v 9). Des phrases sans verbes (v 11*aα*; **3**,*2-3*) suggèrent la cadence extrêmement rapide de la bataille, en même temps que ces couples de mots nous font voir «les chevaux au galop», «les chars qui foncent», la charge de la cavalerie, l'éclat des lances, ou entendre «le claquement du fouet», «le fracas des roues». L'impression de célérité et de puissance domine jusqu'au decrescendo final des v **2**, *11* ou **3**,*3b* qui fonctionne comme une sorte de ralentissement après une course effrénée, et qui traduit l'angoisse des victimes (**2**,*11*) ou qui s'arrête au sinistre spectacle de monceaux de cadavres (**3**,*3b*).

Style d'un visionnaire beaucoup plus que d'un chroniqueur ou d'un historien. Rien dans cette description n'exige que le poète ait assisté en personne à la ruine de Ninive. Rien non plus ne se rapporte de façon précise à la capitale assyrienne. Tout au plus, l'évocation des «portes du fleuve» rappelle le Tigre ou son affluent le Kosher, mais l'image demeure difficile à interpréter et l'on ne pourra rien tirer de ce tableau pour une éventuelle datation. En tout cas, elle n'implique pas que l'événement soit déjà survenu.

Cette évocation rappelle certains textes jérémiens (Jr **6**,*1-8* ; **4**,*5-9* ; **5**,*15-17* ; **6**,*22-26*). Ici l'ensemble se décompose en deux phases, aussi bien d'un point de vue temporel que spatial.

A l'extérieur des remparts : préludes au combat (**2**,*2.4-6*).

Le narrateur s'adressait ironiquement à Ninive, pour la mettre en garde et surveiller les abords de la cité (**2**,*2* cf. *supra*). Peine perdue, car dans la campagne surgit la foule des assaillants : infanterie, chars, cavalerie s'entrecroisent pour prendre position avant l'attaque. Le possessif dans l'expression du v 4 «*ses* braves», renvoie sans doute, au-delà du v 3, au destructeur du v 2. Tous ces combattants forment une immense tache de couleur, où dominent le rouge et l'écarlate. N'y voyons pas une allusion au sang qui souillerait le bouclier des fantassins, puisque cette section évoque les préparatifs de la bataille. La Bible (Ez **23**,*6-14*) et les documents profanes nous apprennent que

⁷ Les portes qui donnent sur le Fleuve sont ouvertes
  Le palais vacille et s'effondre ᵃ.

⁸ Elle est déportée la princesse ᵃ,
    et ses servantes sont emmenées ᵇ,
  gémissant ᶜ comme des colombes ᵈ
    se frappant la poitrine ᵉ.

7a. On rattache le premier mot du v 8 à la fin du verset 7, ce qui présente l'avantage de régulariser le rythme : 3 + 3 au v 7 et 2 + 2 au v 8abα. Le texte du v 8a a donné lieu à bien des interprétations. La traduction adoptée permet de ne pas modifier le texte consonantique ni même vocalique. La racine *nṣb* « placer » ne donnant pas un sens satisfaisant, on fait dériver *huṣṣab* d'une racine *ṣb* « déverser » (cf. C.-A. Keller à la suite de Driver).

8a. Avec W. Rudolph et C.-A. Keller, il faut rechercher le sujet — nom féminin — de *gullᵉtāh* « est emmenée en exil » dans le mot qui suit. Le stique suivant qui mentionne « ses servantes » donne à penser que ce sujet est une dame de haut rang. C.-A. Keller rapproche le terme *h'lth* de la racine *'ûl* et comprend « la jeune fille ». W. Rudolph suppose une métathèse et veut lire *h'llh*, à rapprocher d'une racine akkadienne *etellu* « être grand, haut (cf. le nom Athalie) ». Spadafora lit *b'lth* « maîtresse ».   *b.* Avec G, Vg, Tg, nous lisons le pual (forme passive) au lieu du piel.   *c.* Le *hogot* « gémissant » (participe qal de *hgh*) est sans doute tombé par haplographie.   *d.* Litt. « comme la voix des colombes ».   *e.* Litt. « sur leur cœur ».

les soldats portaient des vêtements de couleur, plus précisément que les Assyriens « étaient vêtus de pourpre » (Ez 23,6), peut-être dans un but apotropaïque : détourner les forces démoniaques dangereuses, ou tout simplement psychologique : impressionner l'adversaire (cf. W. Rudolph p. 170). Au soleil flamboient les aciers des chars, à moins qu'il ne faille aussi penser aux tissus flamboyants qui les recouvrent (cf. critique textuelle), ce qui aurait l'avantage d'unifier la thématique de ce verset qui nous présente les guerriers, comme les cavaliers, habillés de pourpre.

Soudain, le tableau s'anime (v 5). Les chars (en hébreu, singulier collectif) se mettent en mouvement et avec quelle rapidité « Ils foncent comme des fous ». Le verbe signifie « délirer » (cf. Jr 25,9) et en Jr 46,9, il est, comme en Nah 2,5, appliqué à la course des chars. Sur les routes d'accès à la ville ou dans les rues des faubourgs, ils se déploient en ligne de combat. Comme des torches dans la nuit, comme des éclairs dans un ciel assombri par l'orage, ils brillent de tous leurs feux, zigzaguant à travers les rues et les places.

Sans transition, le projecteur se déplace vers l'état-major qui surveille la mise en place et donne des ordres. Le « Il » anonyme du v 6 renvoie, semble-t-il, au destructeur du v 2, le chef de l'armée des assaillants. Attentif à l'évolution du combat, il convoque ses capitaines (pour le sens du mot *'ādir* cf. Jg **5,** *13* ; Nah **3,** *18* ; Jr **14,** *3* ; **25,** *34.* On pourrait aussi penser à des troupes d'élite) et les envoie aux points stratégiques de la bataille. Dans leur hâte à remplir leur mission — toujours cette impression de rapidité — ils se heurtent ou trébuchent (l'interprétation de ce stique est loin d'être claire), se précipitent vers le rempart, pour entreprendre le travail de sape. Pour le sens militaire du verbe *hlk* «marcher» cf. Jg **1,** *10* ; **9,** *1* ; Nb **1,** *6* ; Ps **138,** *7.* L'abri mis en place, consiste probablement en une sorte de toit destiné à se protéger des projectiles lancés du haut des crénaux par les défenseurs, comme le montrent certains bas-reliefs assyriens. L'atmosphère de hâte, presque de fébrilité se reflète encore dans la succession rapide des propositions. A peine l'ordre est-il donné qu'il est exécuté.

A l'intérieur de la ville : la débâcle (**2,** *7-11*).

Le rempart a été franchi. On ne dit pas comment. Il semble que les «portes du fleuve» aient été le point faible du système de défense. De quoi s'agit-il ? On a identifié ces portes avec des écluses, mais la suite du tableau ne parle pas d'inondation, sinon de manière symbolique au v 9. D'ailleurs le v 6 suggère plutôt des travaux de sape, destinés à ouvrir des brèches dans les remparts. Situé à proximité du Tigre, le site de Ninive était traversé de ruisseaux dont le Kosher actuel ne représente qu'un reste, ce qui explique le pluriel. On sait aussi que cinq des portes des murailles donnaient accès au fleuve qui coulait à une certaine distance de la ville. Ne cherchons pas d'ailleurs à trop préciser. Le récit n'a rien d'un compte-rendu topographique et le narrateur s'intéresse moins au franchissement des murailles qu'à la situation à l'intérieur même de la ville. Son premier regard est pour le palais, centre stratégique de la cité, comme lieu du pouvoir. A Ninive, le palais ou plutôt les palais, ces bâtisses remarquablement décorées, pleines de trésors (cf. Nah **2,** *13* s.), mais aussi de documents épigraphiques d'une valeur inestimable — les bibliothèques contenaient une trentaine de milliers de tablettes — ont grandement contribué à la renommée de la capitale assyrienne. Leur destruction symboliserait de façon tout à fait suggestive la ruine de la cité et l'effondrement du pouvoir assyrien. Les verbes employés (cf. critique textuelle) suggèrent que le monument s'écroule comme un château de cartes. La prophétie se réalisera presque à la lettre : en 612 la ville fut

⁹ Ninive est comme un réservoir d'eaux
   dont les eaux s'enfuient ª.
   Arrêtez! Arrêtez!
   mais personne ne se retourne.

¹⁰ Pillez ª l'argent, pillez ª l'or.
   Trésors sans fin ᵇ,
   Richesse inimaginable ᶜ
   d'objets précieux.

¹¹ Pillage, saccage, ravage ª
   Le cœur fond, les genoux flageolent ᵇ.
   Tremblement des reins ᶜ.
   Tous les visages deviennent cramoisis ᵈ.

9*a*. TM : «depuis les jours *(mîméy)* d'elle *(hî')* et elles-mêmes s'enfuyant». Avec G nous lisons *mêméy hî'* «les eaux d'elle». Mais il semble que ce soit une dittographie explicative après *mayim* du premier stique. Le glossateur voudrait expliquer que les eaux sont un symbole des habitants qui s'enfuient. On retrouve alors le rythme de 2 + 2, caractéristique de cette séquence.

10*a*. G «Ils ont pillé» a lu le parfait, mais cette leçon prosaïque enlève au vers une bonne partie de sa vivacité poétique.   *b*. Litt. «Point de fin aux trésors». Le sens de *t^ekûnāh*, traduit ici par «trésor» est difficile à préciser.   *c*. Litt. «richesse au-dessus de tout». Le caractère poétique impose de placer une pause entre les deux stiques de ce vers et donc d'interpréter le *mikkol* de façon absolue. Pour le sens de *kābod* «richesse» cf. Is **61**,*6* ; **66**,*12*.

11*a*. On essaie, à la suite de A. Georges *(BJ)*, de rendre le remarquable jeu d'assonances et d'allitérations de l'hébreu : *bûqāh ûm^ebûqāh ûm^ebullāqāh*.   *b*. Litt. «cœur fondant, tremblement des genoux».   *c*. Litt. «frisson de tous les reins». *d*. Litt. «Les visages d'eux tous accumulent de la couleur sombre». On traduit parfois «perdent leur éclat» (ramassent la couleur, d'où «deviennent pâles»).

complètement détruite sous l'attaque conjointe des Mèdes et des Babyloniens. Elle ne s'en relèvera jamais.

Le v 8 offre un texte altéré. Il n'est pas facile d'identifier le personnage évoqué. S'agit-il de la reine emmenée en exil avec ses servantes? Mais pourquoi ne parle-t-on pas plutôt du roi? La reine ne jouait pas un très grand rôle dans le système politique assyrien. Est-ce la statue de la déesse Ishtar, la grande divinité de l'amour et de la guerre, dont le culte s'était répandu dans tout l'Ancien Orient? Dans ce cas les servantes pourraient être des prostituées sacrées. En tout cas, le cortège traduit sa douleur en cris et en gestes de deuil, comme dans les cas d'extrême malheur.

Avec la mention de Ninive au v 9, l'anonymat est enfin levé. La
mention des eaux revient ici, mais cette fois dans un cadre
symbolique ; elles servent à évoquer le flot chaotique de la foule des
habitants fuyant désespérément la ville. Celle-ci avait une densité de
population particulièrement forte. Jonas (**4,** *11*) avance le chiffre de
120 000 qui dans le cadre romanesque de ce livre tardif a peut-être
surtout une valeur symbolique et universaliste. Selon A. Parrot
(*Ninive*, p. 64), ce nombre ne serait pas invraisemblable. On peut se
demander si le poète ne pense pas d'abord aux soldats, comme semble
l'indiquer le double impératif «Arrêtez ! Arrêtez !», qui peut aussi se
traduire «tenez bon !». Mais l'appel (des officiers ?) demeure vain. Il se
perd dans la rumeur de la foule, le cri des fuyards et le fracas des
armes.

De nouveau, resurgit au v 10 un double impératif, mais cette fois,
l'appel s'adresse aux conquérants pour les inviter au pillage. Le palais
éventré, avec sans doute d'autres maisons, laisse apparaître des
trésors fabuleux (cf. **2,** *13* ; **3,** *1*), fruits de plus d'un siècle d'impéria-
lisme colonisateur et qui s'offrent maintenant à la cupidité des
assaillants. La chronique de Gadd dit à propos de la chute de Ninive
« Un grand, un incommensurable butin, ils prirent dans la ville...»
(traduction M. Delcor p. 378). La succession de phrases sans verbes,
qui, par trois fois, reprennent le thème d'une richesse incroyable,
souligne vigoureusement l'étonnement voire l'ahurissement devant
un tel spectacle.

L'invitation du v 10 est de suite entendue. Les attaquants
s'exécutent avec un enthousiasme sauvage qu'exprime la triade du
v 11*aα bûqāh, ûmᵉbûqāh, ûmᵉbullāqāh* : le jeu d'assonance et d'allitération où dominent les sons u et a, les lettres b et q, est encore renforcé
par la longueur de plus en plus grande des mots : 2, puis 4, puis
5 syllabes. Il exprime l'intensité et la violence de la razzia. Le tableau
s'achève sur un constat de désolation. La douleur des victimes se
répercute jusque sur les organes corporels du cœur, des genoux, des
reins et des visages (cf. Is **13,** *7-8*). Tout l'être est ébranlé par ce
désastre. On ne peut mieux rendre le pathétique de la scène et la
terreur des habitants.

Pris isolément, ce passage ne nous fournit aucune indication précise
sur la date de cette composition. Le style visionnaire favoriserait
plutôt l'hypothèse de l'annonce d'un événement à venir, sans qu'on
puisse apporter davantage de précisions. Seuls les oracles permettront
d'avancer une date plausible (cf. l'Introduction).

Nah **2**, *12* - **3**, *17*

2   ¹² Où est le repaire du lion?
C'est une mangeoire ª pour les lionceaux.
Quand le lion s'en va, la lionne est là ᵇ,
et le petit du lion, personne ne l'inquiète.

2. 12*a*. Litt. «pâturage» *(mr'h).* Depuis J. Wellhause, on lit souvent, en supposant une métathèse du *r* et du *'* : *m'rh* «grotte». Mais on s'explique mal alors la structure du second stique «et une grotte lui *(hû')* pour les lionceaux». On attendrait *hî'* «elle» (cf. W. Rudolph). La teneur du TM s'accorde fort bien avec la thématique du v 13. *b.* Du point de vue du rythme, il y a un mot de trop dans le premier stique du v 12*b* (5 accents!). Il semble qu'il faille omettre le relatif *'šr* d'allure prosaïque, surtout dans un texte où l'asyndèse semble la règle. Au lieu de *lābî'* «lionne», G a lu *l'bô'* «pour entrer». 4QpNah aurait *lby'* selon J. Allegro (*DJD*, V, p. 38) mais *lbw'* selon A. Dupont-Sommer (*Semilica*, XLII, 1963, p. 57). En tout cas le pesher a interprété *l'bô'*.

ORACLES CONTRE NINIVE, LA VILLE CRUELLE ET SANGUINAIRE
2, *12*-**3,** *17*

La division traditionnelle en chapitres ne correspond pas à la structure du livre. La dernière partie du corpus est consacrée à une série d'oracles qui, à plusieurs reprises, font parler Dieu lui-même (**2,** *14*; **3,** *5*), de sorte que *de facto* dans l'organisation actuelle l'ensemble se présente comme parole de YHWH. La section de **2,** *12* - **3,** *17* interpelle un interlocuteur féminin, désigné explicitement au v **3,** *7* comme Ninive, tandis que les v 18-19, qui visent un partenaire masculin et mentionnent le roi d'Assur, servent de conclusion à tout l'ouvrage.

Cette séquence (**2,** *12* - **3,** *17*) se compose de quatre unités littéraires : un oracle de jugement (**2,** *12-14*), un oracle de malheur (**3,** *1-7*), une sorte de paradigme qui se termine en annonce de châtiment (**3,** *8-15a*), une lamentation satirique (**3,** *15b-17*). Ces différentes pièces ne sont pas simplement juxtaposées, mais articulées les unes sur les autres par le biais de mots-crochets. On note ainsi tout un jeu de reprises : entre la première et la seconde de ces péricopes, le mot *ṭrp*, «rapines», le verbe «être rempli» (**2,** *13*, 3 fois et en disposition chiastique avec *prq* «butin»; **3,***1*), et l'expression «Me voici contre toi» (**2,***14*; **3,***5*); entre la première et la troisième : «épée», «dévorer», «supprimer» (**2,***14* et **3,***15a* qui ferment chacune leur unité); entre la seconde et la troisième : le verbe «chercher» (**3,***7* et **3,***11*). On pourrait alors expliquer l'étrange troisième stique du v 15a «elle (l'épée) dévore comme le criquet», comme une glose rédactionnelle, qui emprunte le *kylq* «comme le criquet» au v 16 en vue de lier la troisième à la quatrième parole divine. La comparaison des sauterelles domine en effet cette dernière péricope. Il pourrait en aller de même pour le dernier stique du v 16 qui reprend assez maladroitement la même image. Enfin, on notera que cette séquence commence et s'achève sur le même mot *'ayyéh* «où (est-il / sont-ils)» (**2,***12*; **3,***17*), ce qui infirme l'hypothèse, pourtant largement reçue, d'un déplacement (avec correction non fondée de *'yh* en *'ykh* «Comment» ou en *'ôy*) de ce dernier mot du v 17 au début du v 18. Par ailleurs, ces reprises de vocabulaire suggèrent que ces diverses pièces proviennent d'une seule main. Rien n'empêche qu'elle soit celle de Nahum, même si leur enchaînement relève plus probablement de l'éditeur.

Dans cette perspective, s'expliquerait aussi la place quelque peu étrange de **3,***2-3* dans leur contexte actuel. Par leur thématique, par leur style haché et incisif, ces deux versets diffèrent considérablement de **3,***1.4-7* (cf. *supra*). Ils perturbent aussi la structure de cet oracle de malheur, en anticipant sur le châtiment annoncé à partir du v 5. En revanche, ils s'accordent parfaitement avec l'évocation si vivante de la chute de Ninive. On serait tenté de les replacer après **2,***11* : l'évocation des monceaux de cadavres donnerait une conclusion obvie à ce tableau. Leur situation actuelle n'est pourtant pas due au déplacement fortuit d'un scribe étourdi. Ils permettent d'articuler cette série d'oracles sur l'évocation suggestive de la fin de Ninive et de lui donner tout son sens : cet effondrement de la capitale assyrienne est l'œuvre de YHWH qui la châtie pour ses exactions et ses crimes.

Contre le lion de Ninive (**2,***12-14*).

A partir du v 12, le narrateur abandonne le style visionnaire. Il parle en prophète et formule un oracle de jugement. Les v 12-14 forment-ils une unité? Formellement, le passage pourrait relever de genres littéraires distincts : une lamentation qui résonne comme une satire (v 12-13) et un type particulier d'oracle de jugement (v 14) que P. Humbert a su très précisément identifier («Die Herausforderungs-formel *hinenî êlèka*», *ZAW* 10, 1933, 101 s.). La structure se présente

¹³ Le lion dépèce pour les besoins ᵃ de ses petits.
II étrangle pour ses lionnes.
II remplit, de rapines, ses tanières ᵇ,
et ses antres ᶜ, de viande dépecée.

¹⁴ Me voici contre toi,
oracle de YHWH Sabaoth :

13a. Il semble que 4QpNah ait lu *badê* «membres» au lieu de *bᵉdê* «pour les besoins de» (TM). L'auteur du Pesher aurait compris «le lion déchire les membres de ses petits». *b.* 4QpNah a le singulier *ḥwrh*, le *h* final correspondant au pronom de la troisième personne du masculin singulier, forme bien attestée à Qumrân.   *c.* Singulier dans 4QpNah.

de la façon suivante : l'oracle s'ouvre sur une introduction «me voici contre toi (vous)», suivie de la formule «oracle du Seigneur» ou d'une expression apparentée ; le développement, scandé par des parfaits consécutifs, annonce une intention de Dieu, qui dans la presque totalité des cas (seul Ez **36**,*9* fait exception) consiste en un châtiment sévère qui doit se réaliser dans un proche avenir. Cette forme très localisée dans le temps (fin du vɪɪᵉ, début du vɪᵉ siècle), se limite aux corpus de Jérémie, d'Ézéchiel et de Nahum. Mis à part le cas exceptionnel d'Ez **13**,*8*, texte complexe et probablement surchargé (P. Humbert, *a.c.*, p. 101 s.), le livre de Nahum est le seul des trois corpus à faire précéder la condamnation d'une justification (Nah **2**,*12-14* ; **3**,*1-7*). Précisément cette constante de la structuration suggère une exploitation originale de la forme par Nahum lui-même. Surtout, le fait qu'une même symbolique, celle des lions, se développe dans les trois versets plaide en faveur de leur unité.

L'accusation (**2**,*12-13*).

Sous les couleurs d'une parabole exploitant une métaphore animale, le prophète dénonce vigoureusement les crimes de Ninive. Sa cruauté impitoyable d'abord : comme un lion affamé en quête de gibier, celui de Ninive, sans doute le roi d'Assur, part à la conquête des cités et des peuples pour les piller et les exploiter sans vergogne. L'image convient particulièrement bien à Ninive. Les bas-reliefs assyriens présentent en effet des scènes de chasse, où les lions tiennent une grande place. On a même qualifié de «chambre aux lions» une pièce du second palais d'Assurbanipal, dont les murs étaient recouverts de semblables peintures (*DBS,* ᶜart. Ninive, c. 493 et 496).

En soi, la métaphore n'avait rien de péjoratif, puisque tel roi assyrien, Assarhadon par exemple, se comparait lui-même à un lion. Le prophète ne l'utilise pas seulement pour évoquer la terreur et la violence, il souligne aussi la rapacité, l'âpreté au gain : «il remplit de rapines ses tanières». Il ne semble pas qu'il faille donner à cette parabole une portée allégorique, comme le propose W. Rudolph (p. 173) qui identifie le lion avec le roi, les lionnes avec la reine et la cour, et les «petits du lion» avec les habitants de la ville. La comparaison porte plutôt sur l'évocation de la conquête (v 12-13a) et l'entassement de trésors fabuleux (v 13b), célèbres de par le monde entier. Cette accusation résonne déjà comme une menace, car elle débute par une interrogation 'ayyéh «où est (la tanière du lion)», premier mot du v 12, qui pourrait fonder un jeu de mots par assonance avec le mot «lion» 'aryéh, premier mot du v 13.

Si ces versets constituent une unité indépendante, on peut voir ici une lamentation à caractère satirique : le poète se demande ce qu'est devenue la cité orgueilleuse et cruelle qui saccageait sans vergogne. Si, comme c'est plus probable, ils représentent l'élément d'accusation d'un oracle de jugement (**2,** 12-14), l'interrogation du v 12 n'a plus qu'une valeur rhétorique, puisqu'au v 14, Dieu annonce solennellement qu'il va anéantir la ville : YHWH se met en quelque sorte à sa recherche pour la châtier. Cette Ninive, retranchée dans son antre, c'est-à-dire à l'intérieur de ses remparts et protégée par ses forteresses, se croyait à jamais en sureté. Mais dès lors que YHWH se met à sa recherche, son existence même est menacée.

Condamnation (v 14).

Sans tarder, la sentence tombe comme un couperet «Me voici contre toi». L'oracle est construit de façon très classique puisque alternent de façon très régulière l'intervention directe de Dieu à la première personne (v 14aβ et 14bα) et ses conséquences inévitables formulées à la troisième personne (v 14aγ et 14bβ).

L'interlocuteur de YHWH, présenté comme une femme (suffixe du féminin), ne peut être que Ninive. On passe donc du signifiant (le lion v 12 s.) au signifié (la ville), ce qui montre bien qu'il ne faut pas chercher à identifier de façon trop précise les personnages des v 12 s. C'est toute la cité qui se trouve engagée dans un combat singulier avec Dieu où elle aura inévitablement le dessous. Il suffira d'ailleurs que YHWH apparaisse en personne ; l'oracle ne laisse pas la moindre place à une possibilité même de défense de la part de Ninive.

Je réduirai en fumée ta multitude[a],
   tes lionceaux, l'épée les dévorera.
Je supprimerai de la terre tes[b] rapines.
   Et l'on n'entendra plus la voix de tes messagers[c].

3   [1] Malheur à la ville sanguinaire[a],
   toute de mensonge.
De butin[b] elle est remplie,
   Jamais n'y manquent les rapines[c].

14a. «Ses chars *(rikbāh)*» (TM). Ce terme ne s'accorde pas avec la symbolique du bestiaire qui prolonge celle des v 12-13. Par ailleurs, dans l'adresse à Ninive («contre toi»), le pronom personnel de la troisième personne devrait être remplacé par celui de la seconde, comme le font G et Vg. Enfin l'image de «réduire les chars en fumée» n'est pas très cohérente. Or 4QpNah, non dans la citation mais dans le commentaire proprement dit, porte *rwbk* «ta multitude» (métathèse du *b* et du *k*), ce qui est aussi la leçon de G, qui est donc à préférer.   *b.* 4QpNah : «ses». Ici, comme dans le TM, le nom est au singulier, mais il a un sens collectif.   *c.* Ce stique n'est pas dans la citation de 4QpNah ; il est pourtant commenté dans le pesher proprement dit. Dans le TM la forme du suffixe est étrange ; A. Dupont-Sommer (*Semitica*, 1963) se demande si c'est un masculin ou un féminin.

3 1a. Litt. «Ville de sang», *'ir damim.* 4QpNah et quelques mss hébreux ont l'article *h'yr hdmym.* Est-ce dû à une volonté d'identifier la ville et le sang ?   *b.* G «injustice» semble supposer la leçon *'šq.*   *c.* La traduction un peu lourde voudrait conserver le chiasme : la ville regorge de butin et de rapines.

L'incendie et la guerre auront raison de la cité entière, aussi bien de ses habitants que de ses trésors. Oui, Dieu se montre vraiment comme YHWH Sabaot, YHWH des armées. Ainsi s'éteindra à jamais la voix des messagers, c'est-à-dire des envoyés, chargés de percevoir tributs et redevances qui pesaient lourdement sur les nations vaincues et asservies. La Bible nous a conservé le souvenir de ces plénipotentiaires arrogants, aussi méprisants qu'impitoyables (2 R **18,** *17* ss ; **19,** *10* ss où l'on peut lire en 2 R **19,** *9.23*, le mot de «messagers» qui qualifie les émissaires de Sennachérib).

Cette section annonce clairement une intervention future de Dieu. P. Humbert a montré que ce type d'oracle visait toujours un avenir proche. Étant donné le décalage habituel entre les représentations prophétiques et leur réalisation, on ne peut en déduire que Nahum aurait nécessairement formulé cet oracle dans les mois ou les jours précédant la chute de Ninive en 612 av. J.-C. Il reste que la parole prophétique n'est pas intemporelle, elle s'inscrit normalement dans l'histoire. La décadence rapide de l'empire assyrien à la mort d'Assurbanipal (vers 630) aurait pu fournir l'occasion d'une telle déclaration (cf. l'Introduction).

Malheur à la ville sanguinaire (**3,** *1-7*).

La structure de cet oracle s'apparente à celle du précédent, puisqu'il contient accusation et condamnation. Elle offre toutefois les caractéristiques d'un oracle de malheur, notamment la déclaration liminaire «Malheur», suivie du nom du destinataire interpellé, à savoir «la ville sanguinaire, toute de mensonge». Ces qualificatifs amorcent la série des accusations qui se poursuivent aux v 1 et 4. La seconde partie, l'annonce du jugement, s'ouvre sur une proclamation solennelle de YHWH «Me voici contre toi, oracle de YHWH», identique à celle de **2,** *14*. Comme les oracles de ce type, cette condamnation se déploie en deux temps : l'intervention personnelle de YHWH, formulée à la première personne (v 5*b* et 6) d'abord ; les conséquences qui en découlent (v 7) ensuite. Il n'y a donc pas lieu, comme le voudrait J. Jeremias, de considérer ce v 7 comme une insertion tardive. L'oracle de malheur de Mi **2,** *1-4* s'achève lui aussi sur une lamentation, introduite, comme celle de Nah **3,** *7* par le verbe *'mr* «et l'on dira». Par ailleurs, Nah **3,** *2-3*, de style et de contenu tout à fait différents, viennent perturber cette structure tout à fait classique. Ils rompent aussi la cohérence logique de Nah **3,** *1.4* qui développe le thème de la fourberie de Ninive. Ainsi se confirme l'hypothèse, formulée plus haut, d'un ajout rédactionnel. Dans l'état présent du texte, cette insertion entraîne un dédoublement de l'oracle, avec deux formulations de reproches v 1 et v 4 et deux évocations du châtiment : v 2-3 et v 5-7.

Malheur ! A l'origine, ouverture d'un chant funèbre, ce cri de douleur, dans ce contexte de jugement, contient une menace : «Malheur à». Il renferme déjà à lui seul, la terrible condamnation que Dieu énoncera dans la seconde partie de l'oracle (v 5-7). Malheur à Ninive «la ville de sang», c'est-à-dire, la ville qui répand le sang, comme l'expliquera Ézéchiel, qui applique le qualificatif à Jérusalem (Ez **22,** *2-4* ; **24,** *6-7*). Les rois Assyriens s'étaient rendus célèbres par leur cruauté, dont ils se vantaient d'ailleurs avec fanfaronnade dans leurs annales et jusque sur les inscriptions de leurs palais. Isaïe y fait plusieurs fois allusion (Is **5,** *29* qui reprend la symbolique du lion ; **10,** *7* ; **19,** *4*). Ces guerriers faisaient trembler la terre. A propos de la victoire de Qarqar en 854 av. J.-C., Salmanazar III publie ce bulletin de victoire : «Je renversai par les armes 14 000 guerriers ; comme le

² Claquement du fouet,
   fracas des roues,
  Chevaux au galop,
   chars qui bondissent.
³   Montures qui se cabrent ᵃ.
  Flammes des épées ᵇ,
   et éclairs des lances.
  Une multitude de victimes
   et une foule de cadavres.
  Des corps, sans fin ᶜ,
   On butte ᵈ sur leurs corps.

⁴ A cause des multiples prostitutions de la prostituée ᵃ,
   belle et grâcieuse ᵇ, maîtresse en sortilèges,
  Prenant des nations dans ses filets ᶜ par ses prostitutions ᵈ
   et des peuples par ses sortilèges,

3a. Litt. «monture qui monte (fait monter)». Le mot *prš* peut aussi signifier «cavalier». Dans ce cas, il faudrait comprendre «le cavalier qui fait se cabrer (sa monture)». *b.* «épée» est tombé en 4QpNah. *c.* Le G «Il n'y avait point de fin pour ses nations» a lu *lᵉgôyêka* «ses nations» au lieu de *laggᵉwiyyāh* «corps, cadavre». *d.* Litt. «ils buttent». Quelques mss hébreux, 4QpNah et le Q du TM ont *wkšlw* au lieu de *ykšlw* du K du TM. C'est sans doute la bonne leçon, car dans cette série de vers, les deux stiques sont reliés par des *waw* de coordination.

4a. Le G rattache ce stique à ce qui précède. *b.* Litt. «belle par grâce». *c.* Le TM a le participe qal *hamokèrèt* «vendant», mais 4QpNah le participe piel. Le piel n'existe pas en hébreu biblique ou mishnique. On est en droit de supposer dans ce cas une dittographie du *mem*. Le sens du TM est difficile à expliquer. On a voulu y voir le contraire de «acheter, racheter» qui, dans la Bible, signifie «libérer» et l'on a traduit «réduire en esclavage». Mais ce sens n'est pas attesté ailleurs. C'est pourquoi, avec E. Sellin, et d'autres critiques, nous préférons supposer une interversion du *m* et du *k* et lire *hakkomèrèt* «prendre dans ses filets, enjôler»; cette interprétation s'accorde bien avec le contexte de la phrase. *d.* 4QpNah a ici le singulier *znwt*, mais le pluriel *znwnym*, au début du verset. Le parallélisme avec *kšpym* «sortilège» appelle le pluriel comme dans le TM cf. 2 R **9,22**.

---

dieu Adad, je fis pleuvoir sur eux un déluge; j'accumulai leurs cadavres; je jonchai la surface de la plaine de leurs nombreuses troupes. Je fis couler leur sang dans les creux de l'endroit. La plaine fut trop petite pour la chute de leurs cadavres; le vaste sol ne suffit pas pour les enterrer; avec leurs corps, je comblai l'Oronte comme pour un gué». Ou bien ce spectacle horrible, raconté avec complaisance par Assarhadon : «Afin de donner aux gens la démonstration de la force d'Assur, mon Seigneur, je suspendis les têtes de Sanduarri et d'Abdimikulti au cou de leurs grands et je (les) fis défiler ainsi à travers la rue principale de Ninive, avec des chanteurs s'accompagnant de harpes». Ne parlons pas des déportations de populations dont les souverains assyriens s'étaient rendus coutumiers.

La seconde accusation porte sur la fourberie de la capitale : «toute de mensonge». Osée emploie le terme *khs* dans un contexte politique, soit de conspiration (Os **7,***3*) soit d'alliance avec l'Assyrie ou avec l'Égypte (Os **12,***1*; cf. Os **10,***3*s.; Ps **59,***13*). A la guerre et à la violence, l'Assyrie ajoutait des procédés diplomatiques douteux. La narration de 2 R **18,***28-36* (= Is **36,***13-22*) nous en offre un bel exemple, avec les tentatives de séduction déployées par le Rab-Shaqé, l'aide de camp de Sennachérib, lors de la campagne de 701 (cf. Is **36,***16*; 2 R **18,***31*), pour amener la population de Jérusalem à une capitulation sans effusion de sang : la déportation y est même dépeinte sous des couleurs idylliques (2 R **18,***32*). Tous les moyens sont bons à ce pouvoir dictatorial pour asseoir son impérialiste souveraineté.

Violence et mensonges n'ont d'autre but que de permettre à Ninive d'accumuler richesse sur richesse. En un chiasme significatif, le v 1*b* nous dit que Ninive «est rempli» du fruit de ses razzias et de ses extorsions. Le mot *prq* «butin» ne se retrouve qu'en Abdias *14*. Celui de *ṭrp* «rapines» renvoie à Nah **2,***12-13*. En fait, les Assyriens avaient profité de ces richesses pour faire de leur capitale une ville mondialement célèbre pour ses œuvres d'art et sa brillante littérature.

Poursuivant l'évocation de la chute de Ninive (cf. **2,***4-11*), Nah **3,***2-3* anticipent sur le châtiment annoncé aux v 5-7. Le prophète nous fait assister au combat : on entend le claquement des fouets et le fracas des roues. On voit le flamboiement des lances brillant au soleil, la charge des cavaliers, le bondissement des chars. Ce bruit infernal débouche soudain sur un silence de mort, celui d'un champ de bataille jonché de cadavres au soir d'un âpre combat. Le poète accumule les termes de «corps» et de «cadavres», comme pour suggérer les monceaux de morts qui bouchent l'horizon. A chaque pas, on butte sur ces entassements sinistres.

Le v 4 renoue avec le thème de la fourberie et dépeint Ninive comme une séductrice et une enjôleuse. Il exploite avec insistance la métaphore de la prostitution. Le mot ne revient pas moins de trois fois dans ce seul vers. Nahum l'a sans doute emprunté à Osée, mais il le détourne de son *Sitz im Leben* originel où l'image visait Jérusalem pour l'appliquer à Ninive, comme Is **23,***17* le faisait déjà pour Tyr. La portée de cette métaphore s'en trouve modifiée. Dans la tradition oséenne, elle s'inscrivait dans la symbolique des noces c'est-à-dire de

[5] Me voici contre toi,
    oracle de YHWH Sabaot :
Je[a] vais relever[b] ta robe jusque sur ton visage
j'exhiberai[a] aux nations ta nudité
et aux royaumes ton ignominie.

[6] Je jetterai sur toi des ordures,
    Je te traiterai avec mépris ; je te donnerai en spectacle[a].

[7] Alors, tous ceux qui te verront
    fuiront[a] loin de toi et ils diront[a] :
    « Elle est dévastée[b], Ninive.
    Qui lui témoignera de la pitié[c] ? »
    Où pourrai-je chercher
        des consolateurs pour toi[d] ?

[8] Vaux-tu mieux que No-Ammon[a]

5a. Dans les deux cas, 4QpNah a la deuxième personne «tu relèveras... tu exhiberas...».   b. Le piel de *glh* signifie «découvrir» et le sens est confirmé par le parallèle du stique suivant «faire voir, exhiber». Mais la traduction «découvrir la robe» n'est pas obvie. La construction est sans doute prégnante : relever la robe pour découvrir la nudité.

6a. 4QpNah porte *k'wrh*, sans doute un participe qal féminin de *k'r*, qui selon J. Allegro (*DJD* p. 41) serait une forme affaiblie de *k'r*, avec l'idée d'être repoussante (cf. R. Weiss, *RQ*, 4, 1963, p. 437). Ce dernier auteur rappelle aussi que *ro'i* peut signifier «excrément». Cependant la suite de l'oracle (v 7) invite à conserver ici le sens de «spectacle».

7a. TM : singulier, 4QpNah : pluriel, accord normal du verbe avec son sujet. b. TM *šodd°dāh* «elle est dévastée» parfait pual. 4QpNah : *šwdh*. Selon A. Dupont-Sommer (*Semitica*, 1963, p. 80) ce serait la même forme mais avec *scriptio plena*. c. Litt. «qui hochera la tête», pour manifester sa sympathie.   d. G «pour elle» a aligné ce vers sur le précédent. Mais 4QpNah appuie le TM. Il convient de garder cette *lectio difficilior* et conclure que c'est YHWH qui reprend ici la parole (cf. v 5 et 6). La citation des passants se limite à **3,7**αβ.

8a. TM *minno' 'amôn* «que No-Amon». En 4QpNah, J. Allegro lit *mny* forme allongée de *min*, d'où la traduction «qu'Ammon». Mais R. Weiss (*RQ*, 1963, p. 438) et A. Dupont-Sommer (*Semitica*, 1963) lisent *mynw*, ce qui confirme la leçon du TM. Selon le premier de ces auteurs, l'*aleph* serait tombé par haplographie ; pour le second, ce serait une simple variante orthographique de *no'*. Tg et Vg identifient cette ville avec Alexandrie, en raison sans doute de la mention de la «mer». Mais Alexandrie n'a été fondée qu'en 332 av. J.-C.

---

l'alliance entre YHWH et Israël (cf. Os **2**). Il ne peut en être ainsi dans le cas de Ninive. Le prophète pense aux amours vénales d'une prostituée qui fait commerce de ses charmes pour entasser richesse sur richesse (cf. Mi **1,7**). Avec des manières d'enjôleuse, Ninive prend les nations dans ses filets pour leur extorquer tous leurs biens. Il est difficile de dire si les «sortilèges» évoquent les philtres d'amour ou simplement l'exploitation habile de ses attraits, «de la beauté et de la grâce». Il est vrai que le lien entre prostitution et magie est un «archétype» que l'on retrouve dans diverses cultures (cf. C. A. Keller, *VT*, 1972, p. 412, n. 2). Dans l'épopée de Gilgamesh (VI, 24.79) le héros reproche à la prostituée d'avoir métamorphosé ses nombreux amants par des enchantements et des sortilèges. A propos de Jézabel, la Bible (2 R **9,***22*) associe également «prostitutions» et «sortilèges». Que vise exactement Nahum? On pourrait peut-être se faire une idée de ce qu'il reproche à Ninive, en pensant aux présents envoyés à Ézéchias par Mérodach-Baladan, prince de Babylone en révolte contre l'Assyrie, dans le but de le faire entrer dans sa coalition (2 R **20,***12* = Is **39,***1*).

Soudain, YHWH entre en scène avec la même formule que dans l'oracle précédent : «Me voici contre toi...» (cf. Nah **2,***14*). Il ne peut plus tolérer violence et mensonge, de la part de celle qui se pose face à lui en rival. Il inaugure ainsi un redoutable face-à-face où la victoire du Seigneur est acquise d'emblée. Prolongeant la métaphore de la prostitution, Dieu annonce solennellement qu'il va relever la robe jusqu'au visage de la coupable, pour en découvrir la nudité. C'était le châtiment des femmes adultères (Jr **13,***22.26* ; Ez **16,***39.41* ; **23,***10.29*). Mais Ninive n'était pas l'épouse de YHWH. Aussi vaut-il mieux penser aux conditions de vie imposées aux prisonniers, condamnés à la nudité (Is **3,***24* ; **20,***4* ; **47,***1-3*). Il s'agit là d'une sorte de châtiment immanent : la prostituée qui se dénudait par plaisir ou par vénalité, la voici maintenant dénudée pour la honte et couverte d'immondices. Et surtout la pire de toutes les épreuves : le Seigneur se propose de la donner en spectacle, pour en faire un symbole ou un exemple. Certains auteurs juifs comme Rashi, suivis par E. Sellin, ont pensé que le terme *ro'i*, traduit habituellement «spectacle», pouvait signifier «excrément». Le parallélisme du vers favoriserait bien cette significa- tion. On aurait alors un jeu de mots suggestif avec le premier terme du v 7 «tous ceux qui te verront *ro'ayik* (comme des excréments)». La difficulté reste que ce sens n'est pas attesté dans l'hébreu biblique.

La suite coule de source : devant ce spectacle immonde, tout passant se détourne, bien plus s'enfuit au loin, en entonnant une lamentation étonnée : «Ninive est dévastée». Elle est réduite à un tel état de misère et de saleté repoussante, qu'elle ne peut que susciter le dégoût : «qui lui témoignera de la pitié?». Dans la bouche du prophète, ce constat de malheur cache mal la joie de la revanche, et l'épreuve atteint son sommet dans la dernière phrase, surtout, si celle-

sise au bord des Nils [b],
entourée d'eau [c],
Avec pour avant-mur la mer [d]
et les eaux [e] pour rempart [f] ?

[9] L'Éthiopie faisait sa force [a],
ainsi que l'Égypte, innombrable [b].
Pout et les Libyens
lui portaient assistance [c].

---

b. «Les Nils», pluriel de majesté? La traduction «les bras du Nil» ne convient pas pour Thèbes qui n'est pas située dans le delta.   *c.* Litt. «des eaux autour d'elle».   *d.* Litt. «dont le glacis (avant-mur) est la mer». La leçon de 4QpNah *ḥylh* «son avant-mur», avec pronom suffixe, est sans doute préférable au TM *ḥêl* «avant-mur», sans pronom suffixe. La «mer» représente ici une large étendue d'eaux et non la mer Méditerranée.   *e.* «les eaux», en ponctuant *mayim*. TM *miyyām* «plus que la mer».   *f.* «rempart» TM singulier. 4QpNah : pluriel.

9*a.* Litt. «L'Éthiopie était sa puissance».   *b.* Litt. «et point de fin».   *c.* Litt. «étaient pour ton assistance». G «ses aides» a sans doute corrigé la seconde en troisième personne, pour établir une cohérence avec ce qui précède. Même si l'on a un changement analogue au v 7, il est étonnant que Thèbes soit ici interpellée, puisqu'elle sert d'exemple à l'Assyrie.

---

ci est mise dans la bouche de Dieu (cf. critique textuelle) : YHWH lui-même, le Dieu de miséricorde et de tendresse (Ex **33,** 7) se déclare incapable de lui trouver des consolateurs. La partie est définitivement perdue : la ville «sanguinaire» (**3,** 1), qui sans trêve étalait sa méchanceté (**3,** 19), qui refusait toute consolation à ses victimes, demeurera à jamais l'Inconsolée (sur l'association de *nûd* «plaindre, prendre pitié» et *nḥm* «consoler» cf. Is **51,** 19 et Jb **2,** 11).

Ninive ne vaut pas mieux que Thèbes (**3,** 8-15*a*).

Beaucoup de commentateurs arrêtent le développement après le v 11. Pourtant, les v 12-15*a* prolongent clairement le conseil donné à Ninive de chercher un «refuge» (fin de **3,** 11). Celui qu'offrent normalement les fortifications s'avère illusoire (**3,** 12). Pas plus que la situation stratégique de Thèbes, «entourée d'eau», ne l'a sauvée du désastre, les systèmes de défense, mis en place par la capitale assyrienne, ne pourront empêcher la défaite et la chute de la ville. Il y a quelque humour cruel à comparer le sort du vainqueur à celui du vaincu. Le parallèle est littérairement souligné par la reprise du terme *gam* «aussi» (v 10 «Elle aussi... ses nourrissons aussi... : v 11 «Toi aussi... toi aussi...») repris deux fois pour l'évocation de Thèbes comme pour celle de Ninive et toujours en début de vers.

Les v 8-10 se réfèrent à la prise de Thèbes en Haute-Égypte en 663 av. J.-C. C'était alors la résidence des Pharaons, ville grandiose, celle qu'Homère appelait «la ville au cent portes» (Illiade IX, 383 s.), célèbre encore maintenant par ses imposants monuments de Louksor et de Karnak. Comme le Pharaon de la 25ᵉ dynastie, Tirhaqa, d'origine nubienne, qui s'était imposé comme souverain sur la Haute-Égypte, tentait de s'emparer de la Basse-Égypte, alors contrôlée par l'Assyrie au sommet de sa gloire, le nouveau roi d'Assyrie, Assurbanipal (668-630 av. J.-C.) répliqua par une campagne audacieuse qui le conduisit aux portes de Thèbes aux alentours de 667 av. J.-C. Le successeur de Tarhaqa, Tanoutamon, capitula en 663. Cet événement eut un rententissement mondial, car il consacrait la puissance irrésistible de l'Assyrie, capable de pénétrer si loin en Haute-Égypte et de se soumettre l'un des plus grands pouvoirs du monde.

Nahum appelle Thèbes No-Ammon. Cette désignation dérive de l'Égyptien Nut-Amon «la ville d'Ammon», la divinité principale de Thèbes. Certains documents l'appellent simplement *Ni'* (cf. cylindre de Rassam). Ez **30,** *14-16* l'abrège en *No'* (cf. Jr **46,** *25*, voir Critique textuelle). La présentation qu'en donne le prophète ne correspond pas à la réalité, car la ville, située au bord du Nil n'était pas «entourée d'eau». Il est possible qu'il projette sur cette cité de Haute-Égypte la configuration d'une ville du Delta, qu'il pouvait connaître. C'est peut-être ce qui explique qu'il parle de «mer», ce qui a entraîné Tg et Vg à l'identifier avec Alexandrie (cf. Critique textuelle). Ou bien il peut s'agir d'une désignation hyperbolique pour désigner le Nil (Is **18,** *2* et **19,** *5* ; Jr **51,** *36* emploiera ce mot pour désigner l'Euphrate).

On a souvent mal perçu le sens de la comparaison. Celle-ci ne porte pas sur la puissance des deux cités, car Ninive pourrait rétorquer qu'elle «valait mieux que Thèbes, puisqu'elle a conquis cette dernière. J. Jeremias (*Kultprophetie*, pp. 39 ss) a repris cette argumentation de J. Wellhausen pour en tirer la conclusion que, primitivement, l'oracle ne pouvait pas s'adresser à Ninive mais à Jérusalem. Cette comparaison porte en fait sur le destin des deux cités (W. Rudolph p. 184) : si, malgré sa situation privilégiée et le nombre de ses défenseurs et de ses alliés, Thèbes n'a pas pu résister à l'attaque ennemie, ainsi en ira-t-il pour Ninive, malgré toute sa puissance. Car aux yeux de YHWH, elle n'est pas meilleure que Thèbes. Nahum reprend ici un thème cher à Isaïe (Is **10,** *9* ss ; **14,** *24-27* ; **30,** *27-33*).

[10] Elle aussi, condamnée à l'exil[a],
   elle partit en captivité.
Ses nourrissons aussi ont été mis en pièces,
   à l'entrée de toutes les rues[b].
Sur ses notables, on a jeté le sort[c],
   et tous ses grands ont été chargés de chaînes.

[11] Toi aussi, tu seras ivre[a],
   tu seras celle qui se cache[b]
Toi aussi, tu chercheras refuge[c]
   loin de l'ennemi.

10*a*. Litt. « elle était destinée à l'exil » en comprenant le *lamed* de *laggolāh* comme un *lamed* de destination. Le balancement des stiques demande de voir dans le premier une proposition nominale. *laggolāh* ne dépend pas de *hlkh* « partir » qui a déjà son propre complément. D'ailleurs l'hébreu dit *hlk bgwlh* et non pas *lgwlh*. Le pesher de Qumrân porte *bgwlh*, parce qu'il fait dépendre le mot du verbe *hlkk* qui suit. Le *beth* a été aussi appelé par le parallèle *bšby* « en captivité ». Il faut garder *lgwlh, lectio difficilior*. *b*. Litt. « à la tête de toutes les rues ». On peut aussi comprendre « aux carrefours ». *c*. TM *yaddû gôrāl* « ils jettent le sort ». 4QpNah *ywrw gwrl* : confusion du *daleth* et du *resh*. De toute façon, la Bible emploie *gwrl* avec ces deux verbes et dans le même sens : avec *ydh* (ou *ydd*) Jl **4,3** ; Abd **11** ; Sir **14,15** ; avec *yrh* Jos **18,6**.

11*a*. On a proposé de corriger *tišk'rî* « tu seras ivre » en *tiššāb'rî* « tu seras détruite » ou encore en *tissak'rî* « tu te vendras (s'engager comme salarié) » et l'on poursuit en corrigeant *na'ālāmāh* en *la'ālmāh* « comme servante » (T. M. Gaster, *JTS*, 1939, p. 164). Mais 4QpNah et versions appuient le TM. Pour le sens, voir le commentaire. *b*. Le sens du verbe *'lm* est incertain. On peut comprendre le niphal dans le sens de « être évanoui, s'évanouir ». *c*. 4QpNah ajoute ici « dans la ville ».

Comme le note justement C. A. Keller (*VT*, 1972, p. 404, n. 1), ce qui importe n'est pas ce que Ninive peut répondre à la question du v 8, c'est ce que le prophète et Juda à sa suite pensent en réalité, car c'est à eux, en définitive, que l'oracle est destiné. L'adresse à Ninive n'est qu'un procédé rhétorique. Les véritables interlocuteurs répondent : Ninive n'est pas meilleure que Thèbes. Bien au contraire !

Toute sa puissance n'a servi à rien. Thèbes a eu beau aligner des troupes nombreuses, celles de la Basse comme de la Haute-Égypte, désignée ici sous le nom de Kush, l'Éthiopie, celles de ses alliés, Pout et la Libye, rien n'a pu empêcher le désastre. Dans la série, Kush est nommé en premier, car ce pays fournissait alors le souverain régnant et sans doute aussi les classes dirigeantes. Dans ses Annales, Assurbanipal nomme Tarquo (= Tarhaqa, 2 R **19,9**) comme roi de Muṣur (= *Miṣrayim*, l'Égypte) et de *Kush* (l'Éthiopie). Dans la masse

de la population, les Égyptiens l'emportaient en nombre. La Libye est
située à l'Ouest de l'Égypte. La localisation de *Pout* reste discutée :
certains pensent à la côte africaine de la mer Rouge, mais il s'agit
plutôt de l'actuelle côte des Somalis. Jr **46,***9* compte Kush, Pout et
Loud (Les Libyens) parmi les mercenaires de l'Égypte. Malgré ce
formidable déploiement de forces, Thèbes dut capituler et partir en
captivité : les Annales d'Assurbanipal se vantent d'avoir emmené à
Ninive de longues cohortes de prisonniers. On ne s'embarassait guère
alors de nourrissons encombrants que les vainqueurs massacraient
sans pitié. Cette coutume sauvage, à laquelle, à plusieurs reprises, la
Bible fait écho (Os **10,***14* ; **14,***1* ; Is **13,***16* ; 2 R **8,***12* ; Ps **137,***9*) avait
aussi pour but d'empêcher à l'avenir tout réveil nationaliste.

Ce que Thèbes a vécu, Ninive doit le vivre (v 11). La double
répétition de «aussi *(gam)*» en tête des vers (v 10 et 11) souligne
littérairement l'analogie de destin. «A ton tour de t'enivrer» pourrait-
on traduire (cf. TOB). L'image peut paraître étrange, mais la Bible
associe volontiers l'ivresse à l'humiliation (Is **29,***9* ; **51,***21* ; Jr **25,***27* ;
Lm **4,***21*). Le comportement d'un homme écrasé de douleur et de
honte n'est pas sans rappeler celui d'une personne ivre (cf. 2 S **1,***13*).
Peut-être le prophète pense-t-il aussi à la coupe de la colère que
YHWH fait boire aux nations, pour les châtier (Jr **25,***15-29* ; Abd *16* ;
Ez **23,***32.34* cf. Ps **60,***5* ; **75,***9*). «A ton tour de chercher un abri»!
Cruelle ironie de l'histoire. La puissante, la prestigieuse Ninive, si
fière de ses conquêtes, doit chercher à se protéger de l'ennemi qui
déferle jusque sur la capitale.

Trop tard! ajoute le prophète (v 12-13). Tous les systèmes de
défense s'avèrent inefficaces. Dans sa vision prophétique, Nahum voit
déjà la ville encerclée et décrit les mesures de sécurité prises par une
cité qui se prépare à soutenir un siège. En vain! Les forteresses
tombent «comme des fruits mûrs» aux mains des envahisseurs. Les
troupes de choc ont perdu tout courage et se comportent comme des
femmelettes (Is **19,***16* ; Jr **50,***37* ; **51,***30*). Les portes de la ville,
incendiées, laissent le champ libre aux assiégeants. On a voulu voir
dans les «verrous» symboliquement les places fortes du pays. On en a
déduit que l'oracle se situait aux environs de 610, au début de
l'invasion. En réalité, il ne faut pas donner aux propositions
nominales et aux parfaits des v 12 et 13 une valeur de présent
historique, car ils sont insérés dans une série de futurs et d'impératifs
qui visent clairement l'avenir. Il s'agit là d'une simple dramatisation
rhétorique : le prophète est si certain de la réalisation de ses menaces
qu'il dépeint l'événement comme s'il en était le spectateur. Dans ce
contexte de siège, les verrous désignent ceux des portes de la cité.

¹² Toutes tes fortifications sont des figuiers
　　chargés ᵃ de fruits mûrs.
　Si on les secoue, ils tombent
　　sur la bouche de qui les mange.

¹³ Vois ! tes troupes ᵃ,
　　des femmes ᵇ au milieu de toi.
　Elles sont grandes ouvertes,
　　les portes de ton pays.
　Le feu a dévoré tes verrous.

¹⁴ Puise l'eau pour le siège ᵃ,
　　renforce les fortifications.
　Va dans la boue ᵇ,
　　foule l'argile,
　　　saisis le moule à briques.

¹⁵ Là ᵃ, le feu te dévorera,
　　l'épée te supprimera,
　　　elles te dévoreront comme (dévorent) les criquets ᵇ.
　Pullule comme les criquets
　　pullule comme les sauterelles ᶜ.

12*a*. Litt. «avec des fruits mûrs». Il paraît inutile de corriger la proposition *'im* «avec» en *'arayik* «tes villes» ou *'ammék* «ton peuple (tes troupes)». L'image est parfaitement cohérente. Ce sont les fortifications qui «tombent» aux mains de l'ennemi.

13*a*. TM *'am*, généralement «peuple», ici «armées, troupes».　　*b*. G : «Comme des femmes».

14*a*. Litt. «les eaux du siège, puise-les pour toi».　　*b*. G : «dans la paille» qui sert à faire des briques, cf. Ex **5,**6 ss.

15*a*. On ne voit pas clairement de quel lieu il s'agit. Les portes dont il est question au v 13 ? La ville où l'on prépare la défense, en faisant appel à une construction *ad sensum* ? K. J. Cahtcart (p. 143) assimile *šām* au *šumma* des textes d'El-Amarna et traduit «Voyez».　　*b*. Ce stique est probablement une glose rédactionnelle qui veut relier ce développement avec le suivant. Le responsable de cette intervention emprunte «tu dévoreras» au début du vers, et «comme le criquet» au début du vers suivant. *c*. G omet ce stique et met en parallèle le troisième stique du premier vers avec le second stique du second vers.

D'ailleurs, les Ninivites sont invités à réparer en hâte les brèches faites dans le rempart : le verbe *ḥzq*, traduit ici «renforcer» (v 14), est utilisé en 2 R **12,**7 s. pour la réparation du Temple. L'image des briques fait très couleur locale, car dans cette plaine de Mésopotamie, il n'y avait pas de carrières de pierre à proximité. En revanche, l'argile fournissait un matériau de construction tout trouvé. Par

contre, la préoccupation de l'eau reflète les soucis d'un habitant de
Jérusalem, qui ne disposait que d'une seule source. Ce genre de
problèmes ne se posait guère à Ninive, surtout depuis que Sennachérib avait entrepris de grands travaux d'irrigation.

Du reste, tous ces efforts sont vains. «Là même», c'est-à-dire dans
la ville même, où la population déploie une activité fébrile, l'épée,
c'est-à-dire le massacre, viendra la rejoindre et les flammes dévoreront maison, palais et tout ce qui s'y trouve. Il n'en restera rien,
comme il ne reste rien de la moisson, une fois que sont passés criquets
et sauterelles. Ce dernier vers représente vraisemblablement une glose
qui n'ajoute rien à l'image de l'épée et du feu dont l'association est
classique dans l'Ancien Testament (Jg **1,***8* ; **20,***37.48* ; 1 S **30,***1.14*
cf. Am **1,***4.7.10* ...; Jr **34,***2*).

Des fonctionnaires comme des sauterelles (**3,***15b-17*)!

Avec le double impératif du v 15*b*, commence une nouvelle unité.
Le prophète s'adresse toujours à Ninive, mais dans une sorte de
retour en arrière il envisage une phase de l'histoire de la ville
antérieure à son anéantissement. D'ailleurs, le v 15*a* fournit une
conclusion adéquate à l'annonce de malheur qui précède.

Les v 15*b*-17 reprennent à nouveau la métaphore des sauterelles,
mais sous un autre angle que celui du v 15*aγ*. Celui-ci évoquait la
voracité de ces insectes; ici l'accent est mis sur leur multitude.
L'image n'est pas nouvelle (cf. Jg **6,***5* ; Jr **46,***23*). L'on sait que des
nuées de sauterelles, ce fléau du Proche-Orient comme de certains
pays d'Afrique, peuvent former de véritables nuages qui ravagent
tout là où elles s'abattent. La comparaison comporte donc une
connotation polémique. Pourtant, la double invitation «pullule» du
v 15 résonne de façon ironique et revêt une valeur concessive : «tu
auras beau te multiplier ...».

La suite précise de façon plus claire ce dont il s'agit : une véritable
nuée de fonctionnaires et de marchands «plus nombreux que les
étoiles du ciel» (cf. Gn **15,***5* ; **22,***17* ; **26,***4* ; Neh **9,***23* ; Dt **1,***10*), qui,
comme des sauterelles voraces, s'abattent sur les pays conquis et
vassalisés, pour leur extorquer le maximum de butin. Le v 16
mentionne d'abord les courtiers ou les commis-voyageurs (TOB).
Ézéchiel (Ez **16,***29* ; **17,***4* ; **27,***23* s.) ne parle-t-il pas de l'Assyrie
comme d'un «pays de marchands» qui, sous la protection des armes,
se livrent à des commerces fructueux, au grand dam des négociants
autochtones. La fin du verset «des criquets qui se déploient et

¹⁶ Tu as multiplié ᵃ tes marchands,
    plus que les étoiles des cieux,
        des criquets qui se déploient ᵇ et s'envolent.

¹⁷ Tes inspecteurs comme des sauterelles,
    et tes sergents-recruteurs ᵃ comme une nuée (de sauterelles) ᵇ
  qui hivernent dans les haies,
    au temps de la froidure.
  Le soleil paraît-il ? elle s'envole
    et nul ne sait où elle se trouve ᶜ.
  Où sont-ils... ?

Nah 3, 18-19

¹⁸ Ils dorment ᵃ, tes bergers ᵇ, roi d'Assur.
  Ils reposent ᶜ, tes capitaines.

16a. Après deux impératifs, on peut donner à ce parfait une connotation volitive :
«multiplie».   b. Le terme est difficile. L'idée sous-jacente semble être celle de
«sortir». B. J. traduit «déploient leurs élytres»; les criquets se préparent à «s'envoler».
D'autres pensent qu'il s'agit de sauterelles qui sortent de leur chrysalide et prennent
leur envol.

17a. Le terme *ṭpsr* ne se retrouve qu'une seule fois dans la Bible, Jr **51**,*27*, où le
contexte donne clairement le sens de «recruter», «réquisitionner». On traduit aussi «tes
scribes», évocation de l'efflorescence littéraire de l'Assyrie.   b. *kgwb gby* provient
sans doute d'une dittographie. Lire *kgwby* «comme une nuée (un essaim)».   c. Litt.
«nul ne sait son lieu».

18a. G «Malheur à eux» a déplacé le *'ayyām* «Où sont-ils» (lu *'ôy* «malheur») du v 17
sur le début du v 18. Lecture erronée. Voir le commentaire.   b. TM singulier, mais
comme le verbe est au pluriel, il faut donner au mot une valeur collective.
c. Probablement, allusion au repos dans la mort, cf. Is **22**,*16*; Ps **49**,*12*. Cf. Vg «et
sepelientur», «ils seront ensevelis».

---

s'envolent» prendrait bien place à la fin du v 17*b* «Le soleil paraît-il ?
l'essaim se déploie et s'envole, il s'en va et nul ne sait où il se trouve».
Beaucoup de traducteurs optent pour ce déplacement (BJ,
M. Delcor; Osty...). Le rédacteur aurait transposé le v 16*b* à sa place
actuelle pour mettre l'accent sur cette sorte d'avidité rapace qui
pousse ces commerçants à s'envoler vers des pays lointains.

Le v 17 énumère deux séries de fonctionnaires, en utilisant deux
mots rares, empruntés sans doute au vocabulaire assyrien. Le second
ṭipsār est à rapprocher de l'assyrien *ṭupsarru*, «scribe»; en Jr **51**,*27*, il
désigne un officier de recrutement. Le sens du premier *minn'zār* est

moins clair; on le met en parallèle soit avec *manzazu* «officier de la
garde» soit avec *mansaru - massaru* «inspecteur, veilleur». Quoi qu'il
en soit de ces précisions, on peut penser à des fonctionnaires
administratifs ou militaires, envoyés par le pouvoir central pour
contrôler et encadrer les populations soumises. Encore une fois,
Nahum insiste : ce sont de véritables essaims qui ne lâchent pas leur
proie. Le règne de la bureaucratie ne date pas d'hier : les fouilles de
Ninive ont livré des dizaines de milliers de tablettes administratives.

La petite parabole de la fin du v 17 vient tout remettre en question
de cette emprise, et justifie la sereine ironie du v 15*b*. Pareils à des
sauterelles ravageuses, qui après avoir hiverné dans les haies aux
jours de froidure, prennent leur envol quand le soleil paraît, les
fonctionnaires assyriens s'enfuient eux aussi vers un lieu inconnu,
lorsque la défaite se profile à l'horizon. Ils disparaissent dans la
nature! Le «où sont-ils» sarcastique, dernier terme de la péricope,
résume en un seul mot le retournement de situation au bénéfice de
Juda. Là non plus, il ne convient pas de donner à tous les détails une
valeur symbolique. L'image n'est pas en tout point pertinente : «En
hiver, les sauterelles se cachent et s'engourdissent, et l'on ne peut
certes en dire autant des marchands et des fonctionnaires assyriens;
mais pour les nations asservies, c'était bel et bien un 'jour de froid '...
Aussi quand vient à briller le soleil de la liberté, c'est un jour nouveau
qui commence...» (M. Bic, p. 91 s.).

CONCLUSION : UN DÉSASTRE IRRÉPARABLE

3, 18-19

La mention des bergers, c'est-à-dire des responsables du peuple, se
situe dans le prolongement de l'évocation des fonctionnaires (**3**, *15-17*).
Mais il ne s'agit là que d'un rattachement artificiel, par le biais de
mots-crochets, procédé habituel du rédacteur. En effet, le changement de destinataire distingue ces v 18-19 des versets qui précèdent :
tandis que **2**, *12* - **3**, *17* s'adressent tous à Ninive dépeinte sous la figure
d'une femme (avec pronom suffixe féminin), cette finale du livre
s'adresse explicitement au roi d'Assur. Pour harmoniser ces deux
versets avec les précédents, beaucoup de critiques corrigent le suffixe
masculin en féminin et suppriment la mention du «roi d'Assur»
(cf. par exemple BHS). A tort, car l'appui textuel est faible (la seule
version syriaque). On a aussi objecté (F. Horst dans Robinson-Horst
p. 166) que seul le peuple peut parler de «ses bergers», et non le roi

Ton peuple est dispersé sur les montagnes,
  et personne pour le rassembler.

[19] Point de soulagement[a] pour ta blessure,
  ta plaie[b] est incurable.
Tous ceux qui apprennent de tes nouvelles
  applaudissent des deux mains à ton sujet.
Car, sur qui n'a pas passé,
  ta méchanceté, sans trêve ?

19a. Il semble inutile de corriger avec G *kéhāh* en *géhāh* «guérison».   b. Litt. «ton coup».

---

qui est de fait le Berger. W. Rudolph réplique, à juste titre (p. 183), que ce sont les bergers du pasteur royal, parce qu'ils font paître le troupeau en son nom. En Is **44,**28, YHWH ne dit-il pas que «Cyrus est son berger» (cf. Jr **3,**15). Par ailleurs, l'omission de la mention du «roi d'Assur» perturberait le rythme en donnant au v 18a un mouvement de 2 + 2, alors que le reste du poème se développe selon un mouvement de 3 + 2, rythme de la qinah, qui convient parfaitement à cette sorte d'élégie funèbre.

Car il s'agit bien d'un chant de deuil. Le commentaire montrera que le v 18 évoque la mort et le v 19 une maladie mortelle. Cette lamentation résonne, bien sûr, comme un chant de dérision et une composition satirique, manière pour le prophète d'exprimer sa joie revancharde.

Apparemment, le début du v 18 n'offre rien de dramatique : «ils dorment tes bergers», c'est-à-dire les classes dirigeantes, selon une terminologie usuelle dans tout le Proche-Orient ancien ; «ils se reposent, tes capitaines», c'est-à-dire les chefs de l'armée. En fait, il s'agit d'un calme trompeur, car le prophète parle du silence et du sommeil de la mort (Jr **51,**39.57 ; Ps **76,**6 ; Is **24,**19 ; Dan **12,**1.3). Privé de ses chefs, le peuple erre, dispersé, sur les montagnes, comme des brebis sans pasteur. Nahum détourne sur les Assyriens la vision dramatique, rapportée par Michée Ben Yimla, à l'encontre d'Israël (1 R **22,**17). Les structures, qui naguère donnaient cohésion et efficacité à ce peuple conquérant, maintenant s'effondrent. Il ne reste plus qu'une masse informe, désemparée.

Le désastre est irrémédiable, la blessure incurable, mortelle. En Jérémie (Jr **10,**19 ; **14,**17 ; **30,**12 ; **8,**21.23) comme en Michée (Mi **1,**9), ce vocabulaire fait partie intégrante du genre littéraire des lamentations. Mais tandis que ces prophètes pleurent sur Israël ou Juda, Nahum se lamente sur le roi d'Assur incarnant en sa personne le destin de son peuple. En fait la douleur n'est que feinte. Pour lui comme pour toutes les victimes d'Assur, l'annonce de l'effondrement irréparable et définitif de l'état oppresseur représente une bonne nouvelle. Aussi se cache-t-il sans doute derrière ceux qui applaudissent à ce malheur avec une satisfaction malveillante évidente (Lm **2**, *15* ; Ez **6**, *11* ; **25**, *6*). La formulation généralisante («tous applaudissent...») du v 19*bα* s'explique par cette cruauté qui ne connaissait nul répit ; «sur qui en effet n'a pas passé... ta méchanceté ?» (v 19*bβ*).

Cette fin abrupte en dit long sur la satisfaction et l'esprit de revanche qui animent le prophète. Mais ce n'est là encore qu'espérance, sinon pourquoi s'adresser à un souverain disparu ou à un pays rayé de la carte ? L'utilisation de la lamentation n'est là encore qu'un procédé rhétorique qui anticipe sur un effondrement encore à venir. Il est plus difficile de préciser la date de cette élégie. Rien n'autorise à la séparer des autres pièces du livre que nous avons situées vers 630 av. J.-C. (cf. Introduction).

La tradition appliquera vraisemblablement cette lamentation à toute puissance politique et religieuse, qui ose se mettre en travers des projets divins, comme le suggèrent les diverses valeurs du «chiffre» Assur à travers l'histoire (cf. *supra* Introduction). L'édition finale du livre y lit l'échec définitif de l'ennemi eschatologique au grand «Jour de détresse» (**1**, *7*). Relu dans cette perspective, toute cette prophétie retentit comme un message d'espérance.

TABLE DES MATIÈRES

SOPHONIE

NAHUM

Introduction